D1108516

DU MÊME AUTEUR

Aux Éditions Gallimard

L'INFORMATION

TRAIN DE NUIT

EAU LOURDE et autres nouvelles

POUPÉES CREVÉES

RÉUSSIR

—

Du monde entier

MARTIN AMIS

EXPÉRIENCE

Traduit de l'anglais
par Frédéric Maurin

GALLIMARD

Titre original :
EXPERIENCE

À Isabel Fonseca

PREMIÈRE PARTIE

DANS LES LIMBES

Introduction : Mes disparues

« Papa ? »

C'est mon fils aîné qui parle, Louis, onze ans à l'époque.

Mon père à moi aurait dit « ... Ou*iii ?* » en baissant un peu la voix pour signaler une pointe d'agacement qui ne manquait pas d'accompagner sa réponse. Un jour, je lui ai demandé pourquoi il prenait ce ton : « Mais je suis déjà là, non ? » m'a-t-il répliqué. Pour lui, l'intermède du « Papa-Oui ? » était manifestement superflu, puisque nous étions tous les deux dans la même pièce et que nous étions plus ou moins censés discuter, même si la discussion était décousue (et, de son point de vue, fort peu réjouissante). Je comprenais bien ce qu'il voulait dire, mais cinq minutes plus tard, je me surprenais quand même à répéter : « Papa ? » Je me ressaisissais pour recevoir de plein fouet sa réponse affirmative. J'étais déjà adolescent quand j'ai cessé ce manège. Les enfants ont besoin d'un moment de transition pour s'attirer l'attention des grandes personnes pendant que leur idée prend forme.

Un passage de *I Like It Here* [*Je me plais ici*] (1958), le troisième roman de Kingsley, et le plus réaliste de tous[1] :

« Papa ?

— Oui ?

— Il est gros comment, le bateau qu'on va prendre pour aller au Portugal ?

— Aucune idée. Assez gros, sans doute.

— Aussi gros qu'une baleine ?

— Quoi ? Oh oui ! Sans problème.

— Aussi gros que la baleine bleue ?

— Oui, bien sûr, aussi gros que n'importe quelle baleine.

— Plus gros ?

— Oui, beaucoup plus gros.

— Plus gros comment ?

— Aucune importance, mais plus gros. Ça, c'est sûr. »

Après un temps d'arrêt, la conversation reprend.

... « Papa ?

— Oui ?

— Si deux tigres sautaient sur une baleine bleue, est-ce qu'ils la tueraient ?

— Mais ça, tu comprends, c'est pas possible. Si la

1. Dans *The Amis Collection* [*Anthologie d'Amis*] (1990), KA écrit : « Un jour, j'ai essayé, par paresse ou par manque d'imagination, de coucher sur le papier des personnes réelles, et j'ai commis ce qui est, de l'avis général, mon pire roman : *I Like It Here.* » Je partage avec mon frère Philip et ma sœur Sally la page de dédicace. *(Les notes sont de l'auteur.)*

baleine était dans la mer, les deux tigres se noieraient tout de suite, et si la baleine était...

— Mais en admettant quand même qu'ils sautent sur la baleine ?

— ... Bon Dieu ! Oui, j'imagine qu'ils finiraient par la tuer, mais ça leur prendrait beaucoup de temps.

— Et un seul tigre, il lui faudrait combien de temps ?

— Encore plus. Allez, ça suffit, tes questions de baleines et de tigres.

— Papa ?

— Qu'est-ce qu'il y a encore, David ?

— Si deux serpents de mer... »

Comme je me les rappelle, ces discussions, et la fascination qu'elles exerçaient sur moi ! Il faut dire aussi que mes tigres n'étaient pas n'importe quels tigres : des tigres à dents de sabre. Et les combats de haute lutte que j'imaginais étaient beaucoup plus complexes qu'ils n'en ont l'air dans le roman. Si deux boas constricteurs, quatre barracudas, trois anacondas et une pieuvre géante... Je devais avoir cinq ou six ans à l'époque.

En y repensant, je m'aperçois que ces questions devaient jouer sur les angoisses les plus profondes de mon père. Kingsley, qui refusait de conduire et de prendre l'avion, qui avait du mal à rester seul dans un bus, un train ou un ascenseur (voire dans une maison après la tombée de la nuit), n'était pas vraiment féru de bateaux ou de serpents de mer. En outre, il n'avait pas envie d'aller au Portugal ni ailleurs. Le voyage lui avait été imposé par les termes et les conditions du prix Somerset

Maugham : « un mandat de déportation », selon l'expression qu'il utilisa dans une lettre à Philip Larkin (« ils m'imposent d'aller à l'étranger ! Quelle plaie ! »). Il avait obtenu ce prix pour son premier roman, *Jim-la-chance*, publié en 1954. Vingt ans plus tard, ce serait à mon tour de le gagner.

Le dossier Rachel parut au milieu du mois de novembre 1973. La nuit du 27 décembre, ma cousine, Lucy Partington, qui habitait chez sa mère dans le comté du Gloucestershire, partit à Cheltenham chez une amie de vieille date, Helen Render. Les deux adolescentes passèrent la soirée à tirer des plans sur la comète ; elles rédigèrent une demande d'admission à l'institut Courtauld de Londres, où Lucy espérait poursuivre ses études en art médiéval. Elles se quittèrent à dix heures et quart. L'arrêt de bus était à trois minutes à pied. Elle n'a jamais posté la lettre et n'a jamais pris le bus. Elle avait vingt et un ans. Et il a fallu vingt et un ans de plus pour que le monde apprenne ce qui lui était arrivé.

« Papa ?

— Oui ? »

Louis et moi étions dans la voiture, théâtre de maintes transactions entre père et fils une fois que commencent à se dérouler à perte de vue, comme une autoroute, les années où vous servez de chauffeur à vos enfants.

« Si tu n'étais pas célèbre et que cela ne change rien pour autant, tu voudrais toujours être célèbre ? »

Joliment tournée, comme question, je me suis dit. Il savait que la célébrité découle automatiquement du nombre de lecteurs qu'on acquiert. Mais à part ça ? Quoi d'autre ? La célébrité est une marchandise sans valeur. Le cas échéant, elle vous vaut un traitement de faveur, si c'est ce que vous recherchez. Mais elle vous attire aussi une dose autrement remarquable de curiosité et d'antipathie. Ce qui ne me gêne pas — mais c'est vrai que je suis un cas isolé, d'autant plus isolé que je finis par y être insensible. Bref : Kingsley tout craché.

« Je ne crois pas, j'ai répondu.

— Pourquoi ?

— Parce que ça détraque les méninges. »

Il a gobé cette réponse en hochant la tête[1].

1. Je ne me suis pas rendu compte, en écrivant ce livre (je ne m'en suis rendu compte qu'en le *lisant*, pour y apporter quelques modifications), combien de fois mon libre arbitre avait été compromis par la célébrité (autrement dit, par les médias) : déviation, obstruction, incompréhension. On n'est pas censé le déplorer parce que la célébrité est soi-disant formidable. Du reste, je ne m'en plains pas. Je me prosterne en pensant à mon ami Salman Rushdie... En réalité, il y a une bonne explication, une explication structurelle aux attaques au vitriol que subissent les romanciers dans la presse. Quand on fait la critique d'un film ou qu'on analyse l'œuvre d'un réalisateur, on ne produit pas un court métrage de dix minutes sur le film ou le réalisateur en question. Quand on écrit sur un peintre, on ne dessine pas un croquis. Quand on écrit sur un compositeur, on ne va pas chercher son violon. Et même dans le cas d'un poète, le critique ou le chroniqueur (sauf à verser dans la présomption et l'ennui) ne crée pas un poème. Mais quand c'est sur un romancier qu'on écrit, sur un champion du récit en prose, c'est un morceau de prose qu'on rédige. Les espoirs qu'on plaçait dans l'écriture n'allaient donc pas au-delà de ce bavardage pseudo-littéraire, de ces entretiens, de ces commérages ? Estimable lecteur, il ne me revient pas de dire que c'est affaire de jalousie. Mais c'est à *toi* de le dire. La jalousie n'entre jamais en jeu à visage découvert. Elle s'affuble toujours d'autres masques : l'ascétisme, l'excellence, le bon sens. Mais comme je l'ai dit, je ne me plains de rien parce que la célébrité, c'est formidable.

On disait naguère que tout le monde portait un roman en soi. Je le croyais ; en un sens, je le crois toujours. Si on est romancier, il faut le croire, parce que cela fait partie du travail : la plupart du temps, on n'écrit rien d'autre que la fiction que les autres portent en eux[1]. Mais aujourd'hui, cependant, en 1999, il faut sans doute mettre en cause ce principe de base : car ce que les gens portent en eux, actuellement, ce n'est pas un roman, mais des mémoires.

On vit une ère de loquacité de masse. On écrit tous, ou du moins on parle : à preuve, la quantité de mémoires, d'autojustifications, de C.V., de cris du cœur. Rien, à ce jour, ne saurait concurrencer l'expérience vécue — elle et son authenticité absolument irréfutable, sa répartition si généreuse et si démocratique. L'expérience vécue est la seule chose que nous partagions à part égale, et tout le monde s'en rend compte. On est entourés de cas spéciaux, de plaidoyers spéciaux ; on baigne dans une atmosphère de célébrité universelle[2]. Pourquoi donc raconter l'histoire de ma vie ?

D'abord, parce que mon père est mort, à présent, et que j'ai toujours su que je devrais commémorer son

1. Sur ce point, la palme revient sans doute à V. S. Pritchett, dont les nouvelles (publiées dans leur intégralité en 1990) sont autant de poèmes dramatiques sur les pensées de gens dits quelconques. J'ai fait une tentative équivalente dans *Money, money*, avec le roman que John Self, le narrateur, porte en lui mais n'écrira jamais.

2. Il est faux de dire que, demain, tout le monde sera célèbre un quart d'heure. Demain, chacun sera célèbre en permanence, mais on sera le seul à le savoir. Une simili-célébrité, une célébrité de karaoké, qui ne saurait guère s'acquitter que d'une tâche : le détraquement des méninges.

souvenir. Il était écrivain, je suis écrivain : il m'incombe de décrire notre cas, cette curiosité littéraire qui n'en est pas moins un exemple parmi tant d'autres de rapports entre père et fils. Ce faisant, je vais devoir me livrer à de sales manies et, par exemple, mentionner beaucoup de gens célèbres, inévitablement. Mais aussi bien, c'est une sale manie à laquelle je me livre depuis le jour où j'ai dit « papa » la première fois.

Ensuite, parce que je ressens les mêmes émois que tout le monde. Je veux rétablir la vérité (on en a *déjà* dit tant et plus) et parler, pour une fois, sans artifice. Mais non pas sans solennité. Le problème de la vie (pense le romancier), c'est qu'elle est amorphe et qu'elle suit grotesquement son cours tranquille. Voyez un peu la minceur des intrigues qui la composent, la grande pauvreté de ses thèmes, la mièvrerie, la trivialité insurmontable qui la caractérisent. Piètres dialogues, ou du moins conversations d'une qualité violemment irrégulière. Retournements tantôt prévisibles, tantôt sensationnalistes. Toujours le même début, toujours la même fin... Mes principes d'organisation, par conséquent, proviennent d'une urgence intérieure — et de cette habitude invétérée contractée par le romancier de déceler partout des parallèles et d'établir des liens entre des éléments fort disparates. Cette méthode, jointe à l'utilisation de notes de bas de page (afin de préserver la pensée collatérale), devrait éclairer la géographie mentale d'un écrivain. S'il semble parfois en résulter des impressions saccadées, des coq-à-l'âne, des variations d'intensité, je n'ai rien d'autre à dire pour ma défense que c'est aussi ce que je ressens, à l'endroit où j'écris.

Enfin, parce que cela m'a été imposé. J'ai vu ce que nul écrivain, peut-être, ne devrait jamais voir : le lieu de l'inconscient d'où surgissent mes romans. Je n'aurais pas pu le découvrir sans aide. Je ne l'ai d'ailleurs pas fait. Je l'ai compris à travers les journaux...

Quelqu'un n'est plus. La figure intermédiaire, le père, l'homme qui se tient entre le fils et la mort n'est plus ; et rien ne sera désormais comme avant. Il a disparu. Je sais, c'est dans l'ordre des choses : tout ce qui vit doit périr, tout doit passer de la nature à l'éternité. Mon père a perdu son père, mes enfants perdront le leur, et leurs propres enfants (perspective qu'il me coûte beaucoup d'envisager) perdront à leur tour le leur.

Sur une étagère, à côté de mon bureau, est posé un petit cadre à double face contenant deux photographies. La première est en noir et blanc, elle a la taille d'une photo d'identité : on y voit une lycéenne vêtue d'un pull-over avec un col en V, d'un chemisier et d'une cravate. De longs cheveux châtains partagés par une raie, des lunettes, une ébauche de sourire. Au-dessus de sa tête, elle a écrit en majuscules : étrangère indésirable. C'est Lucy Partington... La seconde photo est en couleurs : elle montre une toute petite fille vêtue d'une robe à fleurs sombre, avec des smocks sur le devant, des manches bouffantes et des rubans roses. Elle sourit sagement : avec bonheur, mais un bonheur tranquille. C'est Delilah Seale.

Je conserve ces deux photographies dont les sujets, pendant presque vingt ans, ont vécu ensemble au fond de mon esprit. Parce que ce sont, ou quc c'étaient, mes disparues.

Lettre de l'école

Cours Sussex
55 Marine Parade
Brighton, Sussex
Le 23 oct. [1967]

Bien chers papa et Jane[1],

Merci mille fois de votre lettre. On a tous l'air de bosser comme des dingues, pas vrai ? De mon côté, après avoir crânement affiché mon assurance, j'ai l'impression d'être à bout de souffle et au creux de la vague. En anglais, ça va comme sur des roulettes. Mais en latin, c'est une autre paire de manches : je trouve ça dur, barbant et tout ce qu'il y a de plus ingrat. Quelle plaie, si ça foutait en l'air mon examen d'entrée à Oxford ! J'en fais pourtant 2 à 3 heures par jour, mais je manque cruellement de bases, vu que je n'ai rien de ces petits

1. La romancière Elizabeth Jane Howard, qui fut ma belle-mère de 1965 à 1983. Ma moitié de cette correspondance embarrassante se trouve à la bibliothèque Huntington.

morveux qui ânonnent « amo, amas, amat » depuis l'âge de dix-huit mois. En tout cas, le livre au programme est plutôt épatant (L'Énéide, chant II), et si je m'astreins à le potasser suffisamment, ça devrait faire l'affaire pour cette partie-là de l'examen.

D'après Mr. Ardagh, la meilleure manière de réussir l'examen d'entrée à Oxford est de choisir 6 ou 7 types et de les connaître plutôt à fond, au lieu de glander avec un ramassis d'un peu tout le monde. J'ai pris Shakespeare, Donne et Marvell, Coleridge et Keats, Jane Austen, [Wilfred] Owen, Greene. Peut-être que je vais y ajouter le bon vieux Yeats. J'aime vraiment l'anglais, mais je dois dire que par moments je crève d'envie de me trouver une autre occupation. La perspective de l'enseignement ne me paraît plus si reluisante, parce que ça veut dire que je vais passer les 4 prochaines années à faire le même *genre* de truc sans un instant de répit. J'espère que vous ne me croyez pas dégoûté de la littérature : je me sens au contraire plein d'ardeur pour en consommer des tonnes. Pendant les quelques jours que j'ai récemment passés à Londres, j'ai lu « Middlemarch » (en 3 jours), « Le Procès » (quel sombre connard, ce Kafka — 1 jour) et « Le Fond du problème » ; même ici, j'arrive à lire un ou deux romans par semaine (et plein de poésie). C'est juste que j'en ai un peu mare [*sic*] de me pencher tout le temps sur les mêmes idées, mais je crois qu'une bonne leçon de mon père ou de ma belle-mère devrait y remédier. Désolé de vous enquiquiner avec ça : en plus, c'est peut-être juste une phase, une étape dans la construction de ma personnalité — qui sait ?

J'ai trouvé ça typique de ton intégrité, Jane, de me mettre en garde contre les imperfection [*sic*] de Nashville[1]. Mais même si j'ai super envie de vous voir tous les deux, je crois que j'ai trop de chats à fouetter et de sangliers sur le feu (à coup sûr, Jane va pouvoir adapter ces expressions à l'une de ses métaphores complexes et alambiquées) pour pouvoir partir pendant 2 ou 3 semaines entières. C'est *pas impossible* que j'aie un entretien à Oxford le 20 décembre (aussi tard que ça), ni que je commence à recevoir des réponses dès le 1er janvier (aussi tôt que ça). Sans parler de la pure force de dissuasion de la télé américaine, qui est complètement *merdique*. Le tout dans le tout, je crains de ne pas pouvoir venir. C'est *vraiment* dommage parce que j'aimerais tant vous voir tous les deux.

Je vois le petit Bruce[2] assez souvent, mais sans doute pas suffisamment pour qu'il s'approvisionne comme il faut en croquettes au poisson pour mes visites. Il a l'air en pleine forme... Comme vous pouvez vous y attendre, ce mot sonne comme un glas qui me rappelle à mes déclinaisons latines, aux constructions en prose et autres fredaines du même acabit.

1. À l'époque, Kingsley était professeur invité à la Vanderbilt University de Nashville (« qui passe, parfois sans une once d'ironie, j'en suis sûr, pour l'Athènes du Sud ») dans le Tennessee.

2. « Bruce » était le surnom que mon frère et moi, pour je ne sais quelle raison, avions donné au frère de Jane, Colin, qui avait habité avec nous pendant plusieurs années.

Écrivez-moi vite, s'il vous plaît. Vous me manquez terriblement.

Plein de bises,

MART XXX

P.-S. : Transmettez mon cordial souvenir à Karen — sans aucun regret ni chagrin de ma part, car, pour autant que je m'en souvienne, elle doit faire dans les deux mètres quatre-vingt-dix à présent.

P.-P.-S. : En y repensant, je trouve que « Middlemarch » est VACHEMENT bien : Jane Austen + la passion + l'envergure. Génial.

Bises,

MART

Question de rang

Le problème avec Karen et ses deux mètres quatre-vingt-dix, c'est que je mesurais à peu près un mètre cinquante-huit à l'époque (et que je n'allais prendre que dix centimètres de plus). Tout le monde me répétait : « Tu vas voir, tu vas pousser comme un champignon » ; mais au bout d'un moment, c'est moi qui relançais à tout bout de champ : « Qu'est-ce que c'est que cette histoire de champignon ? Je n'ai *rien* vu pousser du tout. » Ce qui m'ennuyait le plus, dans cette histoire, c'est que j'avais l'impression qu'environ la moitié des femmes m'était inaccessible. Quand j'étais encore plus jeune et encore plus petit, j'avais une copine qui faisait un mètre quatre-vingt-cinq. On avait passé un accord tacite : jamais debout en même temps, jamais ensemble en public. À part ça, c'était une relation normale, à un autre détail près : lorsqu'on était couchés sur le lit (on n'est jamais vraiment entrés sous les draps), j'avais les pieds qui arrivaient à la taille d'Alison.

J'aimerais pouvoir dire que je « n'ai aucune excuse à présenter » pour mes lettres de jeunesse qui vont ponctuer la première partie de ce livre. Mais c'est faux : je me répands en excuses. En plus, elles empirent au fur et à mesure. Comme tout le reste. Je suis vraiment confus. Passent encore les circonlocutions laborieuses et les lourdes plaisanteries : ça, je peux le pardonner. Mais mon rejet de Kafka est grotesque[1], et il n'est qu'en partie racheté par le semblant de justice contenu dans le second post-scriptum. Et ce mot *génial* : qu'est-ce qu'il me prenait de l'employer *à tort et à travers* ? Là, pourtant, je me reconnais. Ailleurs, j'ai l'impression que cette lettre a été écrite par un étranger : ce ton d'intolérance comblée, cette stupidité politique. Et ces idées toutes faites qui me répugnent, ces formules spontanées, ces formules grégaires... Sans parler du reste. Mais passons.

À mon arrivée au Cours Sussex à la fin de l'année 1967, j'avais tout juste dix-huit ans et je sortais d'un spleen adolescent insondable. Souvenez-vous : c'est l'âge où l'on met une journée entière à transporter une seule chaussette d'un bout à l'autre de la chambre. Et encore... Un jour à marquer d'une pierre blanche si on y arrive. L'état d'hébétude n'était pas seulement physique. J'avais dix-huit ans et je réussissais en moyenne une matière tous les deux ans au brevet. Pour toute satisfaction, j'étais censé être fort en anglais. J'ai passé

1. On aurait dû m'orienter vers les nouvelles, qui sont bien sûr immortelles. Les romans de Kafka sont excellents dans leur structure onirique, mais ce sont des cauchemars. D'ailleurs, *lui-même* n'a pas pu les terminer.

cette matière au bac à un âge assez précoce, vers quinze ou seize ans. Et bien que j'aie dégringolé l'escalier devant trois cents jeunes candidats, dont une moitié de filles, en arrivant à la salle d'examen, je suis sorti de l'épreuve sûr de moi. Les difficultés associées à cette vaste blague, je me suis dit, avaient été largement exagérées. « Martin ! » cria ma mère depuis le rez-de-chaussée, alors que j'étais allongé sur mon lit dans la maison de Fulham Road, croupissant dans des miasmes de puanteur. Elle m'appelait Mart, en général. La prononciation complète de mon nom signalait toujours un... « T'as été *collé*. » Pire qu'une mauvaise note : un échec. *Sans rémission*.

Le hic, c'est que je n'aimais pas travailler parce que je n'avais aucun pouvoir de concentration. La *concentration*, c'était comme une forteresse qu'il ne m'était jamais venu à l'esprit d'escalader, et je me souviens d'avoir bayé aux corneilles pendant des heures entières de cours particuliers sans penser à rien du tout. Je n'aimais pas travailler. Ce que j'aimais, c'était sécher les cours et sortir avec mon copain Rob, aller jouer aux courses (pas de chevaux, mais de chiens), flâner dans King's Road en pantalon de velours ultramoulant et en écharpe de soie cradingue, fréquenter un café qui s'appelait le Picasso, fumer du shit (8 livres la barrette à l'époque) et essayer de draguer les filles.

« Viens faire un tour », je lui proposai un jour.

Rob se détourna. Je dois signaler ici que Rob était (et qu'il est toujours) de la même taille que moi.

« Allez ! Qu'est-ce qui te prend ? On va draguer.

— Où ? Au Picasso ?

— Ouais.

— Je supporte plus ce café. Déjà que je supporte mal d'être dans ma chambre... »

Comme d'habitude, la fumette nous avait plongés dans un état de paranoïa clinique.

« Qu'est-ce qui te gêne au Picasso ? Bon, d'accord, on n'ira pas. On ira draguer ailleurs.

— Où ça ?

— Ben... Dans l'autre café. Derrière le Picasso.

— Mais on finira par échouer au Picasso.

— Non, on n'ira pas au Picasso.

— Je me sens court sur pattes dans ce troquet.

— Moi aussi. Donc on n'ira pas essayer de draguer là-bas. Allez, viens !

— D'acc. Mais je veux pas finir au Picasso, à draguer sur mes courtes pattes. »

C'est pourtant ce qui finissait quand même par arriver. On passait des trimestres entiers à se demander si on irait faire un tour au Picasso. Plus tard, pendant une courte période, on a essayé les rallyes. Prometteur, à première vue. Mais quelles géantes, ces filles de la haute ! Toutes avec un corps longiligne dû à des siècles de banquets. Pareil pour les hommes : on avait l'impression, comme on se l'est avoué, de circuler en passant sous les jambes de tout le monde.

Il n'y avait plus d'autre solution que le Cours Sussex : c'était pour moi le saloon de la dernière chance. Même moi, je le savais. Mes études secondaires s'effilochaient par tous les bouts. J'avais fréquenté le collège Bishopgore de Swansea, le lycée de garçons de Cambridge, l'École internationale de Palma de Majorque, l'école Sir Walter St. John dans le sud de Londres, puis, après tout cela, les boîtes à bachot, les établissements privés qui se faisaient soi-disant une spécialité de repêcher les élèves en situation d'échec scolaire dans le système public, ainsi que les enfants de parents nomades, désorganisés, mais toujours solvables. Le Cours Sussex était une *pension* destinée aux cas désespérés. Je devais encore réussir quatre ou cinq autres matières pour le brevet (y compris le latin, où je partais plus ou moins de zéro), trois matières pour le bac, et obtenir d'assez bonnes notes afin de pouvoir me présenter à l'examen d'entrée d'Oxford en décembre. J'avais un an devant moi.

Jusque-là, ça avait fonctionné. Enfin, c'est *moi* qui avais fonctionné. La ville ressemblait à des rangs de fauteuils disposés autour d'une scène qui aurait été la mer ; et le Cours, véritable dédale de greniers en ruine, était juché sur une falaise urbaine qui surplombait la jetée, la plage de cailloux où les vagues venaient se briser. La rumeur voulait que la bâtisse ait jadis servi de maison de retraite, elle était à côté d'une maison de retraite et entourée d'autres maisons de retraite. Tout Brighton n'était qu'une immense maison de retraite. Par beau temps, on sortait les vieux, qu'ils soient valides ou en fauteuil roulant, et on les installait sur les terrasses et les toits clôturés par une barricade : se profilaient alors des rangées et des rangées de têtes échevelées, de visages hagards parsemés de taches de son, profitant du soleil et de l'immanquable barbarie du vent. Moi aussi, je me faisais l'effet d'un convalescent, après les obscures épreuves dont j'avais été le sujet entièrement passif pendant mon adolescence — migraines, vertiges et rhumatismes. En arrivant à Brighton, j'étais amoureux. Mon premier amour. Il avait surgi, il s'était installé, puis il s'en était allé. Après m'avoir empli, il m'avait vidé. Je voulais de nouveau tomber amoureux et je consacrais bien sûr la moindre parcelle de mes loisirs à tenter d'y parvenir : promenades, regards appuyés, rougissements, expressions du désir, attentes, je ne lésinais sur aucun moyen. Mais à l'époque, j'étais au moins amoureux de la littérature, surtout de la poésie. J'en lisais pendant des journées d'affilée. Un regard par la fenêtre, des mouettes dans le ciel, un brusque accès de tristesse. Je lisais de la poésie et j'en écrivais. J'étais en voie d'édification. Mais était-ce pour autant une amélioration ?

Un critique a décrit le héros de mon premier roman, âgé de dix-neuf ans, comme « un être à la fois gâté et répugnant ». J'accepte cette description, pour mon héros et pour moi-même. J'étais un Osric. (« *Hamlet* [*à Horatio*, *bas*]... Connais-tu ce moucheron[1] ? ») Ce qui me fait le plus grimacer de honte, c'était ce comporte-

1. On m'a récemment rappelé que Kingsley avait joué Osric dans un spectacle universitaire à Swansea en 1953. Or, je me souviens des manies qu'il devait au personnage, toujours prêt à courir le guilledou, à battre des cils et à agiter mollement le poignet. Comme Osric le dit de Laërte : « un parfait gentilhomme, croyez-moi, que distinguent les plus hautes qualités, un très agréable commerce et la plus belle prestance ». C'était tout mon portrait, en 1967.

ment huppé et empanaché que j'essayais en vain de cultiver. Mon passage dans des écoles privées m'avait, une fois n'est pas coutume, mis en contact avec les rejetons de grandes familles fortunées (j'avais pour camarade, à Brighton, le comte de Caithness, un échalas ébahi qui faisait tout sauf de la pub pour l'aristocratie). Ça m'a donné des idées, mais des idées qui ne pouvaient pas durer longtemps et qui, d'ailleurs, se sont vite dissipées. Martin était le prénom de la moitié des joueurs de l'équipe d'Angleterre de football, et lorsque je cherchais Amis dans le dictionnaire des patronymes, je tombais sur ceci : « Issus des classes inférieures de la société, *en part.* les esclaves. »

Après un court échange avec Kingsley, je compris qu'il me fallait mettre un terme à mes ambitions.

« Papa.

— Oui !

— Est-ce qu'on est des nouveaux riches ? »

C'était en 1966, dans la cuisine du 108, Maida Vale, où Kingsley et Jane venaient d'aménager. Mon frère et moi nous étions récemment ajoutés au foyer. Nous avions cessé de vivre avec notre mère pour venir vivre chez notre père. À l'initiative de Jane. Elle voyait qu'on finirait à la rue, sinon... La cuisine était prospère, elle avait fière allure et elle était toujours bien garnie, me semblait-il, vu que des hommes en veste blanche venaient sans cesse l'approvisionner. C'est que *Jane* était plutôt snob, après tout ; j'avais l'impression d'avoir grimpé dans l'échelle sociale. Bien sûr, je savais que le statut de nouveau riche n'avait rien d'enviable, et j'attendais d'un air suffisant que mon père me rassure, qu'il me dise qu'on était un peu au-dessus.

« Humm, fit-il. *Très* nouveaux. Et *pas* riches *du tout.* »

« Papa. »

Trente ans plus tard : de nouveau dans la voiture, de nouveau Louis.

« Oui ?

— À quelle classe on appartient ? »

Penché sur le volant, j'ai répondu d'un ton bourru :

« À aucune. On croit pas à ce genre de truc.

— Alors on est *où* ?

— En dehors de tout ça. On fait partie de l'intelligentsia.

— Oh ! a-t-il dit en ajoutant d'une voix de fausset bien appliquée : Est-ce que ça fait de moi un intellectuel ?

— Papa. »

Intervention du fiston numéro deux, Jacob, neuf ans à l'époque.

« Oui ?

— Pourquoi tu dis dé*j*'ner ?

— Tu dis quoi, toi ? Dé*jeu*ner ?

— C'est sûr que ça fait ridicule, dit *comme ça*. Et tu dis *d'jà* ?

— Oui. Déjà. Dire *dé*jà, c'est ce que ton grand-père appellerait la prononciation orthographique.

— Ça veut dire quoi ?

— C'est quand tu respectes l'orthographe au mépris

du rythme de la langue parlée. C'est comme pour *autommmne*, au lieu de *autonnne*.

— Et tu dis *ch'val* ? a demandé Louis.

— Oui.

— Mais pas *l'ger*, hein ?

— Non, bien sûr que non.

— Le *ch'val sauvag'* a *d'jà déj'né*.

— Mais c'était un *déj'ner l'ger*.

— Non, c'est évident que je dis pas ça comme ça.

— Alors, pourquoi tu dis *ch'val, déj'ner* et *d'jà* ?

— Seigneur ! Je m'y suis entraîné quand j'étais jeune parce que je trouvais que ça faisait chic.

— Pourquoi t'as fait ça ? a demandé Louis sur un ton sincèrement intrigué.

— Parce que c'était cool d'être chic. »

Il a baissé la tête d'un seul coup.

« *Ah bon !... Merde alors !...* »

Dans le Tennessee, mon père vivait des choses intéressantes en 1967 ; mais il entrait naturellement dans le tempérament inflexible d'Osric de ne pas s'en apercevoir. Sautez une ou deux pages et allez voir le premier paragraphe de la deuxième Lettre de l'école : un poème en prose stupéfiant par son absence de curiosité. Comme je rejetai avec désinvolture l'occasion d'aller à Nashville pendant les vacances ! C'est vrai que je travaillais, et que je pouvais être convoqué à des entretiens. Mais par-dessus tout, je ne voulais pas gâcher deux semaines entières, quand j'aurais pu les employer à me demander si j'irais au Picasso.

En arrivant dans le sud des États-Unis, mon père a découvert le paysage urbain typique de tout le pays : « Pour l'évoquer, ce n'est pas une description qui convient, mais une liste, ou du moins le début d'une liste, une liste que tout le monde connaît. » Il a aussi découvert que « l'alcool au verre » était toujours prohibé dans cet État. On apportait sa propre bouteille au comptoir du bar et on demandait un *fixe* : un verre avec de la glace. Kingsley poursuit : « Les mêmes règles s'appliquaient aux restaurants, dont le nombre semblait se réduire à deux (dans une ville de presque cinq cent mille habitants) : l'un de mauvaise qualité, l'autre de très mauvaise qualité pour la nourriture et le service, mais faisant tous les deux cause commune pour n'accepter aucune réservation. » Ailleurs, en bon Anglais qu'il était, on le traitait comme une bête curieuse de l'aristocratie : « "On a ce soir un *autre* citoyen de Grande-Bretagne", [dit le directeur] en exhibant fièrement un modeste employé du zoo provincial, lequel avoua posséder non pas un, mais *deux* oryx arabes. » Mais ce qui l'a davantage marqué, c'est d'être pris dans des conversations comme celle-ci (la femme est l'épouse d'un professeur du Département de langues et littératures ibériques) :

« Avez-vous eu l'occasion de voir, dit-elle avec un accent qui n'était pas plus incroyable que d'habitude, le film que Laurence Oh-liver a tiré d'*Oh-thello* de Shakespeare ? [...] Comment l'avez-vous trouvé ? Pas le film, entendons-nous bien ! Je veux dire, *lui*.

— Euh... Très bon.
— Mais on l'avait maquillé en... en Noir !
— Exact, tout à fait juste.
— Il pârlait même comme un Noir.
— Oui, peut-être un peu sur les bords.
— Et en plus, il mârchait comme un Noir ! [...] Comment donc une dame pourrait-elle tomber amoureuse d'un homme pareil[1] ? »

Encore plus marquant : Kingsley s'est retrouvé dans un Département d'anglais où l'un de ses collègues, romancier lui aussi, lui avouait « (à la lettre) : "C'est plus fort que moi, mais je peux pas mettre A à un nègre ou à un juif." »

Gâté, répugnant (et pas fait pour durer), Osric se serait démantelé en dix minutes à Nashville. C'était donc cool de faire chic ? Oui, Louis, tout à fait d'accord : *Merde alors...*

1. Ce qui me rappelle que dans certaines cultures, *Othello* passe pour une tragédie dont *Iago* est le héros. Ces citations sont extraites des *Mémoires* de KA (1991).

Lettre de l'école

Cours Sussex
55 Marine Parade
Brighton
4/11/67

Bien chers papa + Jane,

J'ai reçu vos deux lettres en même temps — et quelles belles lettres c'étaient ! Désolé d'apprendre que vous ne vous entendez pas trop avec les ricains : ils sont *tous* aussi nuls ? Vous travaillez dur aussi. Mais vous serez rentrés avant de vous en rendre compte. Oui, avant de vous en rendre compte.

Ce petit farfadet de Mr. Ardagh m'a presque à coup sûr déniché un boulot à Rottingdean. Je vais amener les mioches au sport. Incroyable, non ? Ils vont passer le temps à me cogner dessus et à rivaliser d'inventivité pour me trouver des surnoms blessants. Mais bon, je le prend [*sic*] comme un défi, etc.

Le QGS [Quartier général de la saloperie] s'est installé à Brighton. Ça fait dix jours qu'il pleut à verse, avec tempêtes de neige, ouragans, tornades, tremblements de terre et autres catastrophes du même ordre. Mon seul réconfort est de braver les éléments et de marcher dans la pluie aveuglante jusqu'à épuisement. On m'a vu aussi regarder par la fenêtre et me résoudre en silence, avec un stoïcisme ahuri, à enfiler un pantalon de flanelle blanche pour sortir sur la plage.

Deux petites anecdotes pour vous caresser le nombril à l'un et à l'autre :

Pour Jane, d'abord : il y a deux ou trois semaines, j'ai rencontré une jolie fille qui s'appelle Charlotte. Un soir, je suis allée la chercher dans son appartement de Hamilton Terrace pour la sortir. Elle m'a solennellement présenté à sa mère qui, après m'avoir offert un verre, a exprimé le désir de savoir où j'habitais. Je le lui ai dit et elle s'est exclamée en transe : « Pas possible ! Vous devez donc vivre à proximité d'Elizabeth Jane Howard ! » Je l'ai calmement renseignée sur le degré de proximité. Ça l'a plutôt impressionnée et elle s'est lancée dans un concert de louanges pour « After Julius ». Et moi, je me suis lancé dans la séduction de Charlotte, agrément supplémentaire d'une soirée plaisante[1]. Dans cette conquête, il se peut fort que Jane ait joué un rôle non négligeable.

Au tour de mon illustre père. Un ami m'a consciencieusement demandé lequel de tes livres je lui recom-

1. Fanfaronnade creuse et mensonge éhonté. Je trouvais que Charlotte était belle et intelligente (en plus d'être de bonne famille et de petite taille). J'ai fait de mon mieux, mais je ne suis arrivé à rien avec elle.

mandais. « Jim-la-chance », je lui ai répondu. Il est bientôt allé l'acheter et, un soir où j'entrais dans sa chambre, je l'ai vu hoqueter au-dessus du lavabo, le visage ruisselant de larmes, en train de récupérer d'un fou rire provoqué par un passage du roman en question[1]. Pas mal pour toi, hein ?

À propos, j'espère fermement que vous ne me refuserez pas de mettre quelques bouquins sur l'ardoise — rien que des ouvrages respectables, soyez-en certain [*sic*]. J'ai maintenant une bibliothèque sacrée d'environ 25 livres (de poche, pour la plupart), qui feront ma fierté quand j'irai à la fac.

En plus, ce véritable farfadet d'Ardagh a installé une tapette en chaleur dans la chambre à côté de la mienne. Il entre sans frapper tous les soirs entre minuit et une heure, les yeux brillants, dans l'espoir de me voir plus ou moins déshabillé. Il veut me sauter, vous comprenez, mais ça ne me sert à rien de le savoir. J'ai envisagé de me venger, de lui verser de la poudre à éternuer dans son café, de cracher sur sa brosse à dents, de lui voler son shampoing, de souiller son pyjama, etc. Mais je ne vois pas en quoi ça m'aiderait. Au bout du compte, je devrai sans doute lui expliquer par le menu que je suis incapable de comprendre pourquoi il va pas se faire foutre.

1. *Quel* passage, espèce d'idiot ? Le « roman en question », ouais... Mais je dois arrêter de chahuter avec celui que j'étais. Je n'ai apporté aucun changement à ces archives hilarantes, sauf pour protéger les innocents. Les lecteurs vraiment généreux m'accorderont que moi aussi j'étais innocent.

J'ai vu le nouveau film de ce pauvre vieux Peter Yates ce soir : « Trois milliards d'un coup ». C'est dans le vent (donc forcément mauvais) : des scènes de 30 minutes dans l'obscurité totale et ce genre de choses. Bref, vous voyez ce que je veux dire.

Sur ce, je vais me coucher. Vous me manquez, écrivez-moi vite.

Je vous embrasse très fort.

MART XXXXX

À propos, Jane, je me suis farci « L'arc en fiel » de Lawrence pour mes examens, et je sais donc maintenant pourquoi ça ne tient pas la route. Je vais lire ses autres bouquins avant mes entretiens, ainsi que « Guerre et paix » par envie, et, sur le conseil du farfadet en chef, « Daniel Deronda ». Quelques opinions en bref :

Ezra Pound : un petit pédé à la mode.

Auden : bien, mais j'ai l'impression que c'est *forcément* un sale merdeux.

Hopkins : chouette à la lecture, mais ça résiste pas à l'analyse.

Donne : absolument merveilleux.

Marvell : idem.

Keats : ça passe, sauf lorsqu'il dit : « Je suis poète. Compris ? » « La belle dame sans merci » est presque mon poème préféré.

Je vous réécris très bientôt.

— M

Les femmes et l'amour (1)

Nous étions assis, mon père et moi, dans le faste grand-bourgeois de la maison près de Barnet et nous prenions un apéritif en parlant de la première nouvelle qu'il avait publiée : « Le rhinocéros sacré de l'Ouganda » (en 1932 : il avait dix ans). On était alors en 1972, il venait juste d'avoir cinquante ans et il avait écrit à cette occasion un poème intitulé « Ode à moi-même » (« Cinquante ans, mon vieux ? / Tu peux encore rêver mieux [...] »). Il était au faîte de sa prospérité et de sa productivité, son mariage avec Jane lui souriait — ou du moins c'est ce que je croyais. « Le rhinocéros sacré de l'Ouganda », donc :

« Horrible dans tous les sens du terme. Plein de lourdeurs. Des trucs du genre "S'emportant et jurant dans la chaleur étouffante...".

— Qu'est-ce qui ne va pas ? D'accord, je vois bien que c'est démodé, mais...

— On ne peut pas aligner trois participes présents comme ça.

— Ah bon ?

— Non. Il faudrait que ce soit : “S’emportant et jurant dans la chaleur... insupportable.” »

Impossible, donc, d’aligner trois participes présents. Même deux, parfois. Pareil pour les terminaisons en *-ique*, *-ive* et *-tion*. *Idem* aussi pour les préfixes.

Après le déjeuner, je suis monté dans ma chambre et j’ai passé quelques heures sur le roman que j’allais soumettre à un éditeur. Plus tard, en prenant l’apéritif avant le dîner, j’ai dit :

« J’ai feuilleté mon livre. Devine un peu. Rien que des vers de mirliton.

— Je suis sûr que non.

— Si. Des allitérations à n’en plus finir, des airs de comptine et de ritournelle.

— Tu exagères. »

Oui, j’exagérais. Mais j’ai revu le roman une nouvelle fois et j’ai fait la guerre aux participes présents, aux adjectifs en *-ique*, aux préfixes en *pré-* et en *pro-*.

C’est le seul conseil littéraire qu’il m’ait jamais donné. Et bien sûr, il n’a jamais exprimé le désir de me voir mener une vie littéraire, bien qu’il eût toutes les preuves que je n’avais rien d’autre en tête. À l’époque, j’attribuais son attitude à de l’indolence pure et simple, mais je crois maintenant qu’il obéissait à un instinct paternel — à juste titre. Cinq ans plus tard, alors que je travaillais à la rédaction du *New Statesman*, je vis arriver un écrivain célèbre et son fils dans mon bureau. On m’expliqua que le jeune (dans les dix-sept ans ?) écrivait des poèmes et que le père voulait que je les lise pour en publier éventuellement un ou deux. J’avais dix ans de plus que le poète en herbe. Je lui manifestai ma sympathie. Mais si mes souvenirs sont bons, je fis remarquer qu'aucun auteur de langue anglaise n'avait rien accompli de très méritoire avant l'âge de vingt ans (non, pas même le pauvre Thomas Chatterton, « l'enfant prodige », qui avait dix-sept ans et aucune ressource, après ses succès de jeunesse, lorsqu'il s'empoisonna à l'arsenic). L'écrivain célèbre insista. Je me dis que c'était concevable, après tout : Rimbaud n'était pas plus âgé lorsqu'il écrivit « Le bateau ivre ». Je jetai un coup d'œil aux poèmes du fiston. Je les lui renvoyai avec une lettre où je lui disais qu'ils étaient prometteurs et (avec la même sincérité) que je serais ravi de continuer à lire ce qu'il écrivait ...

Dans les arts, lorsque les parents invitent leurs enfants à suivre la même voie qu'eux, c'est toujours une affaire compliquée qui ne va pas sans un soupçon d'égotisme. Les promesses de l'enfant sont-elles un hommage aux excès du talent paternel ? L'histoire offre peu d'exemples : Mrs. Trollope et Anthony, Dumas père et Dumas fils, et c'est à peu près tout. Ce qui se passe en général, c'est que l'enfant est productif pendant un certain temps, jusqu'à ce que la rivalité filiale s'épuise d'elle-même. Si l'on hérite peut-être du talent littéraire, je ne crois pas qu'il en aille de même pour l'endurance littéraire.

Très peu de temps après, j'appris que le célèbre écrivain et son fils s'étaient disputés. Début d'une longue brouille. Le dernier poème que le fils m'envoya parlait de son père : une diatribe en vers libres.

Impossible d'imaginer ma vie d'adulte si un tel conflit nous avait opposés, Kingsley et moi. Les motifs de l'ambition littéraire baignent dans les ténèbres, dans une faible visibilité, et ils s'accompagnent de *nostalgie*, d'isolement acide ; il se passe déjà suffisamment de choses entre pères et fils... J'ai tout de suite ressenti une blessure cuisante lorsque Kingsley, qui avait aimé mon premier roman, à l'en croire, m'a dit qu'il ne « pouvait pas continuer » mon deuxième. C'était ainsi : je le savais incapable de laisser planer le doute ou de donner dans la politesse en matière de littérature. Ses yeux semblaient demander pardon, ou implorer la pitié, lorsqu'il me parlait... (Il n'aimait pas Nabokov non plus, ni aucun autre auteur, à l'exception d'Anthony Powell.) À part ça, nous eûmes des disputes, des désaccords et maints débats animés, mais rien dont il reste la moindre trace le lendemain. Une seule fois, alors que je passais le cap de la trentaine, j'envisageai la possibilité d'un froid. Par affection pour celle qui l'avait précédée, Kingsley n'avait pas mâché ses mots lorsque je lui demandai au téléphone ce qu'il pensait de la femme dont je venais de tomber amoureux, et que je lui avais présentée la veille. Je m'attendais à une envolée de louanges cérémonieuses — à un sonnet, à un psaume. Mais il me répliqua sèchement : « Ça ne me gêne pas que tu la ramènes à la maison, si c'est ce que tu veux savoir[1]. »

1. Vu le penchant familial pour les anecdotes, je suis poussé à révéler que mon ancienne petite amie était Emma Soames, et que celle du moment était Mary Furness, la future comtesse de Waldegrave, que la presse ne manquerait pas alors de persécuter pour ses frasques. Kingsley

Déjà échauffés, mes sentiment s'échauffèrent davantage. L'espace de quelques secondes, un conflit me sembla se parer d'un attrait romantique, comme un duel à l'aube. Je me rappelle l'avoir savourée, cette froideur ; puis l'avoir rejetée d'un geste convulsif, comme si je l'expectorais. Pouah. Pschitt. Et je me dis de ne plus y penser. Je passais le cap de la trentaine, il approchait de la soixantaine. Deux tournants dans la vie, et nous aurions bientôt besoin l'un de l'autre de manières autrement compliquées... Mon père ne m'a jamais encouragé à écrire, jamais invité à poursuivre cette aventure[1] ; il me

---

aimait Emma Soames, avec qui je sortais depuis deux ans, parce qu'elle était aimable ; mais je le soupçonnais aussi, accessoirement, de l'admirer parce qu'elle était la petite-fille de Winston Churchill. Une admiration historique, et non pas sociale. Il n'a rencontré ses parents qu'une fois. Jane l'avait amené déjeuner à leur maison de campagne, où je passais le week-end comme souvent. Tout en servant à boire, Sir Christopher (selon son titre de l'époque) demanda à Kingsley avec amabilité, prévenance et empressement (qualités dont allaient hériter ses trois fils) s'il voulait se laver les mains avant de se mettre à table. « Non merci, répondit mon père, j'ai fait ça derrière un buisson en venant. » Le déjeuner fut une réussite intégrale, animé de propos bruyants du hors-d'œuvre au dessert (il y avait aussi les deux frères aînés d'Emma, Nicolas et Jeremy, de taille impériale). Mais qu'est-ce qu'on parlait de classe sociale à cette époque ! Nonobstant ce qu'elle a pu faire par ailleurs, Margaret Thatcher a contribué à y mettre un frein, elle et ses Cecil, ses Norman, ses Keith.

1. À moins de prendre en compte la conversation suivante. À un moment, vers la fin de notre adolescence, mon père nous a demandé, à mon frère et à moi, ce que nous voulions faire dans la vie. « Peintre », a répondu Philip — et il est devenu peintre. « Écrivain », j'ai dit pour ma part. « Bien, a repris Kingsley en se frottant les mains rapidement, voire bruyamment, comme il en avait l'habitude. Les Amis se lancent donc dans les autres arts sans abandonner le champ impérieux de la fiction. » Dans cette réplique, il incluait aussi Jane.

portait moins souvent aux nues qu'il ne me descendait en public ; mais ça a marché.

Avec mes propres enfants, j'entends ne pas être aussi économe de louanges. Bien que j'apprécie la vie d'écrivain — au jour le jour — beaucoup plus que Kingsley, je ne vais pas les encourager dans cette voie. Jamais. En aucun cas.

On est à la mi-novembre de 1973, une quinzaine de mois après la conversation sur « les vers de mirliton ». Ce premier roman est prêt à sortir[1]. L'événement s'est déroulé dans un calme qui semblerait aujourd'hui improbable. Pas d'interviews, pas de lectures, pas de séances photo. Pas de réception non plus — ou du moins, pas de réception chez l'éditeur. Certes, c'était un premier roman, mais il n'y eut pas plus de manifestations lorsque parut mon deuxième roman, ou mon troisième. C'était l'usage à l'époque. Le domaine n'intéressait qu'une minorité. En sourdine.

Pas de réception officielle, donc, en 1973 — cela fait presque un quart de siècle, à l'heure près, au moment où j'écris ces mots. Mais j'organisai quand même[2] une

1. Le premier tirage était si faible qu'un seul exemplaire du roman vaut désormais deux fois plus que l'à-valoir que j'avais reçu. Pour mémoire : mon agent, Pat Kavanagh, et l'éditeur, Tom Maschler, s'occupaient également de mon père, et je les connaissais depuis que j'étais tout petit. Donc, oui, cela tenait du népotisme. N'importe quelle maison londonienne aurait publié mon premier roman, par pure curiosité de bas étage.

2. KA avait une écriture plus régulière et plus verticale que moi, mais les deux correspondent parfois trait pour trait. Ce *quand même*, dans mon manuscrit, aurait pu être écrit de sa main : contrefaçon parfaite.

réception. J'habitais dans une maisonnette charmante avec Rob et sa petite amie, Olivia. C'était au-dessus de mes moyens, mais c'était aussi au-dessus des moyens de Rob, qui avait lâché dans le bail la totalité d'un petit héritage. Cet arrangement n'allait pas tarder à s'écrouler : un ou deux mois plus tard, j'allais me retrouver dans un meublé miteux, poussiéreux, du quartier d'Earls Court. Mais nous passâmes un bon moment ce soir-là. Mon frère Philip arriva avec un *magnum* de whisky. Ma sœur fut des nôtres, mon père aussi. Je me souviens de l'avoir vu monter l'escalier qui menait au salon, le regard brillant d'une lueur d'attente maximale (il se réjouissait à l'avance de toutes sortes de fêtes avec une intensité juvénile, enfantine, sans doute parce que son enfance et sa jeunesse avaient été plates et qu'il n'avait ni frères ni sœurs). Le vieil ami de Kingsley, le soviétologue et poète Robert Conquest, se joignit aussi à nous. De même que Christopher Hitchens, portant beau, l'esprit festif, le cœur à gauche. Ou encore Clive James — sa stature, sa barbe, ses cheveux de motard — fraîchement débarqué d'Australie, « fou d'excitation » (comme Charlie Citrine dans le roman de Bellow) à l'idée d'avoir atteint la ville des mots.

Que dire ? On était dans les années soixante-dix, la décennie bouffonne ; Clive portait un jean taille basse et une veste à gros carreaux. Hitch avait sûrement son pantalon rapiécé qui lui avait attiré des remarques désobligeantes, avec sa tache grande comme un écu terni juste à droite de la fermeture éclair en biais (je crois qu'il l'avait acquis — à moins qu'il ne s'en soit débarrassé — en le troquant à Moscou). Comme Rob, je portais presque certainement une chemise à fleurs avec un col pelle à tarte, ainsi qu'un pantalon à pattes d'éléphant en velours vert — en velours ras, qui plus est, de sorte que les parties qui n'étaient pas élimées avaient un côté moiré à donner la nausée. Même les revers du pantalon de Kingsley avaient quelques centimètres de trop. Ça me surprend à présent que nous ayons, les uns et les autres, réussi à écrire un seul mot sensé pendant ces années-là, étant donné qu'on était tous assez stupides, manifestement, pour porter des pattes d'eph'. Ce soir-là, Rob et Olivia m'offrirent un tee-shirt bleu sur lequel était brodé, en majuscules mauves, le titre de mon roman. Je l'enfilai et le gardai toute la soirée. Un exemplaire du livre était posé à la verticale sur la petite télé.

Ce fut un raout endiablé qui se termina entre quatre et cinq heures du matin. Les rescapés qui se retrouvèrent pour déjeuner le lendemain ressemblaient à des figurants dans la scène du tripot galactique de *La Guerre des étoiles* (qui appartenait aussi au futur : le film allait sortir quatre ans plus tard). Plusieurs nouvelles amourettes commencèrent ce soir-là, par exemple entre le Hitch et ma sœur, qui filèrent à l'hôtel Cadogan juste à côté. À l'aube, Rob et Olivia allèrent se coucher dans le même lit, en haut, et je me couchai seul, en bas. Je n'étais pas amoureux. En réalité, je n'arrivais pas à me trouver de petite amie, quelle qu'elle soit. Je rêve encore de cette période relativement courte de ma vie : des rêves empreints de sentiments d'aliénation, d'isolement — et bien sûr, de laideur. D'une profonde laideur. Le célibat a cette stupéfiante faculté de provoquer très vite la haine de soi. Mais aussi de propager très vite la nouvelle : la moindre femme que l'on croise a l'air au courant... La situation allait finir par se redresser, d'une manière qui eut l'air tout à fait spectaculaire, même à l'époque. Au début de l'été 1974, j'allais à mon tour me retrouver à l'hôtel Cadogan, en train de rencontrer les parents de la jeune Tina Brown et de répondre à leurs questions en prenant le thé. Mais, auparavant, il m'avait fallu traverser cette période à Earls Court, et passer des jours, des semaines, des mois, sans femme.

« Fais-toi couper les cheveux, dit Kingsley avec opiniâtreté. Fais-toi couper les cheveux. »

Il n'y avait personne d'autre dans la pièce, mais ce n'était pas à moi qu'il parlait. Au fil des ans, il a dû me répéter de me faire couper les cheveux une bonne dizaine de fois. On était à présent en 1984. J'étais marié depuis peu à une universitaire américaine, Antonia Phillips, et elle était enceinte. Je n'avais pas besoin de me faire couper les cheveux.

« Fais-toi couper les cheveux... Fais-toi couper les cheveux. »

C'est à la télévision qu'il s'adressait, et plus précisément à l'actrice Linda Hamilton chaque fois qu'elle apparaissait à l'écran. On regardait *Terminator* en vidéo (une fois de plus). En bon connaisseur de science-fiction, Kingsley adorait le film ; sept ans plus tard, il ne dissimula pas son admiration pour *Terminator 2* (« un pur chef-d'œuvre »), lorsque je l'amenai le voir au cinéma Odeon de Marble Arch.

« Fais-toi couper les cheveux... Fais-toi couper les cheveux. »

Dans *Terminator 2*, Linda Hamilton aurait les cheveux relevés ou tirés en arrière. Mais dans *Terminator*, ils formaient résolument une belle crinière, selon la mode de 1984.

« Fais-toi couper les cheveux... Fais-toi couper les cheveux.

— J'espère que tu vas continuer cette rengaine, papa. J'espère que tu ne vas pas te dégonfler si on te reproche de rabâcher ou de barber la compagnie.

— Fais-toi couper les cheveux... Fais-toi couper les cheveux.

— Il y en a qui pourraient te faire remarquer que le film existe déjà, et que même si Linda Hamilton t'entendait et trouvait que c'était une bonne idée, elle ne pourrait pas revenir en arrière et se faire couper les cheveux.

— Fais-toi couper les cheveux... Fais-toi couper les cheveux.

— Mais ne les écoute pas. Continue sur ta lancée. À toi de voir si tu veux regarder le film jusqu'au bout.

— Fais-toi couper les cheveux... Fais-toi couper les cheveux. »

Au bout d'un moment, une fois l'action lancée, quand il devint clair que Linda Hamilton n'aurait ni le temps ni le loisir de se faire couper les cheveux, Kingsley s'arrêta de le lui dire.

Jane avait quitté Kingsley en décembre 1980. Cela faisait presque quatre ans, et personne ne l'avait remplacée. Au moment de partir, je lui demandai :

« Comment tu te sens pour de vrai, papa ?

— Ça va, ça va... Mais tu sais, on ne vit qu'à moitié quand on n'a pas de femme.

— Tu *trouves* ? »

Je fus surpris, mais aussi ravi, en un sens, d'entendre ces mots sortir de sa bouche. Ils résonnaient d'une clémence atypique, alors que je le croyais plein d'une amertume chronique. D'une amertume devant le long chemin qui lui restait à accomplir. Ce n'était pas tant à cause de son attitude ou de ce qu'il disait, mais cela transparaissait dans ses romans — en particulier dans l'évolution antiromantique qui menait de *Jake's Thing* [*Le Truc de Jake*] (1978) à *Stanley and the Women* [*Stanley et les femmes*] (1984) et qui semblait annuler tout espoir, voire tout souvenir de réconfort en ce domaine. Je ne commettais pas l'erreur élémentaire d'amalgamer l'homme et l'œuvre, mais tous les écrivains savent que la vérité *se loge* dans la fiction. Or, les derniers romans de Kingsley me semblaient en recul, comme s'il barrait la voie à toute une dimension de la vie — celle qui contenait les femmes et l'amour. Je lui demandai donc, surpris non pas tant par la formule (que je savais vraie — et la moitié d'une vie ne ressemble pas à grand-chose) que par le fait qu'il avait prononcé ces mots :

« Tu *trouves* ?

— *Oui* », répondit-il avant de se détourner.

Après quoi, Kingsley vécut le reste de sa vie sans

plus connaître l'amour romantique. Mais il y revint dans ses romans. Avec indulgence dans *Les vieux diables* (1986), avec nostalgie dans *You Can't Do Both* [*Il faut choisir*] (1994), avec assurance et même retentissement dans *The Russian Girl* [*La jeune Russe*] (1992). Dans *Jake's Thing*, il fait annoncer à son héros :

> Elles [les femmes] ne disent pas ce qu'elles ont en tête, elles ne se servent pas du langage pour parler mais pour affirmer leur personnalité, elles prennent tout désaccord pour une opposition, oui, c'est comme ça, même les plus intelligentes, et c'est là que s'arrête la quête de la vérité, qui est la seule chose qui compte.

Et dans l'ambiance feutrée de *Stanley*, on trouve l'évocation suivante des « affronts » que font les femmes « à la raison, aux bonnes manières, au fair-play, à la vérité, à tout cela » (dans ce passage, le locuteur est un médiocre producteur de cinéma qui s'appelle Bert, et l'auteur réussit du moins à tourner en ridicule son accent d'ivrogne) :

> On peut la gaver de ce truc qui sert à faire dire la vérité, oui, c'est ça, de scopolamine, lui en fourrer jusque dans les trous de nez, de ce putain de sérum, et elle serait encore capable de mentir. Complètement *barge*, cette gonzesse, un point c'est tout. Bonne à enfermer — et encore. Pour sa sécurité à elle.

Tout cela a changé (et je sais pourquoi). Dans *The Russian Girl*, qu'il a écrit à soixante-dix ans, Kingsley hausse l'amour non seulement au-dessus de la politique, mais aussi, chose plus étonnante, au-dessus de la poésie[1]. Et même au-dessus de la vérité.

La critique des femmes qui s'insinue dans *Jake* et *Stanley* ne manque sans doute ni d'intérêt ni de pertinence (l'un et l'autre roman possède une vigueur sinistre). Il ne servirait à rien de rétorquer : Écoutez, à cette attitude des femmes devant la vérité fait contrepoids l'habitude masculine (traitée dans des dizaines de milliers de romans écrits par des femmes) de parler et de se comporter *ex cathedra* (« avec toute l'autorité d'un emploi [...] c'est-à-dire infailliblement », selon la définition du *Concise Oxford Dictionary*). Si je trouve à redire à ces deux romans, c'est pour une raison plus simple : je sens que mon père fait pencher la balance. T. S. Eliot disait que la littérature consiste en un usage « impersonnel » des mots. Le grand critique et utopiste Northrop Frye est allé encore plus loin, je crois, en précisant que la littérature consiste en un usage *désintéressé* des mots : on n'a besoin d'en tirer aucun bénéfice. Mais Kingsley était intéressé. Il comptait les points dans le match qui l'opposait à l'amour et aux femmes, dans le match qui l'opposait à Jane.

Il n'avait jamais été dupe, il ne le serait jamais plus. Un poème de jeunesse intitulé « Idylle de librairie » le

1. Retournons à 1973 et à un texte intitulé « Rondo pour mon enterrement » : « [...] Je devrais affirmer que, depuis que je suis tout jeune, la musique m'a procuré plus de plaisir, un plaisir plus intense, que n'importe quel art [...] Voire : seul un monde sans amour me procure immédiatement et résolument la sensation d'être plus atroce qu'un monde sans musique. »

montre en train de feuilleter une « mince anthologie » de poésie prise sur une étagère :

Ils se départagent, comme tous les étrangers, suivant
leur sexe :
Parme et son panorama
Va plaire à un homme, ainsi que *Le Double Vortex*
Ou bien *Rilke et Bouddha.*

« Je voyage, voyez-vous », « Je pense » et « Je sais lire » :
Tel est de ces titres le non-dit ;
Mais *Je me souviens de toi*, *D'amour je chavire*
Poème pour J.

Qui ont la faveur de ces dames jettent le trouble dans
mon discours [...]

Revient-il aux poètes de gonfler comme une roue de
bicyclette
Le cœur humain, ou bien de le mettre à plat ?
L'amour d'un homme est, dans sa vie d'homme, chose
discrète ;
Les filles n'agissent pas comme ça.

Nous, les hommes, savons doser l'amour ; la nature
nous a appris
À pouvoir nous en passer.
Les femmes n'ont pas l'air de croire que ça suffit ;
De leurs poèmes, elles en font le sujet.

Elles se dévoilent avec une épouvante
Dont elles n'ont pas conscience elles-mêmes.
Les femmes sont autrement charmantes :
Rien de plus normal qu'on les aime.

Arrivés ce point, nous pouvons oublier les nuits infimes
Que nous avons passées debout sans dormir,
Suffoquant d'amour, débordant d'idées, de noms et de rimes,
Mais incapables d'écrire.

C'est un poème de jeunesse, malgré toute sa verve et ses prouesses techniques. Dans la dernière strophe, on sent percer une pointe de regret devant les imperfections masculines ; mais on a aussi l'impression que l'auteur aura tôt fait de les accepter [1]. Les hommes ne peu-

1. En apprenant la mort d'un ami (je paraphrase à nouveau Northrop Frye), un homme peut se mettre à sangloter ; mais jamais il ne se mettra à chantonner. Or, les romans et les poèmes de femmes, me semble-t-il, « chantent » un peu plus. Mais le débat reste ouvert... Kingsley *adorait* Elizabeth Barrett Browning ; il supportait difficilement Jane Austen, un peu mieux George Eliot, et pas du tout Virginia Woolf. De cette dernière, il trouvait l'univers totalement artificiel : il ne pouvait s'empêcher d'émailler la lecture de ses livres de négations hostiles et il se surprenait à murmurer « Oh non, pas elle », « Oh non, pas lui », « Oh non, pas comme ça » après la moindre intervention de l'auteur. Malgré son admiration sincère pour Iris Murdoch, Elizabeth Taylor et Elizabeth Jane Howard, mon père considérait, je crois, que l'écriture féminine tenait pour l'essentiel de l'occultisme, qu'elle ne formait pas tant un genre qu'un mouvement, comme le vorticisme. Nabokov (qu'il était loin de tenir en haute estime) a lui aussi admis qu'il était exclusivement « homosexuel » dans ses goûts littéraires, ajoutant qu'un bon traducteur devait : 1) posséder une compétence suffisante dans la « langue de départ » ; 2) avoir d'immenses talents dans la « langue d'arrivée » ; 3) être un homme.

vent pas écrire au plus vif de l'émotion ; ils doivent l'apprivoiser, la « recueillir » sereinement, comme disait Wordsworth. D'un autre côté, « Idylle de librairie » suggère que l'écriture finira par y gagner en qualité, en puissance, en précision, en autorité et autres vertus (masculines) du même genre.... Ce qui me frappe et m'intrigue, à présent, c'est l'adaptation familière d'une citation de Byron : le second vers du distique, « Les filles n'agissent pas comme ça », remplit la même fonction que « Là est toute l'existence des femmes ». Peut-être le poème laisse-t-il entendre que l'inverse est tout aussi vrai, que l'art des femmes, dans leur vie de femme, est chose discrète, mais que les garçons n'agissent pas comme ça. L'art est, ou du moins s'efforce d'être, le tout de l'existence chez les hommes. Ainsi pouvait penser un jeune poète au sommet de sa forme. Passé la soixantaine, cependant, privé de l'amour d'une femme, il avouait ce qui lui restait : une vie amputée de moitié.

Papa nous dit tout

Un après-midi d'été à Swansea, dans le sud du Pays de Galles, quelque part dans les années cinquante, ma mère dit à ses deux fils d'aller rejoindre leur père dans son bureau. Kingsley raconte cet épisode dans les premières pages de ses *Mémoires* :

> Philip et Martin sont entrés, l'air absent et parfaitement innocent. [...] Ils avaient, je pense, sept et six

ans. Le court monologue que je leur débitai me sortit ensuite de l'esprit à la première occasion, mais je sais qu'ils apprirent une certaine quantité de ce qu'on pourrait appeler l'anatomie à l'état brut, ainsi que des termes concrets, même si je dus employer le mot « chose » plus d'une fois et leur raconter l'histoire de la graine que papa mettait dans maman. Que voulez-vous ? Je ne les ai jamais plus aimés ni admirés que pour le calme et le sérieux avec lesquels ils m'écoutèrent jusqu'au bout. Je savais qu'ils savaient, ils savaient que je savais qu'ils savaient, et ainsi de suite ; mais quelle importance ? Ils sortirent dans un profond silence et il eurent la courtoisie de le prolonger jusqu'à ce qu'ils fussent hors de portée d'oreille. [...] Dans nul autre domaine n'est-il aussi nécessaire de dire ce qu'il n'est pas nécessaire de dire.

Il y eut une autre initiation, plus tardive et moins anatomique. Ce soir-là, j'étais absorbé, avec un maximum de plaisir et de concentration, dans une partie de flipper — la scène se passe donc en Espagne et j'ai désormais douze ans. Quoique pris par le jeu, je suivis mon frère sans hésiter lorsqu'il vint me chercher : « Vite, Mart, papa nous dit tout. » Nous nous assîmes devant lui à une table de restaurant et l'écoutâmes en silence... Dans une cour d'école toute mouillée, à l'âge de cinq ans, j'avais entendu un copain raconter les faits de la vie et j'avais réagi comme l'auraient fait, je pense, tous les gamins du monde : ma mère ne laisserait jamais mon père — ce salaud — lui faire *ça*. Mais en Espagne, en 1962, mes idées et mes sentiments étaient tout autres : mon père et ma mère s'aimaient beaucoup et moi, mon frère et ma sœur étions d'une certaine manière les fruits de cet amour... La famille rentrait, en voiture et en bateau, d'un voyage de dix jours à Majorque, pendant lequel nous avions habité dans la *posada*, autrement dit la maison d'amis, de Robert Graves. Après Barcelone, alors que nous remontions vers le nord, la voiture tomba gravement en panne, et je passai mon treizième anniversaire à prêter main-forte, assez joyeusement, pour la pousser dans les cols des Pyrénées. Six semaines plus tard, Kingsley rencontrait Elizabeth Jane Howard[1]. Moins d'un an plus tard, son mariage touchait à sa fin. Mon père n'avait jamais cessé et ne cessa jamais d'aimer ma mère. Pourtant, comme le montre clairement sa *Correspondance* [*Letters*], sa rencontre avec Jane Howard fut un coup de foudre.

« Il faudrait qu'un homme soit exceptionnellement intelligent, écrit Saul Bellow dans "Un petit plat d'argent" (l'une des plus grandes nouvelles de tous les temps), pour ne pas être marqué à jamais par les théories sur la sexualité qu'il a reçues de son père [...]. » Pendant notre adolescence, Kingsley continua à nous tromper, mon frère et moi, en nous soufflant des apophtegmes de promesse romantique : « La partie la plus attirante d'une femme nue, disait-il, est son visage. » Fort bien ! Mais ce qui nous mit vraiment la puce à l'oreille fut cette confession : « Les sensations

1. Au Festival littéraire de Cheltenham. La table ronde que Jane avait organisée et à laquelle participait Kingsley portait sur « Le sexe et la littérature » : encore une vacherie nullarde de la Providence.

physiques des rapports sexuels sont largement multipliés par l'amour. » C'était donc pour *ça* qu'on cherchait l'amour : pour le *sexe*. Non. Philip et moi avions la même énergie brutale que la plupart des garçons de notre âge ; mais nous n'aurions pas été les fils de notre père si nous n'avions pas été impatients de connaître pour de bon l'expérience du sexe. À seize ans, j'ai lu *The Anti-Death League* [*La Ligue anti-mort*] (1966) sous forme de tapuscrit. J'ai été fasciné par les deux courtes questions que se pose l'héroïne (jusqu'alors délaissée) en se sentant pour la première fois attirée par le héros : « C'est ça ? C'est toi ? » Puis, un peu plus tard, les deux courtes réponses chuchotées : « C'est ça. C'est toi. » Je me posais tout le temps ces deux questions, et j'espérais tout le temps entendre ces deux réponses.

Mais à part ça, comment j'allais en novembre 1973 ?

Ma vie avait belle allure sur le papier — où, en fait, elle était presque entièrement vécue.

Mon premier roman avait mis si longtemps à sortir que j'avais déjà écrit la moitié du suivant. Je travaillais à plein temps au comité de rédaction du *Times Literary Supplement*[1]. J'écrivais des critiques et des articles pour

1. J'ai trouvé ce travail assez vite, mais pas tout de suite. Pendant quatre mois, j'ai bossé dans une petite galerie d'art de Mayfair : je promenais les clients dans les lieux, j'époussetais des cadres au sous-sol, je faisais du thé et du café, j'écrivais à la main l'adresse de ceux qu'on invitait à des visites privées, et je lisais en moyenne un livre par jour. Puis on m'a proposé un stage de rédacteur dans une agence publicitaire, J. Walter Thompson, tout près de Berkeley Square. Le monde de la pub offrait alors une espèce de refuge aux littérateurs en herbe. Mais j'eus peur pour

le *TLS* et d'autres revues. Dans le numéro du *New Statesman* daté du 23 novembre, le cahier Livres s'ouvrait sur mon compte rendu, en 1 500 mots, de l'étude que John Carey avait consacrée à Dickens, *The Violent Effigy*. Une semaine plus tôt, une semaine trop tôt, le même cahier s'était clos sur une critique, en 500 mots (la dernière dans un lot de trois), du *Dossier Rachel*, rédigée par le romancier Peter Prince. J'ai la critique sous les yeux[1] et ce n'est que par intermittence que je suis en désaccord avec elle.

Un jeune romancier débutant est condamné à parler de sa propre conscience, mais Mr. Prince ne décelait chez moi aucune ironie, aucune stylisation — aucune différence entre moi et mon narrateur, qui multipliait les « petites plaisanteries minables » et les « sales petits

moi dans cette agence. Elle semblait entièrement peuplée de dramaturges en manque d'inspiration, de sympathiques poètes qui traînaient la patte, et d'auteurs d'un unique roman. On aurait dit une luxueuse maison pour talents littéraires déclinants. J'ai démissionné au bout d'une semaine (mais seulement parce que j'avais un autre boulot qui m'attendait) et j'ai occupé deux autres emplois avant d'être embauché au *Times Literary Supplement*, qui se situait à l'époque dans une annexe du bâtiment du *Times* dans le quartier de Blackfriars — au-dessus d'une entreprise gardée par de gros bras à rouflaquettes d'une formidable envergure.

1. Non pas conservée dans un album de paranoïaque (il ne sera plus beaucoup question de critiques ci-dessous), mais dans un volume relié de la revue. En 1979, on m'offrit en cadeau de départ six années de volumes reliés. Si je puis me permettre ce ton élégiaque, je dirai que le vieux *Statesman* fut pendant de nombreuses années sensationnel (j'y avais pour collègues, entre autres, James Fenton, Christopher Hitchens et Julian Barnes). La première moitié, qui traitait de politique, accompagna dans sa chute la conscience du parti travailliste. La seconde moitié devait sa cohésion à un domaine qui n'intéressait qu'une minorité, et elle dura un peu plus longtemps.

commentaires ». Il n'est pourtant pas loin de saisir le facteur Osric (« Gaffeur précoce, collégien persifleur, amalgame des privilèges de la petite-bourgeoisie et de la méritocratie des nouveaux diplômés ») et le sexisme grégaire. C'est le pire compte rendu qui me soit parvenu. Les autres critiques firent tous preuve de clémence, et certains d'indulgence[1]. Ils semblaient penser que j'avais dû avoir encore plus de mal, vu la figure paternelle qui s'imposait au premier plan, mais ce n'était pas vrai ; son ombre m'avait servi de bouclier, pour ainsi dire. Je n'avais pas davantage l'impression d'avoir accompli un exploit. C'est une étrange surprise de devenir écrivain, mais rien ne saurait être plus ordinaire que de faire ce que fait son père toute la journée. Les souffrances attachées à l'état d'auteur, peut-être aussi certains plaisirs, me semblaient donc émoussés. C'était un métier, ni plus ni moins. Je travaillais très dur, je mettais tout mon cœur à l'ouvrage, mais c'était la moindre des choses.

J'avais toujours l'impression d'être étudiant. Le *Times Literary Supplement* me faisait l'effet d'une bibliothèque ; les séances de travail avec les rédacteurs en chef, de séminaires universitaires ; et mes articles, de dissertations hebdomadaires. Dans le riche immeuble d'Earls Court, ma grande chambre au sol nu où la poussière se soulevait en volutes me donnait l'impres-

1. Auberon Waugh, le fils d'Evelyn, se montra très généreux. Il n'y avait personne — littéralement personne — qui pût être plus compréhensif. Et *lui*, il avait écrit son premier roman à l'âge de dix-neuf ans.

sion d'être étudiant. Mes vêtements, et en particulier ma veste en grosse laine, me donnaient l'impression d'être étudiant. Mes dîners en solitaire, mes interminables cafés instantanés me donnaient l'impression d'être étudiant. Mes maux de tête et de visage (mon teint qui conservait de beaux vestiges de sébum[1]) me donnaient l'impression d'être étudiant. Les grands principes moraux, ou l'indifférence primaire de la jeune fille autour de laquelle je tournais en pure perte (quelques baisers, rien de plus) me donnaient l'impression d'être étudiant. En même temps, tout en m'en rapprochant peu à peu, le monde adulte, avec ses promotions et ses priorités, ne cessait de me paraître étranger et menaçant. Malgré toutes les preuves du moment, je continuais à me sentir guetté par l'échec, sinon par le naufrage. C'est peut-être une réaction courante. Christopher Hitchens ne faisait pas exception : on en parlait comme de la « frousse de la clochardisation ». Sans aucun doute, le quartier d'Earls Court était bien pourvu en clodos, poivrots, mendigots et autres excités des mots. Dans mon immeuble, il y avait un vieux docteur, proche de la retraite, qui venait parfois passer la nuit : je le voyais penché sur une bouteille de sherry dans sa cuisine tapissée de lino, ou tituber et trébucher en robe

1. Si la coupe de cheveux des Beatles était à ce point populaire, c'est en grande partie parce qu'elle dissimulait le tiers supérieur du visage. « Qu'est-ce que tu caches sous ta frange ? Une galaxie d'acné, à tous les coups. » C'est l'hypothèse (exacte) qu'émit Kingsley quelques années plus tard. J'avais coupé ma frange, mais la galaxie luisante fut plus longue à s'éteindre.

de chambre dégrafée qui laissait apparaître des slips incroyables (informes, tout étirés, pleins de taches grises)...

J'avais vingt-quatre ans, l'âge où l'on fait semblant de tout savoir sans rien savoir du tout, où l'on déverse ses petites certitudes sans être jamais sûr de rien. J'avais l'impression d'être étudiant et je n'étais pas amoureux. Mais il existait un autre monde, un monde que je me sentais capable de contrôler et d'ordonner : le monde de la fiction. J'en ai toujours été amoureux.

En 1973, au moment de Noël, un événement (qui m'apparaît rétrospectivement comme une initiation à l'infini de la peur) entra dans ma vie et alla se loger dans mon inconscient. Cette expérience m'a démontré, à mesure que le temps passait, que même la fiction est incontrôlable. On peut croire qu'on la contrôle. On peut avoir l'impression de la contrôler. Mais il n'en est rien.

Mais avant d'en venir à l'expérience vécue, cette ennemie de malheur, profitons encore de l'innocence, juste un petit peu.

Lettre de l'école

55 Marine Parade
Brighton, Sussex
7/11/67

Très chers papa et Jane,

Déjà une autre lettre, eh oui ! Mais c'est que j'ai deux ou trois choses un peu délicates à vous demander, sans vouloir vous inquiéter outre mesure. Ça pourra vous sembler bizarre, mais j'ai oublié ce qu'on avait envisagé pour mon lojement [*sic*] de janvier à juin-juillet. Il me semble qu'on s'était mis d'accord pour une pension de famille, non ? Si je me souviens bien, j'avais également évoqué la possibilité d'un appartement, mais Jane avait répondu que ça ne me plairait pas et je m'étais rangé à son avis. En fait, je viens de me rendre compte que je préférerais cette solution. Mais c'est bien plus qu'un simple coup de folie. Ça coûterait combien, une semaine en pension de famille ? Environ

3 ou 4 livres. Un appartement à Brighton, avec chambre, salon, salle de bains et cuisine, irait chercher dans les 6 ou 7 livres. Je serais prêt à payer la différence. Car en fait, je tiens à profiter d'un *minimum* d'indépendance pendant mes derniers jours d'indépendance, si j'ose dire. En tout cas, je ne vois pas pourquoi j'irais m'imposer davantage de restrictions en ce moment. L'indépendance, ça n'entraîne pas forcément le chahut, l'insurrection, la négligence de soi, ni une vie de bâton de chaise. C'est juste que je veux me sentir bien chez moi, pouvoir m'organiser librement en m'occupant de certains trucs personnels, et baiser des filles (sans que je doive m'appesantir sur cette litote à laquelle je n'ai su résister[1]).

Pour ce qui est de la vaisselle, de la cuisine, de la blanchisserie et j'en passe, je pourrais sans doute continuer à profiter des équipements de l'école. Je déjeunerais à Rottingdean ou dans une autre cantine, et je dînerais à Marine Parade.

Je crois que ça ferait une sacrée différence dans ma vie, si je pouvais m'attendre à 9 mois de plaisir *et* de discipline, au lieu de me mettre à récolter « les fruits du courage ». Je me hâte d'ajouter que je suis tout à fait certain de ne pas changer d'avis après avoir vécu seul en appartement pendant 3 mois.

1. Litote (« euphémisme ironique ») ? Non ! Juste une balourdise pour essayer de mettre un bémol au sublime. Je demande à mes lecteurs de se souvenir de leurs dix-huit ans, plus globalement, et à mes lectrices de se rappeler le genre de garçons à qui elles avaient affaire à cet âge, et à quoi ils ressemblaient, ces *gars-là*.

Triste perspective que celle de passer tout un week-end à corriger des devoirs, enfermé dans une chambre ! J'ai beaucoup plus d'espace ici. Sans compter qu'il me faudrait partager la salle de bains avec une quinzaine de routiers... Pas très reluisant non plus, comme idée. Je sais que ce n'est pas du même ordre, mais, pour avoir partagé une salle de bains avec vous, j'ai du mal à vous imaginer en train d'attendre tous les matins votre tour, parmi d'autres candidats à la douche, dans l'ambiance sinistre d'un couloir ouvert aux quatre vents...

Sachez que si vous ne cédez pas à ma proposition, je n'en ferai pas *tout un plat*, et que je ne refuserai pas non plus de rester à Brighton si je n'obtiens pas ce que je veux. Mais n'ai-je pas gagné le droit de profiter de mon séjour ici en ayant une vie plus agréable et en continuant à m'occuper de mes petites affaires ? S'il vous plaît, ne rejetez pas cette idée en bloc et ne croyez pas d'emblée que je n'arriverai pas à me débrouiller. De toute façon, si ça ne marchait pas, je pourrais toujours quitter l'appartement et me trouver un meublé : je n'aurais pas de problème pour résilier le bail, contrairement à Phil.

Bref... Désolé de vous avoir enquiquiné. Mais vous comprendrez, je pense que ma proposition est mûrement pesée (« une réflexion dictée par l'impératif du devoir, non par l'impulsion du moment »), et j'espère que vous voudrez bien la considérer sous cet angle. Sur cette note un peu lourdingue,

Je vous embrasse très fort.

MART XXXXXX

P.-S. : Est-ce que vous pourriez m'envoyer un mot le + vite possible ? J'aimerais régler ce fichu problème rapidement. — M.

À la relecture, j'ai l'impression de devoir clarifier mes intentions : ce ne sont pas des boums et des orgies que j'ai en tête, contrairement à ce que j'ai écrit, mais je voudrais juste un environnement confortable pour pouvoir m'occuper de mes petites affaires. De toute façon, je ne saurais pas m'y prendre pour avoir de mauvaises fréquentations ou pour filer du mauvais coton ; en plus, ce farfadet d'Ardagh pourra toujours m'avoir à l'œil — et quel œil de fouine...

L'apprentissage du temps

La tradition veut que, pendant l'année qui sépare l'école de l'université, les Anglais et les Anglaises partent faire de l'escalade dans les Philippines ou s'occuper des malades à Madagascar. J'ai bien du mal à dire ce que j'ai fait de mes « neuf mois », à l'exception des trois semaines passées comme caissier dans le magasin de disques de mon oncle par alliance à Rickmansworth. Mais j'ai fait quelques voyages. Dont celui-ci.

Nous étions quatre dans la Mini Moke : moi, Rob, Si et Fran (qui formaient un couple). Dans notre accoutrement ordinaire d'écharpes fleuries et de velours ras, sans qu'on nous ait invités ni que nous nous soyons annoncés (et pas mal défoncés au haschich), nous étions sur le point de briser la tranquillité d'un des plus grands poètes vivants : Robert Graves.

« Il va se souvenir de toi ? a demandé quelqu'un.

— Pas de vue. »

Mais j'ai dit que la mémoire lui reviendrait probablement une fois que je lui aurais expliqué en long et en large. En tout cas, je me souvenais de lui.

Voici une imitation, par mon père, de Lord David Cecil, le beau, le théâtral, le maniéré et surtout l'aristocratique professeur d'anglais (qui possédait, entre autres distinctions, celle d'avoir échoué au cours de littérature britannique donné par Kingsley à Oxford) :

> « Mais dorme... mais dormez et messieurs, lorsqu'on dit qu'un homme ressemble à un poète, ça veut dire comme Chôsseur... ça veut dire comme Dvyden... ça veut dire comme *Checkspyum* [ou une autre série de sons sous lesquels on avait du mal à reconnaître "Shakespeare"]... Veut dire comme Shelley [prononcé Chalem, ou quelque chose d'approchant]. Matthew Arnold [prestissimo ensuite] qualifiait Shelley de bel archange incompétent. Matthew Arnold avait une tête [rallentando] de *châvâl*. Mais ce matin, ce n'est pas du poète Shelley que je vais vous parler. Jane... Austen... »

Les crochets figurent dans l'original (les *Mémoires*). Je suis surpris de voir « Austen » en caractères romains : lorsque Kingsley faisait ce numéro à l'oral, il accentuait toujours méchamment la première syllabe : *Oss*...

Quand *moi*, je dis qu'un homme ressemble à un poète, j'entends par là qu'il ressemble à Robert Graves. Grand, efflanqué, les lèvres figées dans une moue sensuelle, le nez écrabouillé mais encore aquilin comme sur un croquis, et avec tout ça, des mouvements relâchés et des gestes amples. Je me rappelle l'avoir vu grimper les rochers qui s'étageaient depuis le rivage caillouteux — bondir dessus en arrivant de l'autre côté et sauter dans l'eau en s'ébrouant. Tout le portrait du poète-guerrier. Pourtant, je le savais capable de bienveillance. Un soir, en 1962, il avait invité les enfants Amis à dîner pendant que ma mère et mon père sortaient en amoureux. Il y avait sa femme, Beryl (étonnamment masculine, corsetée, aristocratique, toujours flanquée de ses deux caniches géants), ainsi que certains de leurs rejetons et des membres de leur entourage. Vers la fin du repas, Graves proposa un jeu : la composition orale d'un poème à partir de vers que fourniraient à tour de rôle les convives. Philip et moi étions légèrement affaiblis par plusieurs heures de bonne conduite. Lorsque Graves dit : « À toi de commencer, Philip ! » mon frère, que je craignais, vénérais et adorais comme un dieu, prit tout de suite ce qu'il avait de plus subversif (et surtout de plus frais) en tête. « Il était une fois un vieux fermier perché sur une meule... », commença-t-il. Mes oreilles bourdonnèrent : nous y voilà, pensai-je. Parce que ce « poème », que nous avait appris notre père le matin, continuait ainsi : « Qui riait et agitait son gros poing velu / En direction des marins... » Et ainsi de suite[1]. Graves sourit, baissa les yeux et souffla : « Ce n'est pas un poème pour toi, ça. » Je crois que Beryl relança le jeu avec des animaux domestiques. Le seul vers dont je me souvenais était de Graves : « Le chat est gris, un pur siamois. » Exemple sobre et parfait d'un octosyllabe iambique — comme j'allais m'en apercevoir des années plus tard.

1. Cette rengaine, comme d'autres (« En allant à Saint-Paul, / J'ai été saisi par le col »), mettait en scène des espoirs frustrés.

« Il est comment ? demanda Rob. On doit faire comment avec lui ? »

Nous traversions à présent le village de Deya en demandant « Señor Graves ? » et « *El poeta ?* » aux passants, qui nous faisaient signe de poursuivre la route. À ce moment-là, Graves venait juste de terminer son contrat de cinq ans comme professeur de poésie d'Oxford. Un de ses romans historiques, *Moi, Claude, empereur*, avait été récemment adapté pour la télévision, tandis que ses ouvrages scientifiques — *La déesse blanche*, *Les mythes grecs* — demeuraient des références sûres. Il avait alors soixante-treize ans.

« Te fais pas de bile, je répondis. Reste toi-même, c'est un dieu. »

Graves eut l'air perplexe, mais dans l'ensemble assez content de nous voir. Il était peut-être un tout petit peu diminué par rapport au colosse d'antan, mais il se tenait encore droit comme un i, la tête haute, son antique visage aussi éclatant que jamais. Je lui présentai mes amis, puis enchaînai :

« Pardon de vous déranger, Robert, mais il doit y avoir de drôles d'oiseaux qui viennent vous voir à présent. Étant donné votre notoriété.

— Oui, oui, c'est vrai. Des gens *extraordinaires* viennent me voir. *Extraordinaires.* »

Nous regardions tous les cinq les hectares de roches — les éperons, les buttes, les terrasses, les oliviers tordus par l'arthrose.

« Faites sauter cette montagne, dit Rob à Robert.

— Quoi ?

— Faites-en un volcan.
— Quoi ?
— Allez ! Vous en êtes capable. Chassez ce nuage.
— Oh ! Toi, tu...
— Provoquez un raz-de-marée.
— Espèce de petit...
— Faites se lever la lune.
— Hé ! Tu...
— Faites que... »

Puis Robert saisit Rob et le chatouilla dans tous les sens[1].

Deux ou trois heures plus tard, la Mini Moke descendait l'allée. Graves n'arrêtait pas de nous rapporter de la maison des produits qu'il faisait lui-même : du pain, et tout un assortiment de bocaux de cornichons et de pots de confiture étiquetés.

On était en 1968, époque de la dévaluation et de restrictions en matière de circulation monétaire (entre mille autres choses) : pour les voyages à l'étranger, le maximum autorisé était fixé à 50 livres par personne. J'en avais pris 50, Rob un peu moins parce que la veille

1. C'était apparemment la réaction normale de Graves quand on se moquait gentiment de lui. À Oxford, après la Première Guerre mondiale, quelqu'un l'avait charrié sur sa taille : « Cela m'encouragea à faire mine de réagir par un geste violent ; mais je m'arrêtai net en apercevant l'expression de son visage. J'avais surpris la sainte horreur qu'il avait d'être touché » (*Adieu à tout cela*, 1929). Ce n'était pas Rob, cette fois, mais T. E. Lawrence. Je n'aurais pas dû m'inquiéter de débarquer chez Graves à l'improviste. Il avait fait la même chose chez Thomas Hardy, et il avait été reçu avec la même générosité.

de notre départ, il était allé jouer chez un bookmaker. J'avais, moi, cessé de fréquenter ces lieux après deux ou trois ans d'assiduité presque quotidienne. Je m'étais rendu compte qu'ils étaient peuplés, non de riches qui s'enrichissaient, mais de pauvres qui s'appauvrissaient. J'en fis la remarque à Rob, qui n'en persévéra pas moins. En tout cas, lorsque nous arrivâmes à Majorque (où nous logeâmes gratuitement chez le père de Si), il n'avait déjà plus de quoi se payer le retour.

Ce fut vite affaire de théorie. Après Barcelone, alors que nous remontions vers le nord, la voiture tomba sérieusement en panne. Je passai mon dix-neuvième anniversaire, comme mon treizième, à la pousser dans les cols des Pyrénées. Avec une variante : il fallut aussi la pousser dans la *descente*. Elle ne voulait même pas rouler seule. Dans un texte de 1962 intitulé « Des ratés dans le moteur », Kingsley écrit :

> Au bout de quinze kilomètres, on arriva devant une faible côte. Ce fut la fin. On était dans une petite ville qui s'appelait Le Boulou, nom que je ne saurai plus voir sur une carte (et je n'ai pas l'intention d'aller y voir de plus près) sans un sentiment d'horreur.

Or, c'était là où nous nous trouvions de nouveau : au Boulou[1]. J'avais adoré cette halte la première fois, avec ses nuits de veille et ses négligences viriles. Mais là, en

1. Kingsley ne se dérida pas lorsque je lui dis, des années plus tard, que c'était dans une chambre d'hôtel du Boulou que Nabokov avait écrit un roman, *La défense Loujine* (1930).

voyant Rob rejoindre la maison la plus proche (dans l'espoir de téléphoner à un garagiste) et cogner à la porte avec le heurtoir, lancer à la compagnie un « *Bon après-midi !* », l'air piteusement insouciant — là, donc, avant même qu'il ne se fasse claquer la porte au nez, je jugeai de la distance qu'il nous restait à accomplir.

Finalement, la voiture fut remorquée jusqu'à Perpignan. Face à cette crise, nous réagîmes à la manière de pseudo-aventuriers embourgeoisés qui parcourent le monde. Nous téléphonâmes à la maison pour demander de l'argent. Je parlai à mon oncle par alliance, Colin (Kingsley et Jane étaient eux-mêmes en vacances). « Euh... j'aurais besoin que tu m'envoies de l'argent. — Pourquoi ? Tu peux pas te trouver un boulot ? » Un boulot ? Quel boulot ? Un boulot où je ferais quoi ? J'attendais à la poste pendant que Rob essayait de convaincre sa mère.

« Qu'est-ce qu'elle t'a dit ?

— De trouver un boulot.

— Putain ! Mais qu'est-ce qu'ils ont tous avec cette idée de *boulot* ? »

Nous ne trouvâmes pas de travail. Je relançai Colin jusqu'à ce qu'il cède. Cela prendrait du temps au comptable de mon père de transférer l'argent (opération compliquée et peut-être à moitié illégale). Rob et moi ne regardâmes pas à la dépense jusqu'à ce qu'il ne nous reste plus un centime en poche le lendemain, dépensant nos derniers francs en Coca-Cola et en parties de flipper ; puis nous commençâmes à attendre, l'estomac dans les talons, les membres grelottants, en rôdant autour de la poste. Nous dormions dans une auberge de jeunesse publique. Pendant la journée, nous grelottions parfois dans les parcs, l'estomac dans les talons. C'est là que nous nous mêlions à des autostoppeurs de l'extrême, et extrêmement perfectionnés, à des Allemands et des Suédois, des titans nordiques qui faisaient régulièrement le tour du monde avec un dollar en poche qui leur durait toute une année. Ils appréciaient nos cigarettes espagnoles achetées en gros.

« Vous arrivez de Barcelone ? C'est facile d'y trouver un boulot ? »

Nous nous regardions, Rob et moi, et l'un de nous répondait :

« Ça dépend.

— Et dans le port ? On peut trouver un travail dans le port de Barcelone ? »

Nous nous regardions, Rob et moi : pâles comme des linges, courts sur pattes face à ces colosses, nos chemises à fleurs toutes tachées. Puis nous nous lancions, d'une voix qui prenait soudain les accents d'un jeune adolescent :

« Disons que c'est assez facile.

— Ça peut se faire.

— Mais c'est pas *si évident* que ça non plus dans le port de Barcelone. »

L'argent finit par arriver, tout naturellement. Après avoir récupéré la voiture, nous calculâmes qu'il nous restait environ quinze francs pour faire des courses. Rob partit et revint avec des bonbons à la menthe fraîche, des biscuits au café et de l'orangeade — menu qui, à le voir sur le papier, me donne encore la nausée. Le goulot de la bouteille d'orangeade se brisa net quand j'essayai de l'ouvrir (pendant un violent orage dans la banlieue nord de Perpignan) et il m'entailla profondément la main. Le lendemain apporta son lot supplémentaire de sang, lorsque j'en crachai un peu sur une aire de stationnement : ce fut comme une méduse translucide qui me jaillit de la bouche, avec un beau point rouge au milieu. Je ne restai au volant qu'un quart d'heure : un mégot de cigarette, jeté par le siège arrière vers la fenêtre du conducteur, atterrit directement dans mon jean taille basse et me fit faire un écart : en sens inverse arrivait un gros camion de déménagement. Je laissai le volant à Rob et il conduisit toute la nuit. Sur le ferry, nous dûmes emprunter de l'argent et signer un billet de dettes, et nous rentrâmes à la maison, le réservoir à sec.

J'étais à court d'argent quand j'étais bébé. Je dormais dans un tiroir et je prenais mon bain dans un évier à l'extérieur de la maison. Mes langes étaient légèrement brûlés à cause du garde-feu sur lequel ils étaient mis à sécher. Ce n'était pas rose tous les jours. Le dîner de mon père se résumait souvent aux restes que lui rapportait ma mère de la cafétéria du cinéma où elle travaillait, le Tivoli. (Voir le chapitre « Swansea » dans ses *Mémoires*.) Il arrivait à Kingsley d'écrire à Philip Larkin pour le supplier de lui prêter cinq livres — parfois même *une* livre. Ce n'était vraiment pas rose, mais je ne me souviens de rien.

Un jour de 1978, alors que je venais de le raccompagner chez lui dans une autre voiture, Rob m'a demandé :

« Excuse, Mart, mais t'aurais pas dix livres à me prêter ? »

Je les avais et, en général, je les lui prêtais. Mais pas là.

« Cinq livres alors. Bon, d'accord, une livre.

— Entendu. Une livre. »

C'est la seule fois, cette semaine que nous passâmes à Perpignan, que je fis l'expérience du manque et de la faim. Contrairement à Rob qui ne faisait pas semblant de vivre à la dure, mais qui se découvrit un génie pour l'adversité — pas pour les catastrophes ordinaires, non, mais pour les catastrophes extraordinaires. Par son exemple, Rob, le fils de bonne famille, avait inculqué à Osric *d'jà* et *déj'ner*, *divan*, *cabinets*, *boudoir* et *soupe au lait*[1]. Il n'y avait pourtant rien de bourgeois dans les peines et les épreuves qu'il avait traversées. Tu ne peux pas comprendre, ô lecteur délicat[2], avec ton front attentif, tes douces mains posées sur le dos du livre, tout ce qu'il a enduré sur les bancs publics, dans les caves à

1. C'était un défaut d'être soupe au lait. Cela voulait dire qu'on était le genre de personne à verser le lait en premier en servant le thé. M : Et ça, c'est vulgaire [prolétaire], n'est-ce pas ? R : Ouais. M : Pourquoi ? R : Je ne sais pas, mais c'est comme ça. M : ... Alors, qu'est-ce qu'on fait si on verse le lait après et que le thé est trop fort et qu'il n'y a plus assez de place dans la tasse pour en rajouter ? R : On prend la tasse, on en verse *un peu dans l'évier* et on recommence.

2. L'une des acceptions de « délicat » est ce mot ridicule : *snob* (sois navire, ô bateau ?). Duncan dans *Macbeth* : « Ce château est bâti en un site enchanteur : on y respire un air léger et pur qui plaît à nos sens délicats. » Nos sens snobs... Notre sens du snobisme. Ô lecteur snob...

charbon en hiver, à la rue et sans abri, ou encore en prison. Enfant, Rob avait fréquenté l'antique école privée Christ's Hospital. Puis il avait fréquenté le collège de Westminster. Ensuite, il s'était fait enfermer à Wormwood Scrubs[1]. Il va bien maintenant, en 1999. Il est des gens qui ne peuvent respecter les règles de jeu admises ; il aurait pu en respecter d'autres, mais pas les règles admises. Il y a trente ans, il avait un visage à la Noureev ; puis la vie lui a apporté, pendant un moment, une touche médiévale : il s'était infligé des blessures et les portait sans la moindre amertume. Il va bien maintenant, mais Rob — mais le naufrage — mène une existence très proche de ce que j'écris là.

D'« Agua, no » à « Agua, sí »

Dans le métro à Earls Court, j'ai vu un jeune homme qui lisait *Le dossier Rachel* environ une semaine après la parution du livre. Il appréciait le roman, à en juger par ses mimiques parfaitement appropriées : un sourire sceptique suivi d'un sourire enthousiaste, puis à nouveau un sourire sceptique, et ainsi de suite. Je regrette encore de n'être pas allé lui parler. Mais je me suis dit : écoute, ce n'est qu'un début, il faut t'y faire. J'ai à peine besoin d'ajouter que ce début ne s'est pas répété

1. Une peine de huit mois pour conduite répétée en état d'ivresse. Cela pourrait arriver à n'importe qui, plus ou moins ; mais c'est à Rob que c'était arrivé.

avant quinze ans (un passager, écouteurs aux oreilles, qui fronçait les sourcils dans un avion en lisant *L'enfer des crétins*). Lorsque mon premier roman a remporté le prix Somerset Maugham, je me suis dit à peu près la même chose : il faut t'y faire. Mais cela ne s'est *jamais* reproduit[1].

Les conditions du prix, qui avaient tant contrarié Kingsley lorsqu'il l'avait reçu, comme on l'a vu, exigeaient que l'auteur passe quelques mois à l'étranger. Mon père nous avait tous amenés au Portugal. Je suis allé chez ma mère en Espagne. L'Espagne, à nouveau l'Espagne. L'Espagne est mon second pays en Europe ; ce n'est pas l'Italie, ce n'est pas la France. Mais l'Espagne... À l'époque, maman (puisque c'est comme ça que je l'appelle et que je pense à elle : je dois me concentrer un moment pour me souvenir de son prénom : Hilary) espérait gagner de l'argent en tenant un bar à Ronda, dans la province de Málaga. Elle s'était toujours imaginé un talent de chef d'entreprise dans la restauration. Des années plus tard, à six heures du

1. Il n'y a pas longtemps, le traducteur norvégien de *L'information* a reçu une maigre récompense pour le travail qu'il avait accompli sur le livre, mais je n'ai jamais été plus près de gagner un autre prix depuis 1974. Kingsley en a remporté deux : le prix Maugham et le Booker Prize au milieu des années soixante. J'en conclus que nos romans ne sont pas consensuels, et que d'ailleurs c'est une vertu. La raison secrète pour laquelle les médias s'intéressent au Booker Prize est la suivante : il démystifie et déclasse l'écrivain. Les écrivains deviennent des objets sur lesquels parier, et quand vient le soir de la loterie, on peut les regarder à la télévision, réduits à ce qu'en yiddish on appellerait des *schwitzers* — suant en douce dans leur smoking et leur basin. Mon père a eu la seule parole juste concernant les prix littéraires : ils n'ont d'intérêt que si on les remporte.

matin tous les jours, elle partait au volant d'une de ces camionnettes de ravitaillement que l'on aperçoit sur les aires de stationnement. Sa plus grande réussite, qui la faisait encore rougir, fut une friterie dont elle était copropriétaire à Ann Arbor, dans le Michigan : elle l'avait appelée Jim-la-chance. En 1974, elle prospérait : un nouveau mari (son troisième), un nouveau bébé (son quatrième) et une maison, la Casa de Mondragón, qui était la petite sœur du *palacio* d'à côté, portant le même nom.

C'est dans une des chambres du palais que je travaillais : je tapais le manuscrit de mon deuxième roman et remplissais de mégots deux bouteilles d'un litre, jusqu'à dégoûter l'occupant qui viendrait après moi. Pour le déjeuner, je traversais le pont et me rendais en ville, et je passais une demi-heure de plus dans le souffle chaud des *niños* en transe qui surveillaient mes doigts pendant que je jouais au flipper. D'après Hemingway[1]

1. Après avoir assisté à quelques corridas dans mon adolescence, j'ai lu *Mort dans l'après-midi* et quelques autres ouvrages sur le sujet, dont *Bull Fever* [*La fièvre des taureaux*] de Kenneth Tynan (rebaptisé *Bull Shit* [*Des couilles de taureau*] par Clive James). Au début, je n'étais pas insensible à la puissance immédiate du spectacle, mais mon engouement s'est vite étiolé au profit d'un sentiment beaucoup plus étrange : une espèce de vide brutalisé. Un jour, à Barcelone, après une heure de massacres en tous sens, on a vu voltiger un matador éventré d'un coup de corne — et toute la famille s'est mise à applaudir à tout rompre. Hemingway prétendait que la corrida n'était pas un sport mais un rituel, une authentique tragédie, sous prétexte que le taureau ne peut jamais triompher. Quelle est donc sa faute tragique ? Le fait qu'il soit un taureau ? (En outre, dans les corridas traditionnelles comme dans les corridas modernes, ce sont les chevaux qui souffrent le plus et le plus longtemps.) En 1974, j'ai assisté à une autre corrida à Ronda (« berceau » de la tauromachie espagnole) et j'ai vu le

— il n'y a pas un seul bar, dans toute l'Andalousie, qui ne s'enorgueillisse d'une photo dédicacée de Hemingway en train de se saouler avec le propriétaire — Ronda constituait la destination idéale d'une fugue, en particulier pour son hôtel-dancing-casino situé sur la place principale. Il ne se passe plus grand-chose au casino : reste une table de billard sans trous, une poignée de vieillards qui jouent aux échecs comme seuls les Espagnols jouent aux échecs, sans réfléchir le moins du monde avant de bouger leurs pions, qu'ils écrasent sur les cases de l'échiquier avec un sarcasme de hargne. Mais Ronda n'en reste pas moins un endroit prodigieux, un lieu de résidence jouissant d'une situation très attrayante. La ville est perchée sur un haut plateau fendu par une gorge vertigineuse. Si l'on jette un coup d'œil par-dessus le précipice, on voit des oiseaux voler trente mètres plus bas.

---

rituel en pleine décadence, avec des taureaux excités qui manquaient de vigueur et de courage sous leurs cornes sciées. J'ai également aperçu l'envers du décor : Antonio Ordoñez, le héros de Hemingway désormais à la retraite, faisait peut-être la fierté de Ronda : je le voyais souvent en ville, mais je ne l'ai jamais croisé au bar Antonio Ordoñez, l'un de mes bistrots préférés malgré toute sa collection d'objets ayant appartenu à Hemingway. Sa beauté, son charisme mettaient mal à l'aise ; il rayonnait comme si un projecteur était braqué sur lui ou qu'une omelette lui avait été appliquée sur le visage en guise de maquillage. Les jours de fête, il prenait les rênes d'un attelage et sortait avec sa femme glamour, et ses filles non moins glamour (les deux vamps les plus en vue de la ville). Sa lumière intérieure lui venait de la vénération dont il était l'objet consentant. C'était un homme qui avait mille fois démontré son courage (en passant *par-dessus* les cornes, au lieu de les contourner), mais, en outre, un artiste insurpassable de l'arène. On le traitait comme un héros de guerre combinant en plus les qualités d'un Pavarotti et d'un Pelé.

L'Espagne est aussi l'autre pays de ma mère. Elle et son mari y sont retournés. Ils vivent, à l'heure où j'écris, dans une *casita* primitive où ils ont essayé de se lancer dans les cultures vivrières à la fin des années soixante-dix. Une anecdote raconte mieux que tout sa maîtrise de la langue : un jour où elle fut victime d'une agression sexuelle timorée de la part d'un jeune des environs, elle lui cria : « *Venga ! Venga*[1] *!* » Malgré tout, pour faire un clin d'œil à Robert Graves, c'était son pays, celui qu'elle adorait le plus, et je crois savoir pourquoi. Un après-midi de 1974, alors que nous descendions la grande rue commerçante, nous croisâmes Rafael, célèbre figure de la ville. On ne risquait pas d'oublier, à l'époque (Franco en avait encore pour un an à la tête du pays), que l'Espagne possédait une grande population d'infirmes, de bancroches, de béquillards et toute la troupe des jambes de bois : mais Rafael était à part. Extrêmement bienveillant malgré son visage déformé, il souffrait d'un handicap moteur spectaculaire et possédait une démarche incroyable. On aurait dit Marcel Marceau allant puiser au fond de ses ressources pour imiter un acteur faisant l'ivrogne. Comment donc arrivait-il à destination (se demandait-on) en lançant ses pieds en l'air sans économiser ses mouvements ? Comme une tache dans la foule, il progressait en vacillant à la vitesse d'un escargot ; les passants le saluaient en lui criant *Eh, coño*[2], en venant

1. *Venga* veut dire « vas-y ». Je crois que ma mère cherchait le mot *fuera*, qui signifie « dégage ».

2. Comprenez par là ce que vous voudrez. Mais dans ce contexte, le mot n'a pas plus de force que « Mec », « Bonhomme », « Mon vieux ».

l'embrasser ou en faisant mine de lui lancer un crochet. Ma mère se tourna vers moi et me dit :

« J'*adore* vivre en Espagne. Maintenant, je le trouve *complètement* normal. »

On était frappé, ou du moins je l'étais, de voir qu'à Ronda, les gens n'avaient pas encore pris conscience de leur dentition. Il y avait plus d'un visage aux traits parfaits qui s'ouvrait généreusement sur une bouche semblable à un sac de noix, ou plutôt, vu qu'on était en Andalousie, à un assortiment de noix et de raisins secs. Ça me convenait à merveille, car je n'avais pas osé sourire en ouvrant la bouche depuis au moins cinq ans. Ma mère et mon père avaient souffert des dents toute leur vie et j'étais clairement destiné au même sort. « Ramenez-le à la maison », conseilla notre dentiste gallois à ma mère (en s'essuyant les mains après une longue séance de soins) alors que j'avais dix ans. « Il n'y a *rien* à en tirer. » Mes dents étaient à présent dans un processus de détérioration qu'un dentiste qualifia plus tard de *dramatique*. À la fin de l'adolescence, d'un coup de coude, mon frère m'avait enfoncé une incisive du haut à angle droit de la gencive (au cours d'une rare bagarre à trois avec Kingsley) ; quelques années plus tard, une de mes incisives du *bas* s'était détachée lorsque Rob m'avait envoyé au visage une poignée de ferraille (après pas mal de provocation de ma part, et sans grande force dans son geste). Elles n'étaient pas en place, voilà tout. Elles étaient de travers, toutes de travers ; quand je les serrais, elles se mettaient en travers. La bouche se prête particulièrement à l'obsession. S'il s'y passe quelque chose, c'est là que l'on vit : dans sa bouche. L'un des personnages du roman que j'avais presque terminé était un monomaniaque de sa dentition (incapable de penser à un autre sujet) et c'était quasiment mon cas. Je comprenais donc l'amour que ma mère portait à l'Espagne, et je le partageais d'autant mieux. C'était simple : les critères étaient moins élevés, le corps était moins objet de honte.

Mon demi-frère Jaime ayant deux ans en 1974, il est presque certain que l'incident qui suit se déroula quelques années plus tard en été. Mais je le raconte maintenant, car il apporte un vif commentaire satirique sur l'évolution de ma vie amoureuse à l'époque... Comme beaucoup de petits Espagnols, Jaime avait l'autorisation, au dîner, de boire un verre de vin rouge[1], largement coupé d'eau. Ce soir-là, Jaime surveillait de près l'opération de dilution. « *Agua, no* », répétait-il, l'index levé, chaque fois que ma mère se dirigeait vers le robinet de l'évier. « *Agua, no.* » Il en éclusa sans doute deux ou trois — puis, avant que quiconque pût l'en empêcher, il prit et vida un verre de gin tonic abandonné. S'ensuivit, dans une stupéfiante compression du temps, le paradigme de l'ébriété à l'état pur. Jaime rit, dansa, chanta, brailla, batailla et s'évanouit, le tout en quinze minutes. Une demi-heure plus tard, on entendit un gémissement déshydraté sortir de sa chambre. Il

1. Je n'étais pas du tout choqué par cette pratique. Chez moi, dans le sud du Pays de Galles, on avait droit à une cigarette le jour de Noël à l'âge de cinq ans.

avait déjà la gueule de bois. Il réclamait d'une voix faible : « *Agua !... Agua !...* »

« *Agua, sí,* dit Kingsley lorsque je lui racontai la scène.

— Exactement. À peine une heure pour passer de *Agua, no,* à *Agua, sí.* »

Cette gourmandise, ce solipsisme, cette dissipation semblaient caractériser ma vie amoureuse ; et j'avais souvent la même impression que le temps s'accélérait — et qu'il fallait parier. Mon histoire d'amour avec Tina Brown[1] en était bien une (les réponses aux questions « C'est ça ? » et « C'est toi ? » étaient toutes les deux nettement affirmatives), mais elle se termina trop tôt, comme si quelque chose de beaucoup plus long s'était bizarrement réduit à six ou sept mois... Lorsque mon père fit son voyage au Portugal après le prix Somerset Maugham, il avait trente-trois ans et avait embarqué une famille de cinq personnes. Ma mère avait vingt et un ans lorsqu'elle fut ma mère, vingt ans lorsqu'elle fut la mère de Philip. C'était comme ça dans leur génération. Dans la mienne, on se mariait tard et on avait des enfants tard[2]. Je ne le savais pas, à

1. Dès ses premières années à l'université, Tina Brown était déjà célèbre (et ceci à une époque où *personne* n'était célèbre) : dramaturge d'avant-garde, journaliste, jolie fille et élève surdouée. Pour entrer dans sa chambre, sur le campus, je devais enjamber des équipes de télévision, des interviewers, des chroniqueurs qui l'attendaient à l'affût.

2. Je me rappelle bien le sourire de satisfaction sadique qui envahit le visage de John Updike lorsque nous abordâmes le sujet pendant un entretien à la cantine de l'hôpital général du Massachusetts à Boston. Updike avait engendré quatre enfants quand (selon ses dires) il était encore assez

l'époque, mais j'allais patauger dans une atroce période de célibat. Un schéma commençait pourtant à se faire jour. L'ardeur des débuts se raréfiait. Trois mois, six mois, douze mois — et des liaisons qui tendaient à ressembler à des élisions. Après notre rupture, Tina me fit remarquer une lacune dans le répertoire de mes émotions : je n'avais jamais eu le cœur brisé, disait-elle. Aujourd'hui, je puis reconnaître que je nourrissais quelque part une méfiance inconsciente à l'égard de l'amour (je reviendrai sur ce point plus tard) ; mais à l'époque, cela me faisait juste l'effet d'un processus en cours, de plus en plus familier, inexorable. L'ardeur des débuts, suivie de son déclin, avant le retour à la case départ. Toute la gamme des sentiments de *venga* à *fuera*. Toute la gamme des désirs de *agua, sí* à *agua, no*.

L'une de ces liaisons les plus courtes — l'une des plus ramassées dans le temps — m'a fait rendre une autre visite à ma mère, peu après qu'elle fut rentrée en Angleterre malgré elle en 1977. Je lui ai dit que j'avais une histoire à lui raconter. Et une photo à lui montrer.

« Oui, mon chéri. »

Presque trois ans plus tôt, ai-je commencé, j'avais eu une liaison avec une jeune femme qui s'appelait Lamorna. Elle était mariée, à l'époque comme aujourd'hui, à un type sensiblement plus vieux, Patrick, que

---

enfant lui-même. Il aimait entendre ce que ça faisait de trimballer des bébés à trente-cinq ans : les genoux en compote, le dos meurtri — autant de nouvelles déroutantes du corps et du temps.

j'avais un peu fréquenté pendant un moment. (« Il est sorti avec Gully, maman », dis-je en faisant allusion à la fille à laquelle j'avais dédicacé mon premier roman ; ma mère sourit, elle se sentait davantage en territoire connu, munie de cette information.) Patrick et Lamorna, ai-je poursuivi, ne s'entendaient pas bien ; à l'époque, leur mariage était chaste.

« Oui, mon chéri. »

Je lui ai dit que j'étais toujours ami avec Lamorna et que nous avions récemment déjeuné ensemble... Mais j'ai passé sous silence qu'elle m'avait impressionné par son allure et son teint hâlé — par sa beauté, sa forme mentale. Lamorna était maniaco-dépressive — état qu'un psychologue avait un jour assimilé à l'Arnold Schwarzenegger des maladies mentales : une parole en l'air, mais non pas inoubliable. Je l'avais vue, et je la reverrais, agitée sous tranquillisants, confuse dans ses pensées, et apparemment assaillie de petites peurs, de piètres ennemis. Ce jour-là, au déjeuner, c'est moi qui étais agité (une banale histoire de cœur) et Lamorna, je m'en souviens, m'avait conseillé de commander un plat non monolithique, un ragoût ou une fricassée, pour ne pas avoir à affronter l'édifice d'un steak ou d'une côte de bœuf. Elle savait ce que ça faisait d'être agité. Elle savait tout ce que ça faisait d'être agité... Le restaurant était le vieux Bertorelli sur Queensway, juste en face d'une librairie (depuis longtemps disparue, comme le remarque sans tristesse le narrateur de *Money, money*), et Lamorna semblait resplendissante au milieu du bois sombre et des nappes blanches. Comme d'habitude, j'attachais une importance obsessionnelle à la belle santé de ses dents ; en mordant dans son toast au tarama, des filaments roses apparaissaient en haut des petits espaces entre ses dents. Je lui trouvai l'air plus fort, plus heureux que jamais. Je pensai qu'elle avait trouvé son équilibre. Et j'avais tort, tort sur toute la ligne.

« Elle m'a parlé de sa fille. Puis elle m'a montré la photo, maman. Elle me l'a donnée.

— Oui, mon chéri. »

Elle était prête, dans ma poche. On y voyait une petite fille de deux ans, vêtue d'une robe à fleurs sombre, avec des smocks sur le devant, des manches bouffantes et des rubans roses. Elle avait des cheveux blonds et fins. Elle souriait sagement : avec bonheur, mais un bonheur tranquille.

Me mère me l'a arrachée des mains.

« Lamorna dit que je suis son père. Qu'est-ce que tu en penses, maman ? »

Elle a promené la photo devant elle, à diverses distances. Elle l'a tenue à bout de bras tandis qu'elle ajustait ses lunettes de sa main libre. Puis elle l'a rapprochée. Sans lever les yeux, elle m'a dit :

« *Aucun doute.* »

Je n'allais pas rencontrer Lamorna avant quelques mois. Assis à mon bureau dans le *palacio* (le bâtiment avait cet air d'immobilité qui précède le délabrement), j'avais à l'esprit une autre absence consanguine. À l'esprit ? Dans l'esprit. Quelque part au fond de moi.

... Il y avait beaucoup de raisons pour lesquelles ma

mère adorait vivre en Espagne, et celle de pouvoir acheter des amphétamines sans ordonnance dans la plupart des pharmacies n'était pas la moindre. Au bout d'un moment, le produit qu'elle aimait fut retiré de la vente libre ; elle dut par conséquent se rendre à l'hôpital, sous des couches de vêtements empilées les unes sur les autres, et faire semblant de souffrir d'obésité (affaire de routine en hiver, mais subterfuge moins facile à supporter pendant la chaleur africaine de juillet et d'août). Pour elle, cette drogue était comme un appareil ménager. On savait toujours quand elle avait réussi à s'en procurer parce que la maison devenait soudain le théâtre de nettoyages et de rangements à grande échelle. On la voyait passer de pièce en pièce en chantant, un canapé sous un bras, un buffet sous l'autre. Cette fois-là, pendant l'été, je l'ai surprise en train de se livrer à des ablutions domestiques de grande ampleur, avec le même souci du détail que d'habitude, mais sans le même entrain que d'habitude. Je crois que je lui ai demandé si elle était à court de « médicaments ». Elle m'a rappelé qu'elle attendait ma tante Miggy qui devait venir passer quelques jours. Naturellement, elle voulait faire briller sa maison pour accueillir sa sœur. Nous ne nous sommes rien dit d'autre.

La visite de ma tante m'a fait penser, si « penser » est le mot que je cherche, à cet événement d'une atrocité inassimilable qui était survenu au mois de décembre précédent. Est-ce possible de penser à quelque chose qu'on ne peut assimiler ? Je ne le crois pas. Du moins, je ne crois pas que ce soit faisable.

À cette période, j'avais pour coutume de passer la veille de Noël à acheter mes cadeaux, puis à traverser tout Londres dans la Mini blanche (qui démarrait au moins une fois sur deux) pour aller chercher ma sœur, mon frère, et le cas échéant la copine de mon frère, avant de filer vers la grande maison au nord de Barnet, la voiture bourrée de cadeaux, de bouteilles, de sachets de chips et de mégots de joints. J'étais comme un vampire qui fait la course contre le coucher de soleil, dans son cercueil plein à craquer, afin d'arriver au château avant la tombée de la nuit. Il faisait noir à Noël en Angleterre, les lumières s'éteignant partout du 24 décembre jusqu'à ce qui semblait être la fin du mois de janvier : le monde entier vivait dans les ténèbres comme à Aberdeen.

La maison sur Hadley Common était une citadelle où rien ne manquait pour faire la bringue — pas seulement à Noël, mais tous les week-ends. Elle abritait d'immenses réserves, une cave, un tonneau de whisky de malt, un garde-manger si grand qu'on pouvait y entrer debout — de quoi survivre à une tempête de neige ou à une fermeture généralisée des magasins. Je crois que c'est le matin de ce Noël-là que les quatre Amis, le plateau du petit déjeuner sur les genoux, regardèrent *Voyage au centre de la terre* — avant d'aller au pub puis de s'attabler pour le déjeuner qui durait toute la journée, toute la semaine. Avec Kingsley au centre, pour dispenser de l'humour et de la joie comme un moteur de comédie... Je me sentais si protégé dans cette maison — et manifestement si exposé au danger ailleurs — que je ressentais toujours un frisson d'appréhension en reprenant la voiture le dimanche soir, n'importe quel dimanche soir, puis en empruntant l'autoroute et en affrontant le lundi, l'appartement ou le meublé que j'habitais, la rue, le travail, la frousse de la clochardisation, le monde extérieur. Une appréhension largement décuplée après ce Noël interminable, cette chaude couverture emmitouflante de dimanches, de dimanches au carré et au cube. Mais par-dessus tout, il manquait désormais quelqu'un dans le monde extérieur. La nuit du 27 décembre 1973, ma cousine Lucy Partington avait disparu.

Nous avions dîné tard, à la mode espagnole, et j'étais dans la cuisine avec ma mère et ma tante. Elles préparaient une boisson chaude à côté de l'égouttoir, j'étais resté assis à la table, plongé dans une rêverie désagréable, peu constructive et, surtout, coutumière : mes dents, bien sûr. Une récente explosion dans le haut de la bouche m'avait rendu sensible le côté droit de la cloison nasale, que je n'arrêtais donc pas de toucher, de tâter, de tester... Je me suis réveillé en m'apercevant que les deux sœurs, pour la première fois en ma présence, étaient en train de parler de Lucy. Or, il se trouve que j'ai un grand fond d'amour pour ma tante : elle et ses quatre enfants — en particulier les deux aînés, Marian et David — avaient été des figures marquantes de mon enfance et de ma prime jeunesse, et Lucy m'avait toujours frappé par sa vivacité. Mon cœur a donc tout de suite été pris dans la discussion. Mais pas mon imagination.

Après tout, ce n'était pas la première fois que je vivais une absence. Quand j'avais six ans, ma sœur de deux ans était tombée de la table du jardin, tête la première sur le sol en pierre. Pendant un jour et une nuit, sa vie avait été en danger[1]. Mal préparé, mal adapté pour affronter la mort, celle-là ou toute autre mort d'un proche, je m'étais senti enveloppé d'un secret lugubre, d'une intimité et d'un calme lugubres. Une deuxième fois, à l'âge de la puberté, j'avais eu la même impression d'exclusion, d'un silence incolore imminent, en me mettant à douter, après une longue séparation, de jamais revoir mon père... Mais ces deux expériences ne m'avaient pas donné à comprendre le poids et la profondeur de la catastrophe actuelle. J'étais encore très loin de comprendre, ou même de commencer à comprendre — très loin dans le temps, mais non dans l'espace. Je compris beaucoup plus tard, dans la campagne derrière Ronda, à quelques kilomètres du lieu où nous étions assis ce soir-là, lorsque mon fils de trois ans entra dans le jardin pour « une exploration », accompagné du chien

1. Sally s'était vite — et bien — remise de sa fracture du crâne. Un an plus tard, elle fut de nouveau confrontée à la mort. Elle était chez mes grands-parents paternels à Berkhamsted. Un matin, peu après que mon grand-père fut parti au travail, ma grand-mère eut une crise cardiaque et tomba raide morte. Lorsqu'il rentra, dix ou onze heures plus tard, il trouva Sally indemne, mais bizarrement habillée, étrangement barbouillée — avec le maquillage de sa grand-mère. Selon la version de l'histoire qui nous fut parcimonieusement racontée, à mon frère et à moi, Sally « lui avait ouvert la porte d'entrée ». Mais ça ne pouvait pas être vrai. Pourtant, je me demande comment mon grand-père a survécu à ce retour à la maison.

de ma belle-mère. Un quart d'heure plus tard, le chien revint, seul ; et il nous fallut peut-être une heure pour trouver l'enfant. Ce qui me frappa, après un bref instant, ce fut de me rendre compte que le sentiment de nausée et de panique qui semblait pourtant avoir atteint son maximum continuait à grimper. Mais ça, c'était en 1987, et là, nous étions en 1974.

Ma tante était appuyée contre le comptoir, les mains jointes couvant sa boisson chaude. D'une voix calme et posée, elle dit qu'il ne se passait pas une minute sans qu'elle pense à Lucy et se demande où elle était. Je me suis replié en mon for intérieur et je me suis détourné de ses paroles, si profonde était mon incompréhension. J'ai baissé la tête. J'allais avoir vingt-cinq ans, mais qu'est-ce que j'étais jeune, terriblement *jeune*. Et qu'est-ce que ça dure, la jeunesse, cette époque de constante imposture où l'on doit faire semblant de tout comprendre sans rien comprendre du tout. On ne comprend rien au *temps*. J'ai baissé la tête en pensant : pauvre Miggy ! Quelle horreur. Elle pense encore à Lucy à chaque minute qui passe, et ça fait... neuf mois.

Neuf *mois* ?

Lettre de l'école

Ça marche pour Durham[1]. 55 Marine Parade
Brighton, Sussex
30/11/67

Très chers papa et Jane,

J'en ai plus ou moins fini avec les examens, source d'une immense déception pour moi. J'étais très mal en point la semaine dernière à cause d'une légère mononucléose : migraines, maux de gorge atroces, suées, une fièvre de cheval. Bref, je ne me sentais pas dans mon assiette pendant les épreuves ; j'avais l'impression d'être démuni, alors qu'en réalité les sujets étaient tout à fait dans mes cordes. Le farfadet [Mr. Ardagh] s'en est rendu compte ; il a lu mes copies et m'a dit que, sans être catastrophiques, elles étaient largement en

1. Allusion à l'université de Durham, où j'allais être convoqué pour un entretien en vue d'une admission.

dessous de ma valeur. Mrs. Gibbs [la mère du farfadet], qui m'a plus ou moins soigné pendant que j'étais malade, a fourni à son fils un certificat médical qu'il a envoyé avec mes copies. Impression atroce de n'être pas à la hauteur, sentiment de panique, envie de déchirer mes premières réponses et de me mettre à chialer au bout de 20 minutes. Désolé si j'ai foutu en l'air mes chances pour Oxford, mais espérons que non quand même.

Les choses sont tout aussi décourageantes sur le front de Rottingdean. J'y suis allé aujourd'hui pour un entretien. Le type m'a dit que je n'allais enseigner *ni* l'anglais *ni* l'histoire : juste les maths (les maths MODERNES, en plus) à des gamins de 8 et 9 ans, et bien sûr le cricket et le rugby tous les après-midi. En clair, c'est un nullard qu'ils cherchent ; et moi, je suis censé en tirer quoi ? Non seulement c'est pas bien pour *moi*, mais en plus ça va pas me faire du *bien* tout court, si vous voyez ce que je veux dire. Le boulot à mi-temps, c'est en fait un plein temps payé demi-tarif (5 guinées) : sur place de 9 heures à 7 heures tous les jours. Désolé, mais j'ai du mal à voir comment ça peut me faire mijoter dans la littérature anglaise et tous ses plaisirs. C'est quoi, ce petit jeu ? Je n'arrive pas à croire que c'est ce que vous aviez en tête... Je n'aurai pas le temps de lire parce que je m'emmerderai trop. Ils sont où, les avantages ? Ça fait des mois que je crains, que je redoute cette solution, même si je suis parfois assez euphorique pour admettre que ce sera assez rigolo de monter un Shakespeare. Ce que je ne supporte pas, c'est de devoir me ridiculiser *tous les jours* sur le terrain de rugby. Et comme j'imagine mal que vous ayez fait un savant calcul pour me laver de quelque péché ou de quelque échec récent, puisqu'il n'y en a eu aucun, je me demande bien à quoi on joue. Je vous prie de ne pas conclure trop vite qu'en un sens, tout bien considéré, et l'un dans l'autre, ça pourrait finir par me faire du bien. J'ai besoin de preuves plus tangibles. Je n'ai pas raté TOUS mes examens, vous le savez — j'ai fait des progrès dans une ou deux matières. Je dis, mais n'y voyez aucune amertume[1], que vous avez tout organisé sans me consulter *une seule fois* — mis à par le jour où vous m'avez demandé si j'accepterais les circonstances telles que vous les envisagiez. Avec du recul, ça me semble incompréhensible : êtes-vous bien certains que je n'ai pas commis un crime odieux que j'aurais oublié et dont je subirais ainsi le sinistre châtiment à retardement ? Je vous répète que je n'ai pas la moindre amertume — mais je ne comprends pas où vous voulez en venir.

Vous devez vous imaginer avec angoisse que je vais vous demander un logement luxueux sur Park Lane et 500 livres d'argent de poche par semaine. Non, fichtre non, ce ne serait pas raisonnable à mon avis. Mais pourquoi devrais-je alors me contenter d'un boulot quelconque sans pouvoir récolter les fruits du courage, continuer à habiter à Brighton et prendre plein de cours avec ce gnome ? Ça vous ferait économiser beaucoup d'argent (c'est sûr) et ça me permettrait d'accumuler

1. Ce qui me rend si terriblement amer, ici, c'est que je n'ai raté aucune matière à cette session: A en anglais, B en histoire, D en logique.

encore plus de lectures. Puisque la partie de l'enseignement s'avère si spectaculairement non littéraire, pourquoi ne pas essayer quelque chose d'antispectaculairement littéraire ? S'il vous plaît, n'allons pas imaginer qu'il faut continuer sur cette lancée puisque le processus est déjà bien enclenché.

De toute façon, le farfardet est d'accord pour éliminer Rotters et il multiplie les coups de fil à droite et à gauche, mais si rien ne se présente qui nous semble valoir le coup, est-ce que vous me donnez la permission de rejeter ce projet ?

Pardon de ce ton qui vous paraîtra peut-être grincheux / irascible / enfant gâté.

Bises,

MART XXX

P.-S. : Papa, je ne savais pas que tu voulais de la passion dans ta poésie... *beaucoup* de passion.

P.-P.-S. : (Pouvez-vous répondre *le plus vite possible*).

Arrêt de bus : 1994

En farfouillant dans mes papiers, j'ai récemment exhumé une autre lettre, de mon cousin David Partington celle-là — préservée par miracle, étant donné que je ne garde pas mes lettres et qu'il ne m'en reste aucune de mon père.

La lettre n'est pas datée. Mon cousin parle de l'impact de la paternité sur mon nouveau livre, dont il donne le titre. Mes fils sont nés en 1984 et en 1986, et c'est des *Monstres d'Einstein* qu'il s'agit : paru en 1987. Selon Julian Barnes, les romanciers n'écrivent pas « sur » un thème ou « sur » un sujet, mais « autour » de lui — et c'est bien mon sentiment aussi. Le livre consiste en cinq nouvelles *autour* de l'armement nucléaire et s'ouvre par une introduction qui porte vraiment *sur* la question. Il va sans dire que le milieu des années 1980 représenta l'une des phases les plus tièdes de la Guerre froide : c'était l'époque de l'escalade (ou de la surenchère) reaganienne, de « l'empire du mal » et de la Guerre des étoiles (« la force est avec nous »). Gorbatchev devait encore faire ses preuves, et c'est dans ces eaux-là que

Reagan accusa la langue russe de ne pas avoir de mot signifiant *détente*.

Extrait de l'introduction polémique, intitulée « Concevabilité » :

> Quand je lui ai dit [à mon père] que j'écrivais quelque chose sur l'armement nucléaire, il m'a répondu, gaiement : « Ah, je suppose que tu es... "contre", n'est-ce pas ? » *Épater les bien-pensants*, voilà sa règle. [...] Je suis immanquablement plus grossier avec mon père à propos de l'armement nucléaire qu'à propos de n'importe quel autre sujet, plus grossier avec lui que je ne l'ai jamais été depuis mon adolescence. Je finis d'habitude par lui dire quelque chose comme : « Eh bien, nous n'aurons qu'à attendre que tous les vieux cons comme toi crèvent les uns après les autres. » Il finit d'habitude par me dire quelque chose comme : « Penses-y. Rien qu'en supprimant le secrétariat d'État à la culture, on pourrait augmenter notre arsenal de manière conséquente. Les bourses aux poètes pourraient assurer l'entretien d'un sous-marin nucléaire pendant un an. L'argent dépensé pour une *seule* représentation du *Chevalier à la rose* pourrait nous acheter une ogive à neutrons supplémentaire. Si nous fermions tous les hôpitaux de Londres, nous pourrions... » La satire est juste, dans un sens, car je ne fais que *parler* de l'armement nucléaire. Je ne sais pas quoi en faire.

Ayant lu sa *Correspondance*, je sais maintenant que Kingsley s'était emporté pour de bon (mais de façon hilarante, me semble-t-il) contre la position que je défendais. Dans une lettre à Robert Conquest, il me traite de « foutu crétin » se faisant « gauchiste » sur le tard (un foutu crétin, dans son vocabulaire, désignait une personne juste assez intelligente pour ne pas s'en laisser conter). À la fin de la semaine qui vit la sortie des *Monstres d'Einstein*, j'amenai mon fils de trois ans déjeuner chez mon père comme tous les dimanches, et Louis, je m'en souviens, fut atterré par les premières paroles que nous échangeâmes.

« J'AI LU TON BOUQUIN SUR L'ARMEMENT NUCLÉAIRE ET ÇA DIT *ABSOLUMENT QUE DALLE* SUR CE QU'ON EST CENSÉ EN FAIRE.

— BEN C'EST PAS UNE SURPRISE HEIN VU QUE ÇA FAIT QUARANTE ANS QUE PERSONNE NE SAIT QUOI EN FAIRE *NON PLUS*. »

À bien en juger, il avait l'air de s'emporter pour de bon : jamais je ne l'avais vu plus remonté contre moi. Mon frère Philip l'imite à la perfection dans cet état : trépidations de toute la tête, dilatation dangereuse des pupilles, violence d'un faux sourire sur ses lèvres contractées et (surtout) trituration des cuticules du pouce avec l'ongle de l'index, presque jusqu'au sang... Ce qu'on pense de l'armement nucléaire dépend, entre autres choses, de la date où l'on est né. Je sais très bien ce qui s'est passé pour moi. Quand j'étais enfant, l'instituteur me disait souvent de me coucher par terre en espérant que le dessus de mon bureau me protégerait de la fin du monde ; cette violence, cette absurdité inimaginables, je les ai chassées de mon esprit conscient. Puis, à trente-cinq ans, je suis devenu père[1]. Le déve-

1. Kingsley au même âge (dans une lettre adressée à Larkin) : « [...] Seigneur, je viens juste d'entendre la sirène d'un raid aérien et j'ai eu si

loppement d'instincts protecteurs a fait resurgir en moi cette angoisse que j'avais remisée, à laquelle j'avais résisté : cette angoisse muette. Les sentiments attendaient d'être vécus, les histoires d'être écrites.

> Tu te rappelles, m'a écrit mon cousin dans cette lettre, ce qu'on se racontait quand on avait douze ans[1], et ce qu'on ferait si tous les gens disparaissaient d'un seul coup et que le monde restait intact à part ça ? Toi à Cambridge, moi à Gretton : on se contacterait et on se retrouverait. Peut-être même qu'on avait mis un plan au point.

Si je me rappelle ces discussions ? Oui, David, je me rappelle — je me rappelle les moindres détails. Car tout cela est étroitement lié dans mon esprit. Je me rappelle aussi avoir pensé à toi, à ta sœur cadette, à ta mère, en écrivant :

> Ça me rend malade, l'armement nucléaire me rend malade. [...] C'est là et je suis ici — c'est inerte et je suis vivant — et pourtant, ça me donne envie de vomir, ça me retourne l'estomac ; ça me donne la même sensation que si un de mes enfants était sorti depuis trop longtemps, depuis beaucoup trop longtemps, et qu'il commençait déjà à faire noir.

---

peur que j'ai failli m'évanouir. [...] C'était juste un test, j'imagine, *pour vérifier que tout est en ordre de marche quand ils en auront besoin*. Je préfère ne pas penser à tout ça. » Ses fils avaient huit et neuf ans à l'époque. Qu'est-ce qu'ils pensaient de tout ça, eux, qu'est-ce qu'ils ressentaient ?

1. David avait douze ans et je venais d'en avoir treize lorsque Kennedy a ordonné le blocus de Cuba : le 22 octobre 1962.

À certains moments, pendant certaines périodes, David était capable de se convaincre que Lucy était toujours en vie. En vie, mais ailleurs. Naturellement, tous les Partington ont essayé d'adopter une tactique équivalente. Ma mère aussi. Moi de même. Lucy était sérieuse, déterminée, elle avait une fibre artistique, un don pour la musique, une ferveur religieuse. Même quand nous étions enfants, le message que je retenais toujours d'elle, c'est qu'elle ne se laisserait pas dévier de sa trajectoire ni dissuader dans ses désirs. Ce n'était pas sans mal qu'on pouvait lui imaginer l'envie de disparaître ; mais c'était l'affaire d'un instant d'imaginer qu'elle en avait fait à sa tête. Elle s'était donc enfermée dans un couvent quelque part ; elle était violoniste à Melbourne, elle écrivait des poèmes sous un pseudonyme à Montréal. Mais bien sûr, ces élucubrations se heurtaient vite à un obstacle : Lucy était douce, gentille, sensée. Autant de qualités auxquelles on ne pouvait que riposter : j'ai dû faire erreur, et je suppose que ça peut créer une grosse surprise, les gens qui se révèlent prêts à propager le mal. Ainsi s'est poursuivi le raisonnement (tout doucement au bout d'un moment, puis presque de manière inaudible, étant donné la distance qui me séparait de l'événement) pendant vingt et un ans.

C'est David qui avait conduit Lucy à Cheltenham le 27 décembre 1973.

On était à présent en 1997.

« Ça m'aurait été *si facile* de la reconduire. Je le lui ai proposé. »

Mais Lucy avait décidé de prendre le bus ; et il était inutile de discuter avec elle pour la faire revenir sur sa décision.

« Si j'avais insisté...

— Tu peux continuer à enchaîner les *si* à l'infini », lui dis-je...

David compte parmi les êtres que j'ai le plus aimés dans mon enfance, et réciproquement. Nous ne nous voyons plus très souvent, tout empêtrés que nous sommes dans notre costume d'adultes, mais le lien qui nous unit ne se résume pas à un vague cousinage, loin de là. Mon frère[1] est bien sûr irremplaçable, tout comme mon demi-frère, Jaime. Mais j'ai passé une bonne partie de mon enfance à vouloir sincèrement David pour frère. Et vice versa. L'affinité ne s'est pas éteinte. En écrivant mon roman *London Fields*, j'ai eu pour tâche mineure de trouver un prénom au frère du narrateur. Cela m'a pris environ une seconde : je l'ai appelé « David ». (Le personnage est juif — et, je m'en aperçois maintenant, il meurt jeune.)...

Cette rencontre avec David Partington eut lieu le 31 octobre 1997 : le jour de Halloween. Le destin de Lucy était de notoriété publique depuis mars 1994. Non, de notoriété plus que publique. Comme celui des autres victimes, il était de notoriété *nationale* : il faisait

1. La veille, j'avais par hasard rencontré Philip. Il me dépassait dans un supermarché et j'avais été impressionné de l'identifier sans doute possible dans mon champ de vision périphérique — sa silhouette, son volume — comme si j'avais en tête un gabarit auquel lui seul pouvait correspondre.

partie d'un ensemble de faits que partageaient tous les citoyens, mus par le sens du devoir. À partir de ce moment-là, David dut prendre son courage à deux mains pour ouvrir un journal. Car tout était prêt à recommencer : les réveils en pleine nuit, les longues insomnies dépensées en larmes et en jurons. C'est dans cet état qu'il était le lendemain de sa disparition. « Lucy n'est pas rentrée hier soir. » Il n'y avait personne dans sa chambre, le lit était fait sans que personne y ait dormi. La certitude d'une catastrophe se profilait. Et mon pauvre cousin (je déteste y repenser) hurlait dans la cour en brandissant ses poings serrés : « Si quelqu'un lui a fait quelque chose... »

Larmes et jurons, malédictions et sanglots : il devrait exister un mot pour résumer toutes ces réactions. En novembre 1918, l'annonce de l'armistice inspira ces lignes à Siegfried Sassoon : « Je fus empli du même plaisir / Que des oiseaux en cage doivent trouver dans la liberté [...] » Robert Graves eut un autre sentiment : « En apprenant la nouvelle, je partis marcher sur la digue qui longe le marécage de Rhuddlan (un ancien champ de bataille, le Flodden du Pays de Galles), débordant de jurons, de sanglots et du souvenir des morts. » Jurons, sanglots, souvenir des morts : il devrait exister un mot pour résumer toutes ces réactions. « Pleurer » ne suffit pas. C'est quelque chose d'antérieur. Il ne s'agit pas, je pense, d'un combat pour accepter la réalité, mais pour y croire.

« Quand vous êtes entrés en ville, tu te souviens de quoi vous parliez ?

— J'essayais de justifier ma petite amie du moment. Tu sais, elle était sexy, mais niaise. Lucy se montrait très compréhensive. Pas du tout critique. Mais je croyais cependant que j'avais à me justifier.

— Six ans après sa disparition... Tu te souviens ? Lorsqu'on en a parlé. Tu disais que tu voulais la venger. De tes propres mains. C'est toujours le cas ?

— Non. Mais aujourd'hui ou à n'importe quel moment, je donnerais ma vie pour que Lucy vive la sienne. Parce que ma vie est... Et la sienne...

— Je comprends. Mais ne sois pas trop dur avec toi-même. Je trouve que tu es un modèle.

— Moi ? »

Il se fit un silence pendant lequel chacun suivit le cours de ses pensées : le même cours, les mêmes pensées. Dans la nuit du 27 décembre 1973, Lucy Partington avait été enlevée par l'un des assassins les plus prolifiques de l'histoire britannique, Frederick West. On savait ce qui lui était arrivé après sa mort. Il lui avait tranché la tête, découpé les membres, et il avait fourré ses restes dans un étroit conduit entre des tuyaux d'évacuation percés, avec un couteau, une corde, un bout de papier adhésif et deux épingles à cheveux. Mais l'horreur qu'on ne pouvait deviner concernait ce qu'elle avait enduré lorsqu'elle était encore en vie. Or, juste après minuit le 3 janvier 1974, West s'était présenté aux urgences de l'hôpital royal de Gloucester, avec de graves déchirures à la main droite. « Il semble tout à fait possible qu'elle ait été maintenue en vie pendant plusieurs jours », écrit un commentateur. Pourtant, les preuves demeurent très indirectes. « Il est possible, écrit un autre, que [West] se soit blessé en découpant les membres du cadavre, mais il est tout aussi possible que ce ne soit pas le cas — et je préférerais que la famille opte pour cette seconde hypothèse. »

« J'ai lu tous les livres, dis-je, et il n'y a pas... »

David recula de quelques centimètres, comme s'il avait été choqué que j'aie pu affronter l'exhibition de ce qui était pour lui une affaire beaucoup plus répugnante. Les livres : je ne manquai pas de les cacher dans un placard lorsque, quelques mois plus tard, il vint passer la nuit à la maison. Les livres sont ce qu'ils sont, mais ils m'avaient apporté quelque chose que je devais lui faire partager.

« J'ai lu tous les livres, et rien ne prouve à cent pour cent que ça s'est terminé tout de suite à l'arrêt de bus. »

J'ajoutai en espérant le réconforter (mais pourquoi ces mots l'auraient-ils réconforté ?) : « Lucy n'a pas eu de chance, David, c'est tout. Ta sœur a terriblement manqué de chance. »

C'était le dimanche 10 juillet 1994, un des plus beaux jours de l'année, celle-là ou une autre. Matinée radieuse, après-midi de planète bleue. Je ne me doutais pas le moins du monde que m'attendait une expérience d'une importance capitale, une expérience de transfiguration. Je vivais, endurais, ou tout simplement durais d'instant en instant, d'heure en heure... Comme la plupart des gens qui n'ont pas franchi le cap de la quarantaine, je ne prêtais guère foi et n'accordais aucun respect à la crise de la maturité, domaine réservé des cancres et des mauviettes incapables de marcher droit, pour une raison d'eux seuls connue. Lorsque je vins à bout de ma crise (car on en vient à bout : une crise ne peut pas se prolonger indéfiniment), je me rendis compte de son caractère personnel et structurel : les problèmes existaient déjà, mais je ne les avais pas affrontés. Cette crise de la quarantaine appporte son lot de ringardise et d'indignité, mais cela fait partie du supplice. Ou, pour user d'un langage plus concret, on se retrouve sur le rempart de la douleur qu'on a étayé de ses propres clichés. Plus tard, on s'aperçoit qu'il s'agissait seulement d'un processus de réajustement, d'un phénomène irrésistible et universel ayant trait au changement de ses idées sur la mort (et il faut avoir une crise à ce sujet. Cette crise est critique). Les gens disent qu'un enfant qui grandit peut tour à tour « comprendre » la mort d'un animal domestique, la mort d'un grand-parent, puis même la mort d'un camarade. Ce n'est qu'à l'adolescence que nous parviennent les premières rumeurs de notre propre fin, ces rumeurs restant vagues jusqu'à leur confirmation irréfutable lorsqu'on atteint la quarantaine et qu'on s'échine à se pencher sur le passé. La jeunesse s'est enfin évaporée, et avec elle toute croyance dans l'inexpugnabilité. Cette connaissance s'inscrit sur le corps : les cheveux blanchissent et tombent, l'orbite des yeux s'assombrit... Ce dimanche 10 juillet 1994, j'adhérais autant au présent que le capitaine MacWhirr dans « Typhon » de Conrad, lorsque, après avoir lancé ses chaussures, il les observe « gambad[er] d'un bout à l'autre de la cabine, se culbutant et cabriolant comme deux caniches », tandis que l'orage sombre commence à se déchaîner[1]. Je ne m'attendais à aucune illumination salvatrice. Mais il en vint une.

J'avais deux raisons de ne pas être très réceptif ce jour-là. D'abord, j'avais une rage de dents : une rage de dents qui tenait de la grosse blague, telle qu'on en voit dans les dessins humoristiques placardés chez le dentiste (aussi bien, j'aurais pu m'attacher une taie d'oreiller autour de la tête) ; ma mâchoire droite était si enflée que mon œil menaçait de ne plus voir. Ensuite, comme il m'arrive une fois par livre, j'avais un mal fou à écrire : une grave angoisse qui peut atteindre un niveau purulent lorsqu'on est en train de finir un long roman... Ma rage de dents s'était déclarée le vendredi, à Oxford, par une souffrance qui m'avait empêché de fermer l'œil de la nuit chez Ian McEwan (autre artiste en pleine crise de la quarantaine comme tous mes meilleurs amis, bien que lui n'y fût pour rien) et elle s'était confirmée lorsque j'étais allé m'examiner avec horreur dans la salle de bains. Le jour et demi d'après, l'abcès avait cessé de me faire mal tout en décidant d'enfler davantage. Le résultat était spectaculaire, même d'après les critères courants (la dent était alors en phase presque terminale, et je redoutais grandement la suite). En

1. Le paragraphe suivant commence ainsi : « Alors il se fendit, à la manière d'un escrimeur, afin d'atteindre son ciré, puis s'y introduisit par saccades, trébuchant dans l'exiguïté de la cabine. » Ce mouvement d'escrimeur... Conrad était le genre d'écrivain à garder les yeux ouverts quand la plupart d'entre nous préfèrent les avoir fermés.

m'appliquant un bac à glaçons sur la joue devant un miroir, je m'aperçus que j'avais acquis un attribut que je réservais d'ordinaire à mes personnages secondaires les plus violents : des narines énormes. Le côté droit de mon visage montrait au côté gauche à quoi il ressemblerait lorsqu'il serait gros. Personne ne fit de remarque ce week-end-là. La famille proche parce qu'elle comprenait ; d'autres personnes par tact, par sens des convenances ou par douce myopie, ou parce que les rassemblements sont de cette nature, ou que le souvenir flou d'un visage conduit à l'indulgence même lorsqu'il est déformé par une crise cardiaque, une paralysie ou un quelconque glissement de terrain provoqué par le temps.

En termes logistiques, le week-end n'avait jusqu'alors rien connu d'extraordinaire pour une personne dans ma situation. Départ pour Oxford avec les garçons le vendredi, retour à Londres avec les garçons le samedi, nouveau départ pour Oxford avec les garçons le dimanche (pour les remettre à ma femme dont j'étais séparé, qui habitait à Londres mais demeurait à Oxford) — et ainsi de suite. En continuant vers le nord-ouest, les trois adultes, moi, ma mère et mon frère, pouvions parler dans la voiture (cigarette au bec et toux en prime) en nous préparant à l'après-midi qui nous attendait. Comme une bonne centaine d'autres personnes, nous nous rendions à la Maison fraternelle de la foi à Cheltenham, dans le Gloucestershire, pour assister à une messe en commémoration de Lucy Katherine Partington (1952-1973). Les obsèques avaient été repoussées parce que la police avait conservé les restes du corps à titre de preuves.

Nous continuâmes à rouler. En guise de cendrier, ma mère utilisait la boîte vide de pastilles pour la gorge qu'elle emportait toujours avec elle. Elle prévint ses fils qu'elle ne s'assiérait pas avec eux ni près d'eux, ni même dans leur champ de vision. On accepta et on comprit le message (pour des raisons qu'il vaut mieux révéler ailleurs). Et tous les trois de continuer à rouler, cigarette au bec et toux en prime... David me révéla plus tard qu'il sut, au moment où il entendit parler des exhumations dans le Gloucestershire, que Lucy ferait partie du lot. Au début du mois de mars, j'étais à l'étranger ; je n'avais été au courant de rien jusqu'à ce que j'ouvre un journal dans le taxi qui me ramenait de l'aéroport. Il y avait une photo que j'avais vue pour la dernière fois vingt ans auparavant, placardée sur un avis de recherche.

Dans un essai resté célèbre à juste titre[1], la sœur aînée de Lucy, Marian, cita des notes du journal qu'elle tenait à l'époque des fouilles :

> *Samedi 5 mars*. À dix heures et quart, coup de téléphone de la police. Ils veulent venir nous parler [à Marian et à sa mère]. Ils ont des « nouvelles » pour nous. Une demi-heure d'attente avant leur arrivée. Agitation et angoisse terribles [...] palpitations et nausée. Invasion graduelle de la torpeur et du silence suivant le choc... Multitude de messages sur le répondeur à notre retour. Les Vautours de la douleur ne doutent pas un instant que nous allons les rappeler (la télé et les

1. « Sauvegarder le sacré », publié dans l'édition du *Guardian* datée du 18 mai 1996.

tabloïdes). On ne répond pas [...]. J'ai à peine fermé l'œil cette nuit-là. Sentiment paralysant de poids, de crainte et de douleur au cœur. C'est énorme. Le choc propulse dans le présent comme un accouchement. On concentre toute son énergie sur la survie. Certains en meurent.

Pendant quelque temps, mon esprit ne cessa pas, malgré lui, de faire des expériences avec les pensées, avec les sentiments : j'imaginais chacun de mes fils à la place de leur cousine éloignée, dans le même champ de force d'une extrême violence, puis le moment où ils éprouvaient la magnitude de la haine indistincte qui se déchaînait contre eux. La première fois que je me livrai à cet exercice, je vacillai sur mes talons et sentis une ruée, une bousculade, comme si j'allais pénétrer dans un tunnel aérodynamique qui n'était lui-même qu'une trouée, ou une trappe, menant à la pièce occupée par les parents, les frères et sœurs de Lucy. Même éloigné de ces derniers, encore une fois, je vécus l'appréhension de la défaite, d'une défaite qui effaçait tout sur son passage. L'espoir d'une autre issue apparaissait désormais comme une fragilité pitoyable, tandis que mon corps ragaillardi commençait à tout mettre en œuvre pour exister dans la réalité.

Nous arrivâmes très en avance. Une heure passa. Puis nous rejoignîmes ma tante, mes cousins et toutes les autres personnes à l'endroit où nous nous étions donné rendez-vous.

Lucy Katherine Partington, 1952-1973.

Intervention de Marigold Palmer-Jones, la fille de Marian :

« Il y a vingt ans, la sœur de maman, Lucy, est allée voir une amie à Cheltenham. Elle a décidé de rentrer en bus et on ne l'a plus jamais revue. Je me rappelle nettement comment maman m'a raconté l'histoire. Il devait être près de quatre heures et nous regardions des photos d'elle et de sa famille. Il y avait une photo avec quatre enfants assis sur un poney. Comme il y en avait une que je ne reconnaissais pas, je lui ai demandé qui c'était. Elle m'a répondu que c'était sa sœur, mais qu'elle avait disparu à vingt et un ans. À l'époque, je crois que j'étais trop jeune pour comprendre qu'une sœur puisse simplement "disparaître". Mais je me souviens d'avoir été très gênée quand j'ai regardé ma mère qui pleurait sans que je comprenne pourquoi. [...] »

Intervention de Susan Bliss, une amie d'enfance :

« [...] Les cochons d'Inde jouaient un grand rôle dans notre vie de fillettes. Ils avaient l'étrange manie de se reproduire. Nous passions des heures dans des clapiers et des cabanes en toute amitié avec eux. [...] Cela faisait un certain temps que nous en soignions un qui était malade. Je crois que c'était celui de Beryl, mais comme nous partagions tout, cela n'avait pas d'importance. Il a fini par mourir. Nous étions toutes les trois dans un poulailler à faire nos adieux à la pauvre bête. Lucy et Beryl l'ont embrassé et me l'ont tendu. J'avais peur de l'embrasser parce qu'il était mort. Lucy s'est mise très en colère. Elle m'a violemment lancé que ce n'est pas parce qu'un être meurt qu'il faut cesser de l'aimer, et que tout le monde mérite un baiser avant d'aller au paradis. Humblement, j'ai embrassé le cochon d'Inde et j'offre aujourd'hui le même hommage à ma chère amie. »

Discours de Mary Smith, professeur au collège de Pate :

« [...] Elle n'était pas arrogante, même si elle adorait les livres et faisait brillamment ses devoirs. Jamais ce ne fut une petite sainte-nitouche assise dans son coin. Elle engageait le débat avec tout le monde, mais c'était toujours parce qu'elle voulait connaître la vérité. [...] Il y avait au collège, certains d'entre vous s'en souviennent peut-être, un rituel annuel qu'on appelait la semaine de la Course. Tous les élèves se rassemblaient en silence, en ordre et bien habillés, pour saluer la Reine mère sur son passage. Je me rappelle qu'en seconde Lucy s'est révoltée contre cette pratique. Peut-être avait-elle entendu dire que la Reine mère avait demandé au secrétaire de mairie "le nom de cette école de sourdes-muettes qui viennent me saluer". En tout cas, Lucy n'était pas en faveur de la monarchie ; elle s'est assise dans la salle de classe, elle a exposé ses opinions antimonarchiques et parlé de l'état du pays, de l'état du monde, du genre de poésie qu'elle allait étudier ensuite ; et ainsi le temps est passé. [...] »

Intervention d'Elizabeth Christie, une amie d'enfance :

« [...] La toute dernière fois que j'ai vu Lucy, c'était au cours de l'été 1973 à Gretton ; elle m'a parlé avec beaucoup d'enthousiasme de son cours d'anglais médiéval et elle a écrit de mémoire ["avec quelques erreurs"] un poème précis. Je l'ai conservé. Au fil des ans, il m'a fait l'effet d'une épitaphe pour Lucy. C'est un poème médiéval sur la Vierge Marie :

JE CHANTE UNE VIERGE

JE CHANTE une vierge
Seule et unique.
Le roi de tous les rois
Pour fils elle prit.

Il est venu, aussi tranquille
Où sa mère était
Que la rosée d'avril
Qui tombe sur le pré.

Il est venu, aussi tranquille
Dans la charmille de sa mère
Que la rosée d'avril
Qui tombe sur la fleur.

Il est venu, aussi tranquille
Où reposait sa mère
Que la rosée d'avril
Qui tombe sur la brindille.

Mère et vierge
Jamais ne fut.
Mais cette dame peut bien,
De Dieu, être la mère. »

Marion Smith ensuite, une amie d'enfance :

« [...] Quand nous avons monté *Les sorcières de Salem* à l'école (je ne sais pas si quelqu'un s'en souvient parmi vous), Lucy tenait le rôle d'Abigail et moi celui de Mary Warren. Nous devions crier. Nous avons donc passé des heures à nous entraîner dans un champ. Lucy y arrivait à merveille et nous, les autres, on se tenait autour d'elle, époustouflées. Le semestre suivant, en terminale, nous avons joué *Middlemarch*. Lucy était l'enthousiaste et l'érudite. [...] J'aurais voulu lire aujourd'hui un passage du roman et je l'ai repris pour le feuilleter. Mais la pauvre Dorothea n'arrive pas à la hauteur de Lucy. Elle a vécu longtemps, elle était très gentille, on la trouvait merveilleuse, mais elle ne touchait pas beaucoup les gens. Même dans sa courte vie (comme tout le monde, je crois, l'a dit aujourd'hui), Lucy a touché beaucoup de gens. Dieu seul sait ce qu'elle aurait fait... Dorothea est en retrait, Lucy avait tout pour elle. »

Discours d'Elizabeth Webster, professeur au Centre des arts :

« [...] Elle est venue me voir quand elle était à Exeter, juste avant sa dernière année. Je lui ai demandé : "Maintenant que tu es grande, qu'est-ce que tu vas faire ?" Elle m'a répondu : "Ça m'est égal, pourvu que je sois profondément engagée dans ce que je fais." J'ai repris : "Parfait, mais où est-ce que tu vas aller ?" Elle a réfléchi longuement, puis elle m'a dit : "Vers la lumière... Vers la lumière." »

Marian Partington, pour finir :

« [...] Quatre mois après la mort de Lucy, j'ai fait un rêve. Dans mon rêve, elle revenait. Je lui demandais où elle était allée et elle me répondait qu'elle était restée assise dans une prairie boueuse près de Grantham. "Si on reste immobile, on entend le soleil bouger", elle a ajouté. Dans mon rêve, j'étais emplie d'un grand sentiment de paix. [...] »

Il m'apparut très vite qu'il se passait quelque chose d'extraordinaire. Tout en pleurant, je regardai mon frère qui pleurait et je me dis : qu'est-ce qu'on a besoin de ça ! Qu'est-ce que mon corps peut avoir besoin de ça, tout autant que de nourriture, de sommeil et d'air. On assistait à la libération d'idées et de sentiments refoulés depuis vingt ans. Des idées et des sentiments qui étaient tout prêts à jaillir. J'ai connu la catharsis littéraire et la catharsis théâtrale, j'ai été en deuil et on m'a réconforté ; mais jamais je n'avais vécu aussi pure combinaison de malheur et d'inspiration. Mon corps s'était réduit à mon cœur — telle était mon impression. Pour le résumer en une formule, mais sans aucun mysticisme, je dirais que je me sentais inondé de sa présence (et que, de façon méconnaissable, je m'en portais d'autant mieux). C'est là que nous allons en mourant : dans le cœur de ceux qui se souviennent de nous. Nous avions tous le cœur qui débordait d'elle.

« Tu rentres à Oxford ? me demanda ma mère lorsque je la déposai chez elle.

— Non, maman, pas à Oxford. Quel merveilleux après-midi.

— Oui, en effet. Transmets mes amitiés à Isabel. »

Le jour où j'ai annoncé à mes parents que je quittais le foyer, ma mère a versé des larmes en silence, discrètement, involontairement. On était trois sur trois. (Ou trois sur quatre : Jaime avait vingt ans, et il est toujours célibataire.) Mais elle s'est ensuite essuyé les joues du revers de la main et m'a accepté tel que j'étais désormais.

Je ne suis pas rentré à Oxford. Je suis rentré chez moi dans l'ouest de Londres — dans le bureau qui me servait désormais de maison. C'était un endroit assez confortable dans des circonstances normales, mais les garçons y avaient passé la nuit de samedi : leurs lits de camp occupaient donc presque tout l'espace du salon, et l'appartement était jonché de bandes dessinées, de sachets de chips vides, de boîtiers de jeux vidéo, de pots de yaourt et de différentes représentations de vampires, de fantômes, de lutins et de mutins, de super-héros baraqués, de prédateurs, de terminators et de robocops...

Un sac de glace contre la joue, je me suis assis au milieu de tous ces détritus, le cœur encore à vif et gonflé, comme je communiais avec ma cousine assassinée.

Plus de cent personnes étaient venues ce jour-là, chacune avec un degré différent de souffrance qui datait de vingt ans et continuerait encore vingt, quarante ou soixante ans. Et chacune de ces cent personnes en connaissait cent autres qui compatissaient, s'inquiétaient, se révulsaient à leur tour. Ma cousine n'avait pas été la seule victime, mais une parmi onze, peut-être treize, peut-être davantage... L'assassin, en un sens, préside à ce petit univers, avec tous ces points et ces cercles, mais il n'y trouve bien sûr pas sa place. Il l'a créé, mais il n'en fait pas partie.

Je n'avais pas l'intention d'en dire long sur Frederick West. Plus tôt, j'avais envisagé un court chapitre qui aurait décrit une journée familiale ordinaire au 25 Cromwell Street, se concluant sur un inventaire à peine crédible de misère troglodytique — vol, violence, viol, inceste, torture sexuelle, trottoir obligé, surveillance du mac, voyeurisme (une de ses filles : « Ma chambre ressemblait à une passoire »), pornographie, prostitution enfantine, pédophilie — se concluant, donc, sur le bonsoir souvent répété que West adressait à sa progéniture nombreuse et variée : « Quand vous allez vous coucher, ma vie commence »... Ma famille ne peut pas comprendre la collision extraordinaire qui lui a permis de toucher notre vie, et je ne souhaite nullement prolonger ce contact. Mais il est là, à présent, dans ma tête. Je veux le faire exorciser. Frederick West est impossible à maîtriser. Impossible. Pour l'heure, il recevra de moi un verdict d'une phrase et je recevrai de lui un seul détail. La phrase est la suivante : West était un inadapté sordide, formé par son enfance à vivre pour l'instant où l'impuissance se mue en surpuissance.

Le détail est le suivant : West avait des habitudes alimentaires dignes de Quilp dans *Le magasin d'antiquités* de Dickens. Il arrachait un gros bout d'une miche de pain et y plaçait un fromage entier. Il se promenait chez lui en mangeant un oignon comme on mangerait une pomme.

Un *oignon* ? Lorsqu'elle l'avait rencontré à un arrêt de bus (un autre arrêt de bus), Rose avait trouvé les dents de Fred « toutes vertes et dégueulasses ». Farouche ennemi du lavabo et de la baignoire, West n'était pas ami, on peut en être sûr, du cure-dents et du fil dentaire. Pourtant, il pouvait croquer dans un oignon sans se faire de souci. Il avait les dents assez solides.

Mais qu'en était-il de ses *yeux* ?

En apprenant ce détail, j'ai repensé à une soirée de la fin des années soixante-dix où je traînais avec mon frère Philip. J'attirai son attention sur un nouveau livre de poèmes que j'étais en train de lire — le premier recueil de mon mentor, protégé, ami (et ex-tuteur), Craig Raine : *The Onion, Memory* [*L'Oignon, la mémoire*]. Nous parlâmes du titre, des pelures de l'oignon qui s'organisent, comme les plis de la mémoire, autour d'un noyau essentiel.

« Qu'est-ce qu'ils ont d'autre en commun ? je demandai.

— Ils font pleurer », répondit mon frère.

En mai 1994, Marian Partington était partie à Cardiff

avec deux amis proches. Elle était allée bénir les os de sa sœur :

> J'ai soulevé son crâne avec le plus grand soin et une infinie tendresse. J'ai été émerveillée de le reconnaître dans toutes ses courbes et ses proportions. Je l'ai enveloppé, comme j'ai langé mes enfants, dans la « douce couverture marron » de Lucy, celle où elle se blottissait. J'ai serré ma sœur contre mon cœur.

Et vers la fin de l'année 1995, lorsqu'on écouta les cassettes de l'interrogatoire de Frederick West et que sa version des faits fut imprimée dans la presse, sans démenti, Marian fit campagne pour la réfuter publiquement. Elle y réussit. Cette réfutation, je pense qu'il me revient de la confirmer, de la renforcer, de la perpétuer. Car autrement, les choses se perdent et disparaissent dans le maculage quotidien du papier journal. Je ne veux plus jamais qu'on me demande comment Lucy Partington « s'était laissé attirer » dans l'orbite des West.

West raconta qu'il avait tué ma cousine parce qu'elle voulait qu'il rencontre ses parents[1]. Lui et Lucy avaient une liaison (« purement sexuelle, point final »), Lucy était tombée enceinte et s'était amourachée de lui. Elle lui aurait dit « je veux venir vivre avec toi et toutes ces conneries » et il l'aurait donc « saisie par la gorge ». « Elle voulait que je voie ses parents, elle voulait tout me faire faire, cette garce. »

1. Roger Partington, le père de Lucy, vivait à l'époque à Teesside.

C'est ce qu'on avait écrit dans la presse, sans démenti. Je réfute cette version des faits. Ce livre en constitue la réfutation.

À la fin de cette journée du 10 juillet 1994, je suis allé chez Isabel. Nous avons parlé de ma cousine et du frère d'Isabel, Bruno, un autre prodige familial de charme et d'innocence, décédé un mois et demi plus tôt à l'âge de trente-six ans. J'ai tenté de mâcher ce qu'il y avait à manger pour dîner en me servant d'environ huit pour cent de ma bouche, la seule proportion disponible. À un moment donné, Isabel m'a dit : Tu dois aller chez le dentiste. Va au moins *voir* un dentiste... Cela faisait cinq ans que je n'étais pas allé chez le dentiste. Cela faisait cinq ans que j'écrivais le roman. Je lui ai répondu : Si je m'assieds dans un fauteuil de dentiste, je ne me relèverai jamais. Je vais d'abord finir le roman. Puis j'irai m'asseoir dans le fauteuil.

Lettre de l'école

55 Marine Parade
Brighton
Sussex

Chère Jane, cher papa,

Merci de votre lettre très réconfortante et très juste. J'ai parlé au farfadet qui est d'accord à condition que Mrs. Gibbs le soit aussi. Mais en fait, Rottingdean ne va sans doute avoir besoin de mes services qu'à mi-temps, car le type qui devait soi-disant partir pourrait décider de rester. Mrs. Gibbs et le mini-gnome en chef répètent à tout bout de champ que Rottingdean est de loin la meilleure école privée du sud de l'Angleterre et que j'aurais tort de faire la fine bouche. En clair, ça signifie que mon salaire ne serait pas suffisant pour vivre (à peine 6 ou 7 livres par semaine), mais d'un autre côté, je pourrais avoir affaire à des boursiers dont on m'assure qu'ils sont très éveillés. Qu'est-ce que vous en pensez ? En fait, je suis plutôt content parce que je n'ai pas l'intention de passer du temps à apprendre les divisions à virgule à des gosses de 7 ans. Mais il s'agit de s'avoir [*sic*] quel impact cela peut avoir sur ma demande d'appartement. Je vous laisse juges, et si vous pensez que c'est une bonne chose, je ferai tout pour m'adapter en conséquence.

Je viens d'apprendre que Durham n'arrête pas de me solliciter pour un entretien, qui devrait avoir lieu lundi (le 21). Mais Col[1] a mis si longtemps à me faire suivre leur lettre que je ne vais pas pouvoir y aller. Elle est arrivée aujourd'hui (samedi) et j'aurais dû partir demain, mais à cause de sa négligence, je risque de ne pas pouvoir. C'est vachement pénible parce que je lui ai dit expressément de faire très attention : il faut répondre aux lettres dans un délai d'une semaine, faute de quoi les entretiens sont annulés. Peut-être que ce n'est pas si grave que ça s'ils acceptent mes excuses et veulent bien repousser l'entretien. Mais ce n'est pas non plus évident qu'ils le fassent. (Il ne faut pas oublier qu'il y a 37 fois plus de candidats que de places en littérature anglaise.) Je vais devoir lui écrire une lettre d'engueulo ; sinon, je suis sûr de recevoir une offre inconditionnelle de Bristol dans une enveloppe toute froissée, vieille de 3 semaines, que Col n'aura pas jugé « bon de faire suivre ». Bref, ce n'est pas une catastrophe non plus.

En tout cas, faites-moi part de votre verdict.

Plein de bises,

MART XXXXX

1. Le frère de ma belle-mère, Colin Howard, alias Bruce ou le Singe.

Les mains de Mike Szabatura

C'est à présent un lundi matin radieux de l'automne 1994. Je suis assis dans un café de Madison Avenue. Le roman est fini (bien qu'il me reste quelques retouches à y apporter) ; je suis à New York pour le fauteuil. J'ai dit que cela faisait cinq ans que je n'étais pas allé chez le dentiste. Ce n'est plus le cas. En l'état actuel des choses, ça fait cinq jours que je n'y suis pas allé. J'y retourne. Dans vingt minutes, je vais subir une torture.

J'avais dû rassembler tout mon courage pour le premier rendez-vous : en théorie, j'aurais pu me défausser. Pour le deuxième, je n'avais qu'à faire preuve de stoïcisme. Parce que je n'avais plus le choix.

Quand j'étais enfant, et que tout commençait à se détraquer dans ma bouche, j'avais hâte de grandir. Vieillissement irait de pair avec vaillance — c'était inévitable, automatique. Le courage me viendrait tout naturellement : je ne pourrais pas me dérober. Il n'y a qu'à voir les adultes, je disais. Eux, ils ne rechignent pas à se lever le matin parce qu'ils ont rendez-vous chez le dentiste un peu plus tard dans la journée ; ils ne passent pas l'heure du déjeuner à pleurnicher aux toilettes ; ils ne rentrent pas à la maison en racontant à leur mère qu'ils sont allés chez le dentiste, alors qu'en réalité ils n'y sont pas allés — et qu'à la place, ils ont erré dans les rues, tout penauds, mystérieusement en panne de volonté, en panne de courage. En vieillissant, je ne manquerais plus de cœur à l'ouvrage. Les deux termes me paraissaient liés : l'âge et le cœur, l'âge et le courage. Mais ce n'est pas ce qui s'est passé. À quarante ans, j'ai arrêté d'aller chez le dentiste. J'en avais à présent quarante-cinq.

Mon premier rendez-vous avec Mike Szabatura avait eu lieu le mercredi précédent à huit heures du matin. On avait appelé mon nom, j'étais passé dans le cabinet. La main que m'a tendue Mike Szabatura : une poigne médicale de franc-maçon. Les mains des dentistes : chaleur, force et propreté divine. Deux jeunes femmes de toute beauté, des métisses au teint lumineux sous leur blouse rose, oscillaient sur leurs jambes autour de nous. Inutile qu'on m'invite de nouveau à m'allonger. Les mots me vinrent facilement. Cela faisait plusieurs années qu'ils étaient écrits dans ma tête.

« Je ne suis pas venu pour rigoler. Mais vous n'allez pas rigoler non plus. Mes dents du bas sont en piteux état. Mais mes dents du haut... J'ai un bridge entre les deux oreilles. Tout ce qui le maintient, pour autant que je puisse en juger, c'est la force de l'habitude. Le tout est affaire d'hérédité, ainsi que de négligence quand j'étais petit. Ma mère avait des dents correctes et de mauvaises gencives. Mon père, des gencives correctes et de mauvaises dents. J'ai de mauvaises gencives et de mauvaises dents.

— Voyons voir.

— Cramponnez-vous », j'ai répondu en ouvrant la bouche.

Une demi-heure plus tard, Millie m'aidait à ôter le gilet de plomb que j'avais enfilé pour une salve de radiographies. Je pense toujours à ma cousine Lucy quand je passe des radios, quand on met un frein à ma liberté ; je pense toujours à elle, aussi, chaque fois que je me retrouve à l'église... J'ai attendu dans la salle d'attente. Il n'était pas encore neuf heures du matin et déjà arrivaient d'autres patients. Pour quoi ? Pour des secousses et des perturbations localisées, pas pour des dislocations tectoniques. Millie m'a fait signe. Elle m'a fait entrer (et il m'a semblé que cela ne présageait rien de bon) dans une autre pièce, plus sombre et plus calme, une pièce réservée, aussi bien, à l'annonce de mauvaises nouvelles. Mike Szabatura était penché sur les résultats des radios. C'est un homme costaud, massif, avec un visage joufflu, animé, aussi expressif que dans les dessins animés ou presque. En parlant, il secoue la tête, arrondit les lèvres et ouvre grand les yeux. Un visage entraîné, après tant d'années, à théâtraliser les aspects positifs et les aspects négatifs, à répéter : « D'un côté, *ceci* ; de l'autre, *cela.* » Mon cas, cependant, n'entrait pas dans son répertoire. Ce jour-là, il n'y avait pas d'autre côté qui tînt.

« Celles du haut sont foutues. Celles du bas ne sont pas en bon état non plus. Tenez, regardez. »

On a observé le paysage lunaire de la radio. J'avais une « pathologie » dans la mâchoire inférieure, une bande noire juste au-dessus du menton qui pouvait relever, ai-je appris, d'un des trois cas suivants : tumeur maligne, tumeur dont le nom à rallonge allait revenir par la suite, ou tumeur, certes, mais curable et commune. En tout cas, il fallait l'enlever. Depuis des mois et des mois, je sentais quelque chose de nouveau et de bizarre à cet endroit-là : une pression, une activité, une occupation des lieux...

« Celles du haut sont foutues. Vous risquez de vous retrouver avec vos dents *dans la main* à n'importe quel repas. On les arrache lundi. Vous n'avez pas le choix. »

Dans l'intervalle, on a passé le week-end dans la propriété familiale d'Isabel à Long Island, avec son frère, le peintre Caio Fonseca. Il fut un temps où il y avait un autre frère, un autre peintre : Bruno. Mais Bruno était mort ici au mois de juin. Sa mère Elizabeth m'a confié : « Je n'arrive toujours pas à croire qu'il est mort. Je me dis qu'il est retourné à Barcelone. De toute façon, je ne le vois plus, ajoutait-elle en haussant les épaules. Il est à Barcelone ! » Bruno était beau comme un dieu, toujours seul dans les soirées ; désormais, ses cendres flottaient avec l'océan. La dernière fois que je l'avais vu, il était, tel le Christ selon T. S. Eliot, d'une douceur infinie dans son infinie souffrance. Je m'étais assis pour lui faire la lecture dans la chambre sombre du rez-de-chaussée, entouré par les appareils d'hospitalisation à domicile qui luisaient faiblement. Il aimait le son de ma voix et demandait parfois que je vienne le voir. Mais le moindre paragraphe qui s'échappait de mes lèvres semblait être un commentaire sinistrement poétique de son état.

Extrait des « Ruines circulaires » de Borges :

> Nul ne le vit débarquer dans la nuit unanime, nul ne vit le canot de bambou s'enfoncer dans la fange sacrée, mais, quelques jours plus tard, nul n'ignorait que l'homme venait du Sud et qu'il avait pour patrie un des villages infinis qui sont en amont [...]. Le dessein qui le guidait n'était pas impossible, bien que surnaturel. Il voulait rêver un homme : il voulait le rêver avec une intégrité minutieuse et l'intégrer à la réalité. [...] Un instant, il pensa se réfugier dans les eaux, mais il comprit aussitôt que la mort venait couronner sa vieillesse et l'absoudre de ses travaux. Il marcha sur les lambeaux de feu. Ceux-ci ne mordirent pas sa chair, ils le caressèrent et l'inondèrent sans chaleur et sans combustion. Avec soulagement, avec humiliation, avec terreur, il comprit que lui aussi était une apparence, qu'un autre était en train de rêver.

Extrait d'« Un jeûneur » de Kafka (*Ein Hungerkünstler*) :

> Ce furent les derniers mots, mais dans ses yeux révulsés se lisait encore la ferme conviction, quoique désormais sans fierté, qu'il poursuivait le jeûne.
>
> « Maintenant, mettez-moi un peu d'ordre ! » dit le surveillant.
>
> Et l'on enterra le jeûneur professionnel en même temps que sa paille. Et dans la cage on mit une panthère.

> Ce fut, même pour la sensibilité la plus fruste, un net soulagement que de voir, dans cette cage si longtemps déserte, s'activer cette bête sauvage. Elle était en pleine santé. La nourriture qui lui plaisait lui était apportée par les gardiens sans qu'ils réfléchissent longtemps ; même la liberté ne paraissait pas lui manquer ; ce corps noble, équipé de tout le nécessaire jusqu'à en craquer presque, semblait porter sa liberté en lui-même ; celle-ci semblait située dans sa denture ; et la joie de vivre sortait de sa gueule avec une si brûlante énergie qu'il n'était pas facile aux spectateurs de tenir bon.

C'est peut-être Bruno qui m'a permis de relativiser les choses. Tout ce week-end, je fus, comme on dit, sage comme une image — cliché en réalité très parlant et très évocateur, comme nombre d'autres clichés : « être hors de soi », par exemple. Je me sentais modelé comme une image, moulé, à la fois gauche et en partie paralysé. Et pourtant, j'étais calme et sage. Sagement, j'ai marché sur la plage. Sagement, j'ai joué au tennis. Sagement, j'ai regardé les oies sauvages se rassembler pour migrer sous d'autres latitudes. Sagement, j'ai fumé, bu et pris des tranquillisants. Sagement, je me suis lavé les dents. Juste celles du bas, bien sûr, car celles du haut seraient à la poubelle avant dix heures le lundi matin. Il fut un temps où cette activité constituait une part importante de ma vie. Quinze ans d'hygiène rigoureuse, soit quelque huit mille heures passées et dépensées à me laver les dents : cure-dents en bois, injections d'eau, brosse interproximale, fil de soie, brosse électrique. J'ai allumé la télé pour avoir quelque chose à regarder pendant ce temps. Et sur quoi je suis tombé ? Rien de moins qu'une pub pour des implants dentaires. Il fallait les voir, eux : ils croquaient des carottes et des pommes, s'attaquaient à des épis de maïs avec un tel appétit qu'on se sentait l'esprit d'une machine à écrire électrique, ils rongeaient des cuisses de poulet et lançaient les os par-dessus leurs épaules comme Henry VIII. Et ils s'embrassaient. Fougueusement. « Pour vivre comme avant, composez le 88-DENTS »... La pub donnait l'impression que ces gens-là, d'un seul coup, étaient de nouveau admis à la fête, qu'ils banquetaient dans une orgie de joyeuse immortalité. En voyant la douleur de leur exclusion se transformer en pareil bonheur, des larmes me montèrent aux yeux. Jusqu'à ce que je prenne conscience que c'étaient juste des acteurs qui avaient toujours eu des dents en parfait état.

Ce fut l'apothéose physique de ma vie. Ou disons plutôt, l'apothéose du troisième acte. Ensuite viendrait le quatrième (où il ne se passe traditionnellement presque rien). Puis le cinquième. Deux semaines plus tôt, après avoir revu les dernières pages de *L'information*, je m'étais levé de mon bureau et j'étais allé dans la salle de bains. Le miroir m'avait renvoyé l'image d'un visage contenant trois ou quatre rages de dents et boursouflé comme un poste de télévision. « Tu n'es pas préparé à ça, j'avais dit à voix haute. Le schéma directeur n'a pas fonctionné. Tu n'es pas préparé. » Mais en fait, je l'étais. Ou du moins, j'étais prêt. Le schéma directeur avait toujours été le suivant. Tiens bon autant que possible. Tiens bon jusqu'à ce que ça devienne insupportable. Tiens bon jusqu'à ce que *n'importe quoi* devienne plus facile à supporter que ça. Belle erreur. J'aurais mieux fait de continuer à aller chez le dentiste. Une erreur, donc, mais qui avait porté ses fruits. Mon respect pour l'inconscient va croissant. Peut-être que mon esprit inconscient n'approuvait pas davantage ce schéma directeur, mais il s'y faisait, il se préparait. Aucun doute : la conscience peut s'offrir un temps de répit. Tout ce qui compte est pris en charge par l'inconscient. L'inconscient fait tout le boulot.

J'étais sage et calme, dis-je, mais les oies sauvages ne l'étaient pas. Avec elles, tout l'arrière de la propriété ressemblait à un terminal d'aéroport américain, même si n'importe quel Américain, n'importe quel être humain, devant pareille cohue dans un hall, aurait rebroussé chemin, repris le taxi et changé son horaire avec un mélange de résignation et de soulagement. Excitation, exaltation des oies sauvages dans l'extase de la communication. Pour elles, ni enregistrement ni attribution de siège. Elles attendaient, groupées en faisceaux palpitants et en phalanges frémissantes ; leur énergie montait, se muant en un empressement dénué de toute impatience ; elles seules choisiraient le moment du départ, sans besoin d'y être autorisées par la tour de contrôle. Leur heure approchait. Tout comme la mienne. Moi aussi, je changeais d'endroit... Là, oui, d'un coup : elles s'envolèrent, non pas en masse mais en nuées, une équipe après l'autre, un relais de salves et de décharges dessinant toutes les formes possibles d'une lame, pointe d'épée ou de flèche, tantôt effilée, tantôt dentelée. À chaque sommet, l'alpha des ailes réagissait avec puissance et subtilité, baissait d'altitude et se frayait une voie entre les courants ascendants pour rejoindre Boca Raton, Terceira, Santa Cruz, Barcelone.

Ces oiseaux étaient-ils de bons auspices (*auspices* : observation des oiseaux en vol pour en tirer présage) ? Le lendemain allant marquer la fin de ma bouche telle que je la connaissais, je trouvai un peu de réconfort à suivre le cours de ces pensées. Ma bouche a causé du tort, elle mérite châtiment. Elle a de mauvaises habitudes — cigarettes, alcool, jurons. Comme les mains de Humbert Humbert, elle a infligé trop de blessures à trop de personnes. Elle a menti et fait des promesses en l'air. Elle a embrassé sans en avoir envie, sans réfléchir, sans savoir se retenir... Pendant la soirée où j'échangeai avec Lamorna nos premiers chuchotements, l'attirance avait été si rapide que nous avions eu tôt fait de nous retirer dans un recoin sombre et désert ; quand j'étais ressorti en pleine lumière, ma copine de l'époque[1] avait éclaté en sanglots. « Qu'est-ce qui te prend ? » je lui avais demandé sur un ton d'innocence provocante, la bouche barbouillée de rouge à lèvres. (Ce fut l'un des rares moments où je rivalisai avec mon père, dont l'imprudence sexuelle, comme on le verra, frôlait souvent la psychose.)... Ma bouche parle trop. La semaine précédente, elle avait gâché un dîner organisé par le *New*

1. Celle à qui j'ai dédié mon *deuxième* livre, Julie Kavanagh. Pardon, Julie. Sans compter que je te dois encore une lettre d'explication.

Yorker au Caprice, à Londres, en se livrant à cet « échange » avec Salman Rushdie :

« Alors comme ça, tu *aimes* la prose de Beckett, hein ? Tu *aimes* la prose de Beckett... »

Ayant affirmé plus tôt qu'il aimait beaucoup la prose de Beckett, Salman ne prit pas la peine de répondre.

« D'accord. Donne-moi un exemple. Ah ! Je vois : incapable. »

Pas de réponse : tout juste le mouvement fort désagréable de ses paupières tombantes. C'est d'une panoplie complète de projecteurs et de réflecteurs que Richard Avedon aurait eu besoin pour prêter cette expression à un Salman qui ne se doutait de rien. À ce moment-là, cependant, il n'aurait pas été difficile à un serveur muni d'un Instamatic de mieux faire, en passant devant notre table. Personne ne parlait. Même pas Christopher Hitchens. Mais moi, je déteste carrément la prose de Beckett : je subis la moindre de ses phrases comme une agression de l'ouïe. J'enchaînai donc :

« Laisse-moi faire. Tout ce qu'il faut, c'est un maximum de laideur et un tas de termes négatifs. "Ni lui le rien n'est jamais." "Nulle part le rien n'est non plus." "Du non-rien le jamais..." »

Je sentais mon père en moi à cet instant (tout autant que les deux ou trois cents verres de vin éclusés lors de cette réception qui nous laissait à tous un goût amer), et je m'apprêtais en douce à le pousser dans ses derniers retranchements, à le caresser dans le sens du poil. À ce stade, Salman ressemblait à un faucon en observation derrière un store vénitien.

« “Non plus ni jamais aucun ne pas non ...”

— On sort et on s’explique ? »

Fin de la soirée[1]. Ma bouche n’était pas douée pour savoir quand s’arrêter. Mais demain, on lui retirerait ce problème des mains. Elle n’avait pas le choix.

Pendant ce dernier week-end, tous les repas furent des aventures épouvantables. Chaque fois que les dents du haut rencontraient celles du bas, elles éprouvaient une espèce de répulsion électrique qui m’envoyait une décharge dans la tête. Parfois, quand je mâchais, la ran-

1. On n’est pas sortis. Le lendemain après-midi (je m’étais vite réconcilié avec Salman au téléphone le matin même), j’étais au club de sport de Paddington, en train de jouer au Q.C.M. électronique avec mes amis Steve et Chris. Sur l’écran apparut la question suivante : Qui a écrit « Les vieux diables » ? Il fallait choisir entre trois réponses. A : Kingsley Amis ; B : William Golding ; C : Salman Rushdie. En appuyant sur A, je désignai C du doigt et dis : « Je me suis disputé avec lui hier soir. Il m’a proposé d’aller régler ça dehors. » Steve a répondu : « C’est *vrai* ? En tout cas, j’espère que tu l’as fait et que tu lui as flanqué une bonne raclée. » Tout doux, dis-je pour commencer, reprenant le débat habituel en termes pourtant plus familiers que ceux que j’avais récemment utilisés avec George Steiner (qui, pour une raison que je ne m’explique pas, ne comprenait rien à la question) : « Qu’est-ce que c’est que ça ? “L’argent des contribuables ?” » (D’après E. M. Forster, l’expression « “les femmes et les enfants d’abord” [...] dispense les hommes [anglais] de faire preuve de bon sens ». Aujourd’hui, c’est « l’argent des contribuables ».) « Ça, c’est de l’argent *bien dépensé.* Sauf si tu préfères voir le pays tomber sous la coupe d’un tas de types enturbannés jusqu’aux yeux... » Je remarquai Chris : muet, immobile. Il était accroupi et tendu, penché en avant, et il me lançait un regard choqué. Grand magnat autodidacte, ancien champion de judo en Angleterre, ex-videur dans une boîte de nuit : un gros cube de masse musculaire. Au fil des ans, j’ai réfléchi à Chris et à l’affaire Rushdie, et je lui ai conseillé d’abandonner ses réactions toutes faites pour se montrer digne de son Q.I. Je crois que j’y ai presque réussi. Mais ce jour-là, il m’a répondu : « Régler ça dehors ? Dommage que ce soit pas à *moi* qu’il l’ait proposé, cet enfoiré. »

gée supérieure trépidait et se transportait tout entière, en émettant un vibrement qui résonnait longtemps. Comme lorsque, en tournant à un carrefour, on enclenche le clignotant à l'endroit exact dont il est fait pour revenir de lui-même, et qu'il résiste en faisant valoir sa propre volonté.

Mes fils me manquaient.

Le tunnel

Lundi matin sur Madison Avenue. Devant moi, sur la table du café-restaurant, mon carnet et un cappuccino pensif. Je faisais mes adieux à ma mâchoire supérieure, mais elle ne risquait pas de me remercier d'un cadeau de départ, quel qu'il fût. Un gros sandwich au salami, peut-être. Ou un plus petit sandwich au bœuf. Le dernier pour la route. Ce que je refusais aussi de faire avec mes dents, c'était de les serrer. J'en avais assez de les serrer, et cela me faisait trop mal de toute façon. L'heure suivante ne serait rien : elle allait passer comme un rêve. Comment cela ? Parce que je pourrais voir en mon âme et contempler le courage, la force, le simple héroïsme d'un homme qui a ingurgité une énorme quantité de Valium[1]. Que d'autres plumes s'attardent sur les symptômes de la peur. Et pourtant... et

1. Un conseil : prendre une dose presque mortelle au lever, bien entendu. Mais en plus, une dose presque mortelle *la veille au soir*. Alors, l'insensibilité s'ajoute à l'insensibilité et l'on est deux fois plus éloigné de sa propre réalité.

pourtant, impossible de me dérober à sa profondeur du moment. En réalité, c'est à moi-même que je faisais mes adieux. Je serais un autre après l'opération. Quel autre, je n'en savais rien. Mais un autre : un sujet différent.

Je regardai ma montre. Encore une gorgée de café, puis une dernière cigarette dans la rue, en suçant prudemment un bonbon à la menthe. Je rassemblai mes affaires. Alors que je me dirigeais vers la sortie, un jeune homme svelte a émergé de mon champ de vision périphérique et m'a demandé d'une voix tremblante :

« Vous êtes Martin Amis ? »

Oui, j'ai répondu. Tout en me disant que ce ne serait plus vrai très longtemps.

« J'adore ce que vous écrivez. Continuez !

— Merci beaucoup. »

S'il a ce livre ouvert devant lui, ce lecteur délicat du café-restaurant saura maintenant que j'ai failli lui tomber dans les bras. Mais il a joué son rôle : il a joué son rôle et m'a aidé à franchir le cap. Dans le bel ascenseur, ma rampe de lancement (appuie sur le bouton Barcelone), je me suis dit : Oui, c'est vrai, reste l'écriture. Je ne suis pas chanteur d'opéra ni joueur de trombone ni acteur. L'écriture peut se passer de ma bouche. Et cette part de moi, qui est le meilleur de moi-même, ça ne va pas changer. L'alimentation va changer, tout comme les sourires, les paroles, les baisers (*les baisers...*), mais pas l'écriture... Nous y voilà : quinzième étage... *Emporte-moi papa comme tu l'as fait à travers la foire aux jouets.*

Adieu, ai-je murmuré à voix basse en me hissant

rapidement sur la chaise longue qui épousait la forme du corps.

Millie attend, accessoires en main. Sous sa blouse, Mike Szabatura baisse les épaules et se met au travail. Pour commencer, une série de piqûres amères qui me transpercent la gencive de leurs petits coups secs (douze en tout ? quinze ?) jusqu'à ce que j'en aie plein les yeux. Puis il exhibe le grand fer à cheval en plastique dont il enduit le contour d'une colle très puissante. Pause courtoise pendant le processus de solidification, puis de liquéfaction.

Adieu. Adieu. C'est un adieu définitif. Vous me haïssiez. Je vous haïssais. Je vous aimais. Partez. Restez ! Adieu. Je vous aime, je vous hais, je vous aime, je vous hais. Adieu.

Après m'avoir coincé le fer à cheval contre le palais, les mains de Mike Szabatura appuient fortement et tirent vers le bas. Ça grince en rythme : ça cède d'un côté, ça prend de l'autre. Je lève l'index de la main droite pour signaler que la canine de droite refuse d'abjurer son don pour la souffrance : elle va se battre jusqu'au bout, celle-là. Trio de piqûres supplémentaires. Millie se tient prête avec son rince-bouche et son aspirateur, le visage sous son masque. C'est reparti pour un séisme de charcutage et d'arrachage : extase de la séparation.

« Attendez. Vos dents sont encore en place. »

Impossible de maîtriser la chorégraphie de ma langue partant à la rencontre du bridge qui pendouille. Quelque chose de léger tombe sur elle — un bout de racine détachée — avant de déraper en biais. Les mains parfumées de Mike Szabatura exercent à présent une force décisive. Tout part — et le reste sanguinolent m'est dérobé de la vue comme un terrible accident survenu en salle d'accouchement.

Je dis d'une voix claire et ferme :

« Mais je peux parler. »

Maintenant (enfin), l'écrivain propose au lecteur de le suivre dans la salle de bains. Mike Szabatura vient de me donner une claque dans le dos, le doux regard brun de Millie me submerge encore de sa sollicitude peinée, mais déjà, cependant, je traverse le cabinet à pas traînants et chancelants, passe devant la réception et emprunte un couloir. Jusqu'à l'endroit où m'attend un miroir. Je referme la porte derrière moi et je reste dans le noir. À quoi ça va ressembler ? À un concassage digne de « Casse-noisettes » de Dorothy Wordsworth ? À la contraction visqueuse d'un Albert Steptoe ? Ou juste à un coup de vieux survenu sans crier gare ? J'embrase la pièce de lumière vive.

Ces dernières années, c'est à des spectacles de convexité que m'a habitué le miroir de la salle de bains. Ça pouvait se déclencher impromptu — ça pouvait être indolore. En sortant dîner, je passais me donner un coup de peigne dans la salle de bains et je trouvais un visage qui ressemblait à une pomme de terre toute cabossée. Le convexe, je connaissais. Mais là, c'était du concave. Rien de *trop* dramatique, pas d'affaissement complet du visage, mais les joues crétinement creuses, la mâchoire inférieure projetée en avant (en avant de quoi ?). Je récitai l'alphabet : ça allait, sauf pour la lettre *f* (dont j'avais foutrement besoin). J'avais l'air normal en parlant, tellement ma lèvre supérieure était lourde et pendante depuis des dizaines et des dizaines d'années qu'elle n'avait pas souri. J'ouvris la bouche au maximum de ses capacités. Prise de conscience et reconnaissance immédiates.

Je prétends qu'un écrivain réunit en lui trois personnages : un être littéraire, un innocent, un Monsieur tout-le-monde. Ma pensée du moment était *tout entière* celle de Monsieur tout-le-monde. Ce n'est pas donné à tout le monde de voir ce que je vis alors, mais tout le monde aura la même pensée le cas échéant... Il y a quatre ou cinq ans, j'ai entendu ma mère dire à une vieille amie : « Oh ! J'ai perdu toutes les miennes. » Avant d'ajouter d'un trait : « Comme ça, je sais de quoi j'aurai l'air quand je serai morte. »

Ce n'était pas encore mon cas. J'avais les dents du bas toujours en place, bien qu'elles fussent compromises sans espoir, dans toute leur contingence. Mais au-dessus d'elles, dans le nouvel espace qui ne laissait planer aucun doute sur son identité, se trouvait une zone obscure, une béance, un tunnel qui conduisait droit à mon extinction.

Lettre de la maison

108, Maida Vale
W. 9
Maida Vale 7474
12.2.68

Très chers papa et Jane,

Merci de ta lettre, Jane. Je dois dire qu'Acapulco a l'air vraiment dégueulasse : vous avez loué les services d'une équipe de super-experts pour vous organiser un voyage avec le plus d'étapes minables possibles, ou quoi ? En fait, je ne comprends pas pourquoi vous n'êtes pas rentrés directement dès la fin du semestre. Est-ce que vous vous êtes imaginé un seul instant que le Mexique pouvait être *chouette* ? Grâce à toutes les horreurs que vous m'avez racontées sur Nashville, vous m'avez inculqué une violente xénophobie dont même le Singe tatillon serait fier.

C'est quand même pas mal pour le latin[1], vous ne

1. Contre toute attente, Osric avait réussi de justesse le premier examen nécessaire. Mais comme il lui faudrait encore faire du latin s'il entrait à Oxford, il se dit qu'il ferait mieux de mettre en avant son succès.

trouvez pas ? C'est grâce à ce petit gnome rusé : trois semaines avant l'examen, il m'a dit de ne rien faire d'autre. J'ai suivi ses conseils et bouclé le programme. Résultat, j'ai réussi. Plaisir supplémentaire : l'horrible petit Hun qui s'appelle Schicht, avec qui j'ai passé l'épreuve et qui est sorti au bout de trois quarts d'heure en disant « Intéressant... intéressant », s'est fait *recaler*. Cette fouine de farfadet m'a collé des cours une fois par semaine à Brighton. Ça se passe avec un vieux hibou qui s'appelle Mr. Bethell et qui, je dois dire, est en pleine puberté pour la seconde, ou peut-être pour la troisième fois. Cette andouille parle couramment dix-sept langues, dont le latin, le grec ancien, le gallois, l'anglo-saxon, le rommani [*sic*] et la langue des tziganes. Il dit des trucs comme : « Il y a 140 verbes déponents du premier groupe. » À quoi je réponds : « Moi jamais. » Et il reprend : « Venor, conor » et ainsi de suite, *ad lib*. C'est aussi un spécialiste des odeurs corporelles, passé maître dans l'art de ses expressions les plus secrètes et dans les principes les plus ésotériques de son talent. Il aime encore se servir fréquemment de ses membres, bien que la gangrène les fasse partir en charpie et suppurer après la deuxième articulation. Mais on abat pas mal de boulot toutes les semaines.

J'aime bien bosser pour Col, l'une de mes tâches les plus ardues étant de le battre au backgammon et d'empocher l'argent de la mise. Environ dix parties par jour, on gagne à peu près le même nombre de fois chacun ; ce qui fait qu'il n'y a jamais de grosses sommes d'argent qui passent de l'un à l'autre. Mais une fois, on a joué une superbe partie avec 8 shillings à la clef et j'ai réussi un *backgammon*. Ça a tellement déprimé Col qu'après avoir balancé une ampoule dans le vide-ordures[1] il est parti se coucher (à 6 heures). Mais en ce moment, la vie ici n'a rien de tragique, à ceci près que Sarg[2] n'arrive pas à ses fins avec une fille dont il a l'air de s'être amouraché.

Passons au syndrome littéraire (bâillement). Je me suis rendu compte que les traductions doivent *vraiment* être une bonne idée après avoir lu la « Lettre d'un exilé » d'Ezra Pound qui, par ailleurs, n'est pas souvent très édifiant. Le poème lui-même est tellement formidable que l'intention de Rhaiku n'a pas beaucoup d'importance, même si, d'un autre côté, je n'ai pas la prétention de connaître quoi que ce soit de l'original. Mais bien sûr il existe des milliers de façons d'apprécier l'Art.

À bientôt dans cinq semaines, donc. D'accord ? Allez, bonne nuit. (Selon le refrain d'Alan Freeman[3].)

1. Aux éditions Cape, mon éditeur, Dan Franklin, a cherché à comprendre cette expression et m'a demandé si, en argot, ça voulait dire « prendre un verre bien tassé ». Ce qui m'a rappelé un passage de *L'homme vert* de KA, où un personnage qui doit pour de bon aller rendre visite à l'Évêque pousse un autre personnage à se demander si cette expression constitue « un euphémisme familial pour désigner la défécation ». Dan prenait l'histoire de l'ampoule « à la lettre ». Mais Colin ne l'entendait pas autrement. Balancer une ampoule dans le vide-ordures était son remontant le plus sûr.

2. Sargy Mann, le peintre, qui a vécu avec les Amis/Howard pendant de nombreuses années.

3. Freeman était le DJ bigleux de l'émission de variétés *Thank Your Lucky Stars* [*Remerciez vos bonnes étoiles*].

Je vous embrasse très fort.
Écrivez-moi vite,

MART

À propos, je suis en train de lire *L'Étranger* d'Albert Camus (prononcer : Albong Camwow).

Pannes de tolérance

Jacob, six ans, d'un air songeur :

« J'ai jamais vu Kingsley bouger.

— Qu'est-ce que tu veux dire par là ?

— Je me souviens pas d'avoir vu Kingsley bouger une seule fois.

— Bouger ?

— Oui, bouger.

— Arrête tes conneries. Chaque fois qu'on va déjeuner chez lui, il bouge. Il va aux toilettes au moins une fois.

— C'est vrai, concéda Jacob.

— Et le jour où vous l'avez fait chevalier ? Il a bien bougé, non ?

— ... C'est vrai. »

Kingsley n'avait rien dit de son accession au rang de chevalier et il avait sans doute prévu de nous l'annoncer pendant le dîner : on l'attendait pour sept heures. Mais la radio avait diffusé la nouvelle, on se tenait prêts... C'était en 1990. Ma vie, dans ces années-là, était d'une simplicité surréelle. Je m'étais marié tard. J'avais quarante ans, je vivais avec ma femme et mes deux fils (six et quatre ans) dans une maison toute en hauteur à côté de Ladbroke Grove. Le long roman *London Fields* était derrière moi, le court roman *La flèche du temps* devant moi. Mon père venait dîner un soir par semaine.

La sonnette retentit à sept heures pile — car Kingsley était d'une ponctualité digne de Naipaul. J'ouvris la porte. Les deux garçons lui apparurent, accoutrés dans un assemblage hétéroclite de plastrons et de gantelets de cuirasse en plastique, une ramure d'orignal viking sur la tête : lentement, ils levèrent leur épée grise, en plastique elle aussi. En silence, Kingsley s'agenouilla sur le paillasson et ils l'adoubèrent à tour de rôle, sans mot dire, sans broncher, en posant la lame de leur épée sur ses deux épaules.

Une minute plus tard, Antonia le conduisait au rez-de-chaussée pour lui offrir son premier verre : un gin glacé, accompagné de petits oignons au vinaigre. Jacob les suivit en continuant d'afficher un air solennel (peut-être brandissait-il une lance ?), tandis que Louis en profitait pour enlever avec impatience ses jambières et ses protège-tibias dans l'entrée. On avait trouvé cet attirail dans une très vieille malle. Même les garçons avaient dû la retourner de fond en comble.

« Pourquoi on le fait chevalier ?

— Pourquoi ?

— Mais y en a plus *besoin*... Ils ont plus rien à *faire*. »

J'étais ravi pour mon père (il allait enfin entrer dans Buckingham Palace et passer avec Corky le tendre moment qui alimentait ses rêves[1]), mais je dois avouer que j'étais d'accord avec mon fils.

À l'époque, je pensai d'emblée que Kingsley était extrêmement flatté de son titre de Chevalier de l'Empire britannique, mais à présent, je n'en ai pas beaucoup de preuves en mémoire. Lorsque les écrivains courent après les honneurs, ils n'y vont pas par quatre chemins : il y aurait, dit-on, des romanciers capables de nommer les chiens et les chats de tous les bureaucrates de Stockholm. Lui n'a jamais parlé de devenir chevalier (pas plus que nous n'avons parlé de prix littéraires, d'avances ou de chiffres de vente). Un jour où je lui citai l'exemple de Ferdinand Mount[2], qui s'était proprement débarrassé de son titre comme d'un fardeau et d'un anachronisme, Kingsley s'était contenté de hausser les épaules et de hocher la tête. Ce n'était pas trop léger, mais c'était *vraiment* trop tard[3]. J'espère qu'il en

1. Des rêves assez révérencieux et presque toujours très chastes. K : J'ai encore rêvé de Corky la nuit dernière. M : Qu'est-ce qui se passe dans ces rêves ? (On avait tendance à l'appeler Corky, ce que je croyais être naguère un sobriquet très répandu, bien que je n'en trouve pas trace dans les dictionnaires de Brewer et de Jonathon Green.) K : Oh, pas grand-chose. Je l'embrasse un peu et je lui souffle : « Viens, partons quelque part tous les deux. — Kingsley, je ne peux pas », répond-elle ; ou « Non, Kingsley, on ne doit pas... » Ça n'était jamais allé plus loin avec Corky. Mais avec Margaret Thatcher, Kingsley allait toujours beaucoup plus loin.

2. Romancier, baronnet et rédacteur en chef du *Times Literary Supplement*.

3. Chose étrange, il est rare que les romanciers reçoivent cet honneur et, le cas échéant, c'est plutôt sur le tard. En outre, ce n'est pas tant pour leurs romans que pour autre chose. Pour les services qu'ils ont rendus au PEN-club (V. S. Pritchett), par exemple, ou au zoo de Londres (Angus Wilson). J'imagine que Kingsley l'a reçu parce qu'il se faisait fort de clamer

a retiré du plaisir pendant les cinq années qu'il lui restait à vivre. Cette promotion devait correspondre à des aspirations héritées de son éducation (né dans une famille populaire de baptistes non pratiquants qui prônaient l'éthique du travail) et, sans nul doute, faire taire à jamais le son de la voix de *son propre* père, lequel n'avait jamais tout à fait arrêté de lui seriner : « Tout ce petit jeu de l'écriture, c'est bien joli, mais un jour, tu sais, il va falloir que tu te prennes en main et que tu te trouves un vrai... » Notre Kingsley fraîchement décoré avait de quoi se tenir un tout petit peu plus droit dans le club qu'il fréquentait. Et il pouvait enfin relever la tête chez lui, dans le trio qu'il formait avec mon beau-père (Lord Kilmarnock) et ma mère

---

et de montrer qu'il était de droite, ou conservateur/monarchiste. Tout aussi étrange, les dramaturges le reçoivent tôt et souvent. Chaque fois que je croise mon contemporain Sir David Hare, il m'amuse tellement que je ne comprends pas pourquoi cela ne l'amuse pas davantage de se faire appeler Sir David Hare — nom aussi ridicule, disons, que Sir Johnny Rotten ou Lord Vicious. Pourquoi donc un pourfendeur aussi virulent de l'establishment a-t-il soudain voulu devenir Chevalier de l'Empire britannique ? À moins que les dramaturges ne reçoivent le titre pour autre chose aussi : pour les services qu'ils ont rendus à l'industrie du tourisme, peut-être, ou au syndicat des chauffeurs de minibus et d'autocars. Je m'excuse de ce ton (tout en précisant que je ne veux pas du tout être fait chevalier), mais je saisis l'occasion pour répéter qu'à mon sens le théâtre est largement inférieur au roman et à la poésie. Parmi les dramaturges qui ont duré plus d'un siècle, on peut compter Shakespeare et... qui d'autre ? En cherchant bien, on finit peut-être par déterrer un Norvégien sépulcral, mais ça n'a rien à voir avec la poésie anglaise et ses grandes vagues d'immortalité. C'est hilarant, on est d'accord, que Shakespeare ait écrit des pièces de théâtre. Ça me fait hurler de rire chaque fois que j'y pense. Dieu n'a pas joué beaucoup de tours plus tordants à l'humanité.

(Lady Kilmarnock)[1]. Ce fut juste à cause d'un détail technique que Jaime, alors adolescent, ne reçut pas de titre : il était né avant le mariage et il dut par conséquent se passer de l'honneur de son « Honorable ».

Edward Upward disait qu'il s'était senti vieillir en éprouvant de « petites pannes de tolérance ». En fait, Kingsley n'avait jamais cultivé la tolérance ; ses pannes étaient de grosses pannes. La soixantaine bien sonnée, l'abysse guettant à l'approche des soixante-dix ans, mon père fut en proie à une série de ravages intérieurs qui allaient et venaient. Son articulation devenait parfois amorphe ; il se penchait en grimaçant de gêne, comme lui seul savait le faire — on aurait dit un sourire de douleur —, et il désignait l'oreille par laquelle il entendait le mieux ; il avait perdu toute confiance, toute aisance dans son corps (il louait un taxi à la journée pour faire cent mètres : ses jambes lui faisaient mal). Mais jamais il ne parlait de ses ruptures et de ses blocages cérébraux, ni de ses petits coups de vieux, et on n'était pas censés en parler non plus (ni les remarquer). Lorsqu'ils se produisaient, ils avaient tendance à le couper du monde. À soixante-huit ans, selon ses humeurs, la création révélée lui paraissait sans valeur ; par suite (comme il se fiait à son instinct et ne pensait

1. Ma mère n'a jamais eu une allure de lady, et elle disait qu'elle se sentait en fraude, comme une clocharde en train de chaparder, chaque fois qu'elle sortait son carnet de chèques au supermarché. Mais elle m'a surpris, et fait rire, lorsque je lui ai demandé un jour avec suffisance : « Ça ne t'attirait pas tellement, hein, maman, qu'Alastair devienne Lord et tout ce qui s'ensuit ? » Elle a froncé les sourcils, puis m'a répondu : « Oh *si*. »

jamais avoir tort), elle était *de fait* sans valeur et pouvait être répudiée en intégralité. Il était bien ancré dans son tempérament de n'avoir jamais voulu faire preuve d'indulgence, que ce fût à son propre égard ou à l'égard de quiconque.

Mais il y avait autre chose qui entrait en ligne de compte. Extrait des *Vieux diables* (1986) :

> William fit tourner le moteur, puis la voiture se mit à rouler.
>
> « Ta ceinture, 'pa.
>
> — Oh, oui, pardon.
>
> — Je vois bien que tu voudrais t'en passer. Tu sais que tu es énorme ? Plus gros que jamais ; sans blague, tu deviens obèse. Je suppose que c'est l'alcool qui te fait grossir, hein ? Remarque, je ne te reproche rien.
>
> — Ça, oui, et ce que j'avale aussi. [...] C'est le soir, quand je me retrouve le cul planté devant la télé, que les émissions sont finies, alors je me goinfre. Je bouffe des gâteaux essentiellement. Des profiteroles, par exemple, arrosées de petits verres de Brandy. J'adore tout ce qui est à la crème, à la confiture ou au chocolat. »

Mon père ne s'attendait pas à ce que l'on remarque qu'il avait presque doublé de poids en quelques années. J'avais vingt-cinq ans lorsque Clive James me lança ces mots qui me hantent encore : « C'est pas qu'on *grossit*. Mais un beau jour, on n'est plus que de la *graisse.* » Ça ne s'était pas passé comme ça pour Kingsley. Chez lui, grossir tenait davantage d'un projet, tristement lancé le jour où Jane l'avait quitté pendant l'hiver de 1980. Alors commença la période des banquets nocturnes, des snacks pantagruéliques de deux heures qui l'apaisaient et l'assoupissaient peu à peu avant qu'il n'aille se coucher. Je suis frappé aujourd'hui par la bizarrerie manifeste de son style gustatif, semblable à une activité nécessairement solitaire ; mais à l'époque, j'adoptais sans réfléchir une attitude filiale : il fallait accepter la nouvelle réalité. Comme s'il s'était agi de réussir une hibernation, il se fourrait des friandises dans la bouche deux fois plus vite qu'il ne les avalait. « Mon Dieu, papa, je lui dis un jour, qu'est-ce que tu as là-dedans ? Ton visage est aussi gros qu'un ballon de basket. » Il lui fallut presque dix minutes de mastication rigoureuse avant de pouvoir répondre : « J'ai l'impression que ça me calme », fit-il avant d'en reprendre une grosse bouchée. Il mangeait pour se faire du bien : les effets tranquillisants des glucides l'aidaient à soulager sa peur. Mais je m'aperçois maintenant que ces goinfreries nocturnes représentaient un symptôme complexe de régression et d'isolement. Sexuellement, ça l'annulait. C'était comme s'il avait tracé un trait — un trait sur la quête de l'amour, un trait sur la foi en son importance capitale.

Peu après la parution de *Stanley and the Women*, en 1984, il me dit :

« J'ai enfin compris pourquoi je n'aime pas les ricains. »

J'attendis.

« Parce qu'ils sont tous juifs ou bouseux, là-bas.

— ... C'est comment, d'être antisémite sur les bords ?

— Ça va.

— Non. Ça *fait quoi*, d'être antisémite sur les bords ? Décris-moi un peu. »

On avait accusé *Stanley*, ou plutôt Stanley, d'antisémitisme (ainsi que de misogynie, à plus juste titre) sur la base d'apartés à la première personne. Exemple : « Je suis sorti et j'ai pris un taxi qui revenait de déposer quelqu'un dans une confrérie juive sur l'avenue de l'Évêque. » Mais l'antisémitisme, dans *Stan*, est un élément structurel : au préjugé dont a hérité le narrateur sans l'analyser, s'opposent les bafouillages et les gribouillages (« EVIL LIVE VILE LEVI ») de son fils Steve, qui a succombé au système de croyance vulgaire de la schizophrénie. Car il s'agit *bel et bien* d'un système, d'un misérable petit losange : les Juifs, des espions, des étrangers, l'invention de l'électricité...

« Ça fait quoi ? Ben... Déjà, c'est juste sur les bords, comme tu dis. En regardant la fin d'une nouvelle émission culturelle, par exemple, il m'arrive de repérer les noms juifs dans le générique et de me dire : Tiens ! Un de plus. Ou bien : Ah ! Je vois, encore un.

— C'est tout ?

— Plus ou moins. On les repère, rien d'autre. Mais on n'a pas envie que quelqu'un se mêle d'y *changer* quoi que ce soit. Car ça, ça serait atroce.

— Fascinant. Tu as lu la critique de *Jake's Thing* par John Updike dans le *New Yorker* ?

— Non.

— Il dit que tout ce que tu reproches aux femmes se résume à la réplique du professeur Higgins dans *My*

Fair Lady : "Mais pourquoi une femme ne peut-elle pas être comme nous ?"

— Ouais, fit Kingsley en accentuant lentement ses mots. C'est exactement *ça.* »

L'heure du déjeuner un dimanche, huit ans plus tard, en 1992. On attend Kingsley — on l'attend sans grand enthousiasme, je dois le reconnaître... Plus d'une fois, au terme de conversations sur la pluie et le beau temps, lui et moi sommes arrivés à une modeste conclusion sur le comportement social et familial. Il existe un devoir moral d'être joyeux. Il existe un devoir solennel d'être joyeux. Or, tout récemment, c'était un devoir dont Kingsley avait été en panne de s'acquitter. Il était démoralisé et, par suite, agressif : m'ayant attribué un rôle de petit jouet dévoué à la cause de la bonne conscience multiculturelle, il essayait de me scandaliser par ses hérésies sauvages. J'arrivais plus facilement à me tirer d'affaire à la fin de la journée, l'engourdissement de l'alcool et la fatigue aidant. Le fait que Kingsley venait déjeuner, et non pas dîner, marquait en soi une petite victoire de la vieille école. On s'était chamaillés sur ce point, mais sans conviction. Moi : « Je déteste les déjeuners. » Lui : « Absurde. — Je déteste tous les déjeuners. Je déteste boire au milieu de la journée. — Comment peut-on *détester* les déjeuners ? — On dirait que tu ne me crois pas. — J'*adore* les déjeuners. — Je ne te crois pas. — Tu es cinglé. — J'adore le dîner, je déteste le déjeuner. — Mais à mon âge, le déjeuner, *c'est* le dîner. » Oui, et à mon âge, un déjeuner reste un déjeuner, et trois heures avec toi, mon pote, sans quelques remontants et la perspective réjouissante du taxi à dix heures moins le quart...

La sonnette retentit. J'étais en bas dans la cuisine, mais les garçons lui ouvriraient la porte. Je mis mon livre de côté et rassemblai le nécessaire pour le cocktail de Kingsley, en m'assurant que sa chope givrée était bien dans la glacière, à côté de sa canette géante de bière assassine : une Carlsberg brune. Puis j'entendis le plancher craquer précautionneusement en haut des escaliers.

« 'jour, papa. »

Nous nous embrassâmes.

« ... C'est quoi, ce que tu es en train de lire. Un *Juif ?* »

Je lui tournai le dos et ne me retournai pas. Le livre en question était *Si c'est un homme* de Primo Levi... Quelques mois plus tôt était sorti mon livre sur l'Holocauste, *La flèche du temps*, et on m'avait *à mon tour* accusé d'antisémitisme[1]. Tout ce que je voulais, c'était éviter des

1. Ça avait commencé par une critique (selon laquelle j'avais choisi Auschwitz pour « faire de l'argent ») parue dans le *Spectator*, revue qui avait ensuite publié ma réponse. Le critique était James Buchan, romancier lui aussi, un brave type sans humour. Et en écrivant « sans humour », j'entends contester catégoriquement son esprit de sérieux : c'est le genre de personne à devoir ajuster sa probité *ex nihilo*. (Soit dit en passant, je ne sais pas si Mr. Buchan est père, mais je me demande souvent comment font les gens qui n'ont pas d'humour pour élever leurs enfants. Comment on y *arrive*, sans humour ?) Bref, cela avait suffi à déclencher une petite controverse dans la presse britannique, où une tradition de « neutralité » veille à l'égalité dans l'expression de points de vue opposés. Quand le roman est sorti en Amérique, je m'attendais à plus d'animosité. À tort : il n'y en a pas eu ; ni en Allemagne ou en Israël plus tard. Mais en Angleterre, le reproche d'antisémitisme n'est manifestement pas si grave que ça, il n'a même pas l'air de sortir de l'ordinaire. J'ai écrit personnellement à Buchan et ses réponses,

propos en l'air sur la question. En fixant le verre de mon père, le gin, les oignons au vinaigre, je continuai à baisser la tête et lui dis en gros :

Justement, j'allais t'en parler. Un truc vraiment convaincant sur la différence des sexes. Quand il s'est fait ramasser par la milice fasciste, il a été emmené dans un immense camp de détention italien, dans le nord du pays je crois. Puis on a trié les Juifs et on leur a dit qu'ils seraient déportés à Auschwitz le lendemain. Les hommes ont passé la nuit à boire, à baiser et à se battre. Les femmes, de leur côté, l'ont toutes passée à laver leurs enfants, les habits de leurs enfants, et à préparer à manger. Quand le soleil s'est levé, tel un allié de notre ennemi, écrit-il à peu près, les fils de fer barbelé autour du camp étaient couverts par la lessive des enfants, qu'on avait mise à sécher au vent.

Je me tournai enfin vers lui, son verre à la main. Ma première idée fut d'aller chercher un torchon. Comment avait-il eu *le temps* de pleurer autant ? Son visage immobile était un masque de larmes livrées à elles-mêmes. Il me dit d'un trait :

« C'est ça que je ressens de plus en plus en vieillissant. *Arrêtons* de foutre les femmes et les enfants en taule. *Arrêtons* d'aller foutre en l'air toute la population d'une ville de l'autre côté de la montagne. Arrêtons tout ça. Plus jamais. »

---

saupoudrées de points d'exclamation octogénaires qui se voulaient apaisants, visaient en effet à me rassurer sur ce point.

Malgré ses pannes de tolérance, Kingsley aimait venir chez nous près de Ladbroke Grove : « L'un des seuls endroits, disait-il, où je suis sûr de trouver le bien. » Puis, au printemps de 1993, après avoir vécu dix ans dans cette maison, je déménageai — et de ce changement (de ce bouleversement, de cet échec fracassant), Kingsley eut du mal à se réjouir alors qu'il fêtait son soixante-douzième anniversaire. Mais il se fit à la nouvelle réalité sans trouver à y redire, comme ma mère. Tous nos mariages se cassaient la gueule dans la famille ; cette fatalité touchait ainsi la deuxième génération... J'emmenais toujours les garçons déjeuner chez Kingsley le dimanche — dans le trio de Primrose Hill ; pour nos rendez-vous en milieu de semaine, cependant, nous nous retrouvions dans un restaurant italien qui s'appelait Chez Biagi, près de Marble Arch, où, à intervalles irréguliers et en diverses formations, nous venions depuis trente ans.

En 1966, c'est là, au milieu de flacons et de filets de pêche, de moulins à poivre de deux mètres de haut et de bouteilles de Chianti dans leur panier en osier (le restaurant est plus design aujourd'hui) que j'ai terminé l'une des nuits les plus étranges de ma jeunesse, stupéfait, et somptueusement soulagé, de me trouver attablé dans un restaurant plutôt que jeté en prison ; Chez Biagi plutôt qu'à Brixton. Il était sept heures du soir lorsque je suis discrètement rentré à la maison « après l'école ». En réalité, j'avais séché tous les cours sans exception, en compagnie de Rob : d'abord les bookmakers (où, grâce aux reports de matches et aux pronostics de défaites, on avait pour une fois *gagné* quelque chose) ; ensuite le pub (où on avait essayé, en vain comme d'habitude, de boire de l'alcool : même un demi panaché nous filait un mal de crâne paralysant) ; puis un après-midi fort prometteur, à écouter des disques avec deux filles qui n'étaient pas tombées de la dernière pluie, qui avaient leur propre appartement et, surtout, leur propre dope. En sortant de chez elles, j'avais perdu toute ma virilité à cause du haschich[1]. J'avais pour intention de descendre à la cuisine me préparer un festin de glucides. Mais une voix grave m'a appelé et attiré dans le salon, où mon père, ma belle-mère et son frère étaient déployés en bataillon pour faire obstacle, de toute évidence, à ma liberté... Kingsley avait le pouvoir de me faire peur, même s'il ne jouait cette carte que lorsqu'il y était poussé par un membre de la famille (la colère demandait trop d'efforts : ça ressemblait trop à du travail). Là, il tenait son rôle : sourcils froncés, regards

1. Le haschich n'a jamais eu un effet positif sur mon courage (et je remets en cause l'étymologie d'« assassin » proposée par certains : pluriel oblique de *hassas* — mangeur de haschich). Cette drogue m'avait récemment fait perdre le contrôle de mes sphincters, princes de tous les muscles. Je descendais Gloucester Road, le regard trouble, en chantant une chanson des Beatles, lorsque le trottoir a pris une consistance flasque sous mes pas. L'ouvrier dont je venais de défigurer le ciment frais (il y avait, je l'ai vu à ce moment-là, une pancarte indiquant CIMENT FRAIS) s'est jeté sur moi : « Espèce de chevelu, sale *gonzesse* ! », il m'a lancé en agitant sa pelle au-dessus de ma tête. J'ai levé mes bras défoncés pour lui demander pardon ou pour me défendre. Mais la possibilité d'une bagarre s'était déjà dissipée grâce à un jet chaud dans mon pantalon noir à pattes d'éléphant. Ah ! Mon pantalon noir à pattes d'éléphant, avec les plis cousus dessus. L'ouvrier a fini par me laisser partir en trébuchant.

noirs. Mais je flairais un savoir-faire à toute épreuve dans ce triumvirat d'adultes unanimes. Bref, ils m'avaient chopé. Pas parce que j'avais séché les cours et pris de la drogue, non : juste pour la drogue. Chopé et privé de sortie. Ce qu'il y avait d'encore plus stupéfiant, c'est que Philip (mon aîné de 375 jours[1]) avait déjà *quitté la maison*, suite au travail de la soirée. Ils avaient trouvé de la drogue dans un tiroir de sa commode. Ce qui n'avait rien d'un exploit de détective, vu qu'il la conservait dans une boîte étiquetée DROGUE DE PHIL, en lettres majuscules multicolores qui attiraient tout de suite le regard. Et mon frère, toujours plus rebelle que moi, plus intrépide, ne s'était *pas* fait priver de sortie. « On sait que tu te drogues », a commencé Kingsley. « Phil prétend que non, a ajouté Jane, il a essayé de te couvrir, mais il n'est pas très doué pour ça. Alors, il a craché le morceau. » Puis on a parlé des lois en vigueur et évoqué la possibilité d'« appeler la police »... Lorsqu'il était allé voir Nixon à la Maison-Blanche, se présentant comme une figure de proue dans la guerre antidrogue, Elvis Presley n'était pas au mieux de sa forme : déjà héroïnomane, le King, lors de cette audience présidentielle sur la drogue, était drogué. Moi aussi, j'étais loin

1. Pendant une assez longue période, dans mon enfance, je torturais Kingsley en lui posant la même question sur Philip et moi : « Papa. — ... *Oui ?* — Est-ce qu'on est des jumeaux ? — ... *Non.* » J'ai remarqué une pulsion identique de consanguinité chez mon demi-frère Jaime. Il a toujours refusé d'appeler « cousins » les petits Espagnols avec lesquels il a grandi (et qui ne lui étaient pas apparentés). C'étaient ses frères : *mis hermanos*, insistait-il.

d'avoir les idées claires ; je balbutiais, prenais des airs contrits et observais la scène avec paranoïa. Mais un mouvement descendant (ou ascendant ?) a changé le cours logique de la soirée et l'a propulsée en plein réalisme magique. Kingsley m'a emmené dîner chez Biagi et (ivre comme il l'était, je m'en rends compte à présent), il a essayé de me persuader que le trafic international de marijuana et de haschich était un « complot communiste » destiné à « affaiblir les soldats sur les champs de bataille » — et plus précisément les forces américaines engagées dans la guerre du Viêt-nam. Autant d'opinions qu'il allait défendre et développer plus tard, à la lumière du jour et en toute lucidité. Mais au restaurant, je n'ai pas cessé de baisser la tête en mangeant mon cocktail de crevettes, mon steak et mes frites. Quand je suis allé me coucher ce soir-là, j'ai trouvé un mot de mon frère en ouvrant le lit : Ils savent pour *moi*, avait-il écrit, mais ils savent pas (tu sais, *toi*). J'avais été trahi : ça, c'était une expérience de la vie. Mais ce qu'il y avait de beaucoup plus important, c'était que la chambre identique à côté de la mienne était vide : ça, c'était un fait de l'existence.

Je pensais à Philip avec agitation, émerveillement et jalousie. Il n'était pas dans la rue. Il devait être chez Rob, dans les bras de sa sœur aînée, Jane, aussi glamour que névrosée, en train de fumer calmement un de ces triples joints de trente centimètres dont Rob s'était fait le spécialiste. Mais j'étais extrêmement angoissé. Phil avait fait quelque chose que je ne referais que cinq ans plus tard. Il n'est jamais revenu. Il est revenu autrement, comme un adulte, mais il n'est jamais revenu comme un enfant de la maison. Il était parti.

Kingsley avait quarante-quatre ans à l'époque, en 1966.

Mais j'avais quarante-trois ans à présent, en 1993, et j'avais quitté la maison — une autre maison.

Lui, il en avait soixante et onze. La guerre du Viêt-nam s'était terminée vingt ans plus tôt. Si le trafic de haschich avait jamais été un complot pour promouvoir le communisme, ce complot avait échoué. Le communisme aussi. En outre, cela faisait un certain temps que Philip et moi fumions couramment des joints devant notre père. Il se cachait un peu, mais la désapprobation qu'il manifestait était elle aussi une réaction courante. Un jour où je suis entré dans la pièce, Philip m'a demandé en manière de salutation (formule fréquente entre nous) : « T'as de quoi fumer, Mart ? » Je lui ai répondu que oui, bien sûr. « Hum, a fait Kingsley, je voyais bien que tu n'avais pas l'air *très net* quand tu es entré. » Rires. Fin de l'épisode. D'un point de vue géopolitique, en revanche, il semblait complètement obsolète. Mais qu'est-ce qu'il avait *donc* ? La répétition de la « tragique » défaite américaine en Indochine l'amenait au bord des larmes, il remerciait le plus humblement du monde l'armement nucléaire de nous avoir protégés pendant la Guerre froide. Certes, les révolutions de velours, en 1989, l'avaient tant soit peu privé de ses méchants et de ses têtes de Turcs — jusqu'à ce qu'il s'en prenne, aussi incroyable que cela puisse paraître, à Nelson Mandela. Mais après avoir lu sa *Correspondance*, je serais presque tenté de conclure que la plupart du temps il ne faisait que me titiller, car ses lettres sont largement dénuées de ses accès de démence avant tout provocateurs. Il n'empêche que nous avons continué à nous disputer là-dessus — et avec hargne. Mais pas à l'époque : pas en 1993. Ce qui nous réunit toutes les semaines, pendant des mois et des années, était beaucoup plus intime.

« Cesser d'être marié, avait-il écrit dix ans plus tôt[1], c'est faire l'expérience d'un événement d'une violence inouïe, d'un phénomène difficile, sinon impossible, à digérer complètement. » Il savait que j'absorbais à présent cette idée dans toute sa vérité, dans toute sa force. Il savait aussi qu'on ne pouvait pas adoucir ni accélérer le processus. Tout ce qu'on pouvait faire, c'était y survivre. Cette survie était une possibilité dont il me donnait l'exemple. Mais il fit davantage. Il s'anima et poursuivit. « Parles-en autant que tu veux, ou tais-toi autant que tu veux » : ces mots me parurent civilisés, vu l'état de barbarie dans lequel j'étais plongé, la confusion extrême de mon corps et de mon esprit. En parler ou se taire... J'en parlai — j'en parlai beaucoup. Il était le seul à qui je pouvais avouer à quel point je me sentais

1. Dans *Stanley* (1984). J'ai été légèrement surpris, en vérifiant la date, de voir que le roman était dédié à ma mère : *À Hilly*. *Money, money* (dédié à ma femme) est sorti la même année. « J'ai acheté ton livre aujourd'hui », me dit Hylan Booker (le parrain de Louis, un Noir américain). « J'ai aussi acheté celui de ton papa. » Bonheur de Kingsley : « Cette phrase, ajouta-t-il, restera unique dans les annales de l'histoire mondiale. »

mal, physiquement mal, perplexe, arriéré, stupéfait en profondeur, toujours près de tressaillir ou de trembler quand je m'efforçais de prendre un air honnête, gentil, sensé. Il était le seul à qui je pouvais raconter ce que je faisais à mes enfants. Car il me l'avait fait, lui, à moi.

Il répondit, il boucla la boucle : c'était son dernier devoir paternel.

Cela faisait deux ans qu'était parue son « allographie » (un livre sur les autres) intitulée *Mémoires*[1]. Le livre se termine par un poème (« En guise d'épilogue »), dont voici la première et la dernière strophes :

POUR H.

I

En 1932, à dix ans,
Dans le jardin de ma grand-mère à Camberwell,
J'ai vu un papillon de Camberwell
Posé sur un massif d'asters.
Je l'ai reconnu parce que j'avais vu une image
Qui montrait ses ailes brunes bordées de jaune tendre
Dans un magazine d'enfant ou sur une publicité de cigarettes,
Un peu plus tôt dans la semaine. Je me rappelle avoir pensé
Qu'il n'y avait rien de plus normal. Tout le monde sait
Que les papillons de Camberwell viennent de Camberwell.
C'est pour cela qu'ils portent ce nom. Oui, j'avais dix ans.

1. Dédiée à Hilly, ainsi qu'à Philip, Martin, Sally, Jaime et Ali.

III

En 46, à vingt-quatre ans,
J'ai rencontré une femme inoffensive, démunie,
Mais jusqu'alors entière, inadaptée de l'intérieur ;
Une femme gauche, douce, rayonnante, droite comme un i,
Qui ne parlait pas pour ne rien dire et ne riait pas sans raison,
Qui craignait, si les choses tournaient mal, d'être en cause,
Une femme dont j'aurais pu à jamais croiser le regard,
Oh oui ! et qui était belle aussi.
On n'en demandait pas davantage aux femmes,
J'ai pensé, avant de me remettre en quête.
Comment savoir, sans point de comparaison ?

La poule

À la dernière page de son essai sur V. S. Naipaul[1], *Sir Vidia's Shadow* [*L'ombre de Sir Vidia*], Paul Theroux — non sans impartialité, diront certains — décrit l'écrivain âgé en train de « prendre la fuite » pour lui échapper dans une rue de Londres. Or, je sais reconnaître une fuite, et c'est bien la fuite que prenait mon père sur l'allée de gravier le jour où il quitta la maison de Madingley Road, à Cambridge, en 1963. Il portait une valise. Un taxi l'attendait... Je fais largement huit ou

1. Mes rapports avec ce grand homme sont restés distants, mais pourvus d'une plaisante symétrie. Je les raconte plus en détail aux pages 556-557.

dix centimètres de moins que lui, mais on a tous les deux le même corps disproportionné, avec un centre de gravité placé très bas : « presque la même taille, que l'on soit debout ou assis », comme Kingsley l'a écrit dans *That Uncertain Feeling* [*Ce sentiment d'incertitude*] (1955), en ajoutant que ce type de physique se retrouve souvent chez les Gallois[1]. En tout cas, ce sont des jambes *faites* pour prendre la fuite. Il quittait une réalité pour une autre ; le taxi faisait partie d'un tunnel qui le conduirait dans un monde différent. Je ne savais pas, à l'époque, en le regardant par la fenêtre, que j'hériterais de son physique (sans la corpulence auto-infligée, pour l'instant), ni, bien entendu, que j'étais destiné à prendre la fuite, moi aussi, le moment venu.

Il n'y a pas longtemps (en décembre 1998), j'ai rencontré un autre chevalier du théâtre, Sir Richard Eyre, lors d'une bonne réception donnée par un troisième chevalier du théâtre, Sir Tom Stoppard, en l'honneur

1. Malgré des inexactitudes tenaces dans la presse, malgré le lieu de naissance de ma sœur Sally (Swansea) et son deuxième prénom (Myfanwy), malgré les railleries de mes fils (« Gallois jusqu'aux os, né au cœur du Pays de Galles de parents tout ce qu'il y a de plus gallois, capables de faire remonter leur généalogie galloise jusqu'à... »), et malgré mes jambes, je ne peux prétendre avoir la moindre goutte de sang gallois dans les veines. La question des jambes ne laissait pas Kingsley indifférent. Extrait d'un dialogue entre Jenny et Patrick qui assistent à un match de cricket dans *Une fille comme toi* (1960) : « "Je suis furieuse de t'avoir raté avec tes jambières. — ... Hein ? Pourquoi tu voulais me voir avec mes jambières ? — Ça m'aurait donné une autre image de tes petites jambes, dans leurs petites jambières. Tu t'en es fait faire des spéciales à ta taille ? Ou tu t'en fais prêter par un junior ?" » Patrick n'apprécie pas beaucoup (« Espèce de salope effrontée ») et défend ses jambes avec le plus grand sérieux sur plus d'une demi-page.

du roi-philosophe tchèque, Vaclav Havel[1]. Je suis parti avec Sir Richard et nos femmes. En parlant, nous nous sommes souvenus qu'il avait étudié avec Kingsley à Cambridge. La maison de Madingley Road différait de celle de tous les autres professeurs en ville : on y trouvait fréquemment des étudiants. Ils passaient la nuit. Ils empruntaient la voiture. Ils lisaient ou somnolaient dans le jardin. Ils me préparaient certains repas. J'aimais bien les voir chez nous. Trois d'entre eux étaient de vrais amis pour moi, et un, Bill Rukeyser[2], un ami exceptionnel. Tous des hommes, ces amis ; les étudiants de Kingsley étaient tous des hommes. Mais il y avait aussi des jeunes femmes dans les parages : je me rappelle des présences féminines généreuses et parfumées, mais je ne peux en distinguer aucune individuellement. Quand nous nous sommes revus, quinze ans plus tard en Amérique, Bill Rukeyser m'a donné à comprendre que le 9, Madingley Road était le théâtre d'activités sexuelles frénétiques, mais je n'en avais guère été témoin et je ne l'avais pas vraiment remarqué.

1. Havel, qui avait l'air un peu biscornu à cause de sa longue détention, d'une santé fatiguée et de son pouvoir déclinant, me donna l'impression d'un personnage extrêmement sympathique. En outre, j'aimais bien sa nouvelle femme qui ne faisait pas l'unanimité, Helga. Elle était beaucoup plus jeune que lui, blonde, le visage poupin et les cheveux en bombe, et on aurait dit qu'elle avait lancé le chronomètre dans l'un des premiers jeux télévisés. À sa manière, elle s'occupait de son mari avec ce que Saul Bellow a nommé « un éclat télévisuel ». On leur souhaitait tout le meilleur, mais on devinait à quoi ça pouvait ressembler en République tchèque, tandis que Havel se voyait mettre sur la touche.

2. Aujourd'hui célèbre journaliste et analyste financier, rédacteur intermittent de la revue *Money*.

De toute évidence, l'ambiance était d'une convivialité débridée et, en un sens, innocente. Il n'était pas exceptionnel (par exemple) de voir ma mère et un ami de la famille, Theo Richmond[1], pliés de rire en traversant un salon de la maison sur le dos de Debbie, notre ânesse qui tous les matins passait la tête par la fenêtre de la cuisine et hennissait en chœur avec Radio Caroline.

Alors que nous rejoignions nos voitures, j'ai dit à Richard :

« On a dû se croiser à l'époque.

— Oh oui ! Tu étais si malheureux.

— ... Moi ?

— *Tellement* malheureux. »

Moi ? J'avais la malchance d'avoir treize ans, d'être trop gros et trop petit : j'avais atteint cette occlusion de la jeunesse où l'enfance (heureuse dans mon cas, voire idyllique) arrive manifestement à bout de course, sans qu'aucun autre mode d'existence ne semble accessible ni même possible. Époque de la salle de bains et du miroir, de regards hébétés puis détournés dans les douches collectives à l'école, époque d'odieuses comparaisons et de sombres prédictions. La voix fluette est encore prisonnière d'un corps qui se rebelle et bourgeonne... « T'es trop gros pour ce costume, Mart », me dit un étudiant avec une justice bouleversante pendant l'été de 1963. Jusqu'alors, j'avais vécu, bon an mal an, sans ambition vestimentaire, sans conscience vestimen-

1. Auteur de ce formidable monument à la mémoire des Juifs, *Konin* (1995).

taire de moi-même, satisfait, et même fier, d'arriver à porter les vieux habits de mon frère. Mais le processus d'Osricisation était bien enclenché. Dans l'entrée de la maison de Madingley Road, je venais d'ôter mon petit imperméable court pour montrer à tout le monde mon nouveau costume sur mesure de chez Burton. Comme j'en avais dessiné le patron, ça ne ressemblait à rien du tout : le pantalon était aussi moulant qu'un fuseau et la veste niait purement et simplement la forme humaine, avec ses deux boutons dorés, son absence de revers, son absence de col (exception faite d'une bande de velours noir derrière la nuque, bientôt transformée en nid de pellicules étincelantes). En plus, sa longueur ne dépassait pas ma taille. Grave erreur ! Car à l'époque, j'étais complexé par quelque chose de très simple. De retour de sa pension pour les vacances de Pâques, mon frère (qui était grand et mince, qui avait dépassé l'âge ingrat et se trouvait de l'autre côté) écrivit dans son journal :

> Maman m'a dit qu'elle a trouvé Mart en train de pleurer pendant la nuit à cause de la taille de son derrière. Ça me fait de la peine pour lui, mais premièrement, c'est *sûr* qu'il a un gros cul, et deuxièmement, il ne va pas disparaître comme ça.

Je fus particulièrement impressionné par le deuxièmement[1].

1. Pourtant, il a disparu. J'ai senti le moment de sa fin : c'était six ans plus tard. Une foule d'adolescents s'était réunie chez ma mère à Ronda. En allant en ville ce soir-là, la rangée de filles traînait derrière celle des

Donc, oui, peut-être aussi malheureux que la moyenne, pour mon âge. Mais à l'abri du danger, pour l'essentiel. Le mariage de mes parents, croyais-je, se profilait comme un horizon translucide — et mon père m'avait à nouveau conforté dans cette croyance, je m'en souviendrai toujours, l'été précédent à Deya, sur l'île de Majorque. Il était tard dans la soirée, c'est vrai, mais il nous avait dit, à mon frère et à moi : Ne doutez jamais que j'aime votre mère. Ne doutez jamais que nous serons toujours ensemble... Je n'en doutais pas.

Peut-être que le souvenir de Richard Eyre remonte aux dernières semaines que j'ai passées à Madingley Road, peu de temps après ce dialogue autour de la table de la cuisine :

« Tu sais que ton père voit une poule[1] à Londres, hein ?

— Non. Je n'étais pas au courant. »

Mon informatrice était Eva Garcia (prononcé Gâcia). Et elle, elle *était* galloise, typiquement celto-ibérique, comme son mari, Joe, un bourreau de travail d'une patience à toute épreuve, un modèle de gentillesse, cuboïde et presque illettré, qui était en fait *plus grand*

---

garçons sur la large route en corniche. Lorsqu'on est arrivés au bar sur la grand-place, une voix féminine (qui était-ce ? Qui ?) m'a soufflé à l'oreille : « On vous a tous comparés en venant et on a voté. T'as gagné pour le plus beau derrière. » En poussant un dernier petit cri, mon complexe s'est évaporé dans la nuit espagnole.

1. « Une maîtresse » (avec ici une connotation de vulgarité, de superficialité, etc.). Voir « jules » pour le pendant masculin.

assis que debout. Eva était merveilleuse et terrible : ce fut l'une des divinités de mon enfance et il était donc assez normal, j'imagine, qu'il lui revînt de tout briser, d'un coup sec, par cette phrase sinistre... Eva la merveilleuse : certains jours, à Swansea, je rentrais de l'école et la trouvais en train de chanter à tue-tête pendant qu'elle me faisait du thé ; elle pivotait sur le socle de sa chaussure orthopédique (elle avait eu la polio quand elle était toute petite), sa chevelure voltigeait, ses yeux hispaniques s'emplissaient d'un vrai bonheur. Eva la terrible : d'autres jours, je la surprenais, blanche comme un linge, appuyée contre le mur de la cuisine, une main sur la joue et un bandana rouge noué autour du front ; je me préparais, avec mon entrain d'enfant, à une soirée de silence, et même de transe immobile, tant ses migraines lui faisaient souffrir le martyre. À ces moments-là, à mesure que le jour baissait, elle racontait d'une voix qui gagnait en puissance différentes catastrophes survenues aux gens de son âge. Rien ne la ranimait plus vite que le spectacle des souffrances d'autrui.

C'est à Eva que je pensais, quelque trente ans plus tard[1], en émettant l'hypothèse que le terme *Schadenfreude* n'était pas allemand, mais gallois. Un jour, sur la route qui longeait la côte, la famille fut prise dans un embouteillage provoqué par un grave accident. Dans la voiture, on se mit à redouter à voix basse que Sally (qui avait alors deux ou trois ans) n'assiste à une scène

1. Dans le roman *Train de nuit*. Le personnage gallois s'appelle Rhiannon, en hommage à l'héroïne des *Vieux diables*.

d'horreur. Enfin, en approchant du carrefour, on vit sur le bas-côté un homme ensanglanté qui se tortillait sous un vieux pardessus le recouvrant à moitié. On avait dépassé le lieu du drame et on était en sécurité lorsque Eva mit Sally debout sur le siège arrière : « Regarde, Sall'. *Il se tord de douleur*, le type[1]. »

« Non. Je n'étais pas au courant. »

Eva était venue seule de Swansea, pour nous rendre visite et pour faire son intéressante dans cette mauvaise passe. Je croisai son regard par-dessus la table de la cuisine. Il m'apparut clairement, même alors, qu'il était impossible qu'on l'ait chargée de me dire la vérité. Je savais aussi que pour elle la propagation de mauvaises nouvelles n'avait rien d'un jeu à la courte paille, mais que c'était un privilège à conquérir de haute lutte. Est-ce que son zèle la poussait à exagérer la situation ? Je lui demandai :

« C'est vrai ? »

Elle me dévisagea, les yeux plissés, un rictus morne sur les lèvres, comme si elle évaluait les choses avec cet

1. « Eva, tu peux me verser un verre de lait pour mon déjeuner ? » Elle était coincée dans son fauteuil à côté du Rayburn (un fourneau noir massif) et je la vis agiter les jambes pour se mettre debout, puis les relâcher. Elle avait failli me répondre oui, mais à présent elle disait non. « Nan, fit-elle d'une voix ferme. — Oh ! Pourquoi pas ? — Parce que j'ai connu un homme qui a bu un verre de lait à midi, et il en est ... *mort*. » J'étais sûr qu'elle me racontait n'importe quoi et que c'était pour la forme, en plus : elle succombait simplement à une rare attaque de paresse. Malgré tout, jusqu'à ce que je sois adulte, j'ai évité de boire du lait à midi par peur de mourir ; et une fois que j'ai été adulte, la question de prendre un verre de lait au déjeuner ne s'est plus jamais posée.

air que je me souvenais d'avoir vu dans les plaines de mon enfance.

« Eh oui », fit-elle avec lassitude.

Le lendemain matin — ou était-ce le surlendemain ? —, ma mère m'amena à toute vitesse, comme d'habitude, au lycée de garçons que je fréquentais. En approchant du dernier carrefour, elle me dit de but en blanc qu'elle et mon père allaient se séparer (mais elle ne parla pas de la poule). Elle fixait la route devant elle ; elle conduisait, après tout, et fumait une cigarette mentholée : une Consulate. Elle n'a pas arrêté, mais elle n'a jamais été une grande fumeuse selon moi : elle tire une bouffée et recrache vite la fumée, comme pour s'en débarrasser. Même à treize ans, j'estimais fumer deux fois plus qu'elle n'avait jamais fumé... Pourtant, elle avait besoin de sa Consulate, ce matin-là. Je le voyais. Elle me demanda si je comprenais, et je crois que je lui répondis que oui. Je sortis de la voiture et m'arrêtai dans la lumière du soleil, devant les grilles de l'école.

Ma mère avait prévu, comme elle me l'avoua par la suite, de m'annoncer la nouvelle à un moment où je n'aurais pas la possibilité de la ressasser. Ça avait bien marché, pour l'instant. Face à moi, l'école, avec toutes ses épreuves au tableau, ses devoirs, ses jeux, ses supplices, les bons copains et les petites frousses. Il ne me fallut que quelques secondes pour quitter l'état d'apesanteur de l'enfance, le degré zéro de la gravité, et sentir s'abattre sur moi le poids du monde. « Ça y est, le plus facile est passé, j'ai fait le plus facile », je me dis à peu près en entrant dans la cour avec mon cartable et ma casquette.

Ce ne fut qu'en novembre que je revis mon père : un minuit d'hiver à Londres. Sa silhouette étonnée, en pyjama, a reculé de la porte d'entrée.

« Vous savez que je ne suis pas seul... »

Au fond de l'appartement, en peignoir blanc, la poule et ses cheveux qui lui arrivaient à la taille.

« Tu sais même pas ce que ça veut dire, *toi*, *sophistiqué*. »

Ma mère se tourna brusquement vers moi. Je dois répéter qu'elle avait vingt et un ans à ma naissance. Je n'ai jamais été beaucoup plus jeune qu'elle, elle n'a jamais été beaucoup plus vieille que moi. On était encore en train de se presser pour l'école : à Swansea, à la fin des années cinquante.

« Oh si, je sais ce que ça veux dire, *moi*, *sophistiqué*.

— Non, faux. Tu sais pas ce que ça veut *vraiment* dire.

— Si, je le sais.

— Alors vas-y. Qu'est-ce que ça veut dire ? »

Je revois maintenant le visage de ma mère, de profil, les sourcils légèrement froncés, en pleine concentration, alors qu'elle me dressait la liste de quelques attributs les plus attrayants qui allaient de pair avec la sophistication, tous dignes de ce à quoi pouvait aspirer une fille de la campagne mal dégrossie.

« C'est pas ça que ça veut *vraiment* dire.

— Soit. Alors, dis-le-moi.

— *Corrompu.* »

Ma mère était innocente. Puis les expériences de la vie s'imposèrent, et elle les vécut. Ensuite, elle retrouva son innocence. Je me suis toujours demandé comment elle y était parvenue.

Lettre de la maison

108 Maida Vale
W. 9.[1]

Très chers papa et Jane,

Ma dernière lettre a l'air de vous avoir réduit au silence,je vais donc essayer,non sans angoisse,de résoudre l'affaire polémique de mon avenir immédiat.J'espère pouvoir me passer à présent de la rhétorique exaltée et de la dialectique implacable auxquelles vous devez être désormais habitués.Le Farfadet a appelé plusieurs écoles,mais elles cherchaient toutes à engager des assistants qui s'y connaissent en maths modernes.Le brave

1. Je faisais à présent l'aller-retour entre Brighton et Londres (à bord d'une vieille micheline qui s'appelait la Belle de Brighton). Il semble que j'aie déjà la sale manie de ne pas dater mes lettres. Je me suis également mis à les taper. Au fil des ans, je suis devenu très fort pour taper (il devrait y avoir des prix de dactylographie, pas d'écriture, pour les romanciers — surtout pour ceux qui écrivent de longs romans) et je fais rarement plus de trois fautes par ligne ; mais je n'étais pas si doué que ça en décembre 1967. Je conserve ici les bizarreries d'époque. Ce jeune homme a, en gros, cessé de me répugner. Ce n'est plus tout à fait Osric, le coureur de jupons valétudinaire. Mais lui et moi devenons plus bavards.

type m'a alors suggéré de travailler dans une librairie,et il va essayer de me chercher un boulot pendant les vacances.D'après lui, ça me rapporterait plus d'argent,et je suis tout prêt à le croire.Il pense aussi qu'on pourrait faire de l'anglo-saxon ensemble l'an prochain. Qu'en pensez-vous?

Je suis allé passer mon entretien à Durham et ça s'est plutôt bien passé.Le type qui m'a interviewé au Département d'anglais était en l'occurrence un ancien élève de papa (SWANSEA) et il prétendait m'avoir rencontré plusieurs fois.Je n'ai pas compris son nom,mais c'était un petit bonhomme à l'allure étrange,avec une épaisse crinière noire ondulante.J'ai aussi été convoqué pour un entretien à Exeter[1] en janvier.Quelle est la meilleure université des deux?J'ai trouvé que Durham était chouette, comme ville,et que la fac avait l'air très confortable à tous points de vue[2].Mais espérons que je serai pris à Oxford ou à Bristol.

Les entretiens à Oxford ont lieu dans 4 jours,et comme je n'ai pas reçu de télégramme,cela doit vouloir dire que j'ai passé le premier tour.Il reste donc environ trois candidats sérieux par place.Ce n'est pas peu dire que je redoute ces entretiens,et que je ne sais pas quelle attitude adopter:la différence rafraîchissante,la robustesse de l'intellectuel moyen,la sympathie naïve,le

1. En 1973, Lucy Partington terminait sa licence d'anglais à l'université d'Exeter.

2. La pauvreté et le défaitisme de cette phrase renforcent mon soupçon que je me serais contenté de Durham à l'époque. À l'époque, je pensais avoir peu de chances à Bristol et Oxford me semblait grandiose.

franc prosaïsme,la sophistication hautaine,la sincérité incorruptible,la pédanterie tonitruante,la frivolité curieuse,l'ébahissement juvénile?Devrais-je m'incliner solennellement devant la sacro-sainte ambiance du savoir?Jouer les profonds amateurs de vérité,les anti-héros minables,les observateurs bourrus de la société,les esthètes perspicaces.?Non,je crois que je serai...tout simplement...naturel.

Ta lettre (Jane) est arrivée pendant que j'étais en train d'écrire celle-ci,je vais donc te répondre en quelques mots.Ce qui m'attendait,tu vois, c'est le genre de truc qui s'acompagne [*sic*] en général d'une espèce d'obligation.Je croyais que le seul but de l'opération était de me faire du bien.Je l'ai accepté–à quelques réserves près–mais quand je me suis rendu compte du bien que ça allait me faire,j'ai commencé à douter de la valeur du projet.Maintentant, je vois clairement que ce n'était pas tout à fait dans vos intentions.Je suis sûr que le Farfadet (tout diabolique qu'il soit) me dénichera quelque chose de plus intéressant,et j'espère que nos joutes cérébrales de part et d'autre de l'Atlantique s'en tiendront là.

Je me suis fait couper les cheveux plus court que je ne les ai jamais eus.Ça souligne davantage les arrêtes [*sic*] de mon menton,mais je me trouve l'air d'un Babouin particulièrement rosse et irritable.

(Passage au stylo et à l'encre, après 11 heures de pianotage sur la machine à écrire.)

Au chapitre des arts, je trouve, papa, que tu manques sacrément de finesse à propos de Donne, qui n'est sûrement pas plus « froid » que ton Marvell, lequel est trop propre sur lui pour insuffler la passion que tu sembles attendre. J'ai l'impression que Marvell vit ses émotions *avant* d'écrire, tandis que Donne, me semble-t-il toujours, serre les dents en écrivant. Relis donc « La Sainte-Lucie » et « L'apparition », puis « La définition de l'amour » ou même « À sa prude maîtresse », et je pense que tu verras mieux ce que je veux dire.

Premières impressions :

Conrad : rasoir à force de donner dans le romantisme.

James : plein d'éloquence, d'un certain humour et de raffinement.

Lu « Guerre + Paix », que j'ai trouvé vachement bien : on y entend les « grands accords » de Forster résonner avec une démence incroyable.

À propos, comment voulez-vous que je fasse pour vos cadeaux ? Je vais bientôt vous les envoyer pour que vous les receviez à temps.

Je vous embrasse très fort.

MART XXXXX

Celui qui est, celui qui fut !

Notre Osric à la dentition fragile prétend ainsi que John aurait « serré les dents » en écrivant « La Sainte-Lucie ». Or, il s'agit là d'une interprétation erronée de Donne, d'une interprétation erronée du processus d'écriture poétique en général. Quatorze ans plus tard, j'allais envoyer une volée de bois vert à John Carey (voir *infra*) qui défendait cette idée dans son livre *John Donne : Life, Mind and Art* [*John Donne : La vie, l'esprit et l'art*]. Le rapprochement des deux noms m'a poussé à relire « La Sainte-Lucie », ou « Nocturne pour la Sainte-Lucie. Le jour le plus court de l'année ». Quand bien même le professeur Carey, en tant que critique, ne saurait ignorer que les poèmes lyriques sont des « œuvres de l'imagination », le bouclier autobiographique est lourd à porter : « Wordsworth, après tout, n'eut pas besoin de mort réelle pour pleurer sa Lucy. Mais si Donne, de son côté, parle de la mort d'une vraie Lucy, sa femme est alors la seule candidate digne d'être examinée. » Il qualifie de « suicidaire » « La Sainte-Lucie », avec sa scansion et ses rimes travaillées. Mais ce sont des lettres d'adieu que rédigent les personnes qui se suicident, non des élégies. Les derniers vers en sont inoubliables, quoique le sentiment exprimé soit un cliché de la forme élégiaque :

> *Puisqu'elle-même jouit de cette longue nuit,*
> *À célébrer sa fête que je m'apprête donc,*
> *Et que cette heure soit sa vigile et sa veille*
> *En la minuit profonde et de l'an et du jour*[1].

L'*Encyclopaedia Britannica* est avare de renseignements, et l'*Oxford English Dictionary* absolument muet sur Sainte-Lucie, St. Lucy ou même St. Lucia. Le *Dictionary of Names* de Brewster indique : « C'est Christophe Colomb qui baptisa ainsi l'île des Caraïbes, d'après le jour où il la découvrit, le mardi 13 décembre 1502, fête de Sainte-Lucie, vierge et martyre sicilienne. » Aujourd'hui, c'est le 23 décembre que l'on considère le jour le plus court de l'année, le minuit par excellence. Lucy Partington disparut le 27 décembre. Il y avait une pénurie d'énergie cet hiver-là, et aucun lampadaire allumé cette nuit-là. On était en 1973,

1. Claire Tomalin donna une réception le jour qui est sans doute le plus long de l'année, en 1975 je crois. À l'approche de minuit, on demanda à Harold Pinter de lire « La Sainte-Lucie », et il s'exécuta en spécialiste. Un silence suivit la chute parfaitement modulée et Sally, la secrétaire de Claire, rota : « Joli, Cyril ! » fit-elle ensuite. Cette formule de football visait à alléger l'atmosphère. (Le rire de Pinter m'impressionna par la tolérance qu'il manifestait.) Mais *Sally* était en réalité suicidaire : elle se tua l'année suivante. Suivie de la fille de Claire, Susannah, qui se suicida en 1980 à l'âge de vingt-deux ans.

mais l'obscurité donnait l'impression d'être en plein XVIIe siècle.

Il m'était impossible de serrer les dents en novembre 1974. Notion mystique : le son que produit une mâchoire serrée.

Je savais que tous les sikhs portaient le même nom de famille, mais je me consolais du mieux possible en songeant qu'une grande fraternité de Singh allait me conduire tendrement dans New York pendant ce moment difficile. Mes fantasmes ne méritaient pas de durer très longtemps : en me conduisant de l'aéroport en ville, Inderjid Singh eut très vite un accident[1]. Puis ce fut au tour de Charon Singh de me conduire à mon premier rendez-vous chez Todd J. Berman, chirurgien dentiste, diplômé de l'Ordre américain de stomatologie. À lui de relever le défi professionnel que représentait ma mâchoire inférieure : série d'extractions, retrait de la tumeur, reconstruction du menton avec des os de vache préalablement testés pour le sida, insertion des implants.

Comme de juste, c'est à Charjit Singh qu'il incomba de me conduire, pour onze dollars, dans le nord de la ville où je devais passer un scanner de onze cents dol-

1. Juste un peu de tôle et, pour Inderjid, rien de grave. La personne chez qui je logeais à New York, Richard Cornuelle (le beau-père de celle que j'ai épousée depuis), avait été brièvement hospitalisé après une collision en taxi. Il avait dit au médecin à court de temps que c'était un mythe, à son avis, toute cette histoire de taxis new-yorkais qui n'arrêtaient pas d'avoir des accidents. « Un mythe ? avait répondu le médecin. Écoutez. Quand les taxis sont en grève, c'est le *désert*, ici. »

lars. Mon ami Chris, celui qui regrettait que ce ne fût pas à *lui* que Salman Rushdie ait proposé de sortir régler l'affaire, avait récemment passé un scanner. Ou du moins, il avait essayé. « J'ai découvert quelque chose sur moi que j'ignorais, me dit-il. Je suis claustrophobe. Je ne savais pas qu'il fallait mettre *toute la tête* dans l'appareil. Ça m'a rendu *fou furieux*. »

Oui, toute la tête. Les mâchoires écartées par une lime à ongles, les cheveux recouverts d'une calotte bleue, le menton et le front maintenus en place, je fus aspiré dans une espèce de cyclotron où je restai dix minutes. Cet emprisonnement, ou cet internement, me fit désespérément songer à Lucy Partington. Shaw avait tort. La souffrance est *vraiment* relative.

... À l'approche de la trentaine, je fus sujet à des attaques de panique dans le métro. Pendant un moment, je crus que j'avais hérité du superbe éventail des phobies paternelles : l'aérophobie (pour son baptême de l'air, dans son enfance, il avait fait un « petit tour en zinc » au bord de la mer pour cinq shillings. Ça lui avait suffi), l'acrophobie (quand il avait amené ses enfants au dernier étage de l'Empire State Building, en 1959, seule notre présence l'avait empêché, racontait-il, de se mettre à hurler), et la nyctophobie, ou peur de la nuit[1]. La nyctophobie recoupait une monophobie partielle. Il

1. Il existe des noms grotesques, des phobies grotesques, dans la section que leur consacre le *Thesaurus*. Kingsley ne souffrait pas de triskaïdékaphobie, ou peur du nombre treize. Ni d'autophobie : il n'avait pas du tout peur de parler de lui.

y avait beaucoup de choses qu'il ne pouvait pas faire seul. Lorsqu'il allait en visite à Swansea, ma sœur l'accompagnait et allait le chercher. Un jour où il s'était trouvé en rade à Newcastle, il avait pris un taxi jusqu'à Londres. Plus grave : il était incapable de rester seul dans une maison après la tombée de la nuit. Absolument incapable... Je fus guéri de mes attaques de panique grâce à un conseil, un simple conseil, que me donna dans un pub un ami proche de Kingsley, le psychiatre Jim Durham : « Souviens-toi que le pire qui puisse t'arriver, c'est de te ridiculiser. » Ça a marché à l'époque, et ça a marché dans le cyclotron. Mon esprit s'est apaisé pendant dix minutes de calme incarcération.

Lorsque j'en sortis, la musique d'ambiance avait le bon goût de diffuser « Candle in the Wind ». En attendant de payer, je m'assis avec deux vieilles dames. L'une d'elles était plongée dans une revue qui s'appelait *Modern Maturity*, montrant en couverture l'inévitable couple de vieillards en pleine forme. Elles buvaient toutes les deux du baryum dans des gobelets jetables, avec nonchalance et plaisir, comme si elles prenaient leur café du matin. La musique passa de la Première symphonie de Tchaïkovski à « Let It Be »... Je payai et sortis. Après l'épreuve que je venais de subir, je fus assez blessé de constater que les frères Singh étaient tous ailleurs ; je recourus donc aux services de Jorge Palomino pour me ramener au centre-ville.

Tout de suite après mon rendez-vous avec les mains de Mike Szabatura, Isabel avait eu la grande astuce de m'amener déjeuner dans le Lower East Side. Lorsque je m'arrêtai pour cracher du sang dans le caniveau, elle me lança :

« Dis-toi bien que cette ville en voit de toutes les couleurs. Regarde, personne ne va faire attention à *toi.* »

Je regardai. C'était vrai. C'était génial. Des camelots, des artistes revenant de faire leurs courses, des mendiants, chacun exhibant une répartition ahurissante de biomasse, des gros lards prêts à exploser, mais aussi des queues de billard humaines ; et des promeneurs en fauteuil roulant, des convalescents qui poussaient leur déambulateur, des fouilleurs de poubelles, des toxicos, des putes, des anciens combattants givrés. Cet angle de rue était connu pour le trafic de drogue, et les dealers de la journée attendaient debout, penchés en arrière sans support visible où s'appuyer[1], comme des traits en diagonale : /. Partout des détritus, on en avait jusqu'à

1. La tour de Pise produit l'effet d'une « inclinaison de junkie » aussi singulière que la démarche chaloupée d'un maquereau. J'ai dû attendre trois ans pour qu'on m'explique cette expression.

> Un revendeur sert de pancarte vivante : il déambule et déblatère, faisant la publicité des produits chimiques qu'il a ingurgités. C'est en chancelant jusqu'à sa place réservée et en attendant debout — les yeux dans le vide, le corps incliné à trente degrés comme un junkie, racontant aux passants que les sacs sur lesquels sont imprimées des araignées sont bourrés d'explosifs — qu'un revendeur gagne sa vie.

Ce paragraphe est tiré de *The Corner* [*Le Coin de la rue*] (Broadway Books, 1997), de David Simon et Edward Burns — œuvre absolument formidable, tout comme le livre précédent de David Simon, *Homicide* (1991), épopée d'une futilité et d'une hilarité remarquables, servie par une prose impeccable.

la cheville, partout. Dans les arcades aurifères du centre-ville, j'aurais fait tache parmi le paysage social. Mais ici, sur la Deuxième Avenue, je marchais la tête haute, sans être remarqué ni pris en compte. Il semblait même rester de la place pour une détérioration en bonne et due forme.

Excellente compagnie dans la rue, donc. Excellente compagnie à table aussi, Isabel me faisant la conversation, tel un contrôleur aérien dans un film d'aéroport, pendant que je mangeais ma soupe au poulet. Excellente compagnie ailleurs : dans ma tête.

Question : combien, parmi ces stylistes remarqués — James Joyce, Vladimir Nabokov et Martin Amis — ont eu à affronter des arrachages de dents catastrophiques au début de la quarantaine ? Réponse : tous les trois.

« Mes dents sont très mauvaises », songe Stephen dans le premier chapitre d'*Ulysse*, avant de se poser la grande et inutile question : « Pourquoi ? »

> Pourquoi, je me le demande ? Touchons. Celle-là aussi est fichue. Coquilles. Devrais-je aller chez le dentiste avec cet argent, je me le demande. Et celle-là. Kinch l'Édenté, surhomme. Pourquoi ça, je me le demande ; ou bien cela correspondrait-il à quelque chose ?

Pourquoi ? L'hérédité ? L'eau du robinet des terres celtes ? Une introversion nocive ? Déjà, à peine franchi le cap des vingt ans, Joyce se tordait de douleur en mangeant sa soupe tiède. En 1907, il écrit de Marseille à son frère Stanislaus : « Ma bouche est pleine de dents pourries et mon âme d'ambitions pourries. » Joyce est né en 1882. Ses dents ont duré jusqu'en 1923. Il a passé deux semaines dans un sanatorium à se remettre de leur extraction, mais selon la biographie (quasi transcendante) de Richard Ellman, *James Joyce* (1959), « cela ne l'a pas beaucoup gêné ». Comme il l'a dit à son fils Giorgio avec une merveilleuse simplicité : « De toute façon, elles ne valaient rien. »

Joyce souffrait d'une plus grande hantise : le spectre de la cécité qui avait touché Milton (et sans doute Homère). En 1922, il avait terminé *Ulysse* ; et ce n'étaient pas ses dents, après tout, qui allaient l'aider à écrire *Finnegans Wake*. « J'ai toujours l'impression qu'on est le soir », dit-il à son ami Philippe Soupault la même année. Les opérations dentaires s'étaient déroulées pendant un triple examen des muscles optiques (dont la préparation nécessitait l'application de « cinq sangsues pour vider l'œil de son sang »). Après tant de violences infligées à son visage, à sa tête, à son esprit, Joyce a écrit son premier poème depuis plus de dix ans : « Prière ». « L'attitude de celui qui parle, commente Ellman (une biographie constitue toujours un travail laborieux), mêle désir et souffrance, et cette dernière associe sa soumission devant l'objet aimé à d'autres sujétions — les maux d'yeux et la mort. » Et la bouche édentée. On estime en général que « Prière » (recueillie dans *Pomes Penyeach* [*Poèmes d'api*]) s'« adresse » à Nora Joyce. Mais dans mon univers, le destinataire en est Mike Szabatura. La deuxième des trois strophes est d'une beauté pour moi insupportable :

Je n'ose pas résister à ce froid contact que je redoute.
Tire de moi encore
Ma lente vie ! Penche-toi plus avant sur moi, tête-menace,
Fière de ma chute, en souvenir et en pitié
De celui qui est, de celui qui fut !

La première fois que j'ai lu ce poème, c'était en 1992 ou en 1993. En marge de mon livre, j'ai écrit ceci : « caractère inévitable de la soumission ». Et ce n'était pas à une femme que je pensais.

Le 23 novembre 1943, Nabokov (né en 1899) commence une lettre à Edmund Wilson sans s'embarrasser de détours :

> Cher Bunny,
>
> certaines avaient de petites cerises — des abcès — et l'homme en blanc était ravi quand il arrivait à les extraire entières, avec l'ivoire cramoisi. Ma langue a l'impression de rentrer dans une maison vidée de ses meubles. L'appareil ne sera prêt que la semaine prochaine — je suis un handicapé buccal. [...]
>
> Quand mon visage se reflète sur une surface concave, j'ai souvent noté une ressemblance avec l'Ange (tu sais — celui de la lutte) ; mais actuellement un miroir ordinaire produit le même effet[1].

1. Extrait de la *Correspondance : 1940-1971* entre Vladimir Nabokov et Edmund White (1979), éditée et annotée par Simon Karlinsky. Ce livre constitue un dialogue captivant entre deux poids lourds. La générosité que témoigne au début Bunny à Volodya est impressionnante, attachante, tandis que Volodya ne se prive pas de quelques piques satiriques

L'expérience a attendu un moment, comme toute expérience vécue en général, avant d'être transposée dans un roman — et plus précisément dans *Pnine*, publié en 1957. L'« héroïque » Timofey finit par se rendre à son rendez-vous avec l'homme en blanc, non sans traîner la jambe.

> Le flot brûlant de la douleur remplaçait par degrés la glace et le bois de l'anesthésie, dans sa bouche atrocement martyrisée, encore à demi morte, en proie au dégel. [...] Sa langue, ce gros phoque lisse, avait fait plouf et glissé avec tant de plaisir parmi les rochers familiers, vérifiant les contours de son empire menacé, mais encore solide, plongé de crique en grotte, grimpé cette arête, scruté cette anfractuosité, attrapant au passage une bribe d'algue marine délectable dans cette même vieille brèche, naguère ; à présent, les repères avaient disparu, il restait une vaste plaie sombre, une *terra incognita* de muqueuses, que la crainte et le dégoût interdisaient d'explorer.

Le découragement verse bientôt dans la démoralisation : les retrouvailles attendues de pied ferme avec son

---

aux dépens de Bunny. À propos des personnages féminins prétendument lascifs du roman de Wilson, *Mémoires du comté d'Hécate* (poursuivi en justice en 1946 sous le chef d'accusation d'obscénité, un procès perdu), Nabokov écrit : « J'aurais autant aimé essayer d'ouvrir une boîte de sardines avec mon pénis. » Pourtant, d'un point de vue à la fois humain et intellectuel, c'est Volodya qui domine. Il a raison, et Bunny a tort, sur presque tous les sujets qui comptent : la prosodie, la politique (l'URSS) et le génie supposé (« J'admets qu'il n'a aucun sens de l'humour », écrit Wilson, comme pour écarter une critique moins sévère) d'André Malraux.

ex-femme (l'horrible Liza) ne donnent rien — strictement *rien*. La gentille logeuse américaine de Pnine, Joan, le trouve dans la cuisine :

> Les épaules inutilement robustes de Pnine continuaient d'être secouées. [...]
> « Elle ne veut pas revenir ? » demanda Joan, très doucement.
> Pnine, la tête sur le bras, se mit à battre la table de son poing.
> « Rien, gémit Pnine au milieu de reniflements sonores, humides, il me reste rien, rien, rien. »

Qu'est-ce que Nabokov et Joyce ont partagé d'autre, mis à part une mauvaise dentition et un remarquable talent de prosateur ? L'exil, et des dizaines d'années de misère noire[1]. Une tendance compulsive à laisser de gros pourboires. Une dévotion exceptionnelle à leur épouse, qui le méritait largement : d'un côté, Véra Slonim, compétente dans tous les domaines et de tempérament artiste (elle a traduit *Feu pâle* en russe) ; de l'autre, Nora Barnacle, prodige d'ignorance littéraire

1. En 1922, Joyce a reçu une lettre de son père, John, qui lui demandait une livre pour l'aider à passer Noël. James, qui était à Rome, a obtenu la livre en question de Stanislaus, qui était à Trieste, et l'a envoyée à John, qui était à Dublin. On a dit qu'il n'existe que deux types d'Irlandais : le dur et le parasite invétéré. Dans la vie, Joyce appartenait à la seconde catégorie. Mais dans son travail, à la première. Racontez un rêve, et vous perdrez un lecteur, disait Henry James. Et nous savons tous que le calembour est la plus basse forme du bel esprit. Joyce a passé dix-sept ans à faire des calembours sur les rêves. Le résultat, *Finnegans Wake*, ressemble à une définition de mots croisés de six cents pages. Mais il a fallu un dur pour la rédiger.

(« Il prépare un autre livre », aurait-elle dit avec une pointe d'agacement, en faisant allusion à *Finnegans Wake*). Par ailleurs, ils vécurent tous les deux une vie « magnifique » — non pas au sens où l'entendait Henry James (car cela aurait exigé au préalable qu'ils fussent amplement solvables), mais avec la bravoure comique de leur persévérance. Ils firent leur œuvre, avec panache. On pourrait accuser Joyce d'en avoir rajouté dans sa froideur d'aîné envers Stanislaus et d'avoir préféré les drames d'Ibsen à ceux de Shakespeare[1] ; mais on pourrait tout aussi bien accuser Nabokov de s'être parfois rendu coupable d'un certain triomphalisme de Parnassien. Reste qu'ils menèrent l'un et l'autre une vie exemplaire. En songeant que D. H. Lawrence, qui eut peut-être le plus sale caractère des écrivains de tous les temps (il battait femmes et animaux, il était raciste et antisémite, etc., etc.)[2], fut aussi, peut-être, le champion tous azimuts du bâclage en matière linguistique, je me sens attiré par quelque immense généralisation sur le

1. Je suis d'accord avec l'article que mon père consacre à « Shakespeare » dans *The King's English* [*L'anglais du King*] (1997) : « Affirmer ou suggérer que l'homme répondant à ce nom n'est pas notre plus grand écrivain est au mieux le fait d'une personne de second plan. » D'accord aussi avec Nabokov : « La texture poétique verbale de Shakespeare est ce que le monde a connu de plus grand. » (*Intransigeances* [*Strong Opinions*, 1978].)

2. Je verse pourtant une larme en lisant la fin de la biographie que lui a consacrée Brenda Maddox, *The Married Man : A Life of D. H. Lawrence* [*L'homme marié : vie de D. H. Lawrence*]. Elle cite Samuel Johnson : « Il est *tellement* difficile à un homme malade de ne pas devenir un vaurien. » On a un jour comparé les dents de Lawrence à des pépins de citrouille noirs. Mais elles lui ont duré tout son séjour sur la planète : quarante-quatre ans.

rapport entre prose et probité. Mais le lecteur sagace, le lecteur idéal ne tient la vie d'un écrivain que pour un supplément intéressant. Les bons jours, quand on a l'impression d'être le simple instrument de l'œuvre qu'on a reçu pour mission d'exécuter sur terre, tel est l'effet que produit la vie d'un écrivain : c'est un supplément intéressant. Aucun lien de valeur entre la vie et l'œuvre. Certains écrivains seront soulagés de l'apprendre.

« Mon anglais ressemble à un simple échange de ballon à côté du jeu de haute volée de Joyce », disait Nabokov — avec, j'imagine, une sincérité très grande mais en aucun cas totale. Je pourrais dire la même chose à propos de Nabokov. Pourtant, je revendique d'être le pair de ces maîtres sous un seul rapport. Pas pour ce qui concerne l'art, pas pour ce qui concerne la vie. Juste pour ce qui concerne les dents. Les dents[1].

1. John Updike a visiblement essayé de rejoindre le club dentaire avec le chapitre doublement contestable de ses mémoires, *Être soi à jamais* [*Self-Consciousness* (1989], intitulé « De l'inconfort de n'être pas une colombe ». Dans son essai, Updike tente, sans y réussir, d'esquisser un lien entre son opposition au mouvement pacifiste lors de la guerre du Viêt-nam, ou plutôt entre son opposition au harcèlement dont il faisait l'objet de la part de militants pacifistes, et ses propres « efforts de guerre » sur le fauteuil du dentiste. Vladimir, James et moi l'avons pourtant blackboulé. Il a des dents en trop bon état. Il suffit de le regarder, avec son large sourire éclatant à l'âge de soixante-neuf ans. Il n'est pas donné à tout le monde, voyez-vous, de se frotter à Joyce ou de frayer avec Nabokov. Dans son œuvre de critique, à propos, Updike se montre perspicace et juste sur Nabokov, mais il lui manque le feu de la passion. Pourtant, il a fait à Joyce l'immense compliment d'essayer d'écrire comme lui pendant des années — d'essayer de moderniser et d'américaniser *Ulysse*. Voir *Couples* (1968 [trad. fr., 1969]). Ça n'a pas marché, mais bien

Sus à la honte

Le premier mot que j'ai prononcé fut *bus*. Mis à part les tentatives infantiles pour dire « maman », « papa » et « Philip », *bus* est le premier mot qui me soit sorti de la bouche. Pendant toute mon enfance à Swansea, j'avais une passion inassouvissable pour les grands bus à impériale rouge sang. J'y montais, sans destination précise, et j'y restais des heures et des heures, jour après jour. Une fois — je devais avoir sept ou huit ans —, j'ai surpris une conversation entre le contrôleur (personnage bien plus grandiose à l'époque, avec son distributeur de billets en métal qu'il portait sur la poitrine comme un accordéon en argent) et une passagère. Elle lui indiqua l'arrêt où elle descendait et dit :

« Ça va mal. Pas la forme du tout.

— Ah oui ? Direct à l'hôpital, alors ?

— Oui. Une rage de dents.

— Faut toutes se les faire arracher et en finir : voilà ce que j'en dis.

---

d'autres choses ont marché, pour Updike. Je veux bien admettre, aussi, qu'il ne le cède à personne dans sa lutte (également examinée dans *Être soi à jamais*) contre le psoriasis. L'écrivain Nicholson Baker est atteint de la même maladie, et dans son grand livre *U and I* [*Toi et moi*] (1990), il se déchaîne contre le personnage d'Updike qui commence invariablement sa journée en passant l'aspirateur sur sa literie. Serait-ce faire preuve d'insensibilité que de suggérer à Updike de former un autre club, le sien, en commençant par y inscrire Nick Baker, puis en enrôlant, comme je suis sûr qu'il en est capable, nombre de précurseurs distingués ?

— Comme ça, plus de souci.

— Ça tombe sous le sens. »

En tenant la poignée au-dessus de lui, il se pencha vers son visage, comme s'il hésitait avant de lui donner un baiser, et découvrit le vaste panorama éclatant de son appareil en parfait état.

« Hou ! Magnifique ! Ça, c'est chic. »

Les deux interlocuteurs avaient environ vingt ans.

C'était la fin d'une culture qui *aimait* pour de bon les dentiers, considérés comme un simulacre plus pratique et plus personnalisé de la réalité. Mais ça restait bien sûr la préférence exclusive des ouvriers et des classes moyennes ; Evelyn Waugh s'en moque, en remarquant avec un frisson de dégoût le « dentier grimaçant » d'un représentant de commerce dans *Retour à Brideshead* (1945)[1]. Aujourd'hui, la plupart des lecteurs bourgeois risquent de prendre le dialogue précédent pour une illustration de la crédulité prolétaire. Mais la préférence était aussi d'ordre esthétique, et elle désignait la volonté d'embrasser la nouveauté, comme on préférait le nylon au coton, ou le plastique au bois.

La dentition était manifestement, ou apparemment, liée au rang social — mauvaise nouvelle pour les classes populaires, mauvaise nouvelle pour Osric. Il y a trente ans, en sentant les problèmes arriver et en sachant déjà qu'ils ne se résoudraient pas d'eux-mêmes, j'eus l'im-

1. On sait, d'après sa *Correspondance*, que les dents de Waugh n'ont pas tout à fait tenu la distance. Mais il ne se laissa pas abattre et ne se sentit guère déclassé pour autant.

pression de voir s'ajouter un point d'interrogation supplémentaire à mes prétentions d'être bien né. De toute façon, les statistiques démographiques dentaires changeaient. Les gueules choquantes des pauvres étaient reléguées au rang de souvenirs. Les preuves que je recueillais en observant les gens démontraient que *tout le monde* avait de meilleures dents que moi : hooligans, junkies, clodos, tout le monde. Et à l'époque, je ne pouvais pas invoquer le contre-exemple du noble Nabokov, avec le sang rouge vif des empereurs qui lui coulait dans les veines[1].

1. Note pour les adeptes de Nabokov : récemment (le 23/4/99), pour la célébration du centenaire de sa naissance organisée par le PEN-club, où mille deux cents personnes affluèrent dans un théâtre de la 43ᵉ Rue, je déclarai que Nabokov était mon romancier du siècle. Pour un autre événement — destiné aux adeptes de Bellow —, j'aurais pu déclarer que Bellow était mon romancier du siècle, sans équivoque. J'ai toujours maintenu que ce sont mes deux sommets jumeaux. Non sans frôler le ridicule, Nabokov a un jour traité Bellow de « pauvre médiocre », rejet fondé (j'en suis certain) sur une maigre connaissance de son œuvre ; peut-être associait-il aussi Bellow à un écrivain de roman à thèse, comme le lui insinuait parfois Edmund Wilson. En outre, Nabokov prenait un plaisir sensuel à dédaigner autrui : c'était son côté patricien. Lors de la commémoration de son centenaire, son biographe, Brian Boyd m'a dit qu'il avait un jour noté une anthologie collective de nouvelles, attribuant un A^{+} à Joyce (pour « Les morts »), mais un Z^{-} à Lawrence, ainsi qu'à d'autres écrivains de réputation planétaire. De son côté, Bellow avait des doutes sur Nabokov. Je sais qu'il admire passionnément *Lolita* et *Pnine*, mais il y a quelque chose en Nabokov qu'il a du mal à digérer : ce soupçon de triomphalisme aristocratique, repérable dans les romans russes, *Machenka* (1926), *L'Exploit* (1932) et *Le Don* (1937), et dans ce roman russe écrit en anglais, *Ada* (1969). Je suis d'accord, ou du moins, je comprends. Les personnages ont l'air hautain : ils ne marchent pas, ils « arpentent » ; ils ne mâchent pas, ils « dévorent » ; ils se croient *tout permis*. Mais je dirais que cela n'a rien à voir avec le snobisme (dont Nabokov a toujours été un ennemi rusé). En reprenant son autobiographie, *Autres rivages*, je me suis aperçu que c'est

Le second lien crucial concerne bien entendu le rapport entre la dentition et l'énergie sexuelle. Freud est disert sur la question — interprétant par exemple les rêves d'extraction comme des manifestations de doute et de crainte sexuelles. Or, force est de constater que Nabokov, qui cultivait un mépris sans doute excessif pour le charlatan de Vienne (et son monde de « petits embryons caustiques en train d'épier, cachés dans leur recoin naturel, la vie amoureuse de leurs parents »), reconnut et ranima cette association non seulement dans *Pnine* et ailleurs, mais aussi dans l'un des tout meilleurs paragraphes de *Lolita* (1955). Ces phrases — superbes, effrayantes, tressaillant et grognant de douleur et de chagrin — nous révèlent le cœur moral de tout son pro-

---

sur ce ton hyperbolique qu'il parle en général de son père, et de personne d'autre (« il avait fait irruption dans ma chambre [...], s'était emparé de mon filet à papillons, avait dévalé à toute vitesse la véranda »). Vladimir Dmitrievitch Nabokov (1870-1922), qui entretenait cinquante domestiques dans sa maison de campagne, était avocat, journaliste et homme politique d'une très grande compétence (« libéral d'une famille noble, fils d'un ancien ministre tsariste [...] — presque un symbole dans son élégance autosatisfaite et son égotisme aride » : cette description glaciale est due à Trotski). Il avait servi dans le gouvernement provisoire en 1917 et, sur sa lancée, il aurait pu « diriger » la Russie (du moins était-ce l'impression de son fils) dans une espèce d'administration centralisée. En exil à Berlin, il fut assassiné par un « sinistre voyou » affilié au tsarisme (auquel Hitler confia, pendant la Seconde Guerre mondiale, la charge des émigrés russes). Peut-être donc vaut-il mieux envisager le triomphalisme de Nabokov comme de la nostalgie à l'endroit des qualités de robustesse, de vigueur décisionnaire, d'assurance innée dont son père avait fait preuve : autant de vertus aristocratiques (et anachroniques), mais des vertus néanmoins. Aussi serais-je prêt à émettre l'hypothèse prudente que ce léger déséquilibre dans son œuvre est dû à un amour filial qui n'a jamais vraiment trouvé à s'épanouir.

jet. « Elle hanta, certes, mon sommeil », écrit Humbert Humbert à propos de Lolita après son départ,

> mais elle y apparaissait sous un déguisement ridicule, tantôt sous les traits de Valeria, tantôt sous ceux de Charlotte[1], ou un croisement des deux. Ce spectre complexe s'avançait vers moi, effeuillant ses combinaisons l'une après l'autre, dans une atmosphère de tristesse et de dégoût extrêmes, et s'étendait d'un air médiocrement séducteur sur quelque planche étroite ou quelque divan peu confortable, la chair béante comme la valve en caoutchouc d'une vessie de ballon de football. Et chaque fois je me retrouvais, dentier disloqué ou désespérément égaré, dans d'horribles chambres garnies où l'on me divertissait par d'ennuyeuses séances de vivisection qui s'achevaient toutes de la même façon : Charlotte ou Valeria pleurait dans mes bras sanguinolents et je les embrassais tendrement de mes lèvres fraternelles dans un imbroglio onirique fait de breloques viennoises à l'encan, de pitié, d'impuissance et de perruques brunes appartenant à de vieilles femmes tragiques qui venaient d'être gazées[2].

1. Les femmes précédentes de Humbert : Valeria, « la grosse *baba* bouffie » de son séjour parisien, et Charlotte, « la dame au noble mamelon et à la cuisse massive », naguère Mrs. Haze, mère de Lolita. Revenez maintenant en arrière, s'il vous plaît, et reprenez ce passage depuis le début.

2. Un jour, en 1990 ou dans ces eaux-là, j'ai provoqué mon père en lui lisant ce passage à voix haute. Trente ans plus tôt, il avait écrit une longue critique hostile et, selon moi, délibérément béotienne de *Lolita*, juste avant que le roman ne paraisse en Angleterre (et il ne parut qu'après bien des atermoiements : l'affaire fut discutée au sein du gouvernement). Le livre, écrivait-il d'emblée, est « mauvais de bout en bout dans les deux sens du terme, à savoir : mauvais en tant qu'œuvre d'art et mauvais d'un point de vue moral, même s'il n'est nullement obscène ou pornographique ». Ayant rempli la nécessaire condition d'identifier Humbert

Je croyais parfois que le sexe et les dents seraient coextensifs. L'amour aurait une fin. Dans mes fantasmes les plus fébriles, je me disais que je quitterais le pays en douce et que je partirais ailleurs — en Albanie ? en Ouzbékistan ? dans le sud du Pays de Galles ? —, là où personne n'avait de dents non plus. Ou bien, sans pousser si loin l'aventure, je trouverais un bon centre de crise amateur, je m'y inscrirais, on s'assiérait tous en cercle dans des relents de pastilles à la menthe et de fixatifs, les poteries claquant comme des castagnettes dans nos bouches, jusqu'à ce que je regagne peut-être le

---

avec Nabokov, Kingsley se donnait le champ libre pour ne pas y aller de main morte : « [...] les nombreuses cruautés tout à fait accessoires [...] poussent également à s'interroger sur l'auteur, et je me moque éperdument de savoir auquel des deux attribuer la maturité et le chagrin magnifiques après que la mère de Lolita [...] s'est fait renverser par une voiture et a été tuée sur le coup [suit une longue citation qui se termine ainsi :] "une femme morte dont le sommet du crâne n'était plus qu'une bouillie d'os et de cervelle, de cheveux de bronze barbotant dans un bain de sang." Voilà donc l'homme, Humbert/Nabokov, multipliant les allitérations à l'infini. » Ici, l'attaque indirecte de Kingsley est une démolition de vandale. Et ce « je me moque éperdument de savoir » (par où le critique se débarrasse de ses entraves habituelles et ne conserve que l'obligation de décence élémentaire) doit être pris à la lettre comme une manifestation d'indifférence trompetée à la face de la vérité littéraire... Lorsque je lui ai lu le passage cité à voix haute, il a réagi ainsi : « Du vent, tout ça, une diversion de l'écrivain pour faire croire au lecteur qu'il se soucie de ses personnages. Mais c'est du style, rien d'autre. » Or, je prétends de mon côté que le style *est* une morale : une morale détaillée, travaillée, intensifiée. Ce n'est pas dans la simple opposition narrative du bien et du mal que la morale se fait sentir. Elle se glisse dans n'importe quelle phrase. Pour Kingsley, cependant, une euphonie prolongée était signe d'euphuisme — invariablement. Sa critique de *Lolita* est rassemblée dans le volume *What Became of Jane Austen ?* [*Qu'est-il advenu de Jane Austen ?*] (1970).

bar en compagnie de Dorothy Wordsworth, elle avec son cocktail de rince-dents Corsodyl, moi avec ma timbale — tellement plus franche, tellement plus virile — d'antiseptique Plax on the rocks.

Quant à la période de transition — la semaine de nudité orale, de séjour au royaume de Kinch —, elle semblait défier l'entendement. Mais j'aurais tout le confort nécessaire, selon mes estimations, dans ma cave à charbon ou dans mon placard sous l'escalier, entre le disjoncteur et les bulbes de géranium, pourvu qu'on me glisse un thermos de soupe sous la porte. Quand viendrait le jour J, je quitterais cette position fœtale et sortirais, pâle comme un Sex Pistol, prêt pour le premier essayage.

Lorsque j'étais beaucoup plus jeune, et beaucoup plus niais, j'inventai une autre stratégie pour me tirer d'affaire : le suicide. Ça ne dépassa jamais le stade du fantasme, ça restait un moyen de surseoir à la crainte et ça ne se présentait pas comme une réelle possibilité tant que mon père et ma mère étaient en vie. Mais ça avait l'air de m'aider. En guise d'adieu au monde, je n'ai jamais songé qu'à une débauche nihiliste de Valium et d'alcool — avec les petits accompagnements d'usage, cependant, tel un mot sur la porte pour demander au personnel de l'hôtel de prévenir les autorités. Néanmoins, tout cela n'empêchait pas qu'un désir de mort de bas étage s'installe en moi, passif et paresseux. Selon mes propres critères, je n'avais plus du tout peur en avion et je faisais preuve d'un calme éthéré dans les turbulences les plus féroces.

L'idée du suicide, même sous forme de fantasme, m'est sortie de l'esprit en novembre 1984, le jour où est né mon premier fils. J'avais une rage de dents ce jour-là. J'avais aussi une rage de dents le jour où mon second fils est né. J'avais encore une rage de dents le jour où j'ai communié intensément avec l'esprit de Lucy Partington... Mais maintenant que j'étais père, les maux de dents avaient beau persister, c'en était fini des pensées suicidaires — de ces pensées comme diversion plaisante. Les naissances avaient tué le suicide. Je suis content. Je suis content de m'être débarrassé de cette manie. Je n'allais pas tarder à en apprendre un peu plus sur le suicide — et notamment à comprendre que c'est un péché d'y songer, un affront à ceux qui se sont suicidés pour de bon, si on ne le porte pas en soi.

Rien à faire, donc, sinon vivre la situation. Je n'avais pas le choix.

Je trouvais encourageant de n'avoir que trois jours de Kincherie avant de pouvoir essayer l'appareil temporaire. Je me levai le matin en m'attendant à un plaisir extraordinaire. Mais le premier présage ne fut pas de bon augure. Au bout de cinq minutes sur la Sixième Avenue, qui remontait à sens unique vers le nord de la ville, je compris où j'en étais avec les frères Singh. Oh ! Ils m'avaient bien éclairci les idées... Je filai dans un taxi cahotant, avec sous les yeux la nuque plissée de Nelson Rojas, et Isabel à mes côtés. Elle m'accompagnait pour me soutenir, mais aussi parce qu'elle avait rendez-vous avec Mike Szabatura : manifestement, ses remparts cristallins pouvaient être améliorés par endroits. Un jour, j'avais dit à un dentiste que les femmes ont de plus belles dents que les hommes. Il n'avait pas démenti. De plus belles dents, de plus beaux cheveux. Imaginez un monde d'égalité capillaire, peuplé de femmes au crâne parsemé des lagons bleus et autres zones de calvitie masculine (quelles zones y a-t-il encore ?), implants par-ci et longues mèches par-là pour tout cacher... D'abord horrifié — « ce fut comme si l'on avait serti dans un pauvre crâne fossile les mâchoires ricanantes d'un parfait étranger » —, Timofey Pnine apprend à aimer son « amphithéâtre neuf de plastiques translucides » : « Ce fut une révélation, ce fut un lever de soleil, ce fut une bonne bouchée d'Amérique efficace, humaine, éburnéenne. » Bientôt, comme Pnine et le jeune conducteur de bus de Swansea, j'irais conseiller à tout le monde de se faire arracher les dents, « le lendemain matin à la première heure. "Vous serez un nouvel homme, comme moi !" criait Pnine. »

« La bouche, me dit la douce Millie tandis que je prenais place sur le fauteuil, est douée d'une remarquable faculté d'adaptation. » La mienne était sur le point d'endurer une intrusion ; peu à peu, mon ennemi m'apparaîtrait comme l'ennemi de mon ennemi, et mon ennemi comme mon ami. On apporta le truc dans la pièce ; timidement, il attendait d'être introduit en moi. C'était mon billet, il me vaudrait une fière allure et des dîners fins, des rires éclatants la tête rejetée en arrière, des câlins, des roucoulades, des baisers baveux.

Minute. Ce n'était pas la mâchoire ricanante d'un

parfait étranger. Non, rien n'aurait pu m'être plus atrocement familier. C'était moi, moi-même : mon vieux bridge, le pont de mes soupirs ployant sous son poids d'or, s'étendant d'une oreille à l'autre sous la grande selle rose de mon palais. Introduction de la prothèse. Sensation d'abattement, d'atterrement extrême devant la masse gigantesque de l'engin. Quand je tentai d'exprimer ma consternation générale, seule résonna la voix d'un parfait étranger qui semblait se tenir quelque part, loin derrière moi. Et Millie, toujours à côté, le visage inondé de compassion.

« C'est comme s'habituer à de nouvelles chaussures », dit-elle.

Oui, lui aurais-je répondu si je l'avais pu. Une nouvelle chaussure : dans la bouche. Non, une chaussure de foot à crampons : dans la bouche. Une chaussure faite à partir d'un élément tout à fait nouveau dans notre classification périodique, d'un élément qui s'appelait le nausium. Millie me tendit un petit miroir portatif. Je fis la connaissance du professeur Tournesol. Mes garçons me manquaient, je sentais que je leur manquais aussi, et je savais que le plus dur serait peut-être de les dévisager avec ce visage.

Les gens sortent des cabinets médicaux d'un pas léger et calmement satisfait, ou alors en traînant docilement les pieds, comme s'ils avaient un boulet à la cheville. C'est de cette manière — la seconde — que je me suis présenté sur Madison Avenue. Isabel m'a offert une gorgée de jus d'orange : il a fallu plusieurs secondes pour que j'en sente le goût au fond du gosier, avant qu'un flot de salive ne le noie complètement. Fumer une cigarette n'était pas de la tarte non plus. Fumer une cigarette n'était pas une partie de campagne. Mais imaginez un peu une tarte. Imaginez *une partie de campagne*... J'avais une boule dans la gorge, des haut-le-cœur, j'essayais de fumer, j'essayais de jurer. Je me suis appuyé de tout mon poids sur le bras d'Isabel.

Nous avons marché quelques minutes et nous sommes entrés dans la librairie Brentano. L'idée m'était venue d'acheter quelques livres qui me projetteraient hors du quotidien, hors du sublunaire pur et dur, du dentaire sans fioritures. Je me suis approché d'un grand jeune homme roux et je lui ai demandé :

« Le rayon astronomie, s'il vous plaît.

— Pardon ?

— Le rayon astronomie.

— Le quoi ?

— Astronomie.

— Pardon ?

— Astronomie.

— Hein ? »

Il a eu l'air de finir par comprendre. Il a fait quelques pas, je l'ai suivi. Et me suis retrouvé au rayon Astrologie... Pendant des centaines d'années, des hommes et des femmes rationnels ont espéré que l'astronomie absorberait, puis délogerait complètement l'astrologie. Mais cela ne s'est pas produit[1]. Tout était là, des rayon-

1. Restriction : en astrologie, tout est faux à cent pour cent, sauf en ce qui concerne les Scorpions, où tout est vrai à cent pour cent.

nages jusqu'au plafond. Je n'en avais pas besoin. Pas besoin de ces courbes et graphiques, de ces pointes et prévisions, pour savoir que ce n'était pas mon jour.

Pas mon jour. Mais c'était ma nuit.

Le pauvre Pnine n'avait plus rien. Il ne lui restait rien, rien, rien. Ce n'était pas mon cas.

Cette nuit-là, tu m'as fait la danse du ventre après être passée à la salle de bains. Tu portais 1) ta robe de chambre en soie, et 2) mon dentier. On a enlevé ces deux accessoires.

Sus à la honte.

Le lendemain matin, je me suis réveillé de bonne heure et je suis resté au lit, à rire et à sangloter tranquillement dans les oreillers. Je me sentais fragile, naïf et consolé à la perfection. Cette qualité de bonheur m'a fait penser à un poème — un poème de jeunesse de Yeats — que j'avais copié pour ma sœur, trente ans plus tôt, afin qu'elle l'apprenne par cœur. Si je possédais [...] les voiles sombres de la nuit et du jour et du demi-jour [...] J'ai déroulé mes rêves sous tes pas [...] Marche avec douceur car [...]

« Car on ne tombe pas amoureux comme ça, m'a dit ma mère. C'est terrible, ce qui t'arrive. *Terrible*. Mais tout va bien si tu es aimé en retour. Après tout, on ne tombe pas amoureux des dents de quelqu'un, n'est-ce pas ? »

Non. Ce n'était pas la fin. Et à présent, peut-être pouvait-on créer plus de vie.

Lettre de la maison

108 Maida Vale
London, W. 9.

Très chers papa et Jane,

C'est plutôt bien pour la bourse, non[1] ? J'en ai encore des montées d'adrénaline. Un total de 40 livres, à propos (mais par an ou pour les 3 années ?). En tout cas, c'est moins l'argent qui compte que la distinction et la réputation accrues qui vont sans nul doute s'ensuivre, ainsi que le respect que mon nouveau rang intellectuel va inévitablement m'attirer. D'après ce que m'a dit Mr. Ardagh,

1. Je m'attendais à dire ici que cette phrase était celle que j'aimais le moins dans les archives d'Osric ; mais c'est que je pensais avoir écrit « assez bien », et non « plutôt bien » ; or, « plutôt bien » vaut mieux qu'« assez bien », à tout prendre. Cette bourse de 40 livres par an, dite *Exhibition,* vous situe entre les plus méritants (60 livres) et le lot commun (rien du tout). Ces « récompenses » sont les atouts dont se servent les professeurs des différents *colleges* d'Oxford pour attirer les étudiants qu'ils veulent recruter. J'ai touché 60 livres dans ma dernière année et vu ma toge s'allonger comme celle des plus méritants. Ce qui a dû me faire très plaisir. Cette lettre est écrite à la main.

[John] Carey au *college* St. John a été très gêné par ma façon de parler, mais [Jonathan] Wordsworth d'Exeter, qui s'en moque comme d'une guigne et qui, à mon avis, est assez fier de s'en moquer, m'a lui-même laissé entendre qu'on avait choisi de me proposer cette bourse.

J'espère que vous vous êtes bien amusés au Mexique. Pendant ce temps, la routine a continué comme d'habitude à Maida Vale. Colin alterne de longs entraînements physiques sur son lit et des séances d'U.V. dangereusement prolongées, avant de s'abîmer dans la méditation. D'où son caractère songeur, son teint hâlé, sa sérénité. Le seul motif que je puisse avancer pour expliquer son relâchement épistolaire, c'est qu'il n'a pas assez commandé de Weetabix. Sarg y travaille aussi de temps en temps. Mais mis à part cette grave négligence, ils s'occupent magnifiquement de moi.

Catsaca, sans passer des rouges-gorges au fil de l'épée, se promène en chancelant et en bavant, sa chair exposée à nu ; le prince Hugo passe le temps comme à son habitude, l'air placidement émerveillé. Malfi a toute la maison à sa disposition. Et en cas de bagarre, Catsaca se fait pourchasser jusque dans le bureau de Niger, bien qu'elle n'ait encore honoré aucun meuble de son urine[1].

J'ai passé Noël avec maman. À Maida Vale, on n'a

1. C'étaient les chats de la maison, trois beautés exotiques en soi (même si Catsaca perdait ses poils en vieillissant). Niger, ou Le Niger (à prononcer comme le fleuve du même nom) était un personnage fictif qu'il arrivait parfois à Kingsley d'incarner : un gangster noir qui réussissait tout ce qu'il entreprenait sans qu'on puisse le maîtriser, et qui possédait une écurie de « Cadillac roses *garées en double file* » devant chez lui.

jamais vraiment célébré les fêtes. On s'est tristement échangé nos cadeaux l'avant-veille de Noël et tout le monde s'est tiré sans demander son reste. Mais le moral reste au beau fixe et on ne désire rien tant que votre retour pour parfaire la satisfaction générale. On pense venir à Southampton dans une limousine Lincoln (environ 40 mètres de long), ce qui devrait faire l'affaire. Je serai bien content de voir Col débarrasser l'entrée de tout son matériel hi-fi qu'il n'a cessé d'entasser jusqu'à ce que ça ressemble maintenant à un chaos amorphe de fils, de boîtes et de tubes. J'attends votre retour avec plus d'impatience que je ne saurais l'écrire.

Je vous embrasse très fort.

MART XXX

P.-S. : Pardon pour cette lettre qui passe du coq à l'âne comme un monologue intérieur, mais je suis encore tout excité par la nouvelle.

P.-P.-S. : C'était quoi, le flux de conscience selon Virginia Woolf ?

Citadins et villageois

Lors de la messe de souvenir en l'honneur de Lucy Partington, une jeune femme, Sara Boas, se présenta ainsi à l'assistance : « Je m'appelle Sara, ma mère est le père de Lucy... Pardon, je veux dire, la sœur du père de Lucy. Ça commence bien, non[1] ? » Sara, en d'autres termes, était la cousine de Lucy du côté paternel. Je suis le cousin de Lucy du côté maternel. Nous sommes, selon cette étrange expression, cousins germains. Lucy et moi avions deux grands-parents communs, Leonard et Margery Bardwell, qui étaient eux-mêmes cousins — cousins germains. Vers l'âge de dix ans, j'ai demandé à la sœur de Lucy, Marian, de m'épouser ; elle a accepté. Si la promesse de ces fiançailles secrètes avait été tenue, David aurait (enfin) été mon frère, en un sens, et Lucy, ma sœur. Pas ma sœur « germaine » : ma belle-sœur.

1. Ça commençait bien, et ça s'est bien terminé aussi : « [...] J'ai entendu beaucoup de gens évoquer la sensibilité de Lucy. Or, je me souviens que vers dix ans, j'ai parlé à Lucy de sa grande sensibilité. "En fait, elle m'a dit, j'aime être à l'opposé de ce que font les gens autour de moi." »

J'ai dit un jour à David, pour voir sa réaction plutôt que pour me moquer de lui :

« T'es un plouc de la cambrousse, et moi un dégourdi de la ville.

— Non, il a répondu. T'es un plouc de la ville et moi un dégourdi de la cambrousse. »

À dix ans, ai-je pensé, il avait la vérité et la vivacité d'esprit pour lui. Mais il n'en restait pas moins que les Amis étaient des citadins, des gens de la ville, et que les Partington étaient des gens de la campagne, des villageois. Ils étaient plus innocents que nous. Je participais à cette innocence quand j'allais les voir — à Gretton (« via Winchcombe », comme je le griffonnais sur mes lettres) : pas loin de la ville thermale de Cheltenham, dans le Gloucestershire. S'il est vrai, comme on le dit, que des cousins italiens sont plus proches que des jumeaux irlandais, alors David et moi avons été des cousins italiens pendant de nombreuses années. Notre intimité a pris fin, comme tant d'autres choses, lorsque Eva Garcia (« Tu sais que ton père voit une poule à Londres... Eh oui ») m'a extirpé de l'enfance à Cambridge, en 1963. C'est au cours de l'été précédent, je crois, que David était venu nous voir dans la maison de Madingley Road pour la dernière fois.

Pendant son séjour, il avait été chargé de me dire qu'une chienne que j'aimais beaucoup (Nancy, un brave berger allemand) avait été piquée[1]. Il frappa à la

1. Quelques semaines plus tôt, elle s'était fait renverser par une voiture. Elle avait la patte avant droite cassée, et l'inflammation de son pied

porte et entra dans ma — dans notre — chambre : « Mart, je m'excuse de devoir te dire... » Il ne s'attarda pas ; il hocha gravement la tête dans ma direction, pour m'encourager, et me laissa seul à mon chagrin. Nancy avait récemment donné naissance à une grosse portée : huit ou neuf chiots robustes. Je passai les quelques heures suivantes avec ces pauvres orphelins dans la pénombre de la dépendance ; je prodiguai et cherchai du réconfort tandis qu'ils me grimpaient dessus, ignorant que leur situation avait changé. Même chez les citadins, il y a avait donc des chiens, des chats, l'ânesse. Il y avait plein d'innocence. Mais je n'étais pas aussi innocent que les Partington.

Vers la fin de la célèbre scène de la conférence éméchée, dans *Jim-la-chance*, le héros se met à dénoncer la philosophie qu'on lui a demandé de vanter : la culture

---

avait dégénéré en infection... Un jour, en Afrique du Sud, alors que nous visitions une réserve d'animaux sauvages, mes fils et moi avons examiné un crocodile qui était passé entre les mains d'un Mike Szabatura de la jungle : toute sa mâchoire supérieure (soit environ un tiers de sa tête) lui avait été arrachée dans une baston indescriptible. Il fumait, glougloutait, empestait, et surtout (puisque c'était un reptile), il attendait, attendait, attendait — et il attendait, en l'occurrence, qu'on lui suspende un seau de nourriture au bout de la langue. Je n'avais pas l'impression que l'animal fût conscient que sa qualité de vie s'était considérablement détériorée, qu'il lui manquait un certain je-ne-sais-quoi... Le cas de Nancy fut différent, malheureusement. Elle était courageuse et sautillait le mieux possible, mais je ne pouvais pas ne pas lire du chagrin, de la perplexité et même de la honte dans son front plissé et dans ses yeux de braise. Je me sentais encore plus proche d'elle après l'accident. On l'avait installée sur un matelas dans le salon télé, et tous les soirs je devais la persuader qu'elle pouvait pisser sans problème là où elle était. Cela prit du temps, beaucoup de temps : encore les mêmes yeux, et une grande angoisse.

populaire de « la Bonne Vieille Angleterre ». Avant de s'évanouir sur l'estrade, Jim a le temps de dire : « Il n'y a que les types qui prêchent la poterie maison, l'agriculture familiale, et les types qui jouent du flageolet, et ceux pour qui l'espéranto... » Telle était, plus ou moins, la philosophie des beaux-parents de Kingsley, les Bardwell — ces grands-parents que je partageais avec Marian, David, Lucy et Mark. Margery Bardwell, comme le personnage de Mrs. Welch dans le roman, avait de l'argent : les restes de la fortune d'un négociant victorien (elle en avait donné la moitié à la recherche pour le cancer. Ses parents étaient partis en Chine comme missionnaires). Leonard Bardwell, ancien fonctionnaire, était légèrement excentrique et nourrissait une passion pour l'art populaire. Ils étaient innocents, tous les deux innocents. Mon grand-père, j'en suis à peu près certain, ne parlait pas l'espéranto, mais il s'était donné la peine de maîtriser trois langues d'une utilité limitée : le suédois, le gallois et le romanche (qu'on entend juste dans le canton suisse des Grisons) ; j'ai grandi en croyant qu'il parlait le romani *et* la langue des tsiganes. C'était aussi un musicien amateur et un danseur — un de ces danseurs qui sautillent avec d'autres, tous affublés de rubans et de clochettes[1]. Je

1. En traînant lamentablement mes guêtres sur King's Road avec Rob, un samedi de la fin des années soixante, je suis tombé sur un groupe de danseurs folkloriques qui se donnaient en représentation dans un square. « Mon grand-père pratiquait ce truc », je lui disais, lorsqu'un personnage en costume m'a mis entre les mains un prospectus. Je l'ai ouvert : il contenait une photographie de Daddy B., décédé à l'époque, en train de mener le « côté » Abingdon avec ravissement, déguisé de pied en cap.

l'aimais, et il ne cessait de m'étonner par la quantité d'énergie qu'il déployait pour me divertir. Il se déplaçait avec une rapidité et une nervosité rares chez un homme de n'importe quel âge, et je remarquais, alors qu'il me dessinait une figure sur un bout de papier plié, qu'il était encore plus excité que moi. Daddy B.[1], dans son costume de portier en serge bleue, avait des cheveux blancs ondulés, à peine quelques dents et une voix aiguë. Dans une lettre à Philip Larkin, Kingsley le décrit comme un « monsieur-pipi mélomane ». Désolé, maman, mais l'écrivain en moi sait reconnaître le centre d'une cible. En fait, Daddy B. fait figure de grand personnage comique dans la *Correspondance* : il survit à l'hostilité déclenchée contre lui avec une joyeuse arrogance[2]. Kingsley éprouvait un ressentiment touffu à

1. Mon père et ma mère appelaient les parents Bardwell Daddy B. et Mummy B., et les parents Amis Daddy A. et Mummy A.

2. Qui est le vainqueur, par exemple, dans cette anecdote (adressée encore une fois à Larkin) ?

> Mon meilleur souvenir, c'est quand je prenais un bain à moitié plein, tandis que lui, dans la pièce en dessous, accompagnait au piano des airs folkloriques qu'il passait sur le gramophone, en marquant la mesure avec le pied. Entre les deux sources sonores, il y avait une différence d'environ un tiers de ton. Au moment où un air insipide, prévisible de bout en bout, s'est arrêté et où un autre du même acabit a commencé, je me suis rendu compte que c'était de l'eau froide qui sortait du robinet d'eau chaude. Je suis sorti de la baignoire et j'ai commencé à me sécher.

Je compatis, mais je vote quand même pour le pied qui battait régulièrement la mesure. Le portrait que brosse Kingsley de Daddy B. est parfois plus tendre. À un endroit, il concède que le vieux bougre n'a « pas la moindre mauvaise intention ». Et on ne doit pas oublier la douceur et l'élégance de son double romanesque, le professeur Welch de *Jim-la-chance* (« Pauvre

l'égard de son beau-père, mais la vérité, c'est qu'il était agacé par l'innocence de Daddy B. Mon père, comme nous le verrons, était en général agacé par l'innocence. Or, les Bardwell étaient d'une innocence extrême. Je l'ai compris dès l'âge de *six ans*.

Mon dernier souvenir de Mummy B. est aujourd'hui teinté d'une honte rétrospective — bien que l'événement ne parût sur le moment qu'une aberration gênante. À l'époque (en 1970), j'étais un étudiant qui parlait d'une voix traînante, portait un costume de velours et des bottes en peau de serpent : un Osric avec le vent en poupe (mais en passe de se déniaiser peu à peu). Déjà veuve, Mummy B. avait imprudemment accepté de m'amener déjeuner à l'hôtel Randolph à Oxford (où, dans les années d'après-guerre, Kingsley se faisait offrir à boire et à dîner par des amis généreux comme Bruce Montgomery[1] et Kenneth Tynan). Dès son arrivée, Mummy B. fut clairement submergée — absolument engloutie — par l'immensité du lieu. Elle y était venue une fois par le passé : le 21 janvier 1948, pour un thé familial célébrant le mariage de mes parents. Pour qu'elle

---

Daddy B. », écrivit Larkin en finissant le roman) lorsqu'il découvre les draps brûlés et souillés de son lit. Autre lettre à Larkin (j'en aime le ton de défaite) : « Je vois à présent pourquoi les pères mettent leurs gosses de onze ans dehors en leur donnant quelques shillings ; le mien a couru vers lui [Daddy B.] avec des cris de joie. »

1. Mon parrain, un parrain extraordinairement généreux, surtout en comparaison du parrain de mon frère, auquel celui-ci doit son nom : le pingre Larkin. Bruce était un compositeur de deuxième zone qui écrivit et réunit aussi des anthologies de romans policiers sous le pseudonyme d'Edmund Crispin.

accepte, il avait fallu que Mummy A. la tance vertement, tout comme Daddy B., tout comme Daddy A. C'est sûr, ma mère avait dix-neuf ans et elle était enceinte de Philip ; mais c'est Rosa Amis qui avait dû persuader les trois autres d'arrêter de se conduire comme des robots de leur époque... Ce n'était pas que la salle du Randolph se fût agrandie depuis, mais c'était Mummy B. qui s'était tassée. Elle semblait ne pas dépasser la hauteur des tables, et elle n'était pas la dernière à s'en rendre compte. Intimidée, l'air de se sentir indigne du lieu et d'en souffrir, sans dissimuler ses accès de frousse, elle accompagna son boute-en-train de petit-fils dans la salle à manger. Pendant les dix premières minutes, elle ignora ce que je lui disais et répéta la même phrase en sourdine : « On aurait dû aller à la cafétéria de Debenham. » Mummy B. se sentait trop vieille pour ça — trop vieille, trop petite, trop sourde. J'élevai la voix et dus continuer à l'élever à mesure que sa panique le cédait à la fatigue. Au bout d'un moment, j'étais presque aux trois quarts de mon volume maximal. Des silences se firent, des têtes se tournèrent vers nous de tous côtés, tandis que je continuais à hurler différentes questions et réponses sur la santé et le lieu où se trouvaient mes parents, mon frère et ma sœur, mes cousins et mes cousines. J'aurais dû m'y prendre mieux. J'aurais dû l'amener à la cafétéria de Debenham. Mummy B. est morte l'année suivante.

Les Bardwell donnaient une grosse somme d'argent à leurs enfants vers leur vingt et unième anniversaire. Ma mère en eut assez pour nous acheter notre première maison, deux étages avec terrasse, près de Cwmdonkin

Park (et près de Cwmdonkin Drive dont on disait que Dylan Thomas était le Rimbaud), à Swansea, pour 2 400 livres. Est-ce un souvenir d'une précocité surnaturelle ou une anecdote familiale souvent ressassée ? Toujours est-il que je vois et entends Kingsley et Hilly courir autour du 24, The Grove, Uplands, à Swansea, avec force cris, hurlements et hululements pour fêter leur nouvel espace, leur nouvelle liberté.

Même moi, j'héritai d'une somme d'argent des Bardwell vers mon vingt et unième anniversaire, comme mon frère, ma sœur et tous mes cousins et cousines : 1 000 livres. Ma mère, ma tante (je crois) et peut-être mes oncles (que je n'ai jamais vraiment connus) ont aussi hérité de l'innocence.

Les enfants Partington en ont eu leur part. Les enfants Amis aussi — mais sans doute pas autant. On avait du Kingsley en nous[1]. Et c'étaient des villageois, et nous étions des citadins.

Il fut un temps où l'innocence et la nudité, comme Adam et Ève, allaient main dans la main. Deux créatures « vêtues de leur dignité native dans une majesté nue, paraissaient les seigneurs de tout », écrit Milton au livre IV du *Paradis perdu*[2]. Au livre IX, le serpent

1. Qu'on me comprenne bien : mon père avait toute l'innocence requise pour être romancier, et le surcroît d'innocence nécessaire pour être poète. Mais en outre, il répondait avec force aux expériences qu'il vivait ; ça bouillonnait en lui, ça bouillonnait en nous.

2. Kingsley et moi partagions d'ailleurs l'idée que les quarante et quelques derniers vers du *Paradis perdu* étaient sans conteste ce qui s'était écrit de mieux dans la poésie non dramatique de langue anglaise.

conduit Ève à l'arbre de « la connaissance interdite ». Elle croque la pomme et pousse Adam à l'imiter (« D'après mon expérience, Adam goûte franchement ») :

> Ils se regardèrent l'un l'autre, et bientôt ils connurent comment leurs yeux étaient ouverts, comment leurs âmes, obscurcies ! L'innocence, qui de même qu'un voile leur avait dérobé la connaissance du mal, avait disparu. La juste confiance, la native droiture, l'honneur, n'étant plus autour d'eux, les avaient laissés nus à la honte coupable.

Suit l'horrible plainte d'Adam :

> Couvrez-moi, vous pins, vous cèdres, sous vos rameaux innombrables ; cachez-moi [...]

Nuditas virtualis : nudité vertueuse d'avant la Chute. N'est-ce pas stupéfiant de la voir se refléter en nous tous les ans ? En vacances, que ce soit à Nailsea ou dans quelque « paradis » de brochure touristique, on fait mine d'avoir moins honte de son corps. Le premier matin, en tâtant le sable d'un pied tremblant et cadavérique, on ne songe qu'à son étiolement inconvenant — créature dénudée dans sa pâleur parcheminée. Puis, au bout d'un moment, le corps devient l'objet d'une prudente complaisance. Comme on le bichonne en l'enduisant d'huiles et de lotions, comme on le fortifie en l'exposant aux alarmantes rugosités du sable, du sel et du soleil de plomb... Certes, la nudité n'est jamais que partielle (comme la vertu, Dieu le sait bien), mais le lien avec nos origines[1] nous demeure accessible dans notre petit Éden en bord de mer.

Au début de notre amitié, j'étais ébahi de voir David jouer nu sur la plage à Swansea. Ce n'était pas sa nudité qui me surprenait, mais son indifférence. Il se mettait à genoux pour faire un château de sable, et il creusait, construisait, polissait sans se départir de son sérieux. Je compris que j'avais perdu cette liberté depuis longtemps, depuis bien des étés. Quelque chose était apparu en moi, que lui n'avait pas encore. C'était un villageois, j'étais un citadin. Était-ce la raison ?... Autre surprise sensationnelle, un jour d'été dans le village de Gretton : Marian sortant nue de la maison et faisant le tour du jardin en courant. Les quatre garçons présents — moi, David, mon frère Philip et un autre cousin plus éloigné, peut-être un petit cousin — gloussaient sur place. Elle a demandé qu'on dirige sur elle le tuyau d'arrosage. Je

1. Il y a deux ou trois ans, après qu'un berger allemand à la pelisse poivre et sel m'eut reniflé de long en large (Nancy ! Comment as-tu osé me faire ça ?), on m'a demandé de me déshabiller pour procéder à une fouille corporelle à l'aéroport de Venise. On cherchait de la drogue sur moi. « Les chiens ne se trompent jamais », disait le type louche en civil, dans son accoutrement de traître, boucle d'oreille et tour de cou inclus. Il m'a conduit dans une salle à l'arrière. Là, la première chose que j'ai vue, c'était un homme qui se dérouillait les doigts et les remuait pour enfiler un gant en caoutchouc qu'il tenait en l'air de l'autre main. Oh non, j'ai pensé, vous n'allez pas me faire ça, hein, pas à moi. J'avais envie de dire : c'est bien la bonne personne, mais vous vous êtes trompé de voyage. (Après cet incident, je n'ai d'ailleurs plus jamais pris de risque en voyage.) Isabel était là. J'ai commencé à me déshabiller. Je me suis mis en caleçon, on m'a ordonné de le baisser. Ce que j'ai fait. Puis on m'a laissé partir d'un geste méprisant. C'était comme un délit d'outrage à la pudeur, mais à l'envers. Pire : ma nudité avait prouvé mon innocence. Un lien ténu avait été établi avec nos origines.

me souviens de ses trémoussements, de ses cris perçants. Je me souviens du rapport entre son dos cambré et la trajectoire courbe du jet d'eau. Un jour, très tard dans la nuit, à Swansea, au dernier étage de la deuxième maison que nous avons habitée, au 59, Glanmore Road, Marian et moi avons ôté notre pyjama et nous nous sommes couchés dans le même lit. Un jeu innocent, parfaitement innocent[1]. Ensuite (ce mot devrait être muni de deux épaulettes de guillemets), nous sommes restés allongés dans le noir et nous avons parlé un long moment à voix basse. Je lui ai demandé :

« Tu veux bien m'épouser ?

— ... Oui. »

Oui. Je me suis sans doute dit que c'était un peu tôt, mais qu'on ne perdait rien à régler ce genre de chose le plus vite possible.

J'ai dit que mon enfance avait été idyllique (et les moments que j'ai passés avec les Partington étaient arcadiens. Le lion était couché avec l'agneau, la rose poussait sans épines). Mais je n'aurais pu songer au destin de Lucy Partington sans me rappeler que là où il y a de l'herbe, il y a aussi, forcément, des serpents[2].

1. D'un point de vue technique, ce fut aussi mon premier fiasco. Un fiasco de structure : nous nous demandions d'avoir le double de notre âge. Aucune expression de reproche. Nul besoin de me prendre mollement le front entre les mains, de raconter des salades sur mes devoirs d'écolier et les pressions accablant le jeune garçon de huit ans que j'étais.

2. Frederick West fut toujours un villageois patenté, puis, plus tard, un citadin patenté. Sans surprise, c'est à des animaux qu'il infligea ses premières brutalités de péquenaud.

L'innocence attire ses deux contraires principaux : l'expérience de la vie et la culpabilité. La *nuditas virtualis* attire sa contrepartie théologique, la *nuditas criminalis*. Le pédophile, par exemple, cherche autre chose chez les enfants que leur beauté physique ; il est tellement porté sur la violation de tous les tabous que seuls des enfants peuvent faire l'affaire. J'étais jeune, et le monde encore plus jeune — d'une jeunesse presque inimaginable. Et pourtant, il y a toujours ces ennemis, qui voient l'innocence et éprouvent le besoin de lui régler son compte.

Encore lui, Dai

Pour passer le temps, je m'amusais à un petit jeu fascinant pour les garçons de huit ans. Un caillou rond était coincé entre les grilles d'une plaque d'égout dans le caniveau, et j'essayais, du bout de ma sandale, de le faire passer à travers, de le pousser en bas, pour entendre le plouf satisfaisant lorsqu'il atteindrait les voies navigables des entrailles de la ville.

« Hé ! Toi, là ! C'est quoi, c'que tu fous avec cet égout ?

— Rien ! Je... Je.... »

Il avait une quinzaine d'années, le teint basané, les cheveux bouclés, un beau physique miné par des yeux verts qui brillaient d'un éclat véreux. Il faisait sombre, il faisait humide — mais à Swansea, en hiver, on ne respire rien d'autre qu'une bruine d'encre. « Quand les lumières s'allument à quatre heures / À la fin d'une autre année », écrivit Larkin, qui habitait beaucoup plus au nord que nous, à Hull. Pour des questions de rythme et d'assonance, il ne pouvait pas écrire « à deux heures et demie. » Quoi qu'il en soit, mon souvenir me dit qu'il était plus tard que les règles ne m'autorisaient à sortir. Je n'aurais pas dû m'attarder avec ce caillou, cet égout, ce garçon aux yeux verts.

Nous étions en bas de la côte de Glanmore Road, zone animée et bien éclairée. Nous nous sommes mis en marche d'un même pas et nous nous sommes peu à peu enfoncés dans les ténèbres. Le jeune n'en était pas à sa première fois, mais c'est pourtant de manière contournée qu'il m'a demandé si, étant donné son indulgence vis-à-vis du caillou et de l'égout, je pouvais lui rendre un service. « Quoi ? » j'ai dit. Il a répondu qu'il me donnerait un caramel au chocolat, un Rolo, « ou peut-être deux » si j'acceptais.

« Tu veux quoi ?

— Ça prendra pas longtemps. Montre-moi juste... ton zizi. »

Je me suis arrêté pour recevoir de plein fouet le poids des larmes sur mon torse. Étrange : on sait que les enfants pleurent de peur, mais ce que je ressentais ressemblait plutôt à du *chagrin*. J'ai traversé la rue. Il m'a regardé gravir la colline. Je n'ai rien dit à ma mère en rentrant.

Deux ou trois semaines plus tard, j'ai revu le garçon aux yeux verts. J'étais tout près de la maison, dans une ruelle que je traversais tous les jours pour aller à l'école (il y avait une chouette allée en terre, un raccourci à l'autre bout). Comme la première fois, il faisait sombre, humide, et il était tard.

« Salut. Tu fous quoi sur ma route ? »

Il était accompagné d'un petit gamin trapu, beaucoup plus jeune et court sur pattes que moi — ce qui me rassurait. Ce môme terrible, comme je n'allais pas tarder à l'apprendre, s'appelait David et répondait au diminutif gallois habituel.

« Tu fous quoi sur ma route ?

— Ta route ?

— C'est lui, Dai. »

Dans une explosion de rapidité, tel un lanceur au moment d'envoyer la balle au cricket, Dai m'a asséné un gros coup de poing sur le front. Je ne savais pas que des gamins de cette taille pouvaient cogner si fort. Mais je savais deux choses : d'abord, que cette attaque était une revanche contre le service que j'avais refusé ; ensuite, que le petit Dai, au moins au départ, avait dû s'enfiler des paquets entiers de caramels. Mais Dieu sait ce qu'ils sont devenus, ces deux-là. Et Dieu sait ce que sont devenus *leurs* enfants.

« C'est qui qui t'a permis de passer devant chez moi ?

— Je savais pas que c'était interdit.

— Encore lui, Dai. »

Et ainsi de suite pendant dix minutes : la même question, le même ordre. En rentrant, j'ai raconté à ma mère d'où me venait mon visage enflé. Je ne lui ai donné que les faits bruts, pas le sous-texte. Tout de suite, elle a mis en laisse les trois grosses chiennes : Nancy, à coup sûr, et

Flossie ? Bessie ? Plein d'adoration angoissée, je l'ai regardée descendre la colline, comme Charlton Heston ou Steve Reeves tenant les rênes du char. Les chiennes, tout aussi indignées que leur maîtresse, couraient presque à la verticale au bout de leur laisse.

Elle est rentrée une demi-heure plus tard, sans avoir calmé sa colère ni assouvi sa vengeance.

Je regagnais ma classe depuis le terrain de sport. Lycée de garçons du Cambridgeshire, pendant la crise de Cuba, soit pendant la semaine du 22 au 28 octobre 1962. J'avais treize ans depuis deux mois.

La crise de Cuba, j'en suis sûr, eut sur moi un bien plus gros effet que la violation assez banale que je m'apprête à décrire — laquelle fut peut-être due à cette crise. Je m'en souviens[1] comme d'un long crépuscule rayonnant, froid et humide : l'obscurité à midi, une éclipse solaire, un matin d'hiver islandais. Les enfants du monde entier ont subi cette crise — la plus grave dans l'histoire de l'humanité — en silence, dans un silence abject. J'ai pu en parler plus tard (avec David par exemple), mais je n'en ai pas dit un mot à mes amis sur le moment ; et je ne me rappelle pas avoir été rassuré (effectivement rassuré) par ma mère ou par mon père. Quand la télé montrait les

1. On s'en souvient tous. Pour paraphraser l'inversion pertinente de Christopher Hitchens : Comme tout le monde, je me souviens exactement où j'étais, et avec qui, au moment où le président Kennedy a failli me tuer... À ceci près que ça n'a pas été l'affaire d'un instant, ni même d'une semaine. Ça a commencé avec le premier test soviétique, le 29 août 1949, et ça a duré quarante ans.

cibles de tir, les cercles concentriques, les prévisions de répercussions, je bondissais hors du salon. À l'école, on avait appris nos manœuvres atomiques, selon lesquelles, je le répète, le dessus de notre bureau devait nous sauver de la fin du monde. Qu'est-ce qu'on était censés tirer d'une idée pareille ? Qu'est-ce que ça nous faisait[1] ? Les enfants de l'époque nucléaire, je crois, ont vu s'amoindrir leur faculté d'aimer. Dur d'aimer quand il faut rassembler ses forces en cas d'attaque. Dur d'aimer quand la personne aimée et celle qui aime peuvent à tout moment finir dans le sang et les flammes avec le reste de l'humanité.

Je rentrais donc du terrain de sport lorsqu'un groupe de garçons plus âgés m'a sauté dessus et entraîné dans une salle de classe. Par manque d'attention (mais c'était peut-être également lié à la crise), un bâtiment entier de l'école échappait à la surveillance tout l'après-midi — ou du moins assez longtemps pour qu'une vingtaine de jeunots comme moi subissent le traitement qui m'attendait. La résistance maximale que j'opposai fut le résultat d'une panique primaire ; ni les coups ni les menaces

1. Dans le roman de Don DeLillo *Outremonde* [*Underworld* (1997)], méditation de quelque huit cents pages sur cette question, les écoliers sont munis de *bracelets d'identification.* « Les bracelets devaient aider les sauveteurs à identifier les enfants perdus, disparus, blessés, estropiés, mutilés, inconscients ou morts après le déclenchement de la guerre nucléaire. [...] [Les enfants] attendaient une manœuvre, la mise à couvert, qu'ils avaient répétée avant l'arrivée des bracelets. À présent qu'ils avaient leur bracelet, leur nom inscrit sur une fine plaque de fer-blanc, la manœuvre n'avait rien d'un exercice abstrait : elle les concernait pour de bon, comme la guerre nucléaire. »

ne la firent céder pendant qu'ils m'allongeaient sur le bureau du maître et me déshabillaient à la va-vite. Sur le tableau, quelqu'un avait écrit à la craie une espèce d'inventaire ; je crus un instant que c'était un emploi du temps, mais en fait, il s'agissait juste d'une grille récapitulative, avec le nom de chaque victime, son âge, sa classe et l'état de son développement sexuel. Pour la petite histoire, la colonne qui m'était réservée se terminait par ces mots : MINUS. PAS UN SEUL POIL... Ça, je pouvais vivre avec. Ce n'était pas la fin du monde, *ça*, je me suis dit en décampant, serrant ma ceinture dans une main et une chaussure dans l'autre. Si la peur se résume à l'intense désir de voir se terminer quelque chose, alors j'avais été horriblement effrayé ce jour-là. Effrayé par leur hystérie, par le déchaînement de leur énergie collective, bave aux lèvres et crachats moqueurs. Y avait-il place pour le nihilisme ? Quelle importance ? On était tous morts de toute façon. Mais le cœur de l'affaire, le principal chef d'accusation, c'était d'avoir été contraint malgré moi, et d'en avoir l'esprit atteint.

J'étais au lit un soir d'été radieux. Ni citadin ni villageois, mais banlieusard, du côté de Princeton dans le New Jersey : Edgerstoune Road, enfilade de pavillons individuels de plain-pied, avec des bois et des collines en toile de fond... Mes parents recevaient et j'entendais les invités, tels des barytons dans la cour de récréation d'une école de chant, à quelques murs de moi. Parfois, lors de ces réceptions, mon frère et moi étions embauchés pour le service : 3 dollars chacun lors d'une occasion restée célèbre. Mais il était apparemment trop tard pour que je sois encore debout, même si la pièce respirait le jour et que je me sentais bien loin de m'endormir. On était en 1959, j'avais presque dix ans et j'étais, pour l'heure, complètement américanisé : l'accent, les cheveux en brosse, un vélo de course avec des pneus blancs et une sonnette électrique...

La porte s'ouvrit. Un homme sémillant d'une cinquantaine d'années sourit et entra d'un pas assuré, suivi d'une femme en chemisier de soie grise sous une veste noire, les cheveux bruns, belle, voire distinguée, avec une ossature d'artiste. En me voyant, son visage « s'illumina » de cet air à la fois étonné et désemparé que prennent les adultes sans talent pour les enfants (dans des circonstances plus normales, ils s'approchent sur la pointe des pieds et vous fredonnent une chansonnette idiote). Elle resta tout le temps près de la porte ouverte, tenant d'une main son cocktail et plaquant l'autre sur son sternum. L'homme fit quelques pas et s'assit au pied du lit. Après quelques questions d'ordre général, il insinua qu'il était médecin et que ce serait bien qu'il m'examine. Lui sachant gré de la diversion, je quittai prestement mon pyjama.

En y repensant aujourd'hui, je me demande combien d'enfants il y eut avant et après moi, et jusqu'où c'était allé. Dans mon cas, jusqu'à ce qu'on appelle en général des « caresses », bien que le terme soit d'une impropriété blasphématoire, suggérant que l'homme s'est livré à des attouchements « affectueux » (mais ce n'était pas de l'affection, c'était de la rapacité). Et quelle *mis-*

sion était-ce là, d'ailleurs, que de venir chez un ami ou un collègue, de trouver un garçon seul et, risquant le tout pour le tout, de comploter contre sa confiance ?

Cette troisième violation a pris une nouvelle résonance en moi après l'exhumation du corps de Lucy Partington, parce qu'elle impliquait des adultes et une folie à deux[1]. Il n'est peut-être pas insignifiant que je ne me rappelle rien de l'homme — une forme, un ton

1. Frederick West, comme Rosemary West, était pédophile. Il violait ses propres enfants et leur faisait subir des sévices sexuels ; il en tua deux. « C'est à votre père de vous donner votre premier enfant », disait-il à ses filles — réplique qui fleure la rigueur morale d'un homme des cavernes (on peut imaginer de la resservir dans un proverbe d'idiot du village : « À moins que du père ne soit le premier... »). « Je t'ai faite, répondait West aux protestations de ses filles. Je peux donc bien te toucher. » Dans *Out of the Shadows* [*Hors des ténèbres*], les mémoires tristement douloureux qu'elle a écrits (avec Virginia Hill), Anne Marie, la fille aînée de West, révèle que son père réussit à la mettre enceinte quand elle avait quinze ans. On l'opéra pour retirer le fœtus ectopique ; on lui avait dit que l'intervention avait « quelque chose à voir avec ses règles ». Des années plus tard, après des complications lors de ses deux grossesses suivantes et une hystérectomie totale à l'âge de vingt-trois ans, elle vit son dossier médical, puis alla trouver son père. « On n'agit pas comme ça avec des enfants. J'étais juste une enfant. Je t'aimais. T'as foutu ça en l'air, et moi avec », lui dit-elle entre autres choses. Avant de lui lancer qu'il n'allait pas écouter « ces putains de conneries » et de sortir de chez lui, West baragouina dans son délire et prononça cette perle : « Si tu crois que tu vas tout raconter, bordel, t'es plus ma fille ! » En 1994, Anne Marie est allée déposer une gerbe de fleurs à l'entrée du 25, Cromwell Street, accompagnée d'un mot pour sa sœur assassinée : « À ma sœur Heather. J'ai fouillé et cherché, j'ai pleuré et prié pour que nous nous retrouvions par une belle journée ensoleillée. Tu me manques énormément. Je t'aimerai toujours et me souviendrai toujours de toi. Avec toute mon affection, grande sœur, Anna-Marie. » Au moment où je finissais ce livre, Marian Partington m'a dit qu'Anne Marie (elle avait changé de nom), avec qui elle est en contact, avait eu la chance de réchapper récemment d'une tentative de suicide. Elle a toute la sympathie de Marian — et toute la mienne.

de voix, un contour. Mais de la femme, je me rappelle absolument tout. Sa manière de s'appuyer contre la porte ouverte, de continuer à sourire tranquillement pour dire tout va bien, en se tournant toutes les quatre ou cinq secondes pour jeter un coup d'œil dans le couloir. Je dus remarquer ces coups d'œil à l'époque, leur fréquence, leur caractère furtif et dissimulé. Il fallait que tout cela fonde en moi.

Je n'eus pas l'impression d'une expérience désagréable sur le moment, mais c'en était *vraiment* une. Pourquoi n'en ai-je pas parlé à ma mère le lendemain matin, ou n'importe quel autre matin, en discutant en toute innocence au petit déjeuner ou en chemin vers l'école ? Comme pour les autres incidents, je me suis tu, et j'ai été forcé de leur donner un sens par moi-même. Ce sont des affronts. Des pillages. Ils prennent quelque chose qu'on ne récupère jamais tout à fait.

La pédophilie signifie « l'amour des enfants » et les pédophiles diront qu'ils ne font rien d'autre qu'aimer les enfants. Comme le suicide, la pédophilie est un sujet vague et mal compris. Mais des études statistiques permettent de s'orienter. En violentant une fillette, par exemple, un pédophile démontre sa nette préférence pour la sodomie. Quant aux victimes d'attaques pédophiles, elles ont en outre toutes les chances d'être blessées (et laissons ici de côté les « dégâts incalculables » provoqués par une intrusion dans les organes sensoriels d'un enfant) ; en second lieu, avec la raclée surérogatoire, plus jeune est l'enfant, plus grand est le danger. *Plus jeune* est l'enfant... Cela me dit quelque chose. Ceci aussi : en m'occupant de mes bébés, il m'est arrivé d'avoir une pensée déplacée, la pensée que me suggéraient leur beauté et leur innocence. On dirait une pensée sexuelle, mais au fond, c'est une pensée violente. La réaliser de quelque manière que ce soit reviendrait à lancer le bébé nu contre le sol de la salle de bains. Les pédophiles détestent les enfants. Ils les détestent parce qu'ils détestent l'innocence et que les enfants *sont* l'innocence à l'état pur. Regardez-les. Ils viennent au monde nus — mais pas complètement. Pour une paire d'yeux qui savent lire, ils viennent au monde cuirassés de pied en cap : vêtus de leur dignité native.

Syzygie

Illumination géographique : à l'extrémité occidentale de la péninsule galloise, au bout du talon inférieur, se trouve St. David's, qui jouissait dans les années 1950 d'une célébrité répandue, quoique discrète. C'était la plus petite *city* sur terre. Un village avec une cathédrale. Les citadins y étaient des villageois.

Un été, j'y suis allé camper avec ma tante Miggy et ses quatre enfants : Marian, David, Lucy et Mark. Ces vacances vivent dans mon souvenir comme un long plaisir sans mélange, comme si le sel marin, dans ma gorge, succombait continuellement au goût des bâtonnets de glace. Lorsqu'on se préparait à aller se coucher dans le grand tipi, j'avais l'impression de me dépouiller de ma complexité et de ma fange urbaines, d'entrer dans un univers plus calme que celui où je finirais par retourner. Tante Miggy était ma mère sans être ma mère. David était mon frère sans être mon frère. C'était ma famille sans être ma famille. La nuit s'étendait derrière la mince toile en forme de cône, mais je me sentais entièrement protégé. Dans *Autres rivages*, Nabokov parle de son oncle avec une sobre élégance pour évoquer le sentiment d'une deuxième sécurité, d'une sécurité supplémentaire chez l'enfant : « Tout est dans l'ordre des choses, rien ne changera jamais, personne ne mourra jamais. »

À cause d'un périhélie ou d'une syzygie insolite, le soleil était anormalement bas en fin d'après-midi. Une balle de tennis projetait une ombre de deux mètres. Un jour où David et moi allions voir de nouveaux amis au camping, prévoyant un repas sur le pouce, nos hôtes — deux hommes assis autour d'un feu qui nous tournaient le dos — commencèrent à nous interpeller quand nous étions encore à une quarantaine de mètres. Nous grandissions. Nous étions extrêmement fiers de l'ombre de nos corps.

Le moment venu, ces nouveaux amis acceptèrent de me reconduire à Swansea. « On arrivera chez toi vers *l'heure du déjeuner*, Martin », dit l'un. Et l'autre : « On arrivera à ta maison vers l'heure où les gens *déjeunent*. » La merveilleuse Eva Garcia fut prévenue.

Je fis le voyage sur le siège arrière, penché en avant, suppliant le ciel qu'Eva fasse bonne figure et n'ait pas son regard tragiquement vide, le front ceint de son bandana rouge. Nous arrivâmes au 24, The Grove (pour une raison ou pour une autre, la maison était occupée par les Garcia). Eva réserva aux deux hommes un accueil si chaleureux qu'elle semblait flirter avec eux. Mon cœur se gonfla de la voir servir, en riant, en remplissant bien les assiettes, sa spécialité de base : œufs au plat, frites, toasts, thé. Les œufs d'Eva : soleil pâle du jaune, succulence du blanc visqueux.

Ce n'était certes pas la faute d'Eva, mais son privilège foncièrement gallois, de venir à Cambridge en 1963 pour m'annoncer que tout était fini. Le rideau était tombé sur le premier acte. Ce n'est qu'en me mettant à écrire ce livre que je me suis rendu compte de tout ce que j'avais perdu, de la chute prodigieuse que j'avais faite en entendant cette courte phrase : « Tu sais que ton père... » L'enfance, les grands-parents, les Partington, le village, les animaux, le jardin, l'innocence, et même Eva : tout était annulé.

Mon père, en outre, était parti, ou était en train de partir.

Jusqu'à la fin de sa vie, Kingsley a maintenu sa version des faits : son « idée » était de passer les vacances avec Jane et de rentrer dans la famille (puis de continuer à la voir aussi souvent que possible). Mais il savait cependant qu'il avait franchi un cap. Pourtant, il est bien revenu dans la maison de Madingley Road. Je suppose qu'il a dû avoir très peur de la trouver vide, sans animaux ni enfants ni femme. Il n'aimait pas les maisons vides, de toute façon. Et il n'y avait plus rien, pas même une lettre d'adieu.

Nous nous étions enfuis à Soller, sur l'île de Majorque, dans une villa que la famille avait déjà louée pour faire l'expérience d'une année à l'étranger. Je ne peux pas la décrire, car je ne m'en souviens pas. Des murs dorés, une orangeraie, des flots de soleil, une pénombre fantastique. Dans son autobiographie utile, quoique étrangement répétitive[1], Eric Jacobs écrit :

> Il est possible que leur mariage se soit effiloché en raison d'un mauvais calcul plutôt que d'un projet bien arrêté. En tout cas, Kingsley n'avait pas l'intention qu'il en fût ainsi. Peut-être que Hilly était partie à Majorque, se disait-il, pour le prendre au mot, dans l'espoir qu'il se précipiterait pour la rejoindre, tout penaud et prêt à renoncer à Jane. Si tel était le cas, elle se trompait.

Non. Ma mère avait elle aussi franchi un cap. L'hypothèse que Kingsley « se précipiterait pour [nous] rejoindre » en Espagne est absurde. Si maman nous avait amenés chez Miggy (comme Miggy était un jour venue à elle), mon père se serait peut-être débrouillé pour aller à Gretton. Mais jusqu'à Soller ? Pour cela, il lui aurait fallu : quelqu'un qui effectue toutes les réservations, quelqu'un qui l'accompagne à Southampton, quelqu'un qui partage sa cabine sur le bateau, quelqu'un qui le conduise de Palma à Soller et l'escorte jusqu'à la porte d'entrée de la villa. Or, il n'y avait qu'une seule candidate possible pour cette tâche : Elizabeth

1. *Kingsley Amis : A Biography* (1995). Voir l'appendice en temps utile.

Jane Howard. Rien de tel n'arriva donc. Le couple était encore très loin d'avoir tué l'amour, mais ma mère avait pris une décision. Elle avait fantasmé sur l'arrivée précipitée de Kingsley en Espagne, me dit-elle aujourd'hui, mais sans s'y attendre. Elle comprenait la force de ce vieux précepte (ou de cette vieille tautologie) qui veut que le personnage soit sa destinée. Certes, il est vain de remettre en cause les faits accomplis du passé et, pour ma part, de « regretter » que mon père ne soit pas resté avec ma mère. Les divorces ressemblent à des révolutions : ils ont eu lieu. Mais je suis frappé par cette symétrie : ce sont les mêmes phobies, les mêmes craintes névrotiques qui les séparèrent en 1963 et qui les réunirent en 1981.

Au bout de quelques semaines à Soller, mon frère et moi sommes entrés dans une routine silencieuse. Après le petit déjeuner, nous traversions l'orangeraie jusqu'au portail en fer et nous nous asseyions sur le mur pour attendre. Pour attendre le facteur. Attendre un signe de notre père, un autre signe que ce que nous apportaient de temps en temps ses courtes lettres et ses cartes postales : elles nous semblaient dérisoires, sans rapport avec la situation et tout à fait à côté de la plaque. Qu'est-ce qui nous faisait sortir tous les matins ? Qu'avions-nous besoin de savoir ? Elle pâlissait de plus en plus, cette attente. On parlait peu. Les oranges étaient orange, les feuilles étaient vertes. La moto du facteur était rouge. Les lettres étaient blanches ou marron, les cartes postales colorées. Mais je n'arrivais pas à voir ces couleurs. L'oppression ne semblait pas provenir de mon propre cœur : c'était le monde qui était responsable, il soustrayait aux choses leur clarté. Nous étions dans un état presque comateux lorsque ma mère nous remit dans l'avion.

Je revois Kingsley à présent, en pyjama rayé, reculant devant nous avec une consternation théâtrale. Londres, minuit, un coup de sonnette strident. L'avion avait du retard, le télégramme ne lui était pas parvenu. Ce n'était pas seulement qu'il fût surpris de nous voir. Il était horrifié. Nous l'avions chopé en flagrant délit : en faute, une faute flambante... Notre mère nous avait décrit succinctement (mais sans jamais le critiquer) son nouveau mode de vie. Les extrapolations non confirmées d'Eva sur la « poule » (bracelets, décolletés, cheveux roux électriques) m'étaient sorties de l'esprit. Kingsley, avions-nous fini par comprendre, vivait dans une « garçonnière ». Lorsque, à la fin de cette séparation de quatre mois, je pensais à mon père, je l'imaginais dans le rôle improbable d'un célibataire débrouillard et plutôt porté sur les tâches ménagères : Kingsley en train de faire réchauffer un plateau-repas philosophique qu'il avalerait devant la télé, Kingsley en train de frotter une tache récalcitrante sur la casserole, les sourcils froncés ; Kingsley en train de repasser une chemise... Ce furent les premiers mots qu'il nous adressa, à Philip et à moi — des mots bien tournés, me dis-je (même sur le coup) : « Vous savez que je ne suis pas seul. »

Terrassés, scandalisés, les deux frères haussèrent froidement les épaules et entrèrent.

Dans son peignoir blanc, avec ses cheveux blonds qui

lui arrivaient à la taille, grande, sérieuse, aguerrie, Jane apparaissait derrière lui : elle s'activait déjà, nous préparait des œufs au bacon, allait chercher des draps et des couvertures pour faire nos lits dans la chambre inoccupée. Sauf accès de pure folie, il m'aurait été impossible de reconnaître qu'une femme soit plus belle que ma mère. Mais je vis immédiatement que Jane, tout en étant belle aussi, avait sans nul doute une plus grande *expérience de la vie*[1]. Et c'est cette expérience qui explique l'attraction largement attestée de la Femme mûre aux yeux du Jeune homme. Il ne s'agit pas simplement d'expérience sexuelle. La femme mûre apporte avec elle le glamour et le mystère du vécu : les gens qu'elle a rencontrés, les lieux qu'elle a vus, les expériences qu'elle a connues. Jane avait roulé sa bosse, et dans les grandes largeurs — beaucoup plus que mon père. Je me résignai humblement à reconnaître ce que cela pouvait avoir de séduisant, mais je n'avais pas pour autant l'impression de manquer de loyauté envers ma mère.

La semaine s'écoula dans une débauche de plaisirs choisis par une experte — restaus rigolos, virée à Leicester Square pour *Les 55 jours de Pékin*[2] qui venait de

1. Jane avait en effet quelques années de plus que ma mère — presque l'âge de mon père (quarante et un ans à l'époque). Philip venait d'avoir quinze ans, et moi quatorze.

2. Au bout d'un moment, Kingsley se levait de son fauteuil et s'allongeait par terre chaque fois qu'Ava Gardner apparaissait à l'écran. Ava Gardner était la vedette féminine, Charlton Heston la vedette masculine. *Les 55 jours de Pékin*, selon le guide de Leslie Halliwell, dure 154 minutes. En tout, Kingsley a dû passer une bonne demi-heure couché sur nos chaussures.

sortir, jus de fruit à Harrod's, un trente-trois tours chacun (*Meet the Searchers* pour moi, avec la chanson « Love Potion Number Nine ») — auxquels firent contrepoids de longues discussions tâtonnantes, et pour nous inévitablement larmoyantes, entre le père et ses deux fils. Calme en apparence, la voix posée contrairement à son habitude, Kingsley se mit à nous expliquer comment s'effilochent les mariages. Il encaissait tout ce que nous lui lancions, y compris cette interjection de Philip (incroyable selon moi — mais il est vrai qu'elle lui sortit au milieu des larmes) : « Quel *con* ! » Ces conversations répondaient à un but vital, même si elles ne visaient pas à une élucidation complète. Tout ce qu'il m'en reste, du côté de Kingsley, c'est le piètre délire sur le thé de Chine : papa qui l'aimait, maman qui oubliait toujours d'en acheter, et lui qui baignait à présent dans du Earl Grey pour son plus grand bonheur... Vers la fin de notre séjour, le journaliste George Gale[1] vint dîner en coup de vent. Bientôt, il renfilait son manteau et fonçait à Fleet Street. Il y avait eu un coup de téléphone. Un appel venant du monde réel. « *Non !* » avait hurlé mon père dans le combiné. Jane pleura. Voilà où j'étais, et avec qui, lorsque j'appris que Lee Harvey Oswald avait assassiné le président Kennedy.

Dès notre retour en Espagne, nous avons été pris dans le tourbillon de l'école, à Palma. L'établissement, dirigé par un homme originaire du Yorkshire et d'une pédanterie théâtrale, était décontracté, cosmopolite et,

1. Alias George G. Ale, ainsi surnommé par moquerie.

surtout, mixte. Il était fréquenté par les filles d'hommes d'affaires et de diplomates, de jeunes femmes splendides, terrifiantes et incroyablement distantes. Malgré l'emprise du fascisme et du catholicisme, l'Espagne se montrait très laxiste pour les jeunes, et Philip et moi commencions à profiter de nouvelles libertés. Pour nous calmer, ma mère nous a offert des motos tout-terrain avec lesquelles nous avions des accidents environ huit fois par jour. On pouvait commander une bière dans les cafés de la place après les cours et, un jour, avec un autre ami, on a pris chacun un cognac *avant* les cours (ce qui nous a valu, par la suite, le surnom de Los Tres Coñacs). Les cinémas espagnols ne connaissaient pas le système de la censure, et on a vu et revu *Psychose*[1] en version très mal doublée. Il y avait une fille de seize ans qui prenait souvent le train avec nous de Soller à Palma. En disant qu'elle se livrait à une expérience, elle m'a embrassé une fois sur la bouche, lèvres entrouvertes. C'est divin, je me suis dit, mais Philip ne mérite-t-il pas d'y goûter[2] ?

1. Encore un film qui fit un grand effet sur mon père. Je brûlais d'envie de le voir, surtout après cette discussion avec ma mère qui avait eu lieu un an plus tôt à Cambridge :

« Maman ? Pourquoi papa te suit partout et t'oblige à aller dans la salle de bains avec lui ?

— Parce qu'on a vu un film d'horreur épouvantable cette nuit.

— De quoi ça parlait ?

— ... D'un homme qui se prend pour sa mère. »

Sa réponse m'avait satisfait. Oui, je m'étais dit, ça se comprend.

2. Inutile de dire que Philip y *goûtait*, et très profondément, avec quelqu'un d'autre. Une Femme mûre, qui plus est. Je n'arrivais pas à croire en sa chance quand il me l'a raconté. Je n'avais qu'un an de moins que lui, soit, mais les années duraient très longtemps à cette époque : rien à voir avec ces simples après-midi, ces pures évanescences qu'elles sont devenues depuis.

La micheline que nous prenions pratiquait un système tarifaire très strict. La voiture de première classe était un boudoir sur roues agrémenté d'un épais tapis, de canapés, de peintures et d'un lustre qui se balançait. Celle de deuxième classe était un salon de coiffure bourgeois, tout en cuir, en miroirs et en appuie-tête. Mais quand j'étais seul à faire le voyage, je choisissais toujours le banc en bois de la troisième classe, pour une raison qui me donne encore la sensation d'une légère perfidie. Dans ces voitures bondées et silencieuses où régnait la discipline, on avait plus de chances de voir ce qu'on ne voyait jamais dans les pays protestants du Nord : des mères en train d'allaiter. Même si le dos de la tête du bébé était assez mignon, je dois avouer que mon morceau préféré venait avant et après. Personne d'autre ne regardait. Personne d'autre ne remarquait. Dans un pays où l'on arrêtait les touristes en bikini sous la menace d'une arme, il restait cette nudité vertueuse, invisible à tous, sauf à un petit étranger sournois dont les pensées avaient perdu leur pureté originelle.

Mon frère et moi subissions l'épreuve intégrale du passage à l'état d'hommes, mais nous avions cessé d'être profondément malheureux. Dans un entretien qu'il a accordé sur le tard, Kingsley revient sur cette période et déclare qu'il a en partie dû sa survie au pardon de ses enfants. Pourtant, le pardon, au sens d'une pleine ré-acceptation, n'avait jamais été en doute. Philip et moi savions désormais que notre père, même s'il n'était plus avec nous, même s'il n'était plus marié à notre mère, n'en restait pas moins notre père.

À la fin du printemps, nous sommes rentrés en Angleterre. À partir de ce moment-là, tout ne fut plus que ville, Londres, et expérience de la vie.

Si je retourne au cœur de mon enfance, Lucy Partington semble toujours se trouver dans le champ périphérique de mes souvenirs. Je n'arrête pas de me dire qu'il me suffirait de bouger la tête de deux ou trois centimètres, de changer son inclinaison, pour la voir tout entière. Comme Marian, mon aînée d'un an, était agrandie dans mon esprit, Lucy, de deux ans et demi ma cadette, était d'autant plus diminuée (et le petit Mark se résumait à une paire de jambes en short, détalant où bon lui semblait). David était le seul que je voyais vraiment tel qu'il était... Certains, hélas, vivent et meurent sans laisser de trace. Ils viennent et partent, et ne laissent pas de trace. Mais ce n'était pas là, du moins, la destinée de Lucy.

Elle est légèrement sur le côté, toujours sur le côté, avec un livre, un dessein, un projet ou une activité en cours. Ou avec un animal. Il y avait des animaux partout, comme dans le livre pour enfants *Big Red Barn* [*Belle grange rouge*]. Juste quelques êtres humains en plus. Mais toujours un défilé de poneys et de chevaux, une série de gymkhanas et une collection de cocardes. Je me souviens de Marian qui s'entraînait à sauter dans le champ derrière le jardin. Je me souviens de Lucy en panoplie d'équitation, le visage souriant avec enthousiasme sous ses lunettes, la tête protégée par un casque recouvert d'un tissu. Tous les après-midi, au son de la rengaine campagnarde « v'là les *vaches* ! », les vaches descendaient Duglinch Lane : c'était comme une Pampelune au ralenti, des dizaines et des dizaines de vaches, flanc contre flanc dans le roulis pesant de leur démarche, fumée sortant de leurs naseaux, fumée montant de leurs bouses. Jamais elles ne regardaient le petit troupeau d'enfants qui les observait attentivement jour après jour. Comme les autres Bardwell — comme ma mère, par exemple —, Lucy Partington comprenait l'innocence et le mystère des animaux, et elle leur consacrait des histoires qu'elle écrivait d'un œil perspicace, même lorsqu'elle était enfant. Dans l'image la plus nette que je conserve d'elle, elle traverse la petite cour entre l'étable et la maison, baissant les yeux et souriant en secret, en privé, comme si elle partageait une blague avec la souris qu'elle tenait au chaud, je le savais, dans sa poche.

J'étais, dans l'ensemble, un petit garçon au tempérament constant, facilement « le plus facile » des enfants Amis. J'aimais ma sœur Sally et je me considérais souvent comme son gardien attitré[1] ; j'étais capable de verser des larmes d'apitoiement quand elle était désespé-

1. Sally est née le 17 janvier 1954 au 24, The Grove. On m'a permis d'entrer dans la pièce peu après, et je garde un souvenir extrêmement vif (et extrêmement faux) de ma sœur qui avait à peine une heure : la forme angélique de ses traits, ses nattes blondes qui bouclaient jusque sur ses épaules. En réalité, elle ressemblait bien sûr aux autres bébés Amis : une pizza hurlante. Larkin célébra sa venue au monde dans un poème intitulé « Née hier » que Sally a souvent réécrit au cours de sa vie, transformant à un moment le premier vers, « Petit bourgeon tout emmitouflé », en ces mots pleins de bon sens, « Gros petit pois... », et ainsi de suite.

rée. Mais les Amis, pris en lot, formaient un groupe grossier : garçon, garçon, fille — par opposition à la perfection platonique des Partington : fille, garçon, fille, garçon. Philip, par conséquent, imposait sa volonté à Martin, et Martin, par suite, à Sally. Je lui faisais subir des horreurs[1], souvent de concert avec Philip. À dix ans, donc, j'aurais pu considérer Lucy (sept ans et demi) comme quelqu'un dont je pouvais me moquer ou que je pouvais manipuler. Mais David n'ayant pas du tout cet instinct, je l'éliminai moi aussi sur-le-champ. C'était très simple : on n'osait pas, un point c'est tout. On n'osait pas se frotter à Lucy, non seulement par crainte de sa droiture et de sa vivacité d'esprit, mais aussi par respect devant une espèce d'autosuffisance et d'autodétermination infinies dans sa présence. Elle était indépendante parce qu'elle était *puissante*. Et je frémis encore à l'idée d'empiéter sur son univers. En pensant aux liens ou aux contraintes qu'elle a subis, je ressens dans tout mon corps sa force morale et sa volonté d'émancipation. Ajoutée au fait que son agresseur manquait de courage physique, c'est la meilleure raison que j'aie trouvée pour qu'un ardent espoir — sa mort rapide — se mue en un sentiment très proche d'une croyance.

1. La pire : un jour, assis dans mon lit, je lançai une paire de ciseaux sur Sally, ou du moins dans sa direction, tandis qu'elle dormait. La pointe heurta son front, mais elle continua à dormir. C'est seulement quand j'essuyai les quelques gouttes de sang qu'elle remua : « Qu'est-ce que tu fabriques ? me demanda-t-elle. — Rien, j'essuie ton front. » Puis elle me dit : « Merci », repartie inoubliable ; et en poussant un soupir, elle se rendormit du sommeil des justes.

Puis il y a les photos. La poésie et la prose de Lucy ont été rassemblées en un opuscule le jour de son vingt-deuxième anniversaire, le 4 mars 1974, trois mois après sa disparition. À la dernière page de *Poésie et prose*, on voit l'auteur (à huit ans) et sa grand-mère (Mummy B.) assises sur des chaises longues par une journée ensoleillée de février. Lucy porte des bottes de caoutchouc et un pantalon écossais. Elle a un cahier ouvert sur les genoux. Presque tout entière cachée, la souris Snowy se niche dans un pli de son pull-over blanc à col roulé. La mort a frappé les trois êtres de cette photo. Ma cousine et ma grand-mère ont toutes les deux des lunettes et elles sourient du même sourire. Un sourire que je connais.

Puis il y a la photo que je conserve dans mon bureau (encore les lunettes, la cravate de son uniforme de lycéenne : « étrangère indésirable »), dos à dos avec l'autre photo : la petite de deux ans, en sandales et en robe à fleurs, ma fille, Delilah.

Puis il y a la photo que vous trouverez dans tous les livres, le visage souriant parmi les autres visages souriants des autres filles assassinées. Je connais ce sourire des Bardwell à cause d'une photo de ma mère quand *elle* avait vingt et un ans et qu'elle posa, assise avec Kingsley (et Mandy, la chienne) devant Marriner's Cottage, près d'Oxford — enceinte de moi.

Lettre de la maison

108 Maida Vale
London, W.9.
9/1/68.

Très chers papa et Jane,

Merci à tous les deux de vos lettres respectives. Ça me fait plaisir d'apprendre que vous n'en espériez pas moins de moi. Même si je savais qu'en cas d'échec à Oxford vous n'alliez pas me jeter nu à la rue, j'ai cependant été agréablement rassuré de savoir que vous continueriez à me parler. *TRÈS sérieusement*, merci à toi, Jane, de m'avoir littéralement fait entrer à Oxford. Sans l'intérêt et la sagacité que tu as apportés à l'amélioration de mon éducation, je serais à présent un petit minable qui aurait péniblement atteint le niveau du brevet et n'aurait rien pour se recommander. Je te dois une fière chandelle et je saurai m'en montrer digne en étant un beau-fils toujours dévoué.

À propos, l'idée de faire des allers et retours jusqu'à Brighton trois fois par semaine me paraît valable, mais le petit elfe agile, le célèbre farfadet défend une politique plus prudente. Je comprends bien ses raisons, ou plutôt les miennes, mais je crois qu'un séjour de 6 mois d'affilée à Brighton... [Cette lettre étant incomplète, je vais en profiter pour préciser ici et maintenant la fonction structurale de cette correspondance, avec le brusque regain d'Osricisation ampoulée chez l'auteur (symptôme d'orgueil, cette fois, non de torpeur). À Brighton, il y avait eu auparavant un assistant d'anglais (c'était en général le Farfadet qui se chargeait de nous inculquer Shakespeare, Coleridge, Lawrence), et il avait pointé du doigt mon absence de talent — une absence fort simpliste, peut-être, mais une absence de talent tout de même. Comment s'appelait-il ? C'était un homme déçu, passionné, très patient, qui promenait un air de mélancolie intelligente ; si on avait tourné un film sur lui, seul Denholm Elliott aurait pu tenir son rôle. Dans un devoir sur Wilfred Owen, j'avais écrit quelque chose dans ce goût-là : « Pour s'extirper de la veine géorgienne, Owen eut besoin de la Grande Guerre. Les horreurs et les stupeurs de l'immense souffrance réveillaient sa fibre poétique. » Denholm Elliott avait souligné les neuf premiers mots de la deuxième phrase et suggéré en marge : « Pourquoi ne pas dire "Elle" ? » Où l'on voit Osric, pour la première fois, flirter avec la langue, lui allonger une touche. Spectacle toujours douloureux, mais ignorez-le. Car c'est le but structural de ces lettres : permettre au lecteur, toujours à court de temps dans le monde tel qu'il va, de goûter quelques moments de vacuité, de luxueuse inanité, avant de passer à la suite.]

...ouchoirs pour Noël. Profondément touché, je lui ai rendu la pareille en lui offrant un miroir au cadre doré qui fait sans aucun doute la fierté de l'intérieur de cette brave ménagère.

Ici, la vie avec le Singe et Sarg se passe très bien, mais je ne peux m'empêcher de penser que votre présence contribuerait à l'améliorer. À quoi jouez-vous donc ? Mais il ne reste plus que deux mois à attendre.

J'ai vu « Darling » l'autre jour, et Rob, en sortant, a déclaré qu'il s'imaginait que Jane ressemblait à Julie Christie il y a dix ans. En tout cas, c'était un compliment *dans sa bouche*.

À bientôt en mars.

Je vous embrasse très fort,

MART XXXXXX

P.-S. Papa, je les ai trouvés sensass, tes poèmes. Surtout « A. E. H. », que je connais par cœur. Très émouvant. Et je trouve que celui sur Nemo[1] est très drôle.

1. « L'invitation au voyage », tirée de *A Look round the Estate* [*Le tour du propriétaire*] (1967).

Le problème de l'atterrissage

En novembre 1994, j'ai perdu mon visage. C'était quelque chose à quoi j'étais très attaché, nous avions une longue histoire, tous les deux. J'ai eu l'impression d'être changé, transformé de fond en comble.

La réalité n'était pourtant pas aussi atroce que je le craignais. Mon visage ne ressemblait guère à celui d'Albert Steptoe, le vieux — l'antique — chiffonnier d'un des premiers feuilletons télévisés pour prolétaires, *Steptoe & Son* : on le reconnaissait à sa façon de se décrocher la mâchoire, plein d'amertume dès qu'il se mettait à grignoter quelque chose. Ma bouche ne tenait pas non plus d'une plissure traversée d'innombrables encoches verticales. Je pouvais aussi incarner deux imposteurs au choix. Lorsque je portais la Pince, j'avais l'air d'un léger hurluberlu droit sorti de l'île du docteur Moreau : mi-homme, mi-lapin, et complètement débile, comme l'acteur principal de *Revenge of the Nerds* [*La Revanche des potaches*]. Quand je ne la portais pas, j'avais l'air... Mon visage me paraissait, non pas vide (loin de là), mais étrangement vidé. En ouvrant la bouche devant un miroir, j'étais confronté à cette béance, à ce tunnel qui conduisait directement à l'oubli. De plus, pensais-je, mes yeux montraient qu'ils connaissaient ce tunnel, et ce qu'il signifiait.

Avec le retour à Londres, je devais négocier le problème de l'atterrissage. Affronter de nouveau tout le monde, ces regards à moitié détournés. Mais c'était comme ça, je n'avais pas le choix. Je devais voir mes fils et ils devaient me voir : je savais ce qui m'attendait pour l'avoir vécu.

Pendant la session d'été, alors que j'étais étudiant en deuxième année à Oxford, ma mère est venue me voir — elle qui était à l'époque un personnage insaisissable et nomade. Elle rentrait de deux années passées à bosser en Amérique, avec son deuxième mari[1], et elle allait partir en Espagne, où elle rencontrerait son troisième[2].

1. Le professeur D. R. Shackleton Bailey, alias Shack, bien que la première appellation soit plus évocatrice. Shack continue de faire autorité sur Cicéron dans le monde entier. En outre, j'ai toujours pensé qu'il était diamétralement opposé à mon père : un grippe-sou laconique, austère et balourd. Je me disais : maman s'est lassée du charme. Il avait pourtant une tête intéressante, Shack. Pendant vingt ans, avant d'accepter une chaire de professeur à l'université du Michigan, il enseignait le tibétain à Cambridge. Je m'étais un jour trouvé à l'endroit où il touchait, comme on dit, au LSD. Il m'avait paru presque complètement défoncé pendant plusieurs heures, mais plus tard, il s'était déclaré satisfait de l'exercice.

2. Ali, Alastair Boyd, alias Lord Kilmarnock : le second grand amour de sa vie. J'apprends, dans la biographie de mon père écrite par Eric Jacobs, que le titre d'Alastair était le genre à me faire fantasmer quand j'avais quinze ans. Aucune fortune, rien, mais une noblesse vieille de sept siècles. Un autre Lord Kilmarnock, suspecté de trahison, s'était fait exécuter sur Tower Hill pour avoir joué un rôle dans la révolte jacobite de 1745. « Sans cette tache à la réputation familiale, écrit le biographe, Alastair Boyd serait aujourd'hui le dix-septième comte de Kilmarnock. »

Elle était « friquée », pour reprendre son propre terme, grâce au succès qu'elle avait remporté à Ann Arbor, dans le Michigan, avec sa friterie Jim-la-chance. Elle avait amené ma sœur Sally et une bouteille d'Asti Spumante pour fêter nos retrouvailles... Ma mère a toujours eu de drôles de goûts en matière de boisson : elle est incapable, par exemple, de boire un verre de sherry sec sans y ajouter deux ou trois morceaux de sucre. Ses deux alcools préférés sont la Chartreuse verte et une liqueur extrêmement douceâtre, de couleur mauve, qui s'appelle Parfait Amour...

Ce fut un après-midi animé : ma mère était fière de son Osric inscrit à Oxford, et elle ne se faisait pas faute de le clamer haut et fort. Mais je me faisais l'effet d'un acteur dans un rêve attristant. Car ma mère avait changé. On avait évoqué, il y avait déjà un moment, une sorte d'épreuve de force finale avec l'homme qu'elle appelait toujours (sans aucun doute pour se donner du courage) « le dentiste de Peter Sellers ». L'épreuve avait eu lieu. Elle avait connu l'état de Kinch, elle était revenue en Pnine. Ce n'était pas le résultat du changement qui me tourmentait (elle était probablement toujours aussi jolie), mais le simple fait de ce changement. Je fis preuve de froideur devant cette contrefaçon de mère et je sentis mon cœur adopter une stratégie d'éloignement. Parce qu'il vaut mieux ne pas investir trop d'amour dans une personne qui est soudain capable de changer. Les mères, les pères ne sont pas censés changer, pas plus qu'ils ne sont censés partir ou mourir. Ça n'entre pas dans leurs fonctions.

À New York, je m'efforçais d'obéir aux injonctions de la douce Millie ; je laissais ma bouche s'adapter à cet intrus d'une énormité grotesque. Loin de moi l'idée de barber le lecteur fidèle et patient en lui faisant un compte rendu exhaustif de mes souffrances, mais je me déroberais à la tâche si je passais sous silence que la reconstruction dentaire dure bien plus longtemps qu'on ne saurait l'imaginer.

J'étais dans un nouveau monde, mais je voulais revenir dans l'ancien, avec son fil dentaire, ses sacs de glace, ses cure-dents d'une piteuse inefficacité — et toute la douleur qui va avec, toute la dénégation de cette douleur. On a dit beaucoup de mal de la dénégation, me semble-t-il ; j'ai consacré des paragraphes entiers à la défendre dans le roman que je continuais à peaufiner, *L'information*. J'ai beaucoup de patience et de respect pour la dénégation, tout comme pour les rages de dents. Plus tard, la même année, j'allais tomber sur mon vieil ami John Gross[1] en accompagnant mes fils au magasin

1. John Gross avait été l'un de mes premiers rédacteurs en chef marquants, avec Terence Kilmartin à l'*Observer*. Il m'avait inculqué une règle, que je continue d'observer dans mes romans, tout comme dans mes articles de journaux et dans mes critiques littéraires. Ne jamais commencer des paragraphes consécutifs par le même mot — à moins qu'il n'y en ait au moins trois (j'ajoute pour mon propre compte) qui débutent de manière identique et que le lecteur comprenne qu'il s'agit d'une intention délibérée. John a raison. Ça fait l'effet d'une affreuse inattention et ça choque l'œil aussi bien que l'ouïe. Je dois préciser tout de suite que cette règle a été négligée par nombre de grands écrivains. Conrad et bien sûr Lawrence n'y ont pas été sensibles. Forster ne s'y est plié que par intermittence. Nabokov l'a observée, dans l'essentiel de son œuvre et de plus

de disques Tower Records, dans le centre commercial qui occupe la moitié de Queensway, près de l'endroit où j'ai vécu entre l'âge de vingt et trente ans, au milieu d'hôtels très inflammables, à Kensington Gardens Square. C'était la première fois que je le voyais depuis son double pontage, qui avait réussi. Pendant que les garçons achetaient, prospectaient ou se contentaient de souffler le pollen des bacs, il m'a décrit l'infarctus à l'origine de la crise. « La douleur n'était pas très pénible. C'était supportable. J'ai connu des rages de dents plus atroces. » Quoi de plus naturel que de placer les maux de dents au sommet de la douleur civile, non mortelle ?

D'accord. Je n'ignore rien de la compétence musicale des maux de dents, qui déchaînent leurs cuivres, leurs instruments à vent, leurs percussions et, avant tout, leurs cordes, leurs cordes (quand je l'ai récemment entendu en concert, le *Concerto pour violoncelle* de Bach m'a fait l'effet d'une *transcription* parfaite d'une rage de dents : sa persistance, son irrésistible puissance de per-

---

en plus au fil de ses romans : pas de « rép. en tête de parag. », comme disent les rédacteurs de magazines new-yorkais, dans *Autres rivages* ou dans *Pnine* ; et lorsque, aux pages 117-119 de *Feu pâle* [*Pale Fire*, pages 107-109], on trouve trois *il*, suivis de trois *le*, on sent qu'il se prépare quelque chose (une modulation à grande échelle). Joyce n'a pas suivi cette règle dans *Gens de Dublin* ni dans le *Portrait de l'artiste en jeune homme*, mais il se situe au-delà de l'étourderie dans les pages obsessionnelles d'*Ulysse* et de *Finnegans Wake*. Il est arrivé à Henry James, malgré son inlassable maniaquerie, d'y faire entorse, mais ses paragraphes sont suffisamment obèses pour brouiller la vue et l'ouïe (il n'est pas rare que l'on tienne plusieurs pages dans la main gauche lorsqu'on revient en arrière pour vérifier). Le premier Bellow ne la respecte pas. Mais le Bellow de la maturité, si. De même pour KA.

suasion). Les rages de dents jouent staccato, glissando, accelerando, prestissimo et, surtout, fortissimo. Elles peuvent donner dans le rock, le blues et la soul music, le doo-wop et le be-bop, le heavy metal, le rap, le punk, le funk. Et sous ce vacarme anarchique s'impose un filet de voix solitaire, que mon abjecte imagination ne cesse d'entendre : la tragique mélopée du castrat.

Oui, mais du moins mes rages de dents étaient moi, tandis que la Pince ne l'est pas, même si elle essaie de vivre sa vie au milieu de ma tête. Bizarre. Tout va bien tant que je reste assis à lire et à écrire. Mais parler, marcher... Toute forme d'interaction sociale m'épuise en un rien de temps.

Aujourd'hui, je t'ai accompagnée, avec ta mère Betty, pour faire des courses à Union Square (pour acheter, entre autres, des tee-shirts de foot aux garçons). J'ai senti la force de la gravité dans toute sa plénitude, comme si elle voulait m'attirer au centre de la terre. Comment ces quelques grammes de plus que je transporte dans la bouche peuvent-ils prendre le poids d'un paquetage militaire (après une marche forcée de douze heures) ? L'oppression ne peut être que spirituelle ; elle doit venir de l'esprit[1].

Tout le monde est d'une gentillesse incroyable à mon égard. Douceur du sourire de ta sœur. Douceur des plats que ta mère cuisine. C'est une *bonne* chose que j'aie toujours considéré les repas comme une corvée ;

1. Elle est physique, aussi. Depuis, j'ai lu que la nausée est épuisante. Le corps lutte, et c'est cela qui est épuisant.

un bon entraînement, car maintenant chaque repas est une punition, chaque bouchée se révèle cruelle, étrangère. C'est une *bonne* chose que je n'aie jamais eu des papilles très développées (que j'aie souvent embrassé le bout de mes doigts serrés sur une bouteille de vin bouchée), car maintenant je n'ai plus de papilles du tout : il faut dix secondes à ma bouche pour distinguer le sucre du sel.

Mais ce n'est pas l'essentiel.

La Pince me donne l'impression d'avoir quelque chose qui retient ma bouche dans *sa propre* bouche. Mais ce n'est pas l'essentiel. Peu importent aussi les étouffements et les haut-le-cœur, aussi imparables qu'une crise de hoquet, ou les Niagara de salive impossibles à retenir. Pendant plusieurs années, je ne suis pas allé chez le dentiste. Maintenant, avec la Pince, c'est comme si j'y étais toute la journée. Et toute la soirée. Puis je la dépose dans le verre et elle me regarde, avec une grimace ou un grognement.

Je dois bientôt rentrer à Londres et montrer mon visage à mes fils.

Dunker Castle

J'ai fait la une, pour la première fois, quand je n'avais encore qu'un chiffre à mon âge. Le principal journal du soir, dans le sud du Pays de Galles (c'était l'*Evening Post*, je crois) avait titré en grosses lettres : LA SAGA DES FILS AMIS.

Il se trouve que je suis bien plus angoissé, comme père, que ma mère ne l'a jamais été. Un jour, j'ai passé la moitié d'un après-midi (en Espagne au cours d'un pique-nique, vingt-huit ans, sans enfant) à tendre les bras sous un arbre au cas où en tomberait le petit Jaime, quatre ou cinq ans à l'époque. Ma mère mangeait un sandwich : elle a levé les yeux et a balayé l'air du revers de la main.

« Je lui laisse faire *ce qu'il veut. Toi aussi*, je te laissais faire ce que tu voulais. »

C'est vrai. Elle nous laissait faire ce que nous voulions. Lorsque la famille partait en voiture, nous voyagions de nuit comme de jour sur la galerie de la Morris 1000, tous les trois, quel que soit le temps, en apparaissant et en disparaissant au regard de ma mère dans le pare-brise... Je ne pense pas que nous en ayons fait autant lorsque mon père était dans la voiture, car il était peut-être plus prudent, en règle générale. Quant à la permission qui a débouché sur la saga des fils Amis, il n'avait ni besoin ni envie d'être consulté sur ce qui touchait à une activité de plein air. Il était dans son bureau. Il était toujours dans son bureau.

Les fils Amis, Philip en premier chef, ont donc expliqué à leur mère qu'ils voulaient partir seuls en canoë, depuis la baie de Swansea jusqu'à celle de Pembroke située à plusieurs kilomètres à l'ouest, en suivant la côte galloise (qui avait une réputation d'imprévisibilité croissante, dans ce sens-là). Ma mère a donné son aval. Par-devers moi, j'avais toujours pensé que c'était un projet ambitieux. J'ai failli me rétracter devant la hauteur des vagues à notre point de départ (la baie de Swansea étant en général plus calme que d'autres par lesquelles nous allions passer), et devant les difficultés extrêmes pour mettre notre bateau à l'eau. On essuyait des rebuffades à répétition, sans ménagement ; à moitié noyés, on a fini par grimper dans notre embarcation et par commencer de pagayer, Philip devant, cap à l'ouest. Tout s'est bien passé pendant plusieurs minutes. Puis nos pagaies se sont tues, incapables de faire face à une attitude de l'océan qui reste unique dans mon expérience. Une kilotonne d'eau féroce se dirigeait *latéralement* vers nous, parallèlement au rivage... J'ai connu des mers scandaleusement hirsutes et démontées à la suite d'ouragans, des eaux crapuleuses d'un vert maladif après l'horreur de cette folie furieuse, encore grouillantes, clapotantes, refluant sans raison. La déferlante qu'on affrontait avait beau posséder une musculature formidable, elle avait ce même air déraciné en dirigeant vers nous sa puissance sournoise. On aurait pu s'en retourner (c'était de loin ma préférence), mais je savais que Philip ne voudrait rien entendre. En général, le plus jeune se débrouille mieux, il regarde son grand frère qui ne se retourne pas, mais qui continue de l'avant, s'enfonce en territoire obscur, sans jamais se retourner. Philip, comme toujours, était devant moi. Mais cette fois, j'étais dans le même bateau. Les yeux droit devant lui, il m'a crié :

« Adieu, Mart. »

On a pagayé à toute vitesse comme des combattants, tour à tour assaillants et défenseurs, pour vaincre l'écume qui nous arrivait droit dessus. Le mot « saga » suggère une histoire interminable et ardue (avec une connotation nordique assumée) ; mais c'est à ces quelques secondes de gifles et de ballottements contre l'obstacle que s'est bornée notre aventure. En tout cas, cela me suffisait amplement. Plein de haine accumulée contre mon frère, je lui ai demandé de me débarquer à la prochaine plage. J'ai téléphoné à la maison depuis un snack-bar de la baie de Caswell ; puis, debout sur les escaliers qui gravissaient la falaise, j'ai regardé Philip multiplier les tentatives, sans se décourager, pour manœuvrer le gros canoë sur les rouleaux encore plus gros ; chaque fois, il échouait à maîtriser le bateau ; chaque fois, il revenait se débattre dans les bas-fonds. Son corps ne montrait pas de signe de fatigue ; je ne voyais pas son visage, mais je savais qu'il avait désormais un air implacable.

À la baie de Pembroke, j'ai passé l'après-midi avec ma mère à scruter l'océan hérissé de pics montagneux. En vain. C'est alors qu'on a donné l'alerte. Mais regardons les choses en face... La une de l'*Evening Post* suggérait une épreuve d'endurance maritime digne de bouleverser un Patrick O'Brian, mais c'était un bel attrape-nigauds. Car mon frère n'a jamais réussi à dépasser les rouleaux. Pendant que les garde-côtes décryptaient la mer, que les hélicoptères vrombissaient le long du rivage, Philip buvait tranquillement du Tizer et essayait de téléphoner depuis le snack-bar de la baie de Caswell.

Je me suis senti plus gêné que flatté par la manchette.

Mon nom y figurait comme en fraude, car Philip, lui, avait au moins *essayé* de continuer et de braver la mort.

Ainsi, la presse avait tout compris de travers. Mais ce fut la première et la dernière fois qu'elle fit de moi (à tort) un héros.

Quand le couple de mes parents se brisa, dans les années 1960, les journaux couvrirent l'événement. Et quand mon propre couple se brisa, trente ans plus tard, les journaux couvrirent l'événement (avec une approche sensiblement différente). Quand mon père se fit soigner les dents, dans les années 1960, les journaux n'en dirent mot (pas un mot sur ses dents dans les journaux, mais une photo de son sourire : il n'avait jamais souri comme cela auparavant). Mais quand je me fis soigner les dents, trente ans plus tard, les journaux en firent leurs choux gras. Mes dents faisaient la une. Laissez-moi vous dire quelque chose : l'expérience vécue devance tous les comptes rendus qu'on peut en rapporter — toutes les versions ultérieures. Un homme qui fait une grosse crise d'épilepsie dans la rue se moque éperdument des ricanements des enfants qui le regardent. Il est bien trop occupé à classer ses propres urgences par ordre de priorité.

En 1993, pendant un dîner, mon père m'a dit :

« Tais-toi autant que tu veux ou parle autant que tu veux. »

Je lui ai raconté mon voyage récent au cap Cod où j'étais allé voir mes enfants — et leur mère, pour qui j'étais devenu un étranger, un étranger *à distance*. Les garçons avaient pressenti la possibilité d'une réconciliation. Le premier matin, Jacob a rapproché de deux ou trois centimètres ma tasse à café de ma main droite et m'a demandé : « Tu te plais ici pour l'instant ? »... Cinq jours plus tard, alors que je m'apprêtais à partir, l'étang devant la maison reflétait docilement la masse du destin accumulée dans le ciel. Mes fils construisaient un zoo miniature sur un bout de la pelouse. Louis m'a montré un petit truc : on laissait tomber une pièce dans un tunnel tortueux et on recevait son billet d'entrée. Mais je ne restais pas — et ils le savaient. Ils savaient que je partais. Ils savaient que ça avait échoué, que tout avait échoué. Je leur ai dit au revoir et je suis monté dans la voiture de location.

« J'arrête pas d'y penser. J'arrive pas à me le sortir de la tête.

— Y a rien à faire avec ce genre de choses. Tout ce qu'on peut espérer, c'est vivre avec. Ça disparaît pas. Ça te poursuit. C'est juste — *là*... »

Oui, toujours offert à la délectation, toujours avec la même puissance. Dans le vol de nuit qui me ramenait à Londres, j'ai accompli ce qui m'a paru être un exploit extraordinaire : verser des larmes six heures durant, sans arrêt, même pendant le sommeil léger dont j'émergeais souvent. Je me suis interrogé sur la physiologie des larmes : questions de réserve et d'approvisionnement. Dans mon délire, j'ai été contrarié par la pensée secondaire qu'un voyant clignotait dans la cabine de pilotage, comme le symbole du réservoir d'eau sur le tableau de bord d'une voiture, pour me signaler que j'avais enfin épuisé toutes mes gouttes.

Un autre vol transatlantique de nuit pour aller voir mes fils. Cette fois, j'étais Kinch, j'étais Pnine, j'étais leur contrefaçon de père. Encore plus à distance — d'eux et de lui-même.

Court préambule :

Le train entre Swansea et Cardiff a ralenti et s'est arrêté avec un soupir de satisfaction. Dans notre wagon, les passagers se sont vaguement tournés vers la fenêtre et toute conversation s'est interrompue, comme si on avait brusquement débranché une radio. On s'est dévisagés et on a de nouveau regardé par la fenêtre. S'il s'agissait d'une hallucination, alors l'hallucination était partagée. Ce qu'on voyait dehors était un simple panneau indicateur, avec une flèche désignant aux touristes un lieu qui s'appelait Dunker Castle... À l'époque, j'avais onze ans et je partais à Cardiff avec deux camarades de classe, tout excité, pour assister à un match de rugby international entre mineurs au stade Arms Park. On devait sans doute se dire que j'étais trop jeune pour savoir que « dunker », dans le sud du Pays de Galles et sans doute ailleurs, signifie « préservatif » en argot... Il y avait un jeune homme assis en face de moi : faux col et cravate, cheveux courts. Je n'oublierai jamais le rictus sérieux et chagriné qui lui envahit peu à peu le visage, ni son mouvement de recul, pareil à une plaie dans son incrédulité, lorsqu'il dit (comme s'il s'apercevait d'une cruelle faute de goût dans l'ordre des choses) : « Dunker *Castle*... ? » Avec mes copains, on faisait semblant d'être innocents : on se retenait d'éclater de rire. Mais le jeune homme avait parlé pour nous tous, et avec éloquence. Un *château* qui s'appelait Capote ?

Le jour de mon retour à Londres, en novembre 1994, j'avais deux tâches à accomplir, toutes deux liées à mes dents. Ce qui me paraissait normal, en un sens : lors de mon séjour le plus récent à New York, quand la Pince me donnait l'impression d'être tout le temps chez le dentiste, j'étais aussi, en réalité, tout le temps chez le dentiste : chez Mike Szabatura pour les essayages et les réglages sur la gencive supérieure à nu, et chez Todd Berman pour les récurages et les raclages de l'épouvantable cavité du bas[1]. En descendant de l'avion, j'ai les yeux secs, mais je suis, à ce stade, abasourdi et assourdi par tout le tintouin, spectral, les traits tirés à faire peur. Pourtant, j'avais reçu de bonnes nouvelles dans un décor où on m'en avait tant annoncé de mauvaises : chez le dentiste. La tumeur dans mon menton (qui sera enlevée le mois prochain) est presque à coup sûr non cancéreuse, et très probablement commune. Le scanner, qui m'a coûté la peau des c..., a révélé, pour

1. Pendant la prise de l'empreinte, dans le cabinet de Mike, j'avais dû rester assis pendant quelques minutes avec une espèce de couche de chewing-gum visqueux et insipide dans la bouche. Tandis que Joyce et Nabokov me racontent, au club dentaire, qu'ils ont dû passer, *eux*, une demi-heure à frétiller et à se retenir de vomir, la gorge pleine d'une purée d'œufs pourris — parfum préféré des décoctions destinées à cet usage, à l'époque.

reprendre les termes du stomatologue, que j'ai une « excellente mâchoire inférieure », prête à recevoir, après une petite greffe osseuse, les implants de titane.

Fait remarquable, mes deux épreuves dentaires, le premier jour après mon atterrissage, n'impliquaient pas que j'aille chez le dentiste. L'une eut une teinte comique, l'autre tragique, mais les deux formaient des rites de passage. C'était comme ça et je n'avais pas le choix.

Pour dire les choses simplement, la première épreuve impliquait un échange d'argent contre de la marchandise : l'acquisition nouvelle d'un nettoyant pour appareils dentaires, dont seuls mes lecteurs les plus âgés, je pense, auront entendu parler. Ça s'appelle Steradent et ça se vend en tube. Les comprimés effervescents pétillent avec pétulance au contact de l'eau tiède, et c'est dans la solution ainsi obtenue que se vautre la Pince toute la nuit, en grimaçant... En me préparant à cet achat — en tournant, de fait, autour de quelques magasins susceptibles d'avoir le produit en stock —, je me suis aperçu que ça me rappelait vivement la première fois que j'avais acheté des préservatifs trente ans plus tôt. C'est le genre de parallèle qui s'établit, au départ, non via l'esprit, mais via le corps : même sensation, même disposition chimique. Ça m'a fait pousser un grognement de rire vaincu. Parce que la première initiation concernait un arrivage viril, préfigurant des plaisirs insurpassables, tandis que la seconde... disons que la seconde n'était que déguisement et qu'elle désignait, de son pouce rigide et tavelé, la direction opposée. Pour le reste, il était difficile d'échapper aux similitudes :

1) S'assurer que le pharmacien qui vous sert est un homme et non pas une femme, encore moins une jeune femme. 2) Traîner un bon moment devant les rayons de lotions capillaires et de déodorants jusqu'à ce que la pharmacie soit vide — mais dans l'un et l'autre cas, bien sûr, tout un autobus de jeunes filles de dix-huit ans va débarquer juste au moment où vous vous approcherez du comptoir. 3) Acheter aussi autre chose, cela va sans dire : tactique (grotesque) pour faire diversion. Des produits qui n'ont strictement rien à voir avec ce qu'on vient chercher en contrebande. Ni de la vaseline ni du Philisan (dont Kingsley disait qu'il faisait franchir le cap de la cinquantaine aux quadras). Des trucs innocents comme du shampooing ou de la vitamine C (mais pas E). 4) S'efforcer de donner l'impression que ces articles ne sont pas pour votre usage personnel ; vous faites juste des courses pour un satyre louche ou un nonagénaire. Brandir peut-être une liste et bredouiller, ou penser à bredouiller, deux ou trois mots sur la paresse de votre frère aîné ou sur l'oubli (et l'immobilité) de votre pauvre vieux papy. 5) Quoi qu'il arrive, vous ressortirez du magasin le visage en feu.

Aller aussi, naturellement, dans une pharmacie où l'on n'a jamais mis les pieds auparavant. En l'occurrence, j'entre dans une petit échoppe humide au son d'une clochette. La caissière est une femme, c'est vrai, une brave femme aux cheveux blanchâtres, mais à part ça, le lieu me convient parfaitement. Dehors, sur le trottoir, comme un poème de pauvreté, se tient un vieil homme en baskets défoncées et *en pantalon à pattes d'eph'* ; à l'intérieur, ça va de mieux en mieux : une boutique jamais refaite, datant pratiquement d'avant-guerre, tapissée de pastilles pour la toux, de ciseaux pour les cals, de gaze couleur chair, sentant la pénicilline avariée qui alourdit l'air. Ni lunettes de soleil ni sacs de plage pour attirer les jeunes et les sportifs. Juste le strict nécessaire pour permettre aux prolos de se maintenir, et un comptoir pour les ordonnances destiné à ceux qui, selon cette expression effrayante, se font « suivre » par un docteur. Sur le côté, dominant de toute sa hauteur le rayon des produits d'hygiène dentaire, s'élevait un sanctuaire de Steradent — trois parfums au choix.

Le magasin restait vide. Je pris quelques articles pour hommes — des lames de rasoir, une coudière — et je m'approchai du comptoir. Encore quelques minutes, puis ce serait fini. J'étais en face de la vieille dame. Et j'aperçus un étrange phénomène dans son regard : une dilatation ravie de ses pupilles.

« Vous êtes Martin Amis ! Oh, mon Dieu. Mon neveu. Mon neveu vous trouve... Jim ! Jim ! »

Jim était le vieux type jovial qui s'occupait des ordonnances. Je lui écrivis un mot encourageant et le signai (un écrivain en herbe — bonne chance) au dos d'un bon de commande. Puis je sortis dans la rue, le visage en flammes. Mais les deux vieux avaient incarné la douceur même, et je riais, en plus, de ce coup du sort aussi splendide qu'ordinaire. *Ça*, ça ne s'était jamais produit à l'époque lointaine des préservatifs. Je me suis demandé comment s'y prend, disons, la jeune vedette Macaulay Culkin, aujourd'hui qu'on est plus attentifs à la question. Peut-être qu'il se fait acheter ses préservatifs par son père. Comme Kingsley nous en acheta un jour, à mon frère et à moi, sans lésiner sur la quantité.

Ce soir-là, je jetai un comprimé de Steradent dans le verre, mais, peut-être parce qu'il était trop vieux, lui aussi, ça n'a pas marché. Le suivant a produit l'effet recherché : la Pince, que j'avais toujours dans la bouche à la fin de cette longue journée, lorgna rapidement, faiblement, dans sa direction.

Mes deux parents se tenaient à une distance absolument irréprochable de la vie amoureuse de leurs enfants. Ma mère par instinct, mais mon père, me semblait-il, selon une politique mûrement réfléchie. Dans la maison de Maida Vale, une de mes petites amies qui cherchait les toilettes entra en trébuchant dans la chambre de Kingsley et Jane, les réveillant au petit matin. Le lendemain, je ramassai avec précaution le mot qui m'attendait sur le pas de ma porte. C'était l'écriture de mon père : « Ton amie peut tout à fait rester pour le petit déjeuner. Sois juste discret avec Mrs. Lewsey[1]. » En réalité, ma copine s'était inquiétée de passer la nuit à la maison, j'avais eu des doutes aussi, mais elle était res-

1. Trésor domestique et nullité culinaire. Même le café instantané qu'elle nous apportait parfois gentiment était non seulement imbuvable (tout le monde en convenait), mais aussi méconnaissable.

tée. On me notifiait avec sympathie d'une nouvelle liberté. J'y voyais plus clair.

« Qu'est-ce qu'il y a de si drôle ?

— J'arrive au passage sur la masturbation. »

On est à présent en 1995 et je suis allongé un court instant sur un bout de pelouse dans un parc londonien. Je relis les *Mémoires* de Kingsley, mes fils font du patin à roulettes devant moi. Ils s'arrêtent.

« Et... ?

— Quand Kingsley avait ton âge, son père lui a dit que ça "liquéfiait le sang" et que "la victime finissait par sombrer dans une folie irrémédiable".

— Il lui a dit ça ?

— Oui. Et à propos, c'est pas vrai.

— Bien. »

C'est le seul tuyau sexuel (« qu'il resservait souvent ») que Kingsley ait jamais reçu de William Robert Amis. Avant « que tu ne commences à sourire, lecteur, si c'est ce dont tu as envie, continue Kingsley, [...] un copain m'a raconté que dans son école, à l'approche de la puberté, on amenait les classes visiter le pavillon soi-disant réservé aux adeptes de la masturbation à l'hôpital psychiatrique du coin » : là, on leur présentait de vrais schizophrènes et autres maniaco-dépressifs comme de quelconques vétérans du plaisir solitaire. Dans ses souvenirs, mon père prétend qu'il était « assez futé » pour ne pas ajouter foi à semblables avertissements, et je pense qu'il a vraiment survécu au complot prédominant de la supercherie et de la menace hypocrites — phénomène qu'on doit aujourd'hui interpréter comme une haine de la jeunesse. À moins qu'il ne se soit agi d'un jeu minable auquel se livraient des médiocrités déçues, mon grand-père se persuadant ainsi que, s'il ne s'était pas « touché » dans sa jeunesse, il aurait pu aspirer à un autre emploi que celui d'employé de bureau municipal ; bien entendu, il nourrissait pour son fils des ambitions plus élevées... Ce n'est que justice d'avancer que cette relation entre père et fils ne s'est jamais remise de la mystification agressive avec laquelle le premier traitait des sujets sexuels. Ce n'est pourtant pas que Kingsley ait manqué de détails crus sur les oiseaux et les abeilles. « L'éducation sexuelle à la maison, comme il dit, [...] n'est pas de l'éducation, mais une autorisation de pure forme. » Et « on doit la donner ».

Kingsley racontait ensuite à ses fils cette blague sur les oiseaux et les abeilles, comme je me ferais fort de la raconter aux miens... C'est une femme de paysan qui dit à son mari : « Il est temps que tu parles à notre petit George des oiseaux et des abeilles. » Le paysan traîne les pieds : « Oh ! Arrête, chérie. Tu sais, c'est un peu gênant pour un gars... » Mais il finit par se laisser convaincre. Il fait chaud, cet après-midi-là, le père et le fils se retrouvent seuls dans une clairière. Le chant des oiseaux s'élève en volutes, d'innombrables abeilles bourdonnent à l'entour. « George, il est temps que je te parle des oiseaux et des abeilles. — Oui, 'pa. — Tu te rappelles ce qu'on a fait aux filles dans le fossé vendredi dernier, toi et moi ? — Oui, 'pa. — Ben... les oiseaux et les abeilles en font autant. » Mon avis sur cette blague en tant que blague varie, je m'en rends compte. Mais ce que je n'oublierai jamais, c'est la réaction de mon plus jeune fils quand je la lui ai racontée : trois bonnes secondes de stupéfaction pour l'assimiler, suivies de son premier hurlement de volupté.

En 1943, alors que Kingsley avait vingt et un ans, qu'il était étudiant à Oxford et lieutenant dans l'armée, William découvrit que son fils avait une liaison avec une femme mariée[1]. C'est déprimant d'essayer d'imaginer l'« explosion » que cela a déclenchée dans le petit pavillon des Amis, qui vivaient dans la gêne en banlieue. Six ans plus tard, William boycottait fièrement le mariage de mes parents. À cette occasion, Mummy A., Rosa (dans mon souvenir, ce n'est qu'une présence sombre, couverte de broderies ornées, parfumée, calorifique), réussit à le faire changer d'avis. Mais elle n'avait rien d'un esprit libre non plus, hurlant par-dessus le mur du jardin, par exemple, lorsqu'un voisin employait l'expression « lune de miel » devant son fils, qui avait alors quatorze ans. En général, William et Rosa « s'acharnaient d'autant plus à interférer dans le choix de mes amis, écrit Kingsley, ou à limiter mes chances de les voir, qu'ils avaient une longue histoire familiale de prostitution masculine ou de dipsomanie juvénile ». Mon père aimait sa mère sans grande complication,

1. Et ce n'était pas un flirt comme un autre. C'était le premier amour éminemment mélancolique de KA. Voir « Lettre à Elizabeth », qui ouvre ses *Collected Poems* [*Œuvre poétique complète*].

comme il s'avéra ; mais je ne l'ai jamais vu tout à fait à son aise en compagnie de mon grand-père.

Dont je garde l'image d'un bel homme au teint cireux, fringant mais sans extravagance — bien que la couleur de son teint provienne peut-être du souvenir de ses dernières heures, lorsque la jaunisse lui colorait faiblement la peau en orange. Il passa une bonne partie de son veuvage (1957-1963) chez nous — ce qui dérangea beaucoup Kingsley, je m'en aperçois aujourd'hui — et une fraction considérable de ce temps à jouer avec mon frère et moi, en manifestant du plaisir, de l'inventivité et une certaine gravité. J'avoue sans réserve qu'il fut l'une des grandes passions de mon enfance, à tel point qu'il me plongea dans un malheur insondable le jour où il maintint qu'il était « naturel » pour un grand-père de préférer l'aîné. Pour moi, il ne s'agissait pas de savoir ce qui était *naturel.* C'était l'amour qui était en cause, un amour qui n'était pas assez partagé. Il essaya de nuancer sa remarque, mais il ne revint pas dessus ; il n'allait pas se laisser fléchir par la gravité de mon désespoir... Après l'année qu'il passa en Amérique, il s'impatienta et retourna à Londres. Quand il venait nous rendre visite (des visites fréquentes et toujours attendues), il amenait une amie criarde et braillarde qui nous intriguait.

Puis ce fut la fin. La fin de l'amour — de mon amour pour lui. Je ne l'ai pas senti me quitter, mais je me rappelle l'instant où j'ai compris que je n'en éprouvais plus. Pendant toute la journée, à Cambridge, ma mère m'avait fait entendre qu'une fête secrète m'attendait : la fête du premier échelon. En fin d'après-midi, nous sommes partis vers une destination mystérieuse (en réalité, Peterhouse, l'université de mon père) ; là, à l'entrée, se tenait Daddy A., qui avait soudain l'air de n'être pas du tout à sa place et de ne jamais pouvoir s'en remettre. Je suis juste resté une demi-seconde dans la voiture avant de descendre pour l'embrasser. Mais dans cette pulsation du temps, j'ai senti un mélange de déception et de surprise m'atteindre lourdement dans le corps. Daddy A. avait *naguère* contribué à la fête du premier échelon. Mais plus maintenant. J'avais treize ans, j'avais la malchance d'avoir treize ans ; et les grands-parents, pour un gosse de treize ans, font (hélas) partie des éléments de l'enfance qu'il faut remiser... Un an plus tard, il mourut d'un cancer, deux ou trois mois avant que Kingsley ne quitte sa femme[1] et que Cambridge ne se transforme en une morgue d'animaux morts ou sur le départ. On nous amena, Philip et moi, à l'hospice pour ce qui était clairement notre dernière chance de le voir. Je suis content, maintenant, d'avoir su que je ne l'aimais plus. L'horrible rictus de son sourire forcé, les yeux brillants sur fond de jaunisse fumante, comme une citrouille allumée par-derrière pour Halloween. En privé, mon frère et moi étions très durs, d'une dureté nerveuse face à cette expérience — face aux papys. Ou face à la mort. Peut-être aussi que

1. Je ne voudrais pas me risquer à établir un lien entre les deux événements. Mais la mort du père (et peut-être plus particulièrement la mort de ce père-ci) donne, entre autres choses, plus de courage.

mon jeune cœur ne s'était pas encore remis du jour où je l'avais senti mépriser mon amour.

Et où j'avais senti, en outre, l'incroyable opiniâtreté de cet homme. Il essaya de nuancer sa remarque, mais il ne revint pas dessus. Il n'allait pas se laisser fléchir. Ce n'était pas le genre à inventer un pieux mensonge salutaire pour calmer les sanglots, les vagissements, les supplications d'un enfant.

« Tu ressembles à Kingsley, j'ai dit à mon fils (l'aîné) en le conduisant quelque part en voiture. Tu fais partie de ces gens incapables de reconnaître qu'ils ont tort, j'ai poursuivi.

— Oui, et *toi aussi*, tu en fais partie[1]. »

Oui, et Kingsley en faisait partie, et William en faisait partie. « Quand je m'avisai de l'image dans laquelle mon père voulait mouler mon tempérament et mon avenir, disent les *Mémoires*, je commençai à lui opposer de la résistance, et on se querella violemment au moins une fois tous les quinze jours, sinon une fois par semaine, pendant des années. » Je les vois, je les entends, comme un couple mal assorti, papy essayant d'imposer sa volonté à force de répétition, lui qui possédait si peu de pouvoir dans le monde extérieur, et Kingsley, de loin le plus intelligent des deux, en venant à comprendre qu'il pouvait mener la danse. À la fin, mon grand-père se

1. Deux ou trois jours plus tard, je lui ai dit : « Je te laisse gagner *cette* dispute. Celle qu'on a eue dans la voiture. » Il l'a reconnu ; mais d'un point de vue tactique, c'était une dispute qu'il aurait peut-être été bon de perdre.

contentait de harceler mon père de son ennui (et quel autre romancier, depuis Dickens, trouve tant de fascination, puis d'énergie, dans « l'ardente sincérité de toute forme d'ennui » ?). Je crois qu'il y avait de l'amour chez Kingsley, mais qu'il fut forcé de le garder secret. Il a fini par faire surface dans un poème, une modeste élégie portant sans ambages le titre « In Memoriam W. R. A. » et le sous-titre « Mort le 18 avril 1963 ». Lorsque je l'ai lu et que j'en ai pris davantage conscience, j'ai eu l'impression qu'un élément mal aligné, un élément ondulé avait également été remis d'aplomb entre mon grand-père et moi. Mais je ne crois pas avoir saisi l'autocritique, équivalant à un léger dégoût de soi, dans les derniers vers du poème (qui traitent de l'indolence des émotions, du ressentiment et de l'obstination, de la paralysie des Amis). La longue dispute avait enfin été gagnée — par la mort. Le poète trouve cette issue banale et il le reconnaît sur un ton légèrement superficiel. « In Memoriam W. R. A. » se termine par le « je » du poème qui imagine

Le ronron infini de tes paroles,
Ma réaction de plus en plus formelle
Que je ne pouvais jamais défendre
Mais n'adoucissais jamais assez,
Débouchant sur le silence
Et la séparation de nos chemins.

Pardonne-moi de devoir
Envisager les choses comme elles se sont passées :

Même ta fierté et ton amour
Ont pris tout ce temps pour s'éclaircir
Et pour éveiller mon amour.
Je regrette que tu aies dû mourir
Pour me faire regretter
Ton absence aujourd'hui.

Au cours d'un dîner chez Biagi, pendant l'été 1965, Kingsley déclara que la carrière sexuelle de ses deux fils était lancée. Il y mit de la liesse, de l'encouragement, presque de la jubilation. Le lendemain ou le surlendemain, il nous amena déjeuner dans Soho et il se montra, comme cela lui arrivait de temps à autre, d'une extravagance comique, sans se départir de sa subversion habituelle. « Papa est super », mon frère et moi nous nous sommes dit, selon notre habitude tenace de l'époque, qui persiste encore aujourd'hui. Mais je me souviens d'avoir dit (ou simplement pensé) : Tu parles ! Il est tout juste ravi qu'on n'ait pas viré pédés[1]. J'avais tort, je crois. Libertin — et libertin à une époque où il fallait beaucoup d'énergie pour s'en donner les moyens —, Kingsley était excité par un surplus de libertinage à ses

1. C'était un peu tôt pour que j'attribue à mon père des préjugés réactionnaires. À l'époque, Osric avait tendance à imiter Kingsley, fût-ce pour se ranger scandaleusement (mais très loyalement) à son avis, par exemple à propos de la guerre du Viêt-nam. Ça n'a pas duré. Je n'étais plus un petit épervier lorsqu'il s'est mis à recommander l'envoi de troupes britanniques — d'hommes qui n'étaient pas handicapés par le haschich, s'il en restait encore. Nous nous sommes disputés sur le Viêt-nam pendant les trente années qui ont suivi.

côtés. Il se sentait légitimement conforté de n'avoir pas suivi l'exemple de son père et de se tenir ainsi aux antipodes de l'ennui pour ses propres fils.

Après le déjeuner, il nous entraîna dans une petite boutique louche située dans une ruelle transversale au nord de Piccadilly. D'aucuns trouveront fort à propos qu'il nous ait acheté, au milieu des lotions antipelliculaires Brylcreem, des jockstraps et des ceintures herniaires, *douze douzaines* de préservatifs : 144 en tout. Mais il faut penser aux garçons. Comme les officiants du célèbre poème de Larkin, on n'avait jamais connu succès si prodigieux ni si franchement burlesque[1]. Bien entendu, ce cadeau était en grande partie symbolique : il signifiait la fin des hostilités. Mais il représentait aussi une économie de 14 livres et 12 shillings, et il nous épargnait un total de 48 visites à la pharmacie.

Kingsley me racontait souvent l'anecdote suivante sur la rivalité entre frères : il m'avait trouvé, alors que j'avais quatre ou cinq ans, couché sur l'escalier dans une extase de chagrin ; il s'était agenouillé à côté de moi, inquiet de me voir dans cet état, et au bout de plusieurs minutes, il avait fini par calmer ma respiration haletante et hoquetante, ma poitrine soulevée de spasmes. « Calme-toi, fit-il. Qu'est-ce qui se passe ? » Quand je réussis enfin à trouver et à former mes mots, je lui dis : « Philip a eu un biscuit. » Selon une autre version, j'aurais répondu : « Philip a eu un biscuit de plus que moi. » C'est à cette

1. « Les mariages de Pentecôte ». Le recueil éponyme, *The Whitsun Weddings*, avait été publié l'année précédente, en 1964.

variante que je songeais pendant l'été de 1965. Je ne pouvais pas me coucher sur l'escalier pour pleurer : j'allais avoir seize ans. Reste que peu de temps après cette journée avec papa — si peu de temps après que ça me semblait surréel —, je me retrouvais à l'extérieur de la pharmacie à attendre le moment opportun, pâle comme un linge, avec mes trois shillings et mes trois pence.

Je comprends à retardement que la pancarte indiquant DUNKER CASTLE n'avait pas pour but de conduire à un château, mais à une pharmacie. Voilà ce que représentent les pharmacies pour les jeunes clients qui en escaladent les remparts : des châteaux de capotes. Pour étayer cette thèse, il faut établir l'existence d'un château jumeau, ou plutôt d'une pancarte jumelle (dont la flèche serait dirigée dans l'autre sens) conduisant au château Steradent.

L'épreuve dentaire numéro deux, le premier jour après mon atterrissage, a l'air assez simple et directe. Je suis allé voir mes fils.

Même la légèreté s'alourdit au fil du temps, et la lourdeur s'alourdit encore, et la Pince était lourde dans ma mâchoire après une lourde journée.

Ils étaient là, je leur ai parlé fort pendant un long moment, sans savoir où ni comment tenir ma tête, sans trouver un angle supportable, une hauteur soutenable.

Les garçons ne me regardaient pas tant qu'ils ne m'observaient, moi, leur contrefaçon de père. L'*ancien* père était parti, le nouveau était arrivé. Leur tête semblait vaciller. « Papa, il t'est arrivé quelque chose au visage. » Oui, je sais, j'ai répondu. Mais c'est provisoire. Le changement n'est que provisoire.

Tout comme la rétractation de votre amour, j'avais envie de leur dire — car elle était palpable et ne pouvait être ignorée. Mais ce n'était pas une chose à dire. Je ne pouvais qu'essayer de m'imiter pendant un moment, de m'imiter, puis de prendre congé et de dévaler les escaliers en me grattant la tête à deux mains.

Le fait des blessures

Ci-dessous « A. E. H. » de KA, poème que j'ai appris par cœur à dix-huit ans et dont je me souviens encore parfaitement. Un pastiche respectueux de A. E. Housman, dont il redouble l'un des effets caractéristiques. Normalement plus adapté à la poésie légère ou aux vers de mirliton, le mètre trochaïque (longue-brève, par opposition à la pompe de l'iambe : brève-longue) s'utilise ici à contre-emploi pour préserver toute la solennité[1]. Le premier vers du poème est égale-

1. Certains, dont KA, ont émis l'hypothèse que si le plus grand poète de la guerre, Wilfred Owen, avait mis une tendresse poignante dans ses poèmes sur les hommes au combat, c'était au moins en partie à cause de son homosexualité (même latente) et qu'il en allait de même pour Housman. Hypothèse tout à fait plausible. (Pour tester cette idée, j'ai essayé de revoir les premières minutes du film *Il faut sauver le soldat Ryan* en imaginant une distribution féminine, et je me suis vite rendu compte que ça ne pouvait pas aller bien loin.) Owen insistait aussi pour voir en l'adversaire ni une nation ni une idéologie, mais un groupe d'individus enrôlés de force. « Cas mentaux » : « Ils nous attirent à eux quand nous les avons frappés, mon frère / Et nous tripotent quand nous les avons précipités dans la

ment le moyen mnémotechnique que j'utilise pour savoir où se lève le soleil et où il se couche.

A. E. H.

Flamme ornant l'occident du ciel
Sans nulle trace pareille sur les bois et les monts ;
Bruits de bataille au matin réunis
Déclinent, s'égrènent et se taisent.

Derrière les étendards déchirés et boueux,
Derrière l'insouciance de victimes amoncelées,
Arpente un manteau rouge, propre de sang,
Qui de fureur verse des larmes, non de douleur.

Les gars blessés, quand pour les remettre sur pied
La mort et les chirurgiens traversent l'ombre,
Crient toujours dans l'étreinte des ténèbres ;
Tous enfin dans le sommeil reposent.

Tous sauf un, qui maudit la nuit durant
Des blessures imaginées plutôt que vues,
Répétant la ritournelle
De ce que doit vouloir dire le fait des blessures.

---

guerre et la folie. » Ou encore « Étrange rencontre », qui contient les plus belles assonances d'Owen : « Je suis l'ennemi que tu as tué, mon ami [...] / Je t'ai reconnu dans ce noir obscur : car ainsi me regardais-tu / Hier, l'air désapprobateur, cognant et tuant. / J'ai paré aux coups ; mais j'avais les mains sans ardeur et couvertes de froideur. / Dormons à présent [...] » Kingsley frissonnait tout le temps devant « les mains sans ardeur et couvertes de froideur ».

Et ce que doit vouloir dire le fait des blessures, bien entendu, c'est que Dieu est absent, immoral ou impuissant.

Lucy Partington s'est convertie au catholicisme romain trois mois avant sa mort, ce qui, d'après moi, soulève des questions de théodicée. Nul doute que c'est faire preuve de naïveté, mais je me surprends très souvent à me demander comment le Vatican a l'aplomb de garder la tête haute après les événements qui ont suivi le Noël de 1973. Ce genre de complexité, comme Graham Greene s'y est essayé à la toute fin de *Rocher de Brighton* (« Mon enfant, vous ne pouvez concevoir, ni moi, ni personne..., l'extraordinaire... l'inimaginable... miséricorde de Dieu »), a toujours été éloquent, mais inapproprié : car cela nous demande, en l'occurrence, de tenir le meurtrier de Lucy Partington pour un instrument de la providence[1] — ce qui est clairement impossible. D'un autre côté, il y avait la sensation, reprise par plusieurs lors de la messe de commémoration à Cheltenham, que sa récente conversion l'avait fortifiée, de sorte que (selon les termes émouvants de Jane Kamar), « lorsqu'elle était partie, elle était partie avec toute la puissance de la foi pour la soutenir ».

1. Frederick West, tueur d'enfants, semeur de cauchemars. C'est à dessein, bien que je sois conscient de la controverse, que j'utilise ici le terme meurtrier au singulier. Rosemary West mérite de passer le reste de sa vie en prison, mais personne ne peut croire qu'il était juste de la reconnaître coupable de meurtre après avoir lu le livre de Brian Masters, *« She Must Have Known »* [*« Elle devait être au courant »*] (1996).

Nous devons passionnément essayer d'y croire, tout comme nous essayons passionnément de croire qu'elle mourut très vite. Très vite.

Une autre personne qui prit la parole lors de cette cérémonie, Christina Kiernan, a tenté une consolation plus ambitieuse (de tendance, disons, bouddhiste ou hindoue). Elle a creusé son intuition que la vie de Lucy « représentait le sommet de nombreuses vies » : « certains ont l'occasion de [...] se dépouiller des débris de leur vie, trouvant ainsi la liberté de prendre de l'avance pour la prochaine fois, ou dans une autre couche de vie. » On peut réagir à l'audace poétique de ce pressentiment ; et on peut invoquer une théorie philosophique de plus en plus respectable (la pluralité des mondes, la pluralité des esprits ; ou la relativité des interprétations en mécanique quantique), selon laquelle il existe une prolifération constante d'univers — donc d'autres Terres où, peut-être, dans la nuit du 27 décembre 1973, Lucy Partington est revenue en toute sécurité (non : en toute normalité) dans la maison de sa mère à Gretton. « Je crois qu'il faut considérer sa vie comme une vie parachevée, a dit Christina Kiernan, et non comme une vie interrompue ou brisée trop tôt. » Là, je ne pouvais plus suivre. Dans l'assemblée se trouvaient parmi nous de nombreux contemporains de Lucy ; nous étions tous adultes, chacun bien avancé dans les histoires et les paramètres spatio-temporels de son existence. Où donc étaient les années de Lucy ?

Elizabeth Webster à nouveau :

> [...] Je lui ai demandé : « Maintenant que tu es grande, qu'est-ce que tu vas faire ? » Elle m'a répondu : « Ça m'est égal, pourvu que je sois profondément engagée dans ce que je fais. » J'ai repris : « Parfait, mais où est-ce que tu vas aller ? » Elle a réfléchi longuement, puis elle m'a dit : « Vers la lumière... Vers la lumière. »

Tout en elle, jusqu'à son nom, était tendu vers la lumière. Cela étant, comment trouver de l'ordre, comment trouver du sens dans des ténèbres si profondes, si persistantes ?

La mort de Lucy Partington représente une collision extraordinaire (*collision* : de *col-* « ensemble » + *laedere* « frapper »). C'est le produit du choc entre les ténèbres et la lumière, l'expérience et l'innocence, le faux et le vrai, l'impiété et la pureté spirituelle, entre ceci :

> Salut May, c'est ton père qui técri. sinon donnes moi ton numéro de téléphone [...] ou écris moi le plus vite possible, s'il te plaît je veux régler ce qu'y m'a fait, Ogden, mes nouveaux avocats sont super j'ai lu ce que t'a dit de moi dans les infos du c'était louayal t'as lu ce que Scott canavan a dit qu'il avait... [*sic*]

et cela :

> *Les choses ont la taille qu'on leur donne —*
> *Je peux remplir tout un corps,*
> *tout un jour de la vie,*
> *d'inquiétude*

pour quelques mots
griffonnés sur un bout de papier ;
mais le même soir,
en levant les yeux,
disposer mes doigts
pour cadrer le ciel
dans le creux de mes mains en coupe.

Lettre de l'université

Exeter College,
Oxford.
Mercredi 13 oct. [1968]

Très chers papa et Jane,

Ça m'a fait un bien fou de vous voir tous les deux — je me sens rempli de joie depuis. Surtout parce que le même après-midi, j'avais mon séminaire et que Wordsworth ne disait pas grand-chose à cette petite merde prude dont je vous avais parlé, qui, après 40 minutes de regards ahuris et de moues sceptiques, s'est mis à se recroqueviller en boule, à fredonner des comptines et à bayer aux corneilles face au coucher de soleil sur la chapelle. Rien de tout cela n'a eu l'effet désiré — en d'autres termes, passer une heure sur les émotions qu'il avait ressenties en lisant "Un rite funéraire"[1].

1. De Henry King (guillemets à l'anglaise dans mon manuscrit), à ne pas confondre avec le poème tout aussi beau de Peter Porter, « Un rite funéraire ». Je suis horrifié de voir que ce qui précède brosse un portrait extrêmement mesquin de quelqu'un que j'aime beaucoup, désormais, et

Hier, le scout[1] a lavé les escaliers. Résultat : ça pue comme si quelqu'un avait pissé dans toute la cage après avoir mangé 4 bons kilos d'asperges[2]. Je m'emmerde ferme maintenant, parce que Marzipan (mon camarade de chambre [Marzys de son vrai nom]) se fait du mouron pour son boulot et me donne l'impression que je devrais tout le temps marcher sur la pointe des pieds. MAIS il a eu une espèce de crise hier — des douleurs dans le ventre — à cause du chocolat qu'il aurait mangé. Incapable d'avaler une épice ou de boire un verre. Inutile de préciser que j'ai jonché la chambre de paquets ouverts de biscuits au gingembre, de figues, de coings, de loukoums et autres friandises. Il sera congédié pour un an si ça lui reprend. Ça lui enlèvera son sourire niais.

Merci encore de ce putain de déjeuner.

Je vous embrasse tous, y compris Miss Plush[3].

MART XXX

---

qui, en outre, figure actuellement au panthéon de mes dix ou douze poètes vivants préférés : Christopher Reid. Mille excuses, Chris, mais c'est vrai que tu *étais* un drôle de zozo à l'époque, et que j'étais de mon côté (je suis sûr que tu en étais conscient) un mauvais coucheur.

1. En d'autres termes, un domestique. À Cambridge, il y a encore peu, on les appelait des « gitans ».

2. Je crois que c'est là l'unique passage des archives d'Osric qui ait été incorporé à un roman : *Le dossier Rachel*.

3. L'épagneule couleur rubis de Jane, d'ordinaire appelée Rosie. Plush était le « surnom » de son pedigree officiel. Donc, voilà : Plush était une chienne *chic et snob*. Cela ne faisait pas très longtemps que Rosie n'était plus un chiot, en 1968. Elle est devenue très conservatrice en vieillissant. On en trouvera un portrait haut en couleur (Furry Barrel, le Tonneau à poils longs) dans *Girl, 20* [*Jeune fille, 20 ans*] de KA (1971) : elle appartient à Sir Roy Vandervane, compositeur de gauche et politicien loufoque.

L'âme qui dure à jamais

La première fois que j'ai rencontré Saul Bellow, c'était pendant la quatrième semaine du mois d'octobre 1983 : j'étais allé à Chicago pour écrire un article sur lui, à paraître dans l'*Observer* de Londres. Sur ma lancée, je dis entre autres choses :

> L'ennui, quand on écrit sur des écrivains, c'est que le processus est plus ambivalent que ne le voudrait normalement le résultat. En tant qu'admirateur, en tant que lecteur, on souhaite trouver dans son héros une véritable source d'inspiration. En tant que journaliste, on espère un grain de folie, un brin de méchanceté, de lamentables indiscrétions, une crise de nerfs monumentale au beau milieu de l'entretien. Et en tant qu'être humain, on n'aspire à rien tant que la naissance d'une flatteuse amitié. Pas de quoi être fier, me dis-je en traversant le fleuve brunâtre de Chicago, les yeux ruisselant dans le vent minéral.

Un jeune écrivain, à Belfast, m'a demandé comment je supportais de gâcher du « souffle minéral » dans un article de presse. Je ne crois pas avoir avoué la vérité : de toute façon, c'était celle de Saul Bellow. Je sais bien que ça frôle l'arrogance de s'autociter, mais il n'empêche que j'ai poursuivi dans le même ordre d'idées :

> Aujourd'hui, on assiste immanquablement, dans la littérature occidentale, à la phase de l'« autobiographie suprême », accompagnée d'une introspection minutieuse. Ça remonte aux postillons du Confessionnalisme [dans la poésie américaine : Lowell et les autres], mais ça s'est stabilisé et ça a continué. Finis, les récits : c'est à son moi intime que l'auteur s'intéresse de plus en plus. Avec toutes sortes de maladresses, de rugosités et de développements débridés, doté d'un passé, d'une érudition et d'un humour souverains, Bellow a si bien fait résonner son expérience vécue qu'on se la rappelle mieux que celle de tout autre auteur vivant.

Son expérience vécue étant avant tout, non pas une affaire de divorces et de querelles politico-littéraires, mais l'histoire de l'émigré et, plus généralement, de l'âme qui dure à jamais dans son décor moderne.

L'autobiographie suprême : je continue à croire fermement que l'évolution du roman, au XXe siècle, a connu cette inflexion. Je suis bien placé pour l'observer... Il n'est pas difficile de remarquer les moments où la fiction change d'orientation : des critiques très prolifiques — mais pas forcément très littéraires — se mettent à s'en plaindre. Beaucoup se sont plaints de l'autobiographie suprême[1]. *Moi-même*, je m'en suis plaint. En tant que critique, je me suis acharné sur Philip Roth pendant ses années Zuckerman. Il donnait dans l'extrémisme, c'est vrai, et dans le postmodernisme. De l'écriture sur des écrivains, de l'écriture sur l'écriture : il tournait en cercles sur lui-même, et cette compulsion me semblait réfréner son énergie, atténuer son sens de l'humour. Il manquait quelque chose : d'autres gens[2]. On notera ici que Bellow relève peut-être du modernisme, mais en aucun cas du postmodernisme. Son art du récit, en tant que méthode narrative, est tout ce qu'il y a de plus sérieux, sans une once de jeu. Le seul *isme* qui lui convienne est le réalisme. Le Réalisme méditatif, ou le Réalisme introspectif peut-être.

« Que pouvez-vous révéler de moi, demanda un jour Bellow à un biographe potentiel, que je n'aie déjà révélé

1. En ce moment, comme je l'ai déjà vu un certain nombre de fois, c'est d'une autre tendance qu'on se plaint : on *exige* un moratoire pour les romans « sur » la science ! Il est évident qu'il n'y en aura pas. Car c'est la voie actuelle du roman, cherchant à remplir un vide peut-être dû à l'échec de la discipline sœur, la philosophie des sciences, et à l'indifférence ou au mépris que manifestent les scientifiques. Eux, ils se moquent comme d'une guigne de ce que dit le roman. Mais il y a fort à parier que les romanciers vont se trouver plongés dans ce milieu, alors que la technologie toute-puissante, incontrôlée dans son escalade fulgurante, ne cesse d'annexer de plus en plus d'espace humain.

2. Souvenez-vous de la manchette paranoïaque de *Portnoy et son complexe* : c'était UN MEMBRE DE LA COMMISSION POUR LA PROMOTION DE L'HOMME, et non pas un ÉCRIVAIN, qu'on trouvait DÉCAPITÉ DANS L'APPARTEMENT D'UNE RESPECTUEUSE ! Certains héros de Bellow sont écrivains, mais ils écrivent dans un style discursif plutôt qu'en puisant dans leur imagination. Ce sont des penseurs, des professeurs, des *lecteurs*. Même si Charlie Citrine est un vague dramaturge, cela ne change pas grand-chose à l'essentiel.

de moi-même ? » L'une des suppositions sous-jacentes à l'autobiographie suprême, je crois, voulait que dans un monde devenant de plus en plus ceci et de plus en plus cela, mais surtout de plus en plus *soumis à des intermédiaires*, on ne pouvait se fier qu'à la ligne droite de l'expérience vécue. On a donc déplacé l'objectif vers l'intériorité, en zoomant lentement pour produire la sensation qu'éprouve un écrivain lorsqu'il troque la troisième personne pour la première[1]. En 1983, je terminais un roman, *Money, money*, raconté à la première personne par un personnage qui s'appelait John Self. Ce serait une attaque au vitriol de Martin Amis (qui, accessoirement, y apparaissait comme personnage) si je qualifiais ce livre d'autobiographique. En tout cas, rien à voir avec l'autobiographie suprême. Mais en même temps, je m'aperçois maintenant que l'histoire tournait autour de mes propres préoccupations : la lassitude du célibat, la crainte d'être condamné à l'infantilisme faute d'avoir des enfants[2].

J'ai compris que l'autobiographie suprême était une pente vraiment inévitable, fût-ce à titre provisoire, en voyant mon père l'emprunter, à rebours de son inclination naturelle, de sa pratique du passé, de ses principes

1. Mon roman de 1981, *D'autres gens*, est écrit du point de vue d'une femme à la troisième personne (tout comme une large portion de *London Fields*). *Train de nuit* (1997) est écrit du point de vue d'une femme à la première personne. Tout de suite, dès le premier mot (« Je »), je sentis quelque chose se refermer sur moi. Je savais que j'étais allé plus loin.

2. Cela me semble presque relever d'un à-propos vulgaire que de m'être marié le jour où est sorti le livre. Mon premier fils, Louis, a été publié quatre mois plus tard.

proclamés. Ce n'est pas qu'il voulût aller dans cette direction, mais il y est allé quand même. Pour moi, c'était comme si je le voyais se promener dans le plus simple appareil. Saul Bellow, poussant plus loin son isolement spirituel, parle du moi, dans ses livres, en adoptant la perspective de l'âme, de l'âme qui dure à jamais. Mon père pouvait recourir à cette perspective dans ses poèmes, mais non dans ses romans qui sont ancrés dans le social, dans le quotidien, dans le rejet de la fluidité ; son univers, selon un jugement de John Updike que je ne peux chasser de mon esprit, « suffoque d'humanité ». *Jake's Thing* se termine sur la répudiation terriblement éloquente des femmes par le héros. *Stanley*, le roman suivant, écrit après la rupture avec Jane, *commence* par une position beaucoup plus radicale : l'annulation, par l'auteur, de sa propre androgynie artistique. Après quoi se déroule un livre d'une telle misogynie qu'il n'a pas trouvé d'éditeur américain pendant un bon moment[1]. C'était un fait sans précédent. Tout comme celui-ci : avant de se mettre à *Stanley*, Kingsley avait abandonné un roman à mi-course. Il l'avait abandonné, m'expliqua-t-il patiemment, parce qu'il craignait d'être accusé d'avoir produit

1. Cela fit toute une histoire à l'époque, une histoire en sourdine accompagnée de cris, ou de murmures, de « censure ». Naturellement, je soutenais Kingsley, mais sans grand enthousiasme politique. Je n'aimais pas sa nouvelle attitude envers les « gonzesses ». Qu'on me permette d'ajouter cependant que les deux romans, surtout *Jake's Thing*, contiennent d'après moi de grands moments d'écriture.

une autobiographie suprême : le personnage central était homosexuel[1].

L'angoisse filiale, je m'en aperçois aujourd'hui, créait en moi des métastases lorsque je partis à Chicago en 1983. Je n'allais pas chercher un nouveau père, mais je me faisais beaucoup de souci pour celui qui était en exercice. Sa *vie* était alors assez bien réglée, dans ses dispositions extérieures. C'était l'état de son talent qui m'inquiétait. J'ai toujours su, plus ou moins, ce que fabriquait mon père, assis devant sa machine à écrire. L'année qu'il avait passée sur *Difficulties*, avant d'abandonner le projet, représentait à l'en croire un long périple dans le Grand Cloaque de la Rome antique ; et il m'avait brossé un beau tableau de la direction qu'il prenait avec *Stanley*. Il avait toujours été un anticonformiste, un courtisan de l'impopularité dans ses tractations publiques. À présent, il tentait de mettre son art

1. Il s'inquiétait surtout — et sans raison, à mon avis — de savoir « ce qu'on en dirait » à son club. Je n'en croyais pas mes oreilles. Car c'était précisément ce qui était censé *caractériser* Kingsley Amis : qu'il se moque du qu'en-dira-t-on. « Attends un peu, je lui ai lancé en rassemblant mes arguments. Tu tires un trait sur une année de travail sous prétexte qu'une poignée de loques, au Garrick, qui pensent sans doute que tu es aussi un gars du Nord [*Jim-la-chance*] et un plouc gallois [*That Uncertain Feeling*], iront *peut-être* s'imaginer, à tort, dans leur quasi-analphabétisme, et à l'encontre des preuves de tous tes autres livres, que tu es pédé. — ... *Ouais, c'est exactement ÇA.* » Seul a survécu le titre, *Difficulties with Girls* [*Difficultés avec les filles*], qui a servi à un autre livre (la suite d'*Une fille comme toi*). Depuis, j'ai lu le fragment original. Ça ne manque pas d'intérêt ni de perspicacité, mais la machine se grippe. Peut-être que l'idée d'apparaître dans un dessin satirique de Bateman servait de couverture à la gêne artistique de KA. Toujours est-il qu'il reviendrait plus tard sur le thème de l'homosexualité.

au centre des débats. S'il avait l'âme chagrine (et c'était indiscutable), ce ne pouvait pas être sa faute *à lui*. La responsabilité en incombait au monde. Aux femmes. C'était la nouvelle théocratie. La séparation de l'Église et de l'État était lettre morte.

Je craignais qu'il ne fût fini. Ses poèmes paraissaient au bord de l'évaporation et ses romans commençaient à ressembler à un long argumentaire prêt à se dévider tard dans la nuit[1]. J'avais l'impression qu'il avait adopté pour stratégie de se débarrasser des sentiments à mesure qu'il se rapprochait de la mort. À charge pour lui de présenter l'indispensable valeur, l'amour romantique, comme une illusion. « "Cet air sirupeux", dis-je, et m'attirai un rire, / Au milieu du truc en ré mineur du bon vieux Franck. » Ce sont là les premiers vers d'« Une transition chromatique » (écrite au début des années 1960). Cet air, continue le poème, n'avait pas toujours paru si onctueux. Pendant la jeunesse du poète, il avait constitué un « modèle » :

> *Oui, je me suis ravisé, ou j'ai changé d'avis.*
> *Pas d'image : pur tampon, mélasse, béquille.*
> *« Sirupeux » marquait un grondement de déception.*

1. L'échec de *Russian Hide-and-Seek* [*Cache-cache à la russe*] s'explique en partie par l'importance accordée à la bête noire : c'est une œuvre de l'imagination qui se présente aussi comme un « avertissement ». Ce genre de procédé démagogique remontait loin dans le temps. À noter que l'affabilité du poème composé pour ses cinquante ans, « Ode à moi-même », est déboulonnée par la bête noire russe (« Croissance sensible de la brutalité / Dans la sphère soviétique — / Signe que les salauds sont parmi nous », et ainsi de suite).

Voilà ce que je me préparais à entendre, dorénavant : le grondement prolongé.

Saul Bellow avait soixante-huit ans en 1983. Trois mariages, trois enfants, un quatrième mariage en cours. Celui-ci aussi toucherait à sa fin. Mais c'est la vie. On a tous une *vie*. C'est son écriture qui me passionnait. Milan Kundera dit quelque part que nous continuons à rester enfants, toute notre vie, parce qu'un ensemble de règles constamment renouvelé nous est présenté, qui exige d'être décodé. À certains moments, on croit comprendre à peu près correctement le réel ; puis, soudain, cette connaissance acquise au prix d'un immense labeur ne sert strictement plus à rien. On trouve chez Bellow ce sentiment absolu et déterminant d'une vision d'enfant. Mais c'est du *même* enfant qu'il s'agit, et non pas d'une série de moi improvisés ou de moi de rechange[1]. Dans ses romans, au fur et à mesure qu'ils se déroulent, on

1. « Saisir ce mystère, le monde, était le défi occulte. On débarquait de nulle part, du non-être ou d'un néant primal, dans une réalité totalement développée et articulée. On n'avait jamais vu la vie auparavant. Dans l'intervalle de lumière entre les ténèbres dans lesquelles on attendait la naissance et les ténèbres de la mort qui vous recevrait, on devait faire ce qu'on pouvait de la réalité, qui était à un stade de développement hautement avancé. J'avais attendu des millénaires pour voir cela. » Extrait de *Ravelstein*. (Aujourd'hui, 10 juin 1999, l'auteur fête ses quatre-vingt-quatre ans. Je lui dois un coup de fil.) À comparer avec Larkin, dans « Les vieux fous » : « Ce n'est là qu'amnésie, oui : / On l'a déjà vécue, mais alors ça devait finir / Pour se fondre sans cesse dans l'unique effort / D'épanouir la fleur au million de pétales / De l'existence. » Le poème continue, à l'opposé — ou plutôt en dépit — du point de vue de Bellow : « La prochaine fois, tu ne pourras prétendre / Qu'il y aura quoi que ce soit d'autre. »

voit un homme (on voit une conscience) se diriger droit vers la mort, les yeux ouverts et la tête haute... Quand j'étais enfant, j'entendais parfois mon père, la nuit — ses halètements d'horreur qui se faisaient toujours plus aigus, toujours plus forts. Ma mère le conduisait à ma chambre. Elle allumait la lumière. Mes parents s'approchaient du lit et s'asseyaient. On me demandait de raconter ma journée, ce que j'avais fait à l'école, à quoi j'avais joué. Il écoutait vaguement, mais avec amour, avec admiration, la bouche ouverte et tremblante comme s'il se demandait presque s'il allait sourire. Le matin, j'interrogeais ma mère et elle me répondait sans détour : « Ça le calme, parce qu'il sait qu'il ne peut pas se permettre d'avoir peur devant toi. » Peur de quoi ? « Il rêve qu'il quitte son corps. » J'en tirais un sentiment d'importance : veiller tard, garder la parole, guérir un adulte — mon père. Cela nous rapprochait. Mais j'ai toujours su comment il envisageait la mort : comme une formidable attaque contre sa personne. Et il en éprouvait une peur et une haine des plus viscérales.

Dépasser le niveau purement dentaire

Quelqu'un — Horacio Martinez, fort probablement — m'a envoyé un article publié dans le *Bulletin of the History of Dentistry*, intitulé « *Ulysse* de James Joyce et la dentisterie », d'un certain Horacio Martinez. Ses intertitres sont, dans l'ordre : Joyce appréciait l'hygiène dentaire ; Joyce détestait les maux de dents ; Joyce préconisait la prévention ; Joyce faisait grand cas des soins dentaires ; Joyce observait des habitudes dentaires. Mais je sens déjà que je fais du tort à Horacio Martinez, chirurgien dentiste. Certes, il écrit par exemple qu'« il est grand temps d'élargir le lectorat de Joyce parmi les membres de la profession », ou que « le livre contient beaucoup de choses qui dépassent le niveau purement dentaire », mais sa lecture n'est pas aussi pointilleuse et myope que je risque de le faire accroire. Visiblement, il a tiré d'*Ulysse* le plaisir qu'il faut, et ses citations, bien qu'elles ne s'écartent jamais de son propos (mais je suppose que c'était dur à éviter), constituent un vrai régal : « belle rangée de dents il avait ça me donnait faim de les regarder » ; « Il prit une bobine de fil gommé dans la poche de son gilet, en cassa un bout qu'il fit vivement vibrer, tendu, entre deux et deux de ses dents non lavées » ; « Son souffle suave d'oiseau chanteur, belles dents dont il est fier, gémit, flûte plaintive »[1]. Bloom à la pharmacie : « L'odeur vous guérit presque comme la sonnette du dentiste. » Phrase que le Señor Martinez

1. Note à la seule attention des joyciens et des dentistes. « Il est curieux, écrit le Señor Martinez, que Joyce, en évoquant des personnages peu sympathiques, attire chaque fois l'attention sur leurs dents, mais comme si elles appartenaient à des animaux — à des animaux possédant l'un des trois systèmes masticatoires de l'être humain omnivore, à savoir : les rongeurs, les herbivores et les carnivores. [...] On lit successivement à trois reprises : "La lèvre retroussée sur des incisives de rat il marmonna [...]" ; "Elle [...] sourit de toutes ses dents de lapin herbivore [...]" ; et "Cynique, montre ses dents jaunes de belette [...]". » Ces citations se trouvent respectivement (dans l'édition New American Library) aux pages 249, 433 et 476, et, dans la traduction française légèrement modifiée (*Œuvres*, t. 2, Bibliothèque de la Pléiade), aux pages 282, 498, 565.

commente ainsi : « Comme beaucoup, Joyce faisait peut-être partie de ceux chez qui la crainte domine la douleur et la conviction rationnelle. » Je ne suis pas de cet avis. Mais dans l'ensemble, j'acclame la sensibilité de cet odonto-meister. Et je défie Mike Szabatura et mon stomatologue Todd Berman de faire une analyse aussi fine du roman clé du siècle.

On est en 1994 (mais plus pour très longtemps) et on a atteint ce point, dans le vol, où l'excitation de la traversée (ou du transfert), pour autant qu'elle ait jamais existé, s'est complètement évaporée, en même temps que tous nos liquides organiques. L'apéritif, le repas et le film (largement appréciés tous les trois) sont terminés, comme la sieste de cinq minutes ; on est en train de remplir, en bougonnant, les formulaires de l'immigration et des douanes américaines — excusez-moi, s'il vous plaît, je dois aller chercher mes documents dans le coffre au-dessus de vous pour pouvoir recopier mon numéro de passeport, le numéro du vol, la date de délivrance de mon visa. Dans mon sac, je le vois, se trouve une lettre récente de Janis Bellow, postée des Caraïbes, où elle me raconte gaiement, entre autres choses, que Saul l'a surprise par son « gosier délicat » et que l'odeur de la cuisine des voisins le rend fou. On sait maintenant que c'était une hallucination olfactive : le premier symptôme d'une catastrophe physiologique dont l'issue n'est pas encore très claire... Les passagers entament leur septième heure de vol : devant nous s'étale le grand devoir de réhydratation. En classe touriste, où je voyage, on baigne dans le mélange collectif de nos haleines respectives, on bâille en se faisant du bouche-à-bouche, on essuie mutuellement nos rots, nos soupirs et nos éternuements. Je viens à New York pour une kyrielle de rendez-vous avec Mike et Todd, surtout avec Todd d'ailleurs, qui va m'opérer de la mâchoire inférieure. Ma mâchoire supérieure est dans mon bagage à main. En fait, j'ai porté la Pince jusqu'à l'aéroport, et même jusqu'aux toilettes du hall de départ, mais c'était seulement au cas où les gardiens de la sécurité m'auraient confisqué mon sac. Autant la planquer dans ma bouche : même une fouille corporelle n'aurait pas réussi à la déceler. Pour dire la vérité, j'ai l'air, je me sens (et je mange) beaucoup mieux sans ce foutu appareil ; si ce n'était la douceur entêtante des instructions de Millie (à propos du « training » buccal), je crois que je ne le mettrais jamais. « Tu as l'air d'avoir retrouvé de bonnes dents, 'pa », m'a dit Louis en me rendant tout son amour ; mais *quelles* dents ? je me suis demandé. Il semble que je ne laisse rien paraître. Ma lèvre supérieure pend lourdement, atrophiée par les vingt-cinq années où elle n'a pas souri... Cohue cahotante dans la neige fondue devant le terminal de British Airways. Tout le monde est plus grand, plus gros, boursouflé par tout un barda, par des manteaux d'hiver, plus rembourré, gonflé à l'air, et ça prend beaucoup de place, tous ces gens de la corpulence de Kinsley qui se bousculent les uns les autres.

Quand donc Horacio Martinez m'a-t-il envoyé « *Ulysse* de James Joyce et la dentisterie » ? Impossible de m'en souvenir. Mais le lecteur innocent va se demander *pourquoi* il me l'a envoyé. Horacio est originaire d'Argentine, de Buenos Aires. À l'heure où je tape ce manuscrit au propre, on est en 1999 et j'ai déjà célébré en public, avec Ian McEwan, le centenaire de Jorge Luis Borges (tout comme la semaine prochaine j'irai à New York célébrer le centenaire de Vladimir Nabokov). « Horacio *Martinez* »... Serais-je attiré dans un labyrinthe borgésien, dans une singularité ou une circularité ? Martinez est-il en réalité le nom de plume d'un des collaborateurs de Borges ou de ses descendants littéraires — comme son camarade plein d'esprit, Adolfo Bioy-Casares ? La réponse est non. Horacio Martinez est franc du collier. Et je figure dans le carnet d'adresses de tous les dentistes occidentaux.

J'arrive chez ma future belle-mère dans Greenwich Village et je t'appelle à la maison. Puis je compose le numéro de Saul Bellow à Boston et parle à sa *propre* belle-mère (plus jeune que lui), Sonia. Elle m'annonce prudemment une nouvelle rassurante. Il est toujours en soins intensifs, mais on a diminué la dose de médicaments. Il *lutte*... Bien. Comme l'a dit son dernier fils, Daniel, après que son père septuagénaire fut passé pardessus le guidon de son vélo sur un chemin de terre dans le Vermont : T'es un dur, mon vieux. Voilà ce à quoi il excelle : lutter, combattre, travailler, travailler, travailler.

Tout le charme des plaisirs et des plaisanteries

Kingsley, un soir d'été vers 1975 :

« Je vais acheter un fusil.

— ... Pour quoi faire, papa ? » a répondu l'un ou l'autre de ses fils.

Il a expliqué, comme s'il récitait un poème en marquant une longue pause à la fin de chaque vers :

« Pour bousiller
Quiconque viendrait ici
Pour tenter de me piquer mes affaires. »

Il était dans le parc qui s'étendait devant la maison de Hadley Common. À moins qu'il n'en fît le tour, en fin d'après-midi. C'était sa routine personnelle, ce brin de gymnastique qu'il accomplissait rapidement — et seulement si le temps était au beau. Peut-être que c'était le premier exercice physique auquel il se livrait régulièrement depuis la Seconde Guerre mondiale.

« Tu vas acheter un fusil...

— Je vais acheter un fusil... pour tuer, ou sinon *bousiller*... quiconque viendrait ici... pour tenter de me piquer mes affaires. »

On contournait les trois pelouses en pente douce, étagées selon leur taille et leur hauteur (au fond de la première, qui était aussi la plus vaste, était planté un cèdre du Liban qui vous toisait de toute son arrogance) ; puis on tournait à gauche et on empruntait un étroit sentier broussailleux qui menait à un portail à cinq barreaux, s'ouvrant sur un champ de deux hectares et demi : il faisait également partie de la propriété, mais on n'y allait jamais — on le louait gratuitement à deux filles du coin, vaguement lubriques mais pas dragueuses pour deux sous, et à leurs deux chevaux. Des filles de la campagne, avec un accent rural. Mais on n'était ni au village ni à la ville. On était en banlieue, à Barnet, cité-dortoir située au bout de la Northern Line du métro ; elle s'étendait derrière les chevaux, au-delà du champ, l'air bienveillant, respectable et raisonnable (ou, comme l'écrit Kingsley dans *Girl, 20*, « l'air assez sérieux par-delà la cime des arbres au lointain, comme si jadis quelqu'un en particulier avait été décapité devant l'église ou qu'on y ait fabriqué de la verrerie unique en son genre »). La banlieue, dans les années 1970, semblait prendre une allure compassée et elle commençait à perdre la spontanéité avec laquelle elle avait exposé ses nains de jardin, aligné ses pavillons mitoyens en crépi granité (baptisés Hizanherz ou Dunroamin), et tiré fierté de son club de golf réservé aux Aryens... Après avoir admiré la petite ville, on remontait par la grande avenue, on traversait la grange officiellement classée « monument historique » (« pleine de cartons vides et de bouts de bois dont la forme répondait à un but désormais périmé », *ibid.*), on dépassait le jardin d'hiver et on entrait dans la cour pavée : dépendance, allée de gravier, cottage du gardien et la maison elle-même, Lemmons, pur produit de l'architecture géorgienne avec ses deux escaliers et ses vingt et quelques chambres. Le signe le plus ostentatoire de richesse, dans tout le domaine, était la tondeuse à gazon, munie de deux phares et d'un allume-cigares automatique. Autant dire que pendant cette période de grèves, de squats et de campus surchauffés, Kingsley sentait qu'il avait beaucoup de choses à défendre : une maison, une femme, un style d'écriture qui lui avait inspiré, entre 1969 et 1974, *J'en ai envie tout de suite*, *L'homme vert*, *Girl, 20*, *The Riverside Villas Murder* [*Le meurtre des villas au bord de l'eau*] et *Sur la fin* — sans compter un nombre estimable de poèmes.

Quelle importance attachait-il au faste de la haute bourgeoisie ? Relativement tard dans leur vie de couple, Jane a écrit un texte pour une revue, dans lequel elle dit que son mari s'intéressait moins à l'argent ou à son environnement — « ou même à des acquisitions diverses et variées » — que tous les gens qu'elle avait jamais rencontrés. Je suis d'accord ; à ceci près que cela s'est révélé un peu plus compliqué. On pardonnera aux lecteurs, et aux critiques, des *Mémoires* de KA de mettre en doute ce verdict sur son personnage. Le livre tire de l'obscurité différentes connaissances pour les accuser de ne pas avoir partagé l'addition au restaurant, voire de ne pas avoir offert une tournée au pub[1]. « Cela ne saurait être

1. Par exemple (et j'aurais regretté de rater ce passage) : « Quand on nous apporta à boire, [le romancier Andrew] Sinclair [qui lui devait déjà un verre] plongea la main dans la poche intérieure de sa veste, plein d'assurance. Comme dans un rêve, je vis cette assurance s'évanouir en un instant et laisser place à un mélange de perplexité, d'incrédulité et de consternation. Bientôt, il imitait un parachutiste en chute libre, essayant fébrilement de trouver la poignée d'ouverture de son appareil. Enfin, ses mouvements ralentirent, s'arrêtèrent, et la honte s'empara de lui. “J'ai dû laisser mon portefeuille dans mon autre veste”, dit-il. »

une simple question d'argent, n'est-ce pas ? » s'interrogea Ian Hamilton dans la *London Review of Books*. Non, ce n'était pas une simple question d'argent ; ou plutôt, ce n'était pas *simplement* une question d'argent. C'était quelque chose à quoi il accordait de plus en plus d'importance. Plus tard, beaucoup plus tard (lors d'un de nos derniers soupers chez Biagi, sans doute en 1994), j'ai perdu patience et je l'ai pris à partie sur le sujet. Cela faisait deux ou trois semaines qu'il avait prévu un déjeuner avec un de ses meilleurs, un de ses plus vieux amis qui, disait-il, prenait plaisir à ne jamais payer. Le même soir, lorsqu'il est entré dans le restaurant en traînant les pieds, je lui ai trouvé un air défait et sauvage. L'argument avait mûri en moi, j'avais le dialogue tout prêt en tête.

« Regarde-toi un peu, je lui ai dit. Tu es à ramasser à la petite cuillère. Qui a payé à midi ?

— *Moi*.

— Et ça a empoisonné toute ta journée. Et ça va empoisonner toute ta semaine. Au lieu d'avoir passé un bon moment avec ton vieux copain. Ça vaut pas *la peine*, papa. Tu es doublement perdant. Écoute ! Quand je sors avec Rob, je paie tout. "Fais comme si j'étais une nana", il dit. Je paie tout et je lui donne vingt livres pour qu'il rentre en taxi. Et ça m'est complètement égal.

— Peut-être, mais Rob ne *pourrait* pas payer même s'il le voulait.

— Et alors ? C'est comme quand le Hitch disait : "C'est à qui de payer ma part ?" On a des amis qui prennent un *vrai* plaisir à ignorer l'addition. C'est donc à toi de les régaler. Tout vaut mieux que la souffrance que tu t'infliges. Mais regarde-toi, nom de Dieu. À sa manière, ton attitude vis-à-vis de l'argent est aussi minable que celle de ton copain. »

La tête tremblante, la voix tremblante, l'ongle de l'index cherchant les cuticules du pouce à chaque main, il répondit avec un profond mépris :

« ... *C'est exactement ce que J'ATTENDAIS de ta part.* »

Parce que pour lui, j'étais jeune, moderne, ignorant, corrompu ; parce que je ne vénérais ni ne reconnaissais les valeurs qui l'avaient formé (et qui resurgissaient avec force, l'âge aidant). Kingsley était un enfant de l'éthique du travail prônée par l'Église anglicane évangéliste[1]. Refuser de payer sa part, c'était se montrer fainéant ou avare. Pire, c'était un sacrilège profane. Et ça *ôtait toute virilité.*

Ce soir-là, on a fait la paix, symboliquement, au moment de l'addition. (On faisait toujours la paix.) Kingsley a essayé de payer, même si ce n'était pas son tour. Ma carte de crédit l'a emporté, fermement mais gentiment.

1. « Je ne peux pas prétendre être plus honnête, plus responsable, plus économe et plus travailleur que la plupart des gens, mais je suis à peu près certain que je me distinguerais moins sous ces différents rapports si j'avais été élevé en dehors de l'ombre de l'Église » (*Mémoires*). Je viens de me rappeler un incident. Quand j'avais seize ans, un marchand de cigarettes ne m'a pas fait assez payer pour un paquet. En m'entendant chanter victoire, mon père m'a ramené au magasin et m'a regardé tendre l'argent que je devais. Je lui ai fait plaisir en témoignant d'une piété que je trouvais grotesque. Aujourd'hui, ce n'est pas tant la piété qui m'émerveille, que l'énergie déployée.

Je trouve à présent que mon père a eu de la chance de réchapper de ce déjeuner. Au point culminant des *Vieux diables*, le héros, Alun Weaver, bavarde avec d'autres invités chez un ami, Garth Pumphrey. Les premiers verres circulent, puis l'hôte sort une calculette. Alun lui lance avec sarcasme :

« Fais gaffe de pas oublier la première tournée. »

À ses mots, Garth poussa la calculatrice, tout en la gardant néanmoins à sa portée.

« Je trouve cette remarque parfaitement désobligeante, Alun, dit-il sur un ton chagriné. Sinon même absolument gratuite. Les premiers verres n'avaient rien d'une tournée. Je vous les ai offerts par simple sens de l'hospitalité. Ma parole, tu me prends pour un radin ou quoi ? »

Tout de suite, Alun avala de travers sa première grande gorgée de whisky coupé d'eau. Pris d'une violente quinte de toux, il reposa son verre sur le buffet d'une main tremblante, fit quelques pas et alla s'affaler sur l'un des divans, le torse en travers et les jambes écartées sur le mince tapis. Il produisait une imitation particulièrement réussie, même pour lui, d'un homme qui s'écroule de rage ou d'écœurement. [...]

Alun respirait bruyamment par la bouche, en émettant une sorte de ronflement guttural. Il avait les yeux grands ouverts et, selon toute apparence, concentrés, bien que ce ne fût ni sur Charlie ou Peter, ni sur Garth lorsqu'à son tour celui-ci se pencha sur lui. D'une voix basse, mais avec concision, Alun articula deux ou trois mots incompréhensibles et remua les lèvres un instant. Puis ses paupières tombèrent et il cessa toute activité.

Pendant des années, j'ai pensé que Kingsley déshonorait Jane — sans parler de lui-même — en révisant à la baisse la force des sentiments qu'il éprouvait pour elle. Il essayait de réécrire l'histoire, de noyer la personne dans l'anonymat, de tuer l'amour. Mais ce n'est pas possible, je me disais. Ses premières lettres à Jane, que j'ai vues désormais, en disent long, à deux égards au moins, sur la puissance de l'attirance initiale[1]. Un coup de foudre qui donne soudain au monde toutes ses couleurs. Les évocations de la physiologie de l'amour, dans *The Anti-Death League* (1966) et *J'en ai envie tout de suite* (1969), ont arraché, à un lecteur au moins, ce bredouillement d'humilité et de respect généralisés : « Merde alors ! Papa a ça dans la peau[2] ! » Pendant longtemps, la famille vécut dans la confiance et la libéralité humoristique qui s'attache à un mariage dynamique. Dans la maison de Maida Vale, nous prenions tous le petit déjeuner dans la chambre des parents (où, en plus, il était permis de fumer). Il nous arrivait par-

1. À un endroit, Kingsley raconte qu'il a réduit au silence tous les invités d'une réception à Cambridge en 1963. On avait demandé à chacun d'énumérer ce qui, dans sa vie, l'avait le moins déçu. Les gens parlaient de leurs enfants, de leur travail, de leurs voyages. Quand vint son tour, Kingsley dit : « L'amour. »

2. Catharine sort dans la rue : « Elle était si belle dans sa robe blanche, les cheveux retenus par un bandeau blanc, que Churchill se demanda sincèrement, pendant un instant, comment les passants pouvaient continuer à passer, comment le paysan qui grimpait dans son camion de l'autre côté de la route réussissait à garder son équilibre sans venir atterrir lourdement à ses pieds, ou le couvreur qui posait des ardoises sur le toit du salon de coiffure à ne pas tomber à la renverse. Churchill passa les bras autour de Catharine et l'embrassa » (*The Anti-Death League*).

fois, à mon frère ou à moi, d'entrer trop tôt. Philip imitait très bien notre père, surpris en train de faire l'amour : les lèvres crénelées et concentrées, bien sûr, mais la voix parfaitement calme. « Attends un peu, tu veux bien, mon gars ? »

J'ai écrit un jour, et je le crois toujours, que l'amour a deux opposés. L'un est la haine. L'autre est la mort. Cette idée a pu m'être instillée par *The Anti-Death League*, qui souligne avec agressivité que l'amour réveille la sensibilité face à la mort, face à toute la souffrance, à toute l'injustice mortelle. Le livre est inégal (intrigue touffue, dialogues bavards, excès protocolaires), mais cela tient de l'exploit, à mon avis, d'avoir fait pivoter tout un roman sur un *poème*. Ledit poème est envoyé anonymement, comme un geste subversif, à un prêtre militaire, le commandant Ayscue, stationné dans une base secrète qui se consacre au déploiement des armes biologiques. Le titre en est « À un bébé né sans bras ni jambes », et le narrateur, Dieu.

C'est juste pour te montrer qui commande ici.
Ça t'empêchera de rester les orteils en éventails, pour ainsi dire,
De te lever du pied gauche, pour ainsi dire,
Et de te laisser pousser un poil dans la main, pour ainsi dire.
Tu peux l'affronter en homme
Ou brayer et chialer comme un bébé.
À toi de voir. C'est pas Mon affaire.
Si tu le prends du bon côté,
Tu peux vivre une vie vachement chouette,

Avec tous les fruits du courage,
Et la beauté d'accepter ton SORT.
Imagine tout le bien que ça fera à ta Maman et à ton Papa,
À tes Mamies, à tes Papys et à tous ces chrétins
Qu'on te rabaisse le caquet.
Veille pourtant à ce qu'ils te baptisent,
Au cas où un salaud de meurtrier
Déciderait de te descendre vite fait
Pour t'envoyer rôtir dans les BRAS-IERS *de l'enfer, ah ah ah.*
Juste un mot à l'oreille, si tu en as une.
Fais gaffe à BIEN *le prendre du bon côté*
Et à être plus poli quand tu penseras à Moi.
Car SINON,
J'ai plein d'autres trucs en réserve
Comme la Leucémie et la polio,
(Qui d'ailleurs t'attendent quand tu veux,
Que tu le prennes du bon ou du mauvais côté.)
Voilà un signe d'affection, d'accord ?
Mais un seul, ça te suffira.
Alors, calmos, beau gosse.

Les fautes volontaires (« éventails », « brayer », « chrétins » et cette légère entorse à la ponctuation correcte juste après « Leucémie ») sont expliquées plus loin dans le roman : il s'agit d'un paravent dans la panoplie des différents moyens utilisés par l'auteur afin de camoufler son identité. Mais je crois qu'elles sont également inhérentes au style du monologue dramatique et qu'elles produisent ainsi l'un des meilleurs poèmes de Kingsley. On entend la voix du mal tout-puissant, mais aussi la voix de l'horreur, avec ses facéties de brute épaisse et ses jeux de mots débiles. On croise le « salaud de meurtrier » qui ne connaît même pas l'orthographe, qui ne connaît même pas la grammaire, qui ne sait même pas *écrire*[1]... Peut-être que les mots les plus révélateurs qu'ait jamais prononcés mon père furent dans sa réponse à une question d'Ievgeni Ievtouchenko (Chapelle de King's College, Cambridge, 1962) : « Vous athée ? » Kingsley : « En fait, oui, mais c'est plutôt que je le déteste[2]. » Il n'a jamais pu partager l'aspiration de Saul Bellow, visant à établir « un rapport de modestie et de convenance avec la mort » (la mort étant « la paroi obscure nécessaire à un miroir pour nous permettre de voir »). Ce n'est pas seulement qu'il avait peur de la mort ; il la détestait, parce que c'était l'opposé et l'ennemi de l'amour.

1. Dans *The Anti-Death League*, il s'avère que le chapelain, le commandant Ayscue, n'est pas une créature ordinaire de Dieu. On le découvre sous le jour d'un manichéen torturé, comme lorsqu'il déclare par exemple : « Croire profondément dans le Dieu chrétien, dans n'importe quelle divinité bienveillante, c'est couvrir d'opprobre la bienséance et l'intelligence humaines. » Pour autant, la soif spirituelle est tangible. Vers la fin du roman, Ayscue prie la miséricorde, ou plaide l'indulgence, pour une amie malade (Catharine). « Chaque fois qu'il avait prié auparavant, ça lui avait fait l'effet de parler dans une pièce vide, dans le combiné d'un téléphone avec personne à l'autre bout du fil. » Cette fois, cependant, il sent la présence de quelqu'un en ligne, « qui ne dit rien, loin de là, mais qui écoute. Il en conçut un certain effroi ». À la dernière page, la chienne adorée d'Ayscue, un berger allemand, se dégage de sa laisse devant l'église et, « trop intéressée par quelque chose de l'autre côté de la rue », ne voit pas approcher un camion. La chienne s'appelle Nancy. *C'est* Nancy, et son portrait est lumineux.

2. « Ievgeni Ievtouchenko », *Mémoires*.

La mort a frappé la famille peu de temps après qu'on eut déménagé dans la maison de Hadley Common. La mère de Jane, Kit, qui vivait avec nous depuis quelques années, a fait un infarctus dans la chambre du rez-de-chaussée où elle était alors confinée la plus grande partie du temps. La nuit suivante, comme pour relever un défi (on voulait vivre cette expérience, nouvelle pour nous), je suis allé voir le corps en douce avec ma petite amie, Tamasin. C'est vrai, je n'avais jamais eu d'affection particulière pour Kit. Et Kingsley, encore moins. Il multipliait les contorsions, les grognements et les jurons pour se donner la force d'aller la voir à son chevet tous les jours (« la corvée de Kit », comme il l'appelait), mais il n'empêche qu'il y allait. Je la trouvais snob et ronchonne, j'avais l'impression qu'elle avait été dure comme mère, surtout envers son fils Colin qui était d'un naturel très doux. En fait, toutes proportions gardées, elle me rappelait la gouvernante de Nabokov dans *Autres rivages*, Mademoiselle O., ainsi évoquée en manière d'adieu :

> Elle avait passé sa vie à être malheureuse ; ce sentiment de détresse était son élément naturel ; seules ses fluctuations, sa profondeur variable lui donnaient l'impression de n'être pas figée et de vivre. Ce qui m'ennuie, c'est qu'un sentiment de détresse, et rien d'autre, ce n'est pas suffisant pour faire une âme qui dure à jamais. Mon énorme et chagrine Mademoiselle est très bien pour cette terre, mais impossible dans l'éternité.

Kit, me semble-t-il, avait été très bien pour cette terre. Et son âme éternelle, pour autant qu'elle existât, était sans aucun doute absente. Elle avait l'air complètement vidée... La mort est le symbole complexe, et notre réaction était elle aussi complexe. On riait, Tamasin et moi, on ricanait, on se tendait la main en tremblant. Même alors, je sentais une accusation planer sur nous. Elle est tombée : peu après, le père de Tamasin, Cecil Day Lewis, qui était alors poète lauréat, allait mourir dans cette chambre, mourir dans ce lit.

Cette chambre savait tout de la mort et elle était bien équipée pour l'accueillir (je me rappelle les poignées compliquées et inquiétantes dans la salle de bains adjacente). À l'extérieur, la cour et le jardin. Mais cette chambre savait tout de la mort. Day Lewis et sa femme, Jill Balcon, arrivèrent dans la maison comme dans un établissement de soins palliatifs : il n'y avait pas d'autre issue possible. En avril 1972, Kingsley écrivit à Larkin[1] : « Le pauvre Cecil D L est très malade, mourant en fait, mais il restera chez nous jusqu'à la fin. Très faible, mais tout à fait pondéré et joyeux (Seigneur !) [...] Personne ne peut prévoir pour combien de temps il en a, c'est sûr, mais disons entre une semaine et un mois. » Ce fut un mois. « Je veux mourir comme il faut, dit un personnage dans *Les soldats et les nonnes* d'Iris Murdoch, mais comment on s'y prend ? » En partant doucement, *contrairement* à ce qu'en pense Dylan Thomas. Cecil partit dou-

1. Qui écrivit, à bon droit mais à tort, dans son dernier grand poème, « Aubade » (« Les facteurs font des tournées comme les médecins ») : « Le courage ne sert à rien : / C'est ne pas faire peur aux autres. En avoir / Ne permet pas d'échapper à la tombe. / La mort n'est pas différente, qu'on lui oppose gémissements ou résistance. »

cement. Comme j'admirais (et que j'avais naguère imité) ses premiers poèmes romantiques (« Vite, vite file le temps »), et, plus récemment, sa traduction en vers de *L'Énéide*, pleine d'humour et de tournures familières, comme j'étais l'amant déclaré de sa fille, j'évitais Day Lewis qui agonisait. Mais sa sérénité, son calme m'attirèrent plus près de lui. Ce fut une leçon extraordinaire. Il montrait comment on peut rester maître de soi jusqu'au bout ; en gardant l'âme qui dure à jamais. Tamasin est venue. Daniel est venu. Puis la mort a fait son œuvre. Derniers vers de son dernier poème, « À Lemmons » :

Une fleur de
Magnolia chantant ses requiems,
Un climat d'acceptation. Très bien.
J'accepte ma faiblesse quand viennent mes chers amis
Pour assainir tous les jours ma chambre de malade.

Un peu plus haut, Day Lewis parle de « la tranquillité qu'engendre une maison aimée ». Que sa mort fût douce est un hommage à lui et à Jill, Tamasin et Daniel[1]. Qu'on ait pu la recevoir et l'assimiler si paisiblement m'éclaire plus que tout sur la maison, sur sa force en amour.

1. Daniel est bien entendu le grand acteur, le grand acteur *poétique* (voir surtout *Le dernier des Mohicans*). Je pense souvent — quoique moins souvent que lui, c'est certain — au plaisir que Cecil aurait tiré de son ascendant. À quinze ans (pour moi qui en avais vingt-deux), il me rappelait mon cousin David. Mais sa beauté sauvage était à l'époque voilée par de l'acné. Il aimait les bonbons et les beignets sucrés à la cannelle, et Tamasin, je m'en souviens, se faisait un plaisir de lui en procurer.

Mon père avait donc, pendant ces années-là, bien des choses à défendre. Il était indifférent à son environnement, indifférent aux acquisitions, mais le grand article, pour ainsi dire, fut la réponse adressée à son *propre* père, et qui coupait court à tout dans cette dispute sans fin. Pour Kingsley, comme pour tous les autres écrivains que j'ai rencontrés, la prospérité atteste de la santé du talent, du nombre important de lecteurs, mais de rien d'autre. On ne l'a pas cherchée, on peut s'en passer[1]. Pour autant que je m'en souvienne, il n'a tenté qu'une fois l'outrecuidance hautaine. Avec pour résultat un bel entartage. C'est dur de décrire une grosse farce de la vraie vie (soit elle fait rire, soit elle n'a aucun effet), mais je vais essayer de préserver la finasserie du moment... Un déjeuner bruyant dans la cuisine, une douzaine de personnes à table, et Kingsley qui se heurte à un obstacle auquel il n'est pas habitué : se faire entendre. Je le regardais lever la tête pour attirer l'attention, la laisser théâtralement tomber au bout de quelques secondes, puis recommencer son manège. Il

1. C'était déjà mon opinion. Je grandissais et me déniaisais. Osric, comme Kit, comme Cecil, était mort et enterré. En 1974, j'ai quitté mon boulot au *Times Literary Supplement* et je suis allé travaillé sur la deuxième moitié du *New Statesman*, l'organe de gauche dont le rédacteur le plus célèbre, soit dit en passant, s'appelait Kingsley Martin. Deux de mes collègues, Christopher Hitchens et James Fenton, étaient des trotskistes qui donnaient dans le prosélytisme. Ils passaient leur samedi matin à vendre le *Socialist Worker* sur Kilburn High Street. Je me situais au centre gauche, tendance libertaire. Ce fut donc, pour mon père et moi, le début de notre période Kingsley Martin, ou plutôt Kingsley / Martin : on était en désaccord sur toutes les questions abordées (en gros) par les lignes du parti. Ça n'a jamais changé. Et je continue à entretenir cette dispute, ici, en 1999.

continua ainsi pendant peut-être une minute et demie. Puis il imposa sur-le-champ le silence en cognant la table avec sa cannette de bière encore fermée. Les couverts bondirent. D'un air calme, sévère, altier, il promena son regard sur l'auditoire et, avant de prononcer le premier mot, tendit la main pour décapsuler sa Heineken. Le jet torrentiel lui jaillit en plein visage. Et la compagnie d'exploser à son tour — de rire. Je me dis : Ça peut partir dans un sens comme dans l'autre. Mais il vit le côté comique de la situation, une situation qui n'avait pas d'autre côté à montrer. Il était allé contre sa nature. Pour une fois dans sa vie, il avait agi sans humour ; et l'humour avait eu tôt fait de le corriger... Répondant récemment à une question, Lady Violet Powell[1] a déclaré que c'était un délice de se rappeler ces années et « tout le charme des plaisirs et des plaisanteries ». Exactement, Violet : tout le charme des plaisirs et des plaisanteries. Avec Kingsley au centre, comme un moteur de comédie.

« Comment tu dis, déjà, papa ? Tu vas quoi... ?

— ... acheter un gros fusil.

— Ah ! C'est qu'il est devenu *gros*, maintenant !

— Je vais acheter un gros fusil... pour tuer, estropier, ou sinon *bousiller*... quiconque viendrait ici... pour tenter de me piquer mes affaires. »

Bien entendu, il n'a jamais acheté ce fusil. La grande maison a disparu de toute façon. L'amour aussi.

1. Épouse du romancier Anthony Powell. La lettre était adressée à Zachary Leader, éditeur de la *Correspondance* de KA.

Lettre de l'université

Exeter College,
Oxford.
[Pâques ? 1970]

Très chers papa et Jane,

Merci des tonnes pour le super déjeuner, papa (Ros te remercie aussi[1]).

Vous avez vu que j'ai gagné 2 livres dans le concours du New Statesman[2] ? La meilleure expérience de ma vie.

Les prélim[3] commencent à me rendre dingue. On va juste boucler le programme environ une semaine avant les exam' (c'est-à-dire la semaine prochaine), et d'ici là,

1. Ma petite amie de l'époque, Rosalind Hewer.

2. Une mention honorable pour une idée originale — et une exécution lamentable. À l'époque, je me faisais appeler M. L. Amis. Qui a commencé cette mode des deux initiales ? D. H. Lawrence ? L. H. Myers (l'exact contemporain de Lawrence, et plus ou moins le seul autre romancier du XXe siècle que F. R. Leavis approuvait) ? Ça fait plus austère : voilà tout l'intérêt. Ça révèle moins de choses. M. L. Amis : ma première critique littéraire, mais non pas ma deuxième, a paru avec cette signature.

3. Les examens préliminaires, qu'on passait à la fin du second trimestre.

il faudra que je connaisse 2 livres de Virgile, un tas de textes en vieil anglais, plein de grammaire du vieil anglais, et tout Milton, sur lequel on n'a passé que quelques mois, par opposition aux deux trimestres que tous les autres étudiants d'Oxford ont passés sur lui. Ça ressemble à Brighton en réchauffé, mais sans le petit gnome pour me dire ce que je dois faire.

Mon seul ami [Rob] est monté le week-end dernier. Il a annoncé son arrivée à l'appart de Ros en passant des coups de fils de plus en plus paniqués toutes les demi-heures. Il a enfin eu l'augmentation qu'il cherchait depuis si longtemps, mais comme c'est de l'ordre dérisoire de 5 shillings par semaine, il quitte Biographic et recommence ailleurs à zéro. Très déprimant, tout ça[1].

Comment ça avance, ton roman, Jane ? Je comprends ce que tu veux dire par distractions. J'en suis au point de me demander si j'ai *le temps* de me faire du

1. Biographic était, et est peut-être encore, une petite firme cinématographique située sur Greek Street, dans Soho. Je ne vois pas très bien pourquoi je prétends être déprimé par les tribulations de Rob. Gore Vidal n'avait pas tort en déclarant qu'il ne suffit pas de réussir : encore faut-il que les autres échouent (surtout vos amis). Ça a l'air d'un vice sophistiqué, mais je crois qu'il y a quelque chose de très primitif là-dedans. Ça tient à la peur de la désertion. Deux ou trois ans plus tard, la carrière de Rob comme assistant réalisateur allait me paraître effroyablement météorique. Je pensai qu'il allait se propulser hors de mon orbite. Puis il est tombé — trop vite, trop bas (plein de complications ingérables sur *The Stud*, un des premiers films érotiques à la guimauve, avec Joan Collins). Hier soir (12/5/99), en dînant avec lui, j'ai ressenti un pincement d'inquiétude atavique lorsqu'il m'a dit que ses expérimentations d'encadreur professionnel marchaient plutôt bien... J'ai réglé l'addition. Je lui ai donné de quoi se payer un taxi. Je n'étais pas sorti de son orbite. Mais ça aurait pu se faire.

café le matin. Je serai *vachement* content quand ce sera la quille (le 15, au cas où vous le sauriez pas).

Le bonjour à Col et Sarg, mais *rien* à Rosy, qui peut s'attendre à un mois et demi de harcèlement coriace puisqu'elle ne m'a pas reconnu la dernière fois : je ferai aussi de mon mieux pour qu'elle se fasse violer par un bâtard.

À bientôt dans 3 semaines.

Je vous embrasse très fort

MART

P.-S. Quelques dépenses. Café, etc : 15 0. Pressing : 1 15 0. Papeterie : 8 0. Déjeuner (les week-ends jusqu'à la fin du semestre) : 2 0 0. Pourboire du scout : 1 1 0[1]. Total : 5 8 0. L'argent que vous avez refusé de m'envoyer en début de semestre : + 3 18. L'argent que je dois à papa depuis que je suis venu passer la journée : – 1 0 0. Bilan : *8 6 0*

1. Il s'agit de livres, de shillings et de pence. Minable jusqu'à en être prévisible, Osric a donné à l'homme de service vingt et un shillings, soit une « guinée ».

L'existence est toujours le truc

L'année 1995 n'a pas fait de cérémonies. Elle s'est annoncée, le 1er janvier, par le suicide de Frederick West en prison. (Et la mort, pour ainsi dire, lui vaut de quitter les notes de bas de page pour remonter dans le corps du texte.)... Cela faisait longtemps qu'il préméditait son acte. Il s'était porté volontaire pour les tâches de raccommodage au pénitencier de Winson Green, à Birmingham. Il avait ainsi accès à des rubans de coton, et il en chapardait pour grossir le petit tas d'ourlets qu'il découpait dans ses propres draps. Il a attendu la réduction du personnel pendant la période des fêtes. Le matin, il a joué au billard, il est allé se dérouiller les jambes dans la cour, puis il a pris la soupe et les côtelettes du déjeuner. Il y avait une chaise dans sa cellule, mais c'est sur le panier à linge qu'il est monté avant de l'envoyer valser d'un coup de pied. Un bruit de chaise aurait pu faire rappliquer les gardiens à toute allure, tandis que le panier tomberait plus discrètement.

On s'est beaucoup interrogé sur le « motif » de West. Incapacité à affronter son procès imminent ? Désespoir dû au rejet de Rosemary après son arrestation ? Selon un écrivain, le suicide de West représenterait son dernier « meurtre par désir », l'apothéose de son incapacité à se passer de la mort. Pourtant, les circonstances et les détails de l'acte témoignent clairement d'un départ dans la crainte. Deux de ses enfants, Stephen et Mae, proposent une explication plus simple et plus crédible. Mae : « J'ai toujours su qu'il mettrait fin à ses jours en prison. Il était terrifié, il se retournait tout le temps au cas où quelqu'un essaierait de s'en prendre à lui. » Stephen : « Papa m'a dit que s'il ne le faisait pas lui-même, un autre détenu le tuerait. [...] Il pleurait, il versait toutes les larmes de son corps. [...] [Son suicide] était un geste très égoïste[1]. » Je dois absolument le croire, mais je pense que ces commentaires renforcent l'idée d'un West plus peureux que la moyenne des hommes. Il s'est acheminé vers la mort en rampant. Il est sorti de l'existence à reculons.

En apprenant son suicide, j'ai éprouvé un choc, ainsi qu'une certaine pitié instinctive (car on déchiffre dans tout suicide le signe de l'effondrement humain par excel-

1. Ces citations sont extraites du livre de Stephen et Mae West, *Inside 25 Cromwell Street* [*À l'intérieur du 25, Cromwell Street*]. Stephen poursuit : « Il était résolu à ne pas s'attirer d'ennuis et il donnait du Monsieur à tout le monde. Même à ses codétenus quand il les voyait. J'étais avec lui un jour lorsqu'un type est passé. Un type qui purgeait une peine pour avoir tué toute sa famille. Papa lui a dit : "Bonjour, monsieur." » Je me souviens du poème de Kingsley dans *The Anti-Death League*, en lisant ce que dit Mae du suicide de son père : « Je crois que Dieu nous a séparés et qu'il essaie de tous nous tuer. Si c'est un cauchemar que je fais, ô Dieu, aide-moi à me réveiller. »

lence). Mais aucune surprise : rien, zéro. Le suicide était en harmonie totale avec Frederick West. Pourquoi a-t-il mis fin à ses jours ? Ce serait pourtant plus difficile de lui trouver un « motif » d'avoir continué à vivre. Une autre pensée m'est venue : Qu'il aille au diable, avec son air austère et sa mine implorante. Qu'on le raye de la surface de la terre.

D'un autre côté, c'était une large victoire sur la vérité, rien de moins sûr. Je sentais la défaillance. Toute sa vie, West avait été un colosse du mensonge, l'ennemi et l'adversaire de la vérité[1]. Outre-tombe, il allait calomnier ma cousine. Le suicide fut sa dernière évasion. Son frère John a partagé sa vérité en se tuant à son tour en novembre 1996[2]. De la même manière : avec le même

1. Il mentait avec la même compulsion qu'il volait. Stephen : « Il volait tout ce sur quoi il pouvait mettre la main. » Mae : « Au moins 99 pour 100 de ce qui se trouvait dans la maison avait été volé, y compris le linoléum. » C'est impressionnant — c'est stupéfiant — d'entendre une telle force vitale dans ces deux voix, comme dans la voix d'Anne Marie, la plus âgée, la plus atteinte, la plus isolée des enfants. En tout cas, ils étaient liés et sans doute avaient-ils créé un monde parallèle sur Cromwell Street. Les autres enfants sont, ou étaient : Charmaine (assassinée avec sa mère Rena, la première épouse de West), Heather (assassinée), et les « petits », la Fille A, la Fille B, le Garçon C, la Fille D et la Fille E, parmi lesquels quatre métis nés des « clients » de Rosemary. La Fille A, la Fille B, le Garçon C, la Fille D et la Fille E ont été confiés à l'assistance publique en août 1992 après que les West furent accusés de négligence et de sévices sexuels à leur endroit — soit dix-huit mois avant qu'on ne commence à exhumer les corps... Frederick West mentait sans méthode et avec bonheur, comme lorsqu'il racontait, par exemple, qu'il possédait un tas d'hôtels et qu'il avait accompagné une pop star dans sa tournée mondiale.

2. John West est mort alors que les jurés rassemblaient des preuves contre lui pour l'accuser de nombreux délits sexuels commis sur Cromwell Street. Anne Marie avait ainsi déclaré que, pendant une période de plusieurs

nœud coulant que les deux frères, qui avaient grandi au village de Much Marcle dans le Herefordhsire, avaient peut-être appris de leurs parents, Walter et Daisy, lesquels leur avaient également appris la brutalité physique et sexuelle, comme leurs propres parents la leur avaient apprise auparavant.

J'ai sous les yeux une coupure de presse récente qui commence ainsi : « La mère [d'une jeune disparue âgée de vingt-deux ans] a déclaré hier soir : "Je n'arrive pas à fermer les yeux par crainte de ce que je pourrais voir." » Propos d'une éloquence cruciale. En lisant dans les livres que les familles des disparus veulent *vraiment* savoir comment les victimes sont mortes, on a d'abord l'impression qu'elles s'en remettent à la logique et à la raison. Mais elles ont un motif évident : elles veulent surseoir ou réduire le spectre de toutes les horreurs envisageables. Ensuite, du moins, on peut fermer les yeux, car on sait ce qu'on va voir. Extrait de *Pnine* (il faut se souvenir que Nabokov a perdu son frère Serguéi dans l'Holocauste : coupable d'homosexualité) :

> Et puisque le mode exact de sa mort n'avait pas été enregistré, Mira continuait à mourir un grand nombre de morts dans votre pensée, à subir un grand nombre

---

années, elle avait été contrainte de lui céder plus de trois cents fois. Rosemary couchait aussi avec John, tout comme avec son propre père, Bill Letts, psychopathe incestueux depuis toujours. En outre, bien sûr, Frederick violait régulièrement Anne Marie. Il avait commencé quand elle avait huit ans (Rosemary participant aux tortures initiatiques) et il avait continué jusqu'à sa grossesse ectopique à l'âge de quinze ans.

de résurrections, seulement pour recommencer à mourir maintes et maintes fois, emmenée par une infirmière, pour une inoculation de saleté, de tétanos, de verre pilé, pour être gazée dans une fausse installation de douches remplie d'acide prussique, ou pour être brûlée vive dans un trou, sur des fagots de hêtre imprégnés d'essence.

Le 1er janvier 1995, je sentais déjà mes questions, mes yeux, mes armes se diriger vers Rosemary. Sa mise en accusation et son procès d'une semaine ont commencé le 6 février.

Il serait inexact et inapproprié de dire que ce suicide, en faisant la une des journaux, « avait tout ravivé ». C'est le genre de chose qui ne s'efface jamais. On ne peut qu'espérer, comme disait Kingsley, vivre avec : c'est *là*, toujours présent... Mais il n'empêche que la nouvelle a provoqué un autre cycle de réflexions aussi vaines que malheureuses — version plus sobre des larmes et des malédictions de David : jurons, sanglots et souvenir des morts. Il semble de toute façon que j'étais dans un sale état, au tournant de l'année. C'est même certain que j'étais dans un sale état. Extrait de mon journal : « S'il faut être dans un sale état pour pleurer, alors je suis dans un sale état. » Un rien me fait pleurer ; je vois rarement un film au cinéma (par exemple) en gardant les yeux secs, tellement je suis touché par les tentatives les plus plates, les plus grandiloquentes ou même les plus cyniques pour tirer sur la corde sensible (cela a trait à l'apparence du visage humain, si vaste, si palpable, avec ses yeux et ses lèvres : c'est écrit en trop grosses lettres, c'est trop immédiat pour moi). Mais ce Noël lacrymal, ce Noël pleurnichard fut une nouvelle convulsion formatrice qui vint s'ajouter à mes expériences déjà vécues. Après quoi, arriva l'année 1995.

Par ordre croissant de gravité, je fus personnellement fragilisé par plusieurs ruptures (certaines d'ordre professionnel, d'autres de nature privée, mais toutes rendues publiques), par les insoutenables découpages sur le fauteuil du dentiste (avec leurs leçons à long terme, leurs gloses infinies le jour de l'année du Seigneur), par les séparations et les départs à répétition de ma femme et de mes deux fils pendant l'été et l'automne. La thématique se dégage d'elle-même : départs, séparations, ruptures, le tout recoupant la charge explosive de ma cousine Lucy, avec son patronyme si beau, mais désormais si douloureux dans son évocation de l'arrachement et de la partance. À tout cela, en outre, s'ajoute le fait que mon ami, mentor et héros Saul Bellow était sous assistance respiratoire dans un service de soins intensifs, les deux poumons hors d'usage. Son système nerveux avait subi une énorme attaque dont l'origine n'était pas encore éclaircie. Dans les Caraïbes, les hallucinations olfactives avaient cédé la place aux symptômes de la dengue. Sa femme Janis avait quasiment dû jouer les pirates de l'air pour le ramener de Saint-Martin à Porto Rico, puis de Porto Rico à Boston. À l'hôpital, il avait eu un arrêt cardiaque et une double pneumonie. Une nuit, il était sorti de son lit et avait fait une chute. L'inflammation de son dos était telle, disait le docteur, qu'on aurait dit un incendie de forêt vu du ciel. Sans compter que Saul avait presque quatre-vingts ans.

Enfin il y avait eu Bruno — Bruno Fonseca, né en 1958 et mort en 1994. Enfin il y avait eu ce moment où avaient convergé en faisceau tous les chagrins... À la fin d'un dîner (peut-être était-ce le soir de Noël ?), ta mère nous avait montré une série de dessins qu'elle avait fait relier : des dessins de ton frère Bruno tandis qu'il agonisait. Bruno endormi, Bruno les yeux ouverts, Bruno en train d'attendre. Des dessins qui ressemblaient à des autoportraits du fantôme de Goya. La dernière page était des plus bouleversantes : on y voyait une photo de Bruno à douze ans, torse nu et lisse, saisi dans une attitude et une moue innocemment dubitatives. On avait passé le petit recueil à ton père, au père de Bruno. Pendant toute l'année qui venait de s'écouler, Gonzalo s'était distingué par son sang-froid. Les coups durs s'étaient succédé, mais jamais je ne l'avais vu craquer ni pleurer. Il assumait. Sculpteur, il s'enfonçait davantage dans la terre, comme une de ses vieilles pierres plantées sur le flanc de la colline. Je l'avais regardé feuilleter l'album d'un air égal. Léger sourire d'appréciation — du moins c'est ce qu'il m'avait semblé — devant la belle technique de son ex-femme (une technique qui avait résisté à l'intensité des émotions ressenties). Puis, en expirant, il avait tourné la page où se trouvait la photo. D'un mouvement soudain, rapide, involontaire, il avait aspiré entre les dents l'air qu'il venait d'exhaler.

Ce fut le son qu'on produit lorsqu'on reçoit de plein fouet sur la poitrine une claque de la mer en hiver, ou le son que la mer produit elle-même lorsqu'une vague se reforme sur le sable et les galets. Mais il s'était tout de suite ressaisi. Fin de l'épisode... Plus tard, je me suis rendu compte que le souvenir de ce moment ne m'avait pas du tout laissé indemne. Un lien catastrophique s'était établi. Parce qu'il impliquait mes propres fils (semblables par leurs traits, leurs bras et leurs jambes au garçon de la photo), et qu'il englobait aussi la question de l'amour parental frustré, et toutes les discontinuités et disparitions de 1994.

Il n'y a pas de remèdes à ça

Sous les traits de Michael Ignatieff[1], le destin nous a réunis, Saul Bellow et moi, en 1985 à Londres, pour un débat télévisé diffusé tard le soir. Avec Saul, j'ai partagé un ou deux taxis. Il y eut un dîner, où nous rejoignit ma première épouse, Antonia Phillips. Saul avait l'air de voyager seul. Je sais aujourd'hui qu'il s'était séparé, ou qu'il était en train de se séparer, de sa quatrième femme, à laquelle il avait dédié *La journée s'est-elle bien passée ?* (1984). Mais sa vie privée ne m'intéressait pas tellement.

1. Il est piquant que le brave Michael partage son nom de famille avec le mauvais comte Ignatieff, qui revient dans les Flashman de George Macdonald Fraser, et constitue l'un des personnages les plus méchants des romans populaires. (Je reviendrai sur les Flashman plus tard, à brûle-pourpoint, dans des circonstances mortifiantes.)

Je tiens à souligner que c'est l'admiration littéraire qui a toujours fondé — formé, et constamment ranimé — mes sentiments pour lui. Une admiration rarement plus vive que lorsque je le vois « lire », dans ses romans, un visage humain, une présence humaine. Rien d'impressionniste dans ces lectures : elles sont visionnaires, bibliques. À l'époque, je lui trouvais des yeux scrutateurs. Je me suis moi-même senti scruté. Il regardait mon visage et voyait exactement tous les ennuis qui m'attendaient[1].

Au début de l'année 1987, on m'a demandé de participer à un colloque sur Saul Bellow, organisé à Haïfa par l'éminent romancier israélien A. B. Yehoshua, dit « Bully[2] ». Je devais parler de son roman qui était sur le point de paraître, *Le cœur à bout de souffle*. J'ai pris l'avion avec ma femme, nous sommes arrivés très tard à l'hôtel à Haïfa, bien après la fermeture des cuisines. Je crois qu'on a réussi à leur extorquer une pomme et une

1. Je dois ajouter que je lui avais envoyé un exemplaire de *Money, money*, tout comme à Larkin, et que sa réponse m'avait énormément touché. Mais j'étais encore vulnérable, son regard sombre me troublait. L'émission télévisée qu'on avait concoctée s'appelait « Saul Bellow et l'Enfer des crétins » [« Saul Bellow and the Moronic Inferno »]. Il m'est venu à l'esprit que Saul était Saul et que j'étais un crétin. Ou plutôt, pour le dire autrement, qu'il avait une vision panoptique du chaos moderne, et que, moi, je barbotais dedans en lançant des regards éperdus à l'extérieur.

2. Le surnom de Bully était fermement ancré, bien que je n'en aie jamais compris la logique. Dans un discours officiel qui a suivi un dîner, Shimon Peres appelait Bully « Bully », sans ressentir le besoin de s'en expliquer. Peres était à l'époque le chef de l'opposition travailliste. Comme le remarque Saul Bellow dans *Retour de Jérusalem* (1976), il faisait tellement jeune qu'on l'imaginait se nourrir exclusivement d'abats.

tomate. Très tôt le lendemain matin, le téléphone a émis une sonnerie stridente : on m'a dit que « le minibous du colloque » était devant l'entrée, prêt à partir. Le ventre vide, à moitié habillé, j'ai fait le trajet jusqu'à une université qui ressemblait à un abri antiaérien de plusieurs étages, puis j'ai écouté des professeurs américains enchaîner des communications portant par exemple sur « La captivité de la caisse enregistreuse : tensions entre l'existentialisme et le matérialisme dans *Un homme en suspens* ». Saul était là. On l'entendit dire que, s'il devait subir encore beaucoup de propos de cet acabit, il mourrait, non pas d'essoufflement, mais de dépérissement[1]. Par la suite, on n'a pas souvent vu Saul Bellow sur les lieux du colloque. (Je n'ai pas été non plus d'une assiduité exemplaire.) Il a pourtant assisté à la dernière journée, où j'ai lu ma communication aux côtés des romanciers Alan Lelchuck et Amos Oz.

Après quelques remarques enthousiastes sur le temps magnifique qu'il faisait, sur le roman magnifique qui allait paraître, j'ai enchaîné :

1. À l'époque, j'attribuai sa réaction à la gêne (et bien sûr à l'ennui). Mais sa souffrance n'était pas seulement personnelle. « Les universités », remarque-t-il dans un essai de 1975 (« Affaire d'âme », dans *Tout compte fait*) « ont piteusement échoué ». Elles brident la littérature et l'assèchent de tout son bouillonnement, de toute sa passion, fabriquant un licencié qui « peut vous dire, ou croit le pouvoir, ce que le harpon d'Achab symbolise ou quels symboles chrétiens on trouve dans *Lumière d'août* ». Une observation qui aurait mis Melville et Faulkner au supplice, tout comme Bellow était au supplice, ce matin-là à Haïfa.

Je peux être content de moi pour d'autres raisons : Bellow a lu Larkin. Or, le narrateur du *Cœur à bout de souffle* a grandi à Paris, au pied de ces poids lourds de la pensée qu'étaient Boris Souvarine et Alexandre Kojève, lesquels parlaient de géopolitique, de Hegel, de la fin de l'Histoire, et écrivaient des livres comme *Existenz* (notez le *z* final, beaucoup plus énergique que le modeste *ce*). J'ai grandi à Swansea et il se trouve que Philip Larkin venait souvent à la maison. Lui, il ne parlait pas de l'homme post-historique, mais du psychodrame de la calvitie précoce. Bellow cite ces mots de Larkin : « En chacun sommeille un sentiment de la vie envisagée selon l'amour. » Larkin « dit aussi que les gens rêvent "de tout ce qu'ils auraient pu faire s'ils avaient été aimés. Il n'y a pas de remèdes à ça". » Rien — c'est-à-dire pas même la mort — n'a servi de remède. L'amour n'était pas de l'ordre du possible pour Larkin. Car à ses yeux la mort surpassait l'amour et le rendait dérisoire. Il est décédé en 1985. À l'âge qu'a Bellow aujourd'hui, il était mort depuis des années. Pour lui, la mort empêchait l'amour d'exister. Chez Bellow, il semble plutôt que ce soit l'inverse. Le cœur à bout de souffle, dit le titre. Disons que Larkin n'a jamais eu le souffle coupé, en tout cas pas en ce sens, qu'il n'a jamais eu le cœur brisé de chagrin. Peut-être qu'un des nombreux messages du livre, c'est qu'on *doit* avoir le cœur brisé pour rester humain. [...] Brisé comme il faut, attention. Mais qu'on le veuille ou non, ça va vous tomber dessus.

Je trouve surprenant, à présent, de voir la vie obéir si fidèlement à un thème. Aujourd'hui (13/7/99), je suis tombé sur ce passage dans le livre d'Allan Bloom, *L'âme désarmée* : « Très peu d'hommes sont capables d'accepter leur propre fin. [...] C'est la tâche la plus dure de toutes que d'affronter l'absence de soutien cosmique pour ce qui nous importe le plus. C'est pourquoi Socrate définit la philosophie comme "l'apprentissage de la mort". » J'ai pensé à la remarque de Bellow : « La mort est la paroi obscure nécessaire au miroir pour nous permettre d'y voir. » Et cette remarque, à son tour, m'a ramené à Larkin et à son vers : « les yeux détournés de la mort, coûte que coûte ». Coûte que coûte ! Oui, coûte que coûte : c'est prohibitif, raide, ruineux, chèrement acquis. Pourtant, le 21 novembre 1985, Larkin filait à l'hôpital, son pyjama et ses accessoires de rasage rangés dans sa valise, et il trouvait la sérénité, l'humour, la générosité d'écrire encore une lettre : à mon père. Les derniers mots de Larkin, prononcés à l'adresse de l'infirmière qui lui tenait la main, furent : « Je pars vers l'inévitable. » Ses derniers mots, adressés à la dernière personne dans la dernière chambre.

Le colloque s'est terminé et on s'est tous rendus à Jérusalem, plus au sud. C'est là (d'après mon souvenir) que Saul et moi sommes devenus amis.

« Est-ce que Saul Bellow est d'une certaine manière votre père littéraire ? »

Lorsque les gens se sont avisés d'une certaine parenté dans nos romans, cette question revenait souvent dans les entretiens (et elle me faisait plaisir). Je répondais en général :

« Mais j'ai déjà un père littéraire. »

C'était vrai à l'époque, en 1987.

« Lurid »

À la fin de l'année 1994, ma vie est devenue, comme on dit en anglais, « lurid ». *Lurid*, selon l'épopée en abrégé que lui consacrent les Fowlers dans le *Concise Oxford Dictionary*, signifie :

> **1.** spectral, blafard, brillant, anormal, orageux, atroce, pour une couleur ou une combinaison de couleurs ou de lumières (se dit du teint, du ciel, des éclairs, des nuages de tonnerre, d'une flamme qui fume, d'un regard, etc.) ; **jeter une lumière ~ sur,** expliquer ou révéler (des faits ou des personnages) de façon tragique ou atroce. **2.** scabreux, horrifiant (*des détails ~*) ; voyant, criard (*des livres de poche à la couverture ~*). **3.** (Bot., etc.) d'un piètre brun jaunâtre.

Dans *The King's English : A Guide to Modern Usage* [*L'anglais du King : guide de la langue moderne*][1], mon père a ceci à dire sous la rubrique « *single-handedly* » [« en solitaire »] :

1. À la parution de ce livre, en 1997, nombreux ont été ceux à voir dans le titre une allusion aux normes de syntaxe et de prononciation publiées par Henry et Frank Fowler sous le titre *The King's English* [*L'anglais du roi*] en 1906. Ce n'était pas faux. Mais « le King », tout comme Kingers, était aussi un diminutif de Kingsley, quoique rarement utilisé en sa présence même s'il le connaissait et l'approuvait plus ou moins. Rob, par exemple, parlait toujours de lui en l'appelant ainsi : « Comment va le King ? » s'enquérait-il. Ou, plus affirmatif : « J'ai vu le King à la télé hier soir. » Le titre est donc très habile : le livre parle de *son* anglais — l'anglais du King — et de l'anglais de tout le monde.

Il est des impropriétés qui passent dans l'usage au nom de la correction linguistique, ou du moins de la règle et du bon sens. [...] Ceux qui aiment allonger les mots et leur ajouter des syllabes négligent ou ignorent que *single-handed* est déjà un adverbe. [...] *Overly* [« trop »], très à la mode ces derniers temps, est l'un des intrus les plus laids de cette fin de siècle : là aussi, on a inutilement ajouté le suffixe adverbial à un mot qui était déjà un adverbe florissant et incontesté.

Il existe beaucoup d'autres adverbes qui pourraient se prêter à pareille créativité néologique sous prétexte qu'ils ne se terminent pas en *-ly*. Au premier rang figure *regardless* [« Malgré tout »]. Il ne compte que trois syllabes et a peut-être besoin d'être réhabilité par la formation allongée de son antonyme, *irregardless*, selon un autre type d'impropriété. Mais aucun mot de cette espèce — aucun adverbe qui ne se termine pas en *-ly* — n'est à l'abri de cette mésaventure. À quand *quitely* [« tout à fait-ment »] ? *Altogetherly* [en somme-ment] ? Et quoi *nextly* [« ensuitement »] ?

Ensuitement donc. Hier (30/4/99), j'ai entendu le porte-parole de l'OTAN, Jamie Shay, employer l'expression « connaître pleinement bien ». Ma première réaction a été d'appeler mon père, sauf que je n'avais bien sûr plus de père à appeler. Kingsley poursuit (en donnant un aperçu surréaliste de mes frasques de l'époque) :

On a récemment entendu une actrice qui venait de remporter un prix [...] remercier tous ceux qui avaient contribué à sa victoire et, *lastly but not leastly*, « finalement mais pas moindrement », un collaborateur de seconde catégorie. Un dentiste de New York dit « ouvrez largement » pour faire bonne figure, mais « ouvrez grand » lorsqu'il est pressé.

Le dentiste est Todd J. Berman et l'actrice, Jessica Lange. Réduit à un état presque complètement kinchesque par Todd à New York, j'ai pris l'avion pour Los Angeles. Là, je faisais pâle figure en frayant avec Jessica, Sharon Stone et Sophia Loren, avec Tom Hanks, Quentin Tarentino et John Travolta. J'ai dîné deux fois en tête à tête avec John dans la maison qu'il louait à Beverly Hills, au nord de Sunset Boulevard ; puis on a partagé un déjeuner d'adieu dans sa caravane, sur le lieu de tournage de *Get Shorty*.

Extraits de mon journal :

« 15 déc. Tendrement conduit par Subhindra Singh (ah ! les voilà qui font amende honorable, *maintenant*), j'arrive au 307 East de la 49e Rue avec une dose quasi mortelle de Valium. Dick[1] se fait prescrire un meilleur médicament par son dentiste *à lui* : "Avec ça, ils peuvent te faire *tout* ce qu'ils veulent, t'en as rien à secouer." Le Valium ne me semble pas aussi puissant. "Ouvrez largement."

1) Explication. 2) Une douzaine ? de piqûres. 3) Extractions (à dr.) extractions à gauche, accompagnées d'un funeste concert de raclements et de crissements, et suivies de points de suture réalisés avec une espèce de

1. Le sociologue Richard Cornuelle, deuxième mari d'Elizabeth Fonseca.

fil dentaire ensanglanté. 4) Examen du scanner sur la table lumineuse : bridge reliant les deux canines du bas, une seule incisive survivante au milieu, pauvre petite bouée perdue dans un océan de maladie. Ensuite, retrait du "gros kyste". "Vous voulez voir ?" J'émets un son qui veut dire oui. Ça me rappelle un cours de biologie à Swansea : on avait disséqué un ver dans le sens de la longueur et on l'avait ouvert. 5) Adresse infinie de la soudure osseuse. Radio bis.

Une heure à attendre que le saignement s'arrête, dans la petite salle de "réanimation". Ordonnances de pénicilline et de Valium. Ordonnances de Toradol et de Percodan aussi (Don DeLillo dit quelque part que le nom des produits pharmaceutiques ressemble au nom de divinités de science-fiction). "Vous allez devoir râler un moment", me dit Todd. Pas question d'étirer la bouche. Pas question de sourire. Comme d'habitude, je vais acheter pour cent dollars de calmants.

Cette semaine : sommeil (un jour). Utilisation du sachet de glace. Aucun signe de la décoloration attendue. Toute la mâchoire immobilisée et ramollie. Au repos, impression d'une présence plutôt que d'une douleur. Quelque chose en plus : la greffe osseuse — de l'os de vache, testé pour le sida au préalable. Le Virus, v majuscule. Bruno[1].

Et mon os *à moi*, alors, l'odeur et l'écume de mon os brûlant, avec l'irrigateur, l'aspirateur et deux paires de

1. Bruno Fonseca a attrapé le virus dans un bordel de Barcelone où il avait amené un de ses oncles d'Uruguay pour essayer de le divertir.

mains dans la bouche, le tout en même temps, et la roulette, l'autre roulette aussi, bien sûr, celle qui peut vous donner des trépidations dans la vue ?

Conseil aux patients : garder les yeux ouverts pendant l'opération. Ça libère tant soit peu de l'intériorisation. Il faut avoir quelque chose à regarder : les lattes du store, les diplômes encadrés (celui de l'Ordre américain de stomatologie. J'ai entendu Todd, un jour, fanfaronner d'un air méprisant : "Ça fait des années que j'ai arrêté les *soins dentaires.*" Tiens ! j'aurais pas cru), la blouse verte de l'assistante, la langue du chirurgien retroussée sur sa lèvre supérieure, ses yeux concentrés, ses gants en latex comme des préservatifs, maculés de sang frais, séché, coagulé pendant la troisième heure, son index recourbé.

21 déc. SB toujours à l'hôpital, mais il est sorti des soins intensifs.

22 déc. Passage chez Todd pour un check-up rapide. Mais non, pas si rapide. Les points de suture ont sauté. "Ouvrez grand."

Autre bain de sang, le plus douloureux à ce jour malgré huit ou neuf piqûres. Sur la mâchoire inférieure, là où vit l'os de vache, récurage et incision en profondeur. Grincement rauque des instruments de torture.

Encore une descente titubante de la Deuxième Avenue, la lèvre gonflée et un tampon de Kleenex sanguinolent me sortant de la bouche. Comme un vieux bagarreur impénitent. »

Le seul séjour organisé que l'agent de voyage, Martin, ait réussi à nous trouver à force de patience (« C'est quoi, votre dernière idée ? » nous demandait-il d'un ton las en voyant nos plans changer d'une fois sur l'autre) comprenait cinq nuits à Porto Rico : à San Juan, là où, deux semaines plus tôt, Janis Bellow avait poussé sur le tarmac le chariot qui transportait son mari agonisant... Pour m'y préparer, je suis allé acheter un costume en lin moiré dans un grand magasin qui s'appelait Monsieur Type, ou un nom comme ça. Une fois installé à l'hôtel/casino Condado Plaza, j'y ai ajouté une paire de tongs en satin noir qui claquaient furieusement à chaque pas. Comme il peut être soulageant, parfois, de perdre le sens de la dignité ! Je laissai gaiement le mien au vestiaire. Je ne porterais plus jamais la Pince. J'avais l'impression que ma mâchoire inférieure était désormais trop infirme pour supporter toute cette masse grimaçante.

À l'attaque : le premier symptôme de Bellow, comme je l'ai déjà dit, fut une sainte horreur, une haine démesurée de la nourriture. Pas seulement d'y goûter, mais de la sentir, de la voir. Dans les premières phases de la maladie, la perte d'appétit « semblait se fondre avec le mal-être que j'avais apporté du nord — une espèce d'inquiétude ou de décomposition, quelque chose comme des angoisses métaphysiques ». Au dîner, pour commencer, il pouvait avaler un bol de céréales et se féliciter d'une telle modération, parce que « comme tous les Américains, je suis scandaleusement suralimenté ». Un soir, il ne put avaler qu'une cuillerée de soupe au poulet que Janis avait réussi à trouver et à lui préparer. Il rit de son échec et se rappela les mères émigrées de son enfance qui hurlaient : « Mon petit Joey ne peut pas manger de glace, il détourne la tête ; c'est qu'il doit être en train de mourir... » Mais Saul, lui, était *vraiment* en train de mourir... À Londres, quand les enfants arrivent à l'hôpital avec des maux de ventre, le médecin qui flaire une appendicite met son intuition à l'épreuve en leur demandant : « Tu as envie d'un Big Mac ? » Si la réponse est non, c'est qu'ils ont l'appendicite. Ils ont posé cette question à mon fils Jacob, qu'une gastro-entérite faisait se tordre aux Urgences. La douleur venait par vagues, toutes les minutes. Quand il la sentait approcher, il hurlait : « Aide-moi, papa ! Aide-moi ! » Mais je ne pouvais pas l'aider... Saul, en revanche, n'avait pas vraiment conscience d'être souffrant. La maladie s'était mise à attaquer « l'enveloppe » de ses nerfs.

Parmi les différents restaurants du Condado Plaza, il y avait celui de Tony Roma qui se targuait d'être « *le* lieu pour les côtes de bœuf ». Pas un lieu pour moi, donc. Kinch mangeait un sandwich avec un couteau et une fourchette dans sa chambre ; ou bien, en maillot de bain aux couleurs criardes, il suçait une frite, assis sous un palmier auquel était fixé un haut-parleur. Là, je n'étais pas entouré par les clodos, les mendiants et les dealers du Lower East Side. J'assistais au défilé beaucoup plus affligeant d'Américains en forme, friqués, qui avaient fignolé leur vénusté faciale dans ses moindres détails. Saul avait du mal à manger. Moi aussi, j'avais du mal à manger — et c'était un tourment de solitaire, surtout au Condado où manger constituait la principale activité collective. Les touristes mangeaient en mangeant, mais aussi en faisant une promenade, leurs courses, une partie de volley, des longueurs de piscine, des plongeons. Réduit à mon poids le plus faible de ma vie d'adulte, j'aurais pu m'enthousiasmer de ma sveltesse face à toutes ces rondeurs bronzées. « Scandaleusement suralimentées ? » Pourtant, les clients de l'hôtel ne pouvaient être confondus avec des représentants de cette étrange innovation capitaliste, les pauvres bien en chair qui portent leur obésité comme la couleur d'une caste inférieure — et qui, entassés en nombre suffisant (après avoir passé la journée, disons, dans un casino situé sur une réserve d'Indiens dans le Connecticut), parviennent à faire terriblement baisser le niveau du gigantesque ferry assurant la navette entre New London et Orient Point dans les eaux de Long Island Sound... Là, c'était un autre type de clientèle de casino, revenus moyens et poids moyen, qui était venu s'ébattre dans un décor tropical. Si on a aménagé les Caraïbes, pour reprendre une expression de Bellow, en « un immense taudis d'attractions américain », il y avait aussi quantité d'immobilité humanoïde, quantité de torpeur repue sur laquelle porter un regard terne. Je me trouvais de plus en plus attiré vers une famille de brontosaures (mère, père, fille et fils). L'après-midi, leurs quatre ventres respiraient à l'unisson pendant une sieste complice et légitime, récompense d'un dur effort collectif dont ils s'étaient brillamment acquittés. Cet effort collectif, je présume, était symbolisé par le déjeuner. Plus tard, ils allaient à la mer et se tenaient *debout* en laissant juste leur tête émerger, peut-être pour faire l'expérience de leur légèreté à mesure que leur biomasse était diminuée par le poids de l'eau qu'ils déplaçaient. J'avais le corps mince, les joues creuses, du mal à manger ; mais je prenais des sachets de sel à la cafétéria (rangés avec le ketchup et les condiments dans des bacs au bord de la piscine) et ils tombaient à pic pour les bains de bouche que je faisais toutes les heures.

Qu'est-ce que je lisais ? Je veux transmettre une ambiance, et les lectures font partie intégrante de l'état dans lequel on est. Dans les biographies, elles devraient toujours être inscrites en marge, les lectures des gens. Qu'est-ce que je lisais donc à San Juan ? Comme d'habitude, j'ai oublié de noter ce précieux aide-mémoire — mais je me rappelle bien sûr mes lectures. Je te lisais et je me lisais. Dans notre chambre, j'annotais légèrement le manuscrit de ton livre, *Bury Me Standing : The Gypsies and Their Journey* [*Enterrez-moi debout : les Gitans et leur voyage*] et estampais lourdement les épreuves américaines de mon *Information*. Dix ans de travail disparaissaient de nos bureaux. Maintes fois j'en conçus une fierté et un bonheur merveilleux[1]... La

1. Je me souviens que je lisais aussi *Lonely Hearts of the Cosmos* de Dennis Overbye [*Cœurs solitaires du cosmos*] (HarperPerennial, 1992). Malgré son titre médiocre, ce livre constitue d'après moi le meilleur ouvrage de vulgarisation sur la cosmologie moderne : sur le genre d'intelligence humaine impliquée, sur le genre de questions posées par l'univers à cette intelligence. Grâce à ces pages, je voyais sous un autre angle la vie quotidienne au Condado Plaza, avec ses ascenseurs qui parlent (« Je *monte* »), sa climatisation sauvage, son entropie négative amplement déployée.

tumeur de ma mâchoire inférieure languissait dans une boîte de Pétri à New York. Elle m'avait quitté ; j'allais bientôt savoir si je devais m'attendre à une récidive de sa part et, le cas échéant, à quel degré de gravité. « La jouissance à vie », comme dit Bellow, avait perdu de sa substance. Je foulais à pas feutrés les secousses consécutives au coup de vieux que j'avais pris. Un pouce noueux, arthritique, appuyait sur la touche Avance rapide. Le corps s'en plaignait, mais le corps, soudain un peu moins niais, retenait ce qu'il pouvait de ce qu'il vivait. Il n'empêche que ça me donnait un air spectral, une mine de déterré, un teint brunâtre, comme le reflet de mon visage perché sur la flaque de mon costume trop grand — ce reflet qui ondulait sur le bronze à canon des machines à sous quand je traversais le casino froid.

Il allait me falloir des années avant de comprendre où Saul Bellow avait atterri en se rendant à l'appartement qu'ils avaient loué sur l'île minuscule de Saint-Martin. Il avait fait un autre voyage, un périple fantastique jusqu'aux confins de la mort et de la fin du monde. Il avait eu raison, tout à fait raison d'arrêter de manger, puisque c'était le fait de manger, comme il s'avéra, qui l'expédia en soins intensifs. Et qu'est-ce qu'il lisait ? C'est fondamental, ça aussi. Un livre sur les atrocités perpétrées par la garde de fer à Bucarest pendant la guerre — l'abattoir et les crochets de boucherie, les dépeçages et les coups de fouet. Et un autre livre sur les parfums merveilleusement « appétissants » de la chair humaine qui rôtissait sur les feux de camp des chasseurs de tête en Nouvelle-Guinée, parmi les torrents et les cataractes de la flore aveuglante.

Extraits de mon journal :

« Ajustement du bloc supérieur, comme chez un tailleur — mais entre les mains de Mike Szabatura. On me dessine un point bleu sur la pointe du nez pour mieux calculer la symétrie. Les médecins nazis ne s'y prenaient pas autrement pour mesurer. C'est ainsi qu'ils passaient une bonne partie de leur temps : à mesurer, mesurer, mesurer.

Incroyables, ces épreuves américaines de *L'info*. Une termitière de virgules rajoutées, qui me cisaillent l'âme comme autant de coupe-papier[1].

3 janv. 95. Un grand jour, aujourd'hui. Todd. Il m'a enlevé les points. Pas d'infection. Nettoyage indolore. Sensation de liberté accrue dans les mâchoires. *Encore* de la pénicilline — ma troisième dose en un mois. Le traitement, comme le patient, vieillit.

1. « *Et la fonction des rédacteurs ? Sont-ils parfois capables de donner un conseil littéraire ?* »

« Par "rédacteur", je suppose que vous entendez le "correcteur d'épreuves". Parmi ceux-là, j'ai rencontré des créatures limpides, d'un tact et d'une tendresse sans limites, capables de débattre avec moi d'un point-virgule comme d'une affaire d'honneur — ce que l'art est bien souvent, soit dit en passant. Mais j'ai aussi rencontré quelques brutes imbues d'elles-mêmes qui avec familiarité se permettaient de "faire des suggestions" auxquelles je rétorquais par un vigoureux "tel" » (Vladimir Nabokov, *Intransigeances*). Les expressions « brutes imbues d'elles-mêmes » et « avec familiarité » sont délicieuses : elles contiennent une vérité satirique qui épingle toute une génération de rédacteurs anglophones (aujourd'hui disparue, malgré quelques rejetons occasionnels).

Mais une bonne nouvelle, enfin une bonne nouvelle. Les résultats du labo sur la tumeur. Kyste bénin. Je ne suis pas en train de mourir. Je vais vivre. Ça, c'est une bonne nouvelle.

J'achète le *Sun* sur la Septième Avenue. Le suicide du prisonnier à Winson Green. Son visage implorant. On dirait un pauvre bougre que l'on conduit de nouveau au pilori et qui espère, cette fois, des fruits et des légumes raisonnablement pourris. Ça le changerait des jets de briques, de clés et d'ardoises.

Compliments de mes dentistes : je ne bouge pas. Contrairement à beaucoup de patients qui, disent-il, sont des “cibles mobiles”. Ma rigidité stoïque donne les meilleurs résultats possibles. [...] Il leur arrive aussi de dire : “Désolé de vous torturer comme ça.” Mon cher Mike, mon cher Todd : si vous aviez *essayé* de faire mal, comme Szell, le dentiste nazi de *Marathon Man*, au lieu d'essayer le contraire... En outre, je suppose que les bourreaux ne s'excusent jamais. Mais fournissent-ils parfois des explications ?

Vraiment un *grand* jour. Je comprends tout de suite, en entendant la respiration de Janis sur le répondeur des Bellow, que Saul va *beaucoup* mieux. Il s'apprête à rentrer à la maison. »

Moi aussi, je suis rentré à la maison, et j'ai passé le cap de cette nouvelle année crûment lugubre[1]. Mon

1. Crûment, parce que le quatrième pouvoir, assoiffé de sensationnalisme, continuait à discuter mon cas en long, en large et en travers. Le

journal indique que, pendant cette période, mon fils aîné m'avait surpris dans mon bureau. « Tu *pleures* ? avait demandé Louis. — Oui, j'avais répondu. Mais ne te fais pas de souci. Ça va beaucoup mieux. » Vraiment ? Ma cousine était morte et ton frère était mort. Mais je n'étais pas en train de mourir. Saul non plus. « Le garde forestier, j'ai annoncé à mes fils, est sorti de l'hôpital. » Ils ont hoché la tête solennellement... Des années plus tôt, on était allés dans le Vermont avec leur mère: le prix Nobel devait nous rejoindre au marché d'une petite ville près de chez lui. Il était arrivé au volant d'une Jeep et il en était descendu habillé d'une espèce de veste de treillis municipale qui portait (je crois) l'inscription SAPEURS-POMPIERS cousue aux épaules. J'avais dit aux garçons qu'il était garde forestier. On ne pouvait pas leur reprocher de m'avoir cru. C'est à cela qu'il ressemblait, à la fin d'un été passé à écrire, à marcher, à faire du vélo et à couper du bois. Ensuite, des répliques comme :

« Qui tu vas voir ?

— Le garde forestier »,

ou :

« Qui t'a dit ça ?

— Le garde forestier »,

ou encore :

---

point litigieux, cette fois, le chef d'accusation principal concernait la grosse avance que j'avais exigée pour *L'information* afin d'en dilapider une bonne partie en soins dentaires cosmétiques. Plus tout le reste, comme d'habitude.

« Qu'est-ce que tu lis ?

— Le garde forestier »,

étaient devenues monnaie courante... J'ai parlé à Saul le 9 janvier (dans mon journal : « redevenu lui-même. Voix *très émue* de Janis »), et je l'ai vu une semaine plus tard en faisant escale à Boston, alors que je me rendais à Los Angeles pour rencontrer John Travolta.

Dans *Ravelstein*[1] (2000) — ça n'a pas l'air bizarre, *ça* ? —, le narrateur, hospitalisé et à l'article de la mort, paraît se distraire avec des hallucinations et des illusions, avec « des fictions qui n'avaient pas à être inventées ». Bellow écrit :

> Un aide-soignant perché sur un escabeau suspend des guirlandes de Noël, du gui et des branches de sapin aux murs. Cet aide-soignant ne m'aime pas beaucoup. C'était lui qui m'avait traité d'emmerdeur. Mais cela ne m'empêche pas de prendre note de sa présence. Prendre note fait partie de ma description du truc. L'existence est — ou était — le truc.

Je souscris à cette idée. L'existence est toujours le truc.

1. J'ai vu trois moutures de *Ravelstein*. Certaines citations de cette section n'apparaissent pas dans la version finale. Dans l'avant-propos de ses récits compacts réunis sous le titre *En souvenir de moi* (1995), Bellow écrit : « [N]ous approuvons Tchekhov quand il nous dit : "Curieux, j'ai maintenant la manie de faire court. Quoi que je lise — mes œuvres ou celles des autres — cela ne me semble jamais assez bref." Je suis profondément d'accord avec lui. » En 1997 est sorti *Une affinité véritable*, petit roman magnifique, mais minimaliste. Je suis donc d'autant plus étonné de voir Bellow revenir, avec *Ravelstein*, à l'exubérance plus libre, plus orale de ses premiers romans. Je dois me souvenir que l'auteur n'est pas né en 1950, mais en 1915.

Lettre de l'université

Exeter College,
Oxford.
[Printemps ? 1970]

Très chers papa et Jane,

Ci-joint le décompte de mes frais de nourriture et d'hébergement. Je ne l'ai pas épluché de près, mais je suppose que le bon d'argent (6 livres) est annulé par l'ardoise de mes dîners (6 livres et 6 shillings). En tout cas, je vous demande un chèque d'ici vendredi, faute de quoi je serai viré. Ça m'emmerde beaucoup parce que je ne me suis jamais senti aussi mal de toute ma vie. Je me réveille tous les matins dans un état déplorable complètement différent de celui de la veille. Jeudi dernier : le cou et le haut du dos pleins de nodules inflammatoires comme on en attrape entre les os (je ne comprends pas pourquoi, vu que je n'ai pas bu de panaché[1]

1. Même un verre de bière et de limonade était au-dessus des forces du coureur de jupon valétudinaire. Preuve supplémentaire de sa légèreté d'esprit.

depuis un moment). Mercredi : frissons de fièvre. Vendredi : migraine carabinée, et samedi : une espèce d'infarctus. Tout à fait barbant, je sais, mais c'est toujours ce qui m'arrive avant les examens. Maintenant, quand je sors acheter le journal le matin, je ne manque pas de faire un saut à la pharmacie.

Je bosse si dur en ce moment que tout devrait bien se passer lundi. Ma plus grosse phobie, c'est la grammaire anglo-saxonne. J'essaie pourtant de la faire jazzer un peu pour me rappeler les variations mélodiques, mais en gros, je passe mon temps à fixer sombrement des listes interminables de verbes en jurant entre mes dents toutes les deux ou trois minutes.

Hier, j'ai rencontré un réac à ne pas croire : il défend les Arabes contre Israël, la Russie contre la Tchéco, et le *Nigeria* contre le Biafra. Un peu le genre de Peter Simple[1]. D'ailleurs, je n'achète plus le *Débilgraph* depuis son article « Le bouquet perdu » (et comme il faisait meilleur vivre en 1830, etc.). Je m'arrête ici car je veux me coucher de bonne heure. J'ai hâte de vous voir dans deux ou trois semaines.

Le bonjour de Ros.

Grosses bises,

MART XXX

P.-S. Merci de vos lettres. Je vous embrasse tous, sans exclure Miss Plush.

1. Pseudonyme d'un humoriste de droite qui écrivait dans le *Daily Telegraph*.

Les femmes et l'amour (2)

1970 : c'est en 1970 que tout a commencé à aller de travers. Extrait d'une lettre adressée à Robert Conquest en 1991 :

> Je continue à mener une vie paisible, sans jamais reluquer la vieille. C'est presque incroyable, mais la dernière fois, ça remontait à 8 ans en nov. dernier [...] Là, j'en suis à m'étonner d'avoir eu le moral à 0 plusieurs mois après son départ, d'avoir souhaité son retour, d'avoir songé à écrire un poème sur la question — non mais, et puis quoi encore ? Je regrette maintenant que ça ne se soit pas passé... disons, en 1970 — ç'aurait été le bon moment. Mais ça fait partie du vécu, même si le vécu est parfois lourd à porter.

Voilà comment Kingsley réécrit l'histoire (une réécriture assez mineure ici : il ne met pas autant de gants ailleurs). Je crois comprendre à présent qu'il en avait besoin, même si je ne suis pas certain que lui l'ait jamais compris ; mais ça me fait encore mal de le constater. En 1970 ? Certainement pas. Mais ce n'est pas à moi de juger. Sous différents angles, les mariages sont des secrets que seuls partagent les protagonistes. Au printemps de 1976, en tout cas, le torchon brûlait. Ça flambait sec dans la grande maison, nos deux écrivains se jetaient des brûlots et des torchons à la figure, et ils rajoutaient de l'huile sur le feu pour faire bonne mesure. On aurait dit que tout avait changé en l'espace d'une semaine. En passant furtivement la tête par la porte d'entrée, même le visiteur le plus discret aurait pu prédire que le mariage de Kingsley Amis et d'Elizabeth Jane Howard courait inéluctablement à sa perte.

Pour des raisons qui peuvent sembler plus évidentes qu'elles ne le sont en réalité, j'ai perdu toute envie de répartir les torts dans les histoires de cœur (dans les unions ratées, les séparations et les divorces). La symbiose se dissout, la dyade éclate, un point c'est tout... Quand on aime sa mère, comment aimer la femme pour laquelle son père l'a quittée ? Épreuve ardue, mission presque impossible. Car l'Autre femme vous prévient contre l'amour, elle vous inculque elle-même la prévention contre l'amour. Quoi qu'il en soit, il s'en est fallu de très peu que je n'aime Jane. « Je suis méchamment douée, comme belle-mère », disait-elle après le mariage. Oui, méchamment douée, mais au sens où mon fils Louis se dit (par exemple) « méchamment doué en latin ». Comme elle en belle-mère : méchamment douée par sa générosité, sa tendresse et son ingéniosité. Elle m'a repêché dans mes études, et ne serait-ce que pour cela, je lui dois une fière chandelle. Juste une faille : parfois, au tout début, elle me disait des choses pour me faire oublier ma mère, mais je la repoussais : « Ça se retourne contre toi, tu sais, et en fin de compte, c'est *toi* que ça me fait oublier. » Elle a corrigé ce petit défaut et elle l'a surmonté. Lorsque je la vois maintenant, j'ai du mal à accepter notre éloignement, l'annulation de notre ancienne proximité à cause de la loi, et non pas des sentiments que nous pouvons nous porter. En outre, j'admire son œuvre d'artiste, comme à l'époque[1]. Bon sens et lucidité : leurs livres respectifs en portent la trace. Mais devant le spectacle de leur couple qui battait de l'aile, je me disais que s'ils pouvaient prendre du recul

1. Pour moi, elle représente, avec Iris Murdoch, l'écrivain femme la plus intéressante de sa génération. Fonctionnant à l'instinct, mais non dépourvue d'élégance (comme Muriel Spark), elle porte sur le monde un regard étrange et poétique, et fait preuve de bon sens et de lucidité... Je me souviens aujourd'hui d'une scène qui s'est passée vers la fin de l'époque où nous habitions sur Hadley Common : Kingsley corrigeait malgré lui, d'un air peu amène, une nouvelle de Jane (sans doute destinée au recueil *Mr. Wrong* paru en 1975 — l'un de ses meilleurs livres). Il la corrigeait sur tapuscrit, pour la syntaxe, et chaque page était couverte d'annotations... Plus tard, en la lisant, j'ai trouvé que mon père avait été tatillon, qu'il s'était emballé ou qu'il s'était laissé entraîner par sa propre verve (ils étaient déjà animés d'un tas de griefs l'un contre l'autre). Mais non ! Toutes ces rectifications semblaient consciencieuses et modestes. Il n'y en avait qu'une qui me gênait. La phrase de Jane, qui décrivait une rue de banlieue, disait à peu près : « Les fenêtres avaient toutes les rideaux tirés, comme autant de maisons endormies. » Kingsley avait rayé l'expression *comme autant de* et l'avait remplacée par *comme dans les*. Tu as raison, je me suis dit, mais tu as tué la touche poétique et cassé l'effet rythmique. Autodidacte (profitant de ma propre éducation, peut-être, parce que la sienne avait manqué d'étoffe et d'ouverture sur l'extérieur), Jane accepta les corrections de bonne grâce et, pour autant que je m'en souvienne, elle les incorpora en intégralité. Kingsley avait l'air de dire : « Qu'est-ce que j'y peux ? » Je ne critiquais pas ce qu'il avait fait, mais je compatissais pour elle. Et pour lui. Ce n'était pas un mariage qu'il avait fait en l'épousant, mais deux.

par rapport à la situation, s'ils pouvaient la *décrire* au lieu de la vivre, Jane et Kingsley verraient alors, sans aucun doute... Mais les écrivains sont autrement plus lucides dans l'écriture que dans la vie. Leurs romans les montrent sous leur meilleur jour, en train de fournir un gros effort : de l'étirement à la vibration.

Que s'était-il passé ? En abordant la question, Eric Jacobs, le biographe officiel de KA, émet l'hypothèse suivante : « Des forces à la fois simples et mystérieuses sont à l'œuvre dans l'évolution des couples. Le déclin du mariage entre Amis et Jane n'était pas en reste : simple et mystérieuse, leur relation s'effilochait tout en se poursuivant, comme une forme artistique progresse imperceptiblement vers son épuisement[1]. » Oui, exact... Les raisons étaient à la fois précises et pas si précises que ça, comme toujours, à la fois banales et particulières... Mais le véritable *agent* du dénouement, je peux l'avouer, ce fut *Le masque d'or*... Kingsley m'a raconté les faits. Toute la journée, il s'était préparé à la perspective enrichissante de revoir le classique de Karloff (qui passait tard dans la nuit). Le crépuscule tomba ; minuit sonna ; et le film, dès les premières images, se révéla incroyablement rasoir[2]. Il resta au salon une heure de plus, tout

1. Plus haut, j'ai dit du livre de Jacobs qu'il était « mystérieusement répétitif ». La citation ci-dessus apparaît à la page 313. À la page 314, on lit : « Le changement peut s'expliquer par le simple épuisement, comme une forme artistique en vient à s'essouffler. » À la page 315 : « L'épuisement, ainsi qu'il arrive d'un genre littéraire qui s'essouffle, a joué son rôle. » Le lecteur des épreuves devait lui aussi être mystérieusement répétitif. Voir l'appendice.

2. Peut-être Kingsley avait-il cette déception en tête lorsqu'il écrivit la page 31 de *Jake's Thing* (1978). Dans cette scène, Jake veille pour regarder

seul, plongé dans un état qu'il décrivit comme « une transe de déprime ». Quelque chose, comprit-il, devait lui manquer dans la vie, et il en déduisit que ce devait être Londres. Il voulait quitter la grande maison... Le mariage aurait donc pu tenir au moins vingt-quatre heures de plus si *Le masque d'or* s'était révélé un bon film. En l'occurrence, il dura cinq ans de plus. Mais dans les faits, il se brisa lorsque le générique défila à l'écran.

Les hommes, je m'en suis rendu compte, peuvent en réalité n'attacher aucune importance à leur environnement (ou même à l'endroit où ils vivent). Ce qui n'est pas le cas des femmes. Comme ma mère allait me le confirmer quelques années plus tard (elle n'avait pas de domicile fixe à l'époque) : « Une femme est sa maison et sa maison est elle. » D'où ma stupéfaction redoublée en voyant Jane, qui n'avait aucune envie de partir, accepter la proposition de Kingsley sans lui opposer de résistance. « Malgré tout ce qu'on y a consacré, me dit-elle, on ne peut pas continuer à vivre dans un lieu qui

---

« Rendez-vous avec l'horreur : *Le Golem* ». « Malgré tout ce que faisait la clarinette basse en fond sonore — et elle ne lésinait pas sur la quantité d'effets —, l'horreur attendue ne survint pas au moment où elle avait été programmée. » Il aurait pu s'en prendre à *Psychose*, mais Kingsley adorait les films d'horreur, en particulier les vieux classiques (*Le masque d'or* date de 1932). Je me laisse entraîner par son ton de passion juvénile et couarde dans l'essai « Dracula, Frankenstein, Fils & Cie » : « Mis à part les aventures du bonhomme tout rabougri, je me rappelle surtout *La mouche noire* et ses succédanés. Là, on passe à toute allure sur le charabia du début pour en venir concrètement aux actes déplaisants et à l'aspect physique d'une mouche à tête humaine et d'un type à tête de mouche — c'est surtout lui qui compte » (*What Became of Jane Austen ?*).

rend quelqu'un malheureux. » J'avais vingt-six ans. Je pensai que c'était un signe de maturité, une réaction civilisée. La suite des événements, cependant, atteignit des sommets de folie douce — ou était-ce de folie furieuse ? Une folie à deux, en tout cas. Par souci d'économie, Jane décida de ne pas faire appel à des déménageurs professionnels : elle se chargerait de tout elle-même. Ce qui eut pour effet non seulement de prolonger cette situation pénible, mais aussi de la décupler dans les grandes largeurs. L'atmosphère de la maison vira bientôt au supplice. Le déménagement avait été déclenché par un film, mais on se trouvait embarqués dans un autre film qui ne ménageait personne : un long métrage avec un titre à rallonge, du genre « Déménager, montrer qu'on déménage en montrant qu'on ne veut pas déménager, le tout sous l'œil attentif du mari ». Au bout d'un moment, j'ai lâché :

« C'est complètement dingue, papa, ce qui se passe ici. Insiste pour faire venir des déménageurs.

— Elle dit qu'on ne peut pas se le permettre.

— Vous quittez une maison immense pour une autre maison immense. Le déménagement ne représenterait qu'une infime partie du coût total.

— Elle dit qu'on ne peut pas se le permettre.

— Eh bien, endettez-vous.

— On est déjà endettés, apparemment.

— Ben alors... Un peu plus ou un peu moins... »

Nous nous sommes tus au passage de Jane, qui traversait l'entrée avec une lourde démarche à la Boris Karloff (*Frankenstein*, 1931), ahanant sous le poids d'une caisse à thé qu'elle n'avait pas vidée. Kingsley avait l'air handicapé, faiblement handicapé. Il souffrait de la paralysie des Amis. Car bien entendu, il n'avait jamais été question que mon père « donne un coup de main », comme on dit. Cela aurait contrarié l'objectif subliminal de Jane, qui s'inscrivait en fin de compte dans un penchant sadomasochiste. « Jusqu'à présent, alla se vanter KA d'un ton gêné auprès de Robert Conquest en mai 1976, ma principale occupation a consisté à vider les bouteilles à moitié pleines » (« des trucs horribles comme de la vodka à la cerise, de la liqueur de daphné, du raki, etc. »). Un peu plus tard, ce jour-là, on a pris la voiture pour aller se jeter une bière au pub des Deux Brasseurs. Dans la cour, Jane s'échinait à coincer un fauteuil dans la fourgonnette martyrisée, en préparation d'un autre aller-retour à Londres... Mais à un moment donné elle a bien dû faire appel à des gros bras, car je ne l'ai jamais vue transporter un réfrigérateur ou un sommier. Toujours est-il qu'on a fini par venir à bout du déménagement et que les Amis se sont installés dans la maison de Hampstead (site protégé, bâtisse isolée du XVIIIe siècle, jardin muré à l'avant et à l'arrière), animés d'un fort ressentiment. Et les choses n'allaient pas s'améliorer.

En relisant *Girl, 20* le mois dernier, j'ai été refroidi de constater que Kingsley évoque de bout en bout la maison de Hadley Common par des images macabres. Les expressions que je vais citer remplissent leur fonction dans ce roman drôle, triste, nullement biographique, mais je ne peux m'empêcher d'y déceler des signes d'un mécontentement sous-jacent[1] : la « cour pavée ornée d'arbustes maladifs ou crevés », les vieux manteaux accrochés aux portemanteaux, les bouteilles vides, « les ténèbres de la grange », l'« avenue jonchée de branches mortes », le « sentier envahi par les herbes et recouvert d'une épaisse couche de feuilles en putréfaction », « les ruines de la serre », les « vases garnis de fleurs croupissantes ». Comment, en outre, interpréter le destin de Furry Barrel (le Tonneau à poils longs), créature calquée de très près sur la comique et voluptueuse Rosie Plush ? Contrairement à Nancy dans *The Anti-Death League,* Rosie survit de justesse à *Girl, 20.* Le roman se termine sur un divorce et un délabrement généralisé ; le narrateur (un étranger venant pour la dernière fois dans la maison) se rend compte que même la chienne est prise dans les derniers spasmes, estropiée par l'enfant du foyer qui se désintègre. « L'une de ses pattes arrière se dressait en biais, couverte d'une espèce de pansement élastique, et sa croupe était enveloppée dans un tas de sangles. » Et *ça,* comment donc l'interpréter ?

> Je me baissai pour caresser la tête soyeuse de la chienne, avec l'impression qu'un sinistre événement s'était produit au milieu de ma vie et de mes soucis, un

1. Car telle est (entre autres choses) la nature d'un roman : non pas l'almanach de la vie éveillée de son auteur, mais une série de messages venus de son histoire inconsciente. Ils surgissent du fond de l'esprit, ils n'affleurent pas au premier plan. Cette intuition allait finir par m'apparaître dans tout son éclat.

événement majeur, un événement irréparable, comme si j'avais pris une décision funeste des années auparavant et que je commençais juste maintenant à comprendre tout ce qu'elle m'avait fait perdre.

Girl, 20 est paru en 1971. (Sur mon exemplaire est inscrit : « À mon brave Martin, futur diplômé. Avec toute mon affection, Papa. ») *L'homme vert* est sorti en 1969. Donc *Girl, 20* appartient à l'année 1970.

Et voici « Wasted » [« Gâchis »], publié en 1973 :

Par cette froide soirée d'hiver
La cheminée ne voulait pas tirer ;
La famille entière se tenait
Penchée sur l'âtre sinistre
Où des bûches détrempées
Pétillaient, sifflaient et crachotaient.
Quand les autres furent partis
Se coucher dans leurs lits glacés,
Alors que j'étais prêt à les imiter,
Le bois commença à s'enflammer
Dans de douces teintes roses et violettes,
Réchauffant le petit foyer.

Pourquoi ce souvenir demeure-t-il
À présent que les enfants sont tous adultes
Et que la maison — une autre maison —
Est chaude en toute saison ?

Que désigne, que désignait ce « gâchis » ? Pas seulement la vague de chaleur venant de la cheminée, visiblement. « Une autre maison » : dans les tirets encadrant ces trois mots se glisse une touche de dédain, un geste d'évitement. Le poème évoque le chagrin récurrent, incurable, de l'homme divorcé — le chagrin qu'il éprouve pour sa famille perdue. Mais il y a plus : la tristesse, ici, est défaitiste. Elle dit que cela n'en valait pas la peine. La somme de la douleur familiale, de la débandade familiale : *voilà* le « gâchis ».

J'entends à présent une voix subversive s'élever du camp adverse pour soutenir (non sans raison) que le « gâchis » désignait *Kingsley* lui-même en 1973. Un certain fil ténu qui court dans ces pages (le pub des Deux Brasseurs, la vodka à la cerise, la liqueur de daphné, le raki) s'ingénie à jouer les intrus. Forcément, nous y reviendrons... Pour l'instant, je souhaite terminer la subdivision de ce chapitre sur deux images du visage de mon père : deux images identiques, quoique vingt ans les séparent. Mais un lien les rapproche, dont je connais l'existence sans être tout à fait capable de le localiser.

Première image : la scène se passe après une dispute dans la bibliothèque de la maison sur Hadley Common. Une engueulade à trois, me semble-t-il. J'en faisais plus ou moins partie ; peut-être même que j'avais pris position (mais pas forcément en faveur de mon père). Toujours est-il qu'elle s'est terminée. Au milieu de la trêve stupéfaite qui s'est ensuivie, Jane s'est élancée brusquement vers Kingsley, lequel n'a pas remarqué son geste tout de suite, puis a tressailli en levant d'instinct le bras pour se protéger. À son tour, Jane a reculé, avec l'air ahuri de se justifier, comme pour dire : « Tu vois ? Tu vois ce que ça donne entre toi et moi ? » Et le visage de mon père : empreint de puérilité, légèrement renfrogné, plaidant les circonstances atténuantes et implorant l'indulgence, demandant à considérer la situation sous un jour plus favorable.

Seconde image : cette fois, on est à Swansea. On m'a expédié à l'étage pour y recevoir une raclée, ou du moins une fessée de mon père dans son minuscule bureau situé au bout du couloir. Ce long couloir, ce bureau minuscule et minable qui donnait sur le jardin en pente raide, à l'arrière de la maison, signifient qu'on habitait au 24, The Grove, et qu'on n'avait pas encore déménagé sur Glanmore Road, plus haut sur la colline. Cela veut dire aussi que j'étais tout petit, à mon grand embarras, pour avoir commis de telles bêtises : six ans et neuf mois à tout casser. Avec de moins en moins de prudence, je volais de l'argent et des cigarettes dans le sac et les poches du manteau de ma mère. Je sentais qu'on allait me demander des comptes. Un peu plus tôt, les jambes flageolantes de trouille et de dégoût, j'étais allé planquer une poignée de pièces sous le banc d'un abribus ; lorsque j'étais rentré, ma mère m'avait dit de me présenter au bureau de mon père pour y recevoir une fessée... Je me souviens que le couloir était de plus en plus sombre à mesure que j'avançais. J'ai frappé à la porte (c'était dans nos habitudes). Il était debout à la fenêtre et me tournait le dos. Il a pivoté : son visage en disait long. La suite est noyée dans une ombre épaisse et elle m'est totalement sortie de la mémoire. Je ne me souviens plus de rien. « De quoi as-tu envie maintenant ? il m'a demandé ensuite. — D'aller me coucher », j'ai répondu. C'était un soir d'été. De la rue montaient des bruits de pas qui se précipitaient avec zèle, des interpellations exubérantes de promeneurs pleins d'espoir, comme jamais on n'aurait pu l'imaginer en pleine nuit... Quant au souvenir aboli de la raclée, le vide est si parfait, si complet, que je doute parfois qu'elle ait jamais eu lieu. Mais s'il ne m'avait pas frappé, je m'en serais souvenu. Au reste, ma mère m'a dit qu'il avait pleuré cette nuit-là, comme chaque fois qu'il nous battait[1].

Il s'est retourné. Son visage était de trois quarts (alors que cela aurait dû être la position de *mon propre* visage, non ?) : empreint de puérilité, légèrement renfrogné, plaidant les circonstances atténuantes et implorant l'indulgence, demandant à considérer la situation sous un jour plus favorable.

Bien que dans ses romans, sur fond d'attaques permanentes contre les raseurs et leur lourdeur, contre les poseurs et les benêts, la violence joue un grand rôle,

1. Ce qui lui arrivait rarement. De plus, il faut le souligner, Kingsley était assez pitoyable pour corriger ses enfants. Un soir où mes parents recevaient des amis, Philip et moi n'arrêtions pas de descendre nous cacher derrière les meubles jusqu'à ce que ce petit manège devînt incontrôlable. Kingsley finit par nous donner un coup de brosse à cheveux, mais un coup si léger qu'il nous fit glousser de rire pendant une heure après qu'il eut rejoint ses hôtes. Au milieu de notre fou rire, nous faisions semblant de geindre et de souffrir le martyre, ce qui redoublait le comique de la situation. Pendant ce temps, au rez-de-chaussée, notre père versait des larmes, et il ne faisait pas semblant, lui. Plus tard, je m'en suis voulu de l'avoir trompé.

déployant en grand nombre des marteaux, des piques, des baïonnettes, des coups-de-poing américains, des bûchers en flammes, des fourmilières grouillantes, des crocodiles affamés (Papa. Oui ? Si trois fourmilières et deux crocodiles...), des armes à feu, des mortiers, des lance-flammes (la liste est loin d'être exhaustive) — et il conviendrait d'y ajouter les simples voies de fait (« Ronnie se demandait depuis presque trente secondes [...] si, en courant tabasser Mansfield, il en tirerait un sentiment à la hauteur de ce qu'il pouvait éprouver ») —, bref, malgré tout cela, Kingsley était en un sens profondément non violent. Il n'a pas quitté ma mère, il n'a pas quitté Jane. Ce sont elles qui l'ont quitté. Le divorce, c'est « un événement d'une violence inouïe ». Par-dessus tout, il craignait l'escalade des hostilités.

Le planning de souffrance

« Il y aura quand même un bal », répétait Saul. Encore étourdis par les monodies lancinantes de Haïfa, nous étions provisoirement au Mishkenot Sha'ananim, la résidence officielle qui augmentait ses prix à tel point que nous avons dû chercher un autre hôtel. De fait, il y eut un bal. Un dîner avait été organisé, petit événement dont l'animation me semblait dépasser l'excitation garantie par le lieu : on était à Jérusalem, la ville où l'on ne parle pas pour ne rien dire. Je dirais aujourd'hui que les personnages présents avaient été choisis avec un soin qui ne présageait rien de bon : ma femme et moi, Saul et Janis, Allan Bloom (le philosophe politique), Teddy Kolleck (le maire de la ville), Amschel et Anita Rothschild. Je me suis longuement et bruyamment disputé avec Bloom sur la question de l'armement nucléaire, mais finalement sans rancœur[1]. J'ai prudemment rabaissé mon caquet, ce soir-là. Je voyais tous les profonds attraits de l'escalade, de l'escalade dans la suppression de l'arsenal. Un moment, comme si le compte à rebours avait commencé dans la Situation Room de la Maison-Blanche, je me suis tenu au bord du précipice et j'ai vu l'abîme. Mais j'ai rabaissé mon caquet. Il y a des moments où la politesse compte plus que la fin du monde. En réalité, je me sentais souvent au milieu de mes aînés et de mes supérieurs en Israël, et je savourais discrètement l'honneur de loger à la résidence munici-

1. D'après Bloom, l'armement nucléaire constituait un pis-aller efficace pour prévenir les guerres conventionnelles. Je lui rétorquai qu'il était absolument indéfendable de mettre en jeu l'avenir sur la base d'un dispositif qui avait à peu près réussi (jusqu'ici et pas davantage) à maîtriser le présent. Et cetera. Bloom, je le sais maintenant, possédait d'immenses facultés intellectuelles ; mais à certains moments, j'avais l'impression de discuter avec mon père qui, sur ce sujet, était souvent capable de « penser avec le sang », suivant l'expression de Kipling (au lieu de penser *à* son sang, comme le voudrait la modération). Avec la chute de l'Union soviétique et l'érosion de la force de dissuasion, la planète est à nouveau « prête à accueillir la guerre » (pour reprendre les termes de Don DeLillo). Jamais les massacres et les nettoyages ethniques — les souillures ethniques — qui s'étaient produits dans les Balkans n'auraient pu déstabiliser une époque de destruction mutuelle assurée. Mais l'opposition morale à la destruction mutuelle assurée n'en reste pas moins inattaquable. Donc : diminution de l'armement. Pourtant, en 1987 (avec l'initiative de défense stratégique et les boucliers de protection dans l'espace), beaucoup de voix continuaient à prôner son *augmentation*.

pale, où Bloom et les Bellow me semblaient, eux, légitimement installés. J'étais fasciné par l'allure de Bloom (son attente et son amusement constants) et par la gourmandise physique qui lui faisait griller Marlboro sur Marlboro. J'étais également conscient du plaisir que Saul prenait à sa présence. Leur amitié formait un beau spectacle : deux fugitifs sortis d'*Ulysse* (Bloom, Moïse Herzog) en train de comploter joyeusement... Teddy Kolleck avait tendance à disparaître entre les plats, puis à se rematérialiser dans toute sa puissance, une fois sa ville calmée après qu'il y eut fait une apparition ou qu'il eut passé un coup de fil. Les jeunes Rothschild — des amis de longue date malgré leur jeunesse — évoluaient aussi dans l'arène (à mon sens) mystérieuse du pouvoir et des relations publiques, des dons et des inaugurations de charité. « Je suis la Lady Di d'Israël, disait Anita (née Guinness) sur un ton mi-figue mi-raisin. Si, c'est *vrai* ! » Son mari, Amschel, observait la soirée avec la bienveillance effacée, l'élégance physique (curieusement élastique) et l'ardeur de son regard sombre qui le caractérisaient. De quoi avons-nous parlé ? D'Israël. Je n'avais pas envie que la soirée se termine.

Le lendemain, au Mishkenot Sha'ananim, j'ai envoyé un mot à Bellow. Dans un esprit d'extrême défiance. Je pense savoir comme tout le monde que les écrivains ont *toujours* une préoccupation à entretenir ou à protéger. « Nous attendons en général, comme il le dit, que quelqu'un dégage pour pouvoir continuer à vivre (et à cultiver notre petit jardin obsessionnel). » Aucun écrivain ne s'est autant emporté contre la distraction (« Ce qui se passe ne nous laissera pas en paix ») et je soupçonnais, une fois encore, que j'avais été invité en tant que représentant de l'enfer des crétins, c'est-à-dire de la distraction *pure et dure*. Le mot que je lui ai envoyé, je le répète, était rédigé avec timidité. « Vers la fin de la vie, dit Benn Crader dans *Le cœur à bout de souffle*,

> on a une sorte de planning de souffrance à accomplir — un long planning comme un document fédéral, à ceci près que c'est celui de votre souffrance. Des catégories sans fin. D'abord des causes physiques, comme l'arthrite, les calculs biliaires, les crampes menstruelles. Dans la catégorie suivante, orgueil blessé, trahison, escroquerie, injustice. Mais le plus dur à avaler concerne l'amour. La question qui se pose est la suivante : Pourquoi les gens continuent-ils malgré tout ? Si l'amour les démolit à ce point, et on en voit partout les ravages, pourquoi ne pas montrer un peu de bon sens et faire une croix dessus plus tôt ?

Dans le mot, je m'enquérais donc de l'état du planning de souffrance de Bellow[1], en disant que je ne vou-

1. Je savais naturellement que la situation de Bellow avait changé depuis notre première rencontre en 1983. Il ne vivait plus avec sa quatrième femme, Alexandra... Mais je ne pouvais prétendre savoir comment son cœur en était affecté, parce que cela ne m'était pas arrivé. J'avais observé mon père, et je l'avais lu ; j'avais lu Bellow, et bien d'autres. C'est là le grand défaut de la littérature : en imitant la nature, elle ne prépare pas à l'essentiel de la vie. Pour cela, il n'y a que l'expérience qui puisse répondre : « Si l'amour les démolit à ce point [...], pourquoi ne pas montrer un peu de bon sens et faire une croix dessus plus tôt ? » Mon père avait suivi ce conseil. En 1987, il avait soixante-cinq ans ; Bellow en avait soixante-douze, et il n'était pas du tout prêt à abandonner la partie.

lais nullement en rajouter, mais que si jamais il acceptait, à moins que bien entendu...

Il a répondu et nous avons pris le thé à la résidence (un nuage de lait pour moi, un zest de citron pour lui), sur un balcon ou sur un toit, dans le paysage hésitant de Jérusalem, ce paysage tropical, abandonné, couvert de détritus. C'était notre première rencontre qui n'avait strictement rien de professionnel, mais en un sens, je regrette de ne pas avoir apporté l'attirail de mon métier de fortune : stylo, carnet, magnétophone à surveiller d'un œil méfiant, fébrilité des mains[1]. Car je ne me souviens pas de ce dont on a discuté. Mais je peux le deviner. Il a souvent été dit de Saul Bellow qu'il parle exactement comme il écrit. À mon sens, pourtant, cette idée ne saurait décrire avec justesse aucun romancier littéraire (et imaginez un peu comme elle est grotesque si on l'applique à un poète). Mais il n'empêche que c'est presque plus vrai de Bellow que de tous les autres écrivains que j'ai connus. Mêmes inflexions rythmiques, même vigilance et même prudence, combinées à une semblable propension à poursuivre et à développer ses

1. John Updike raconte comment des jeunes gens viennent le voir, bardés de questions et les mains tremblantes. J'ai tremblé des mains face à Updike pendant l'été de cette année-là. Tandis que je préparais le plateau de thé (un nuage de lait pour moi, et pour lui... de la camomille ?) dans la cafétéria de l'hôpital central du Massachusetts, il s'en est aperçu et m'a dit doucement : « Laissez-moi plutôt le porter. » J'ai retenu la leçon de cette expérience. Quand des jeunes gens viennent me voir, bardés de questions et les mains tremblantes (il n'y a que les vrais fans qui tremblent), je dispose leur verre sur la table avant eux et détourne le regard lorsqu'ils le portent à leurs lèvres — ou le renversent sur leur veste.

pensées[1]. En lui parlant, ce jour-là, je n'avais pas une impression très différente que si je m'étais plongé dans *La planète de M. Sammler* (le sentiment d'être branché sur un talent), sans que cela dénote la moindre passivité de ma part. On s'approche ici d'une des définitions de la littérature. Les romans populaires, même les meilleurs, vous atteignent directement : on n'engage pas la conversation avec eux. Tandis qu'on l'engage (on discute) avec *Herzog, Henderson* ou *Humboldt* : on doute, on acquiesce, on résiste, on nuance, objecte, concède — et on sourit. D'un sourire où l'admiration, de réticente qu'elle était, finit par être totale. C'était comme ça sur la terrasse à Jérusalem. Et c'était comme ça hier soir (18/7/99), à distance, lorsque j'ai relu *Au jour le jour*, assis dans une cuisine à Londres.

J'ai donc connu du bonheur en Israël, mais le bonheur, je ne cesse de m'en rendre compte, ne va pas sans une forte dose de paranoïa. Au moment où l'on est heureux (où on se l'imagine), le ciel va vous tomber sur la tête. Plus tard, cette année-là, Bellow a publié *Le cœur à bout de souffle*, j'ai publié *Les monstres d'Einstein*, et Allan Bloom, *L'âme désarmée*[2]. Mais dans toute cette

1. Moi qui fais trois brouillons, j'ai été stupéfait d'apprendre que Bellow avait *dicté* certains passages du *Don de Humboldt*. (Mais je sais aussi qu'il peut remettre son ouvrage sur le métier avec obsession.) La plupart des écrivains ont au moins ceci en commun avec Nabokov : « Je pense comme un génie, j'écris comme un auteur distingué et je parle comme un enfant » (*Intransigeances*).

2. La popularité méritée de ce best-seller inattendu a presque démonté sa thèse, parce que des millions d'Américains ont soudain voulu s'informer de la morbidité jusqu'alors négligée de leur esprit. Le livre de Bloom est

productivité, dans toute cette vigueur, je n'entrevois maintenant que la grimace d'une catastrophe finale. Avançons de sept ans. Je m'en tire le mieux, tout juste en proie à la convulsion de la quarantaine. Tandis qu'Allan Bloom meurt du sida et que le vivaneau se nourrit de corail à Saint-Martin, se transformant en capsule de cyanure, prêt à attaquer les Bellow. Parmi les autres convives de Jérusalem, Teddy Kolleck a perdu la mairie au profit de Likud, et toute l'œuvre de sa vie, sa ville, ce bazar d'œcuménisme fébrile au milieu des années 1980, a pris une tournure plus monolithique, plus conservatrice, plus orthodoxe. La dernière fois que j'ai vu Amschel Rothschild, c'était à une réception à Londres en 1996. Au cours de la conversation, je lui ai demandé des éclaircissements sur les armes à feu pour mon roman du suicide, *Train de nuit*. Trois mois plus tard, il se pendait dans une chambre d'hôtel à Paris[1].

---

attachant, drôle, savant, et il ne ménage personne ; malgré tout (et sans vouloir insister), il reste unilatéral sur la question de l'armement nucléaire. Si cet armement agace Bloom, c'est seulement parce qu'il sert de prétexte à un apitoiement de jeune étudiant. Ça peut paraître bizarre à dire, mais il n'a pas assez réfléchi (il n'a pas réfléchi philosophiquement) à ce problème et à ses incidences sur certaines affirmations qu'il tient pour acquises. « [L]e fait que l'État protège la famille, écrit Bloom en résumant Hobbes et Locke, constitue une raison puissante de se montrer loyal à son égard. » Pourtant, un monde nucléarisé où l'État place la famille en première ligne de tir détruit complètement cette apparente vérité.

1. Le suicide est l'issue humaine la plus lugubre de toutes ; c'est vraiment l'histoire la plus triste. Mon roman traitait d'un suicide apparemment inexplicable, mais le suicide d'Amschel était beaucoup plus bouleversant parce qu'il était réel, parce qu'il était proche. On a trouvé des facteurs qui l'ont poussé à commettre l'acte (mort de sa mère, pression du travail). Mais sans doute la révélation la plus frappante, bien que ce soit

Impossible de le ramener à la vie, même s'il existe encore à moitié dans chacun de ses trois enfants. D'autres sont revenus. Après vingt-cinq jours passés dans la salle d'attente de la mort, Saul Bellow a ressuscité. Avant de provoquer une autre résurrection. Allan Bloom « est » Ravelstein. J'utilise ici des guillemets, mais je sens que je vais bientôt devoir les éliminer, au même titre que bien d'autres scrupules critiques. Naturellement, seul un ignorant irait prétendre que Harold Skimpole *est* Leigh Hunt ou que Rupert Birkin *est* D. H. Lawrence ; tout aussi naturellement, même le personnage recréé avec la plus grande fidélité n'en reste pas moins *re-créé*, transfiguré ; la fiction autobiographique demeure de la fiction, c'est-à-dire un édifice autonome ; naturellement, enfin, le roman à clés dénote le plus bas degré de l'intelligence. Je connais mieux le roman de Bellow, beaucoup mieux, que je n'ai jamais connu son ami. Cependant, *Ravelstein* n'est pas loin de me persuader

---

un simple détail à première vue, se trouvait-elle dans la déclaration de la femme de chambre qui lui a apporté quelques serviettes de bain cet après-midi-là. Il aurait fait preuve d'impatience et de brusquerie à son égard. Or, une telle présomption lui ressemble si peu, elle paraît si peu plausible... En général, le suicide survient au moment où le planning de souffrance n'en laisse rien paraître ni prévoir. Mais on apprend dans les livres qu'il peut aussi être déclenché par une impulsion incontrôlable, par une espèce de spasme mental. Je bats en retraite, comme vous êtes obligé de le faire, en pensant que le suicide d'Amschel était au fond un geste involontaire. Il fait partie de ma trinité de suicidés importants, aux côtés de Susannah Tomalin (la fille de Claire et de Nicolas) et de Lamorna Seale (la mère de ma fille Delilah). Quels qu'aient été ses autres effets, l'autre suicide mentionné dans ces pages, celui de Frederick West, était tout à fait compréhensible et il n'a rien changé au cosmos moral.

du contraire. C'est un livre sacré. Un acte de résurrection à lui seul. Dans ses pages vit Bloom.

Climatérique

« Je veux mettre Rob dans un roman », dit Kingsley.

On est en 1982 (la vie après Jane) ; la scène se passe dans le salon de la petite maison exiguë et déglinguée de Kentish Town, à l'angle d'une rue. Mon frère Philip est là aussi... Récemment, on avait reçu la visite de son homonyme, Larkin. Je descendais de voiture le soir convenu lorsque j'ai vu Philip L. et son amie, la virile Monica, qui remontaient Leighton Road en cherchant la maison. Ils revenaient d'un match de cricket à Lord's[1] et ils étaient un peu paumés ; ils avaient l'air penaud, provincial, Larkin me rappelant comment il lui était arrivé de se désapprouver lui-même (manchette imaginaire pour accompagner une malheureuse photographie : « Rebouteux ou escroc insensible ? »). Je les avais abordés lentement, en biais, pour ne pas les effrayer, et je les avais tranquillement fait entrer. À ma grande surprise, mon frère avait traversé la pièce pour venir embrasser son parrain. La réaction de Larkin m'avait également surpris (parce que je connaissais

1. Monica me méprisait parce que je sous-estimais le talent du lanceur pakistanais Abdul Qadir. C'est en feuilletant l'*Almanach des joueurs de cricket de Wisden*, que mon plus jeune fils gardait précieusement sur sa table de chevet, que j'avais fixé la date de cette rencontre.

mieux ses poèmes que leur auteur) : elle confirmait exactement une remarque que ferait Kingsley à son enterrement à Hull en décembre 1985 :

> Il était impossible de le rencontrer sans s'aviser, dès les toutes premières secondes, de sa courtoisie et de sa prévenance irréprochables : sous son air sérieux perçait le soleil, et il était toujours prêt à réagir face à une lueur comique ou chaleureuse.

Sans compter que lui et Hilly s'appréciaient mutuellement... C'est la dernière fois que j'ai vu Larkin. Une mauvaise passe s'annonçait pour les poètes qui fréquentaient la maison. Mais quel luxe de les avoir fréquentés dans le passé ! John Betjeman[1] nous a quittés en 1984. On l'avait pas mal vu dans les années soixante-dix : c'était (mauvais présage pour le couple) l'un des très rares amis de la famille que Jane et Kingsley aimaient autant l'un que l'autre.

Dans une lettre tardive, KA se fait l'écho d'une rumeur posthume selon laquelle « Betch » aurait réduit une secrétaire en larmes. Il ajoute quelque chose dans ce goût-là : on se souviendra de lui comme d'un ange,

1. Cecil Day Lewis fut poète lauréat de 1968 à 1972 (succédant à cet antique monument qu'était John Masefield, lequel occupa le poste trente-sept ans). À son tour, Betjeman lui succéda de 1972 à 1984. Larkin, son successeur tout désigné, fit savoir qu'il refuserait la charge. J'ai rédigé une notice nécrologique de Larkin et, près de dix ans après sa mort, j'aurais davantage à en dire sur lui, pour le protéger de son biographe, Andrew Motion, qui fut nommé poète lauréat il y a à peine quelques semaines (mai 1999).

tandis que le vrai nounours (KA) passera pour un vieux porc de plus. De Betjeman, je n'ai jamais connu que le côté fêtard (un déjeuner d'été qui s'était prolongé après la tombée de la nuit, par exemple) et l'extrême gentillesse (quand il venait à la maison sur Hadley Common, même dans ses vieux jours, il insistait toujours pour monter vous voir si vous étiez malade et alité, en dépit de tous les escaliers à gravir).

« Rob ? j'ai demandé.

— Ouais. J'ai pensé le mettre dans un livre. Tu vois, comme un personnage secondaire.

— Par exemple ?

— Un ivrogne qui essaie de produire des films.

— Rob n'a jamais essayé de produire de films. Il était assistant réalisateur.

— Très bien. Ça le gênerait ?

— Je ne crois pas. Mais je ne vais pas lui en parler.

— Comment je vais l'appeler ? »

Silence. Puis mon frère a rétorqué :

« Appelle-le *Rob*. »

Bien plus tard, en 1990, Kingsley a publié *The Folks That Live on the Hill* [*Les habitants de la colline*]. Parmi les personnages secondaires se trouve un soi-disant producteur de cinéma qui lève facilement le coude, et qui s'appelle *Rob*. Mais « Rob » *n'est pas* Rob. À vrai dire, on ne peut pas incorporer des personnes réelles à un roman, parce qu'un roman, pour peu qu'il soit vivant, ne va pas manquer de les déformer, de les tirer et de les étirer, afin d'accomplir ses propres desseins. Ainsi, s'il est largement question de bonté dans *The Folks That*

Live on the Hill, « Rob » se caractérise par son indifférence à la bonté, ou du moins par le fait de tenir la bonté pour un dû, ni plus ni moins — ce qui ne ressemble pas du tout à Rob. À cet égard, il me fait penser à Aziz, dans *Route des Indes*, qui prononce (« gravement ») ces mots aussi poignants qu'intrigants : « Mr. Fielding, personne ne peut savoir à quel point, nous autres Hindous, nous avons besoin de bonté. Nous ne le savons pas nous-mêmes. Mais lorsqu'on nous la donne, nous le savons bien. » Une forme de générosité ordinaire envers Rob est à elle-même sa propre récompense, sinon je me passerais de lui en témoigner... Dans un essai de 1973, « Real and Made-up People » [« Êtres réels et inventés »][1], KA écrit : « Que ce soit un paradoxe ou un

1. Repris dans *The Amis Collection* (1990). L'écrivain autobiographique, continue-t-il, est une spécialité du siècle : « [...] C'est D. H. Lawrence qui a commencé à écrire sur lui, sur les gens qu'il connaissait et sur des incidents qui lui étaient arrivés pour de bon ; ses héritiers conscients ou inconscients nous cernent aujourd'hui de tous côtés. Ils ont réveillé les fantômes de philistins morts depuis longtemps, qui considéraient le poète comme un menteur et l'histoire comme la seule vérité ; on redouble d'éloges devant Katherine Mansfield en la qualifiant d'"écrivain le plus autobiographique qui ait jamais été". [...] » Lawrence a souvent eu maille à partir avec la justice ; il a non seulement été accusé d'obscénité, mais aussi été traîné en procès pour diffamation. S'il écrivait aujourd'hui, il devrait modérer des sentiments comme le suivant, extrait de *L'amant de Lady Chatterley*, au moment où Connie s'interroge sur la valeur de sa loyauté envers Clifford : « Que lui apportait-elle, après tout ? Un orgueil froid, sans contacts humains chaleureux, aussi vil que n'importe quel Juif de basse extraction, tant elle avait soif de se prostituer pour la déesse des putes, la Réussite. » J'ai cité ce passage à Saul Bellow, qui, sans se démonter, a convenu que c'était un des points négatifs du livre. Je suis moins tolérant. L'antisémitisme du « citoyen » méprisable et comique, dans *Ulysse*, est plus subtil. La méchanceté de Lawrence constitue un double stéréotype : un cliché de la tête et un cliché du cœur à la fois.

truisme, plus un personnage de roman ressemble à la personne réelle [...], moins il est intéressant. » C'est une idée que mon père et moi avons toujours partagée : jusqu'en 1978. Mais en baptisant son personnage secondaire « Rob », Kingsley ne faisait que prolonger un moment amusant qu'il avait passé avec ses fils.

Dans le même essai, se trouve la phrase que j'ai déjà citée : « Un jour, j'ai essayé, par paresse ou par manque d'imagination, de coucher sur le papier des personnes réelles, et j'ai commis ce qui est, de l'avis général, mon pire roman : *I Like It Here.* » À mon sens, le pire roman de KA, ou son moins bon, est cette fiction d'un autre monde, *Russian Hide-and-Seek*[1] (1980), flanqué d'un côté par le problématique *Jake's Thing* (1978), et de l'autre, après l'interruption la plus longue de sa carrière, par le superproblématique *Stanley and the Women* (1984). Cette période de sa vie était climatérique — et le *Concise Oxford Dictionary* n'y va pas de main morte pour définir ce terme : « *a.* constituant une crise, critique ; (Méd.) survenant à une période de la vie (entre 45 et 60 ans) où les forces vitales commencent à décliner. » L'univers romanesque de Kingsley allait s'en

1. Je lui ai demandé : « Pourquoi ce titre ? » [*Cache-cache à la russe*]. Il m'a répondu : « Pour faire un jeu de mots avec la roulette russe. — Personne ne va le comprendre, je lui ai lancé. Moi-même, je n'avais pas pigé. » Et lui : « N'oublie pas que tu en traînes une sacrée couche. » Le roman se passe au XXIe siècle et décrit une Angleterre que cinquante ans de gouvernement russe ont renvoyée aux ténèbres médiévales. Lors d'un dîner le jour de la parution, Kingsley en a offert un exemplaire à Margaret Thatcher. « De quoi ça parle ? » lui a-t-elle demandé. Kingsley le lui a expliqué. « Trouvez une autre boule de cristal », a répondu la Dame de fer.

remettre, haut la main. Mais de mon point de vue, il semblait plus ou moins largué à l'époque, en art comme dans la vie. *Russian Hide-and-Seek* est un livre déprimé. L'auteur n'avait pas l'énergie nécessaire pour oublier ses propres soucis. *Jake* et *Stanley*, d'un autre côté, étouffent de leur proximité avec son planning de souffrance. Je sentais que Kingsley perdait l'équilibre. De toute évidence, comme on pourrait le démontrer, sa vie avait (à moitié) survécu à une *tormenta*, à un océan déchaîné. Mais que dire de son œuvre ? Seuls d'autres écrivains, peut-être, me croiront si je dis que cette question me paraissait tout aussi sérieuse.

Le jour où j'ai terminé *Jake's Thing*, je suis passé le voir à Hampstead. Une fois Jane sortie de la pièce, je lui ai demandé :

« Tous ces trucs sur la thérapie sexuelle... Tu en es *vraiment* passé par là ? »

Je savais des choses sur la vie sexuelle de mon père. L'une de mes sources d'information était Jane qui, même en 1975, m'en disait plus long que je ne souhaitais en apprendre sur la paresse croissante de mon père dans ce domaine. *Jake's Thing* me fournissait d'autres informations.

« Oui !

— Nom de Dieu ! Faire à ce point attention à ses parties, aller se coucher avec un anneau autour de la queue ?

— Oui ! Il y a eu de ça.

— Nom de Dieu !

— Dans un cas pareil, il faut faire preuve de bonne volonté...

— Ouais, mais le *roman* ne montre pas de bonne volonté, si ? »

À nouveau, il m'a regardé d'un drôle d'air. Handicapé, faiblement handicapé. Jane est revenue dans la pièce. Nous avons changé de sujet.

À une époque plus heureuse, les deux écrivains terminaient leur journée de travail en se lisant mutuellement les résultats de leurs efforts pendant l'apéritif. Je ne crois pas que ce fut le cas pour *Jake*. Encore moins pour *Stanley*.

C'était un homme qui ne pouvait pas rester seul dans une maison après la tombée de la nuit. Je ne savais absolument pas comment agir, mais j'attendais le coup de téléphone et j'ai compris tout de suite ce que voulait dire mon frère :

« Mart. Ça y est. »

Lettre de l'université

Exeter College, Oxford
[Juillet ? 1971]

Très chers papa et Jane,

Pardon de ne pas avoir écrit plus tôt — c'est ma première lettre du trimestre — mais on est tellement bien ici, l'été, que c'est dur de ne pas passer tout son temps à boire, puis à se laisser glisser sur l'eau ou à faire semblant de lire sur la pelouse du jardin réservé aux boursiers. Je passe quand même pas mal de temps à chercher un logement pour l'an prochain. Peut-être que vous pouvez me conseiller. On voudrait un appart assez excentré avec 3 chambres. Ça tourne autour de 12 livres. Vu que ça en coûte 8 ou 9 de vivre sur le campus, combien je dois compter pour la bouffe et combien pour le loyer[1]. Je vais partager avec deux autres types (pour l'instant, j'arrive

1. Pas de point d'interrogation dans l'original. On dirait qu'à partir de maintenant, ces lettres sont juste adressées à Jane — d'où l'accent mis sur les questions domestiques/amoureuses.

pas à envisager la suite avec Gully[1]), donc ça fait à peu près 4 livres chacun pour le loyer. Le problème, c'est qu'à moins d'avoir beaucoup de bol il faut louer pour les vacances, car c'est quasi[2] impossible de trouver en octobre. Bref, dites-moi ce que vous en pensez.

Ça se passe plus ou moins bien avec Gully, mais je regrette sans arrêt de me sentir pieds et poings liés et d'avoir l'impression d'être en train de gâcher les plus belles années de ma vie, etc., étant donné que notre relation, de mon point de vue, ne s'améliore pas : elle se borne à mes tentatives de perpétuer l'illusion que je tiens toujours autant à elle (ce qui est faux). Je sais que c'est une question de responsabilité, mais c'est aussi de ma vie qu'il s'agit, non ? C'est horrible à dire, mais j'en suis arrivé au point où je crois que ça me ferait tout autant chier d'être sans elle. Du coup, la rupture me fait à la fois peur et horreur.

Discussion incroyable avec Wordsworth[3] l'autre jour.

1. Quelques biffures et ajouts ici. Du moins, ça change de voir que la fragilité d'Osric n'est pas due au fait de se lever le matin, mais à ses émotions. Gully (Alexandra Wells de son vrai nom) est la dédicataire du *Dossier Rachel*, bien qu'elle n'en soit pas l'héroïne (sur laquelle nous reviendrons). On nous avait présentés beaucoup plus tôt, vers 1965 (« Mais tu disais que tu le détestais ! Tu disais qu'il avait un jukebox ! » : propos rapportés par la confidente de Gully, Anna Haycraft, alias la romancière Alice Thomas Ellis). On a commencé à sortir ensemble quand elle est venue faire ses études d'histoire au *college* St. Hilda en 1969, et ça a duré, avec des hauts et des bas, à peu près aussi longtemps que la moyenne des mariages : dix ans ?

2. « Quasi » : indicatif musical du fainéant et du charlatan.

3. Le lien biologique entre mon tuteur et le poète, qui intéressait un Osric s'éveillant lentement à la littérature, était réel, mais illégitime. Sa femme de l'époque, Ann, m'a envoyé, trois ans plus tard, ce commentaire sur mon premier roman : « Lu votre livre très [*quelque chose*]. » Le mot

À son avis, Shakespeare était sans doute pédé, ou du moins dégoûté par l'hétérosexualité. On s'est mis à parler des pédés en général. Lui, il se disait habitué, vu que son père et son frère en sont ; une minute plus tard, il a ajouté l'air de rien que sa mère avait eu sa phase de goudou et qu'elle avait habité avec une femme pendant toute la guerre[1]. Il comprend pas trop d'où lui viennent ses gènes hétéro et je vois ce qu'il veut dire. Je suis plongé dans Shakespeare tout ce trimestre et je me régale. Wordsworth me parle de tous les prix pour lesquels je devrais concourir. Je me sens pas très chaud, mais il est d'accord pour que je reste à Oxford un mois et quelque à la fin du semestre, car ce sera ma dernière occasion de faire des lectures sérieuses avant les examens finaux. Bonne idée, non ? Ce trimestre, j'assiste aussi à une série de séminaires animés par le professeur Northrop Frye. Très stimulant. Il y a un étudiant venu de chaque *college*.

J'ai tout organisé pour Sally et je l'amènerai faire du canot et tutti quanti. Dites-moi ce que vous pensez de Gully et de l'histoire du logement.

À bientôt (je vous dirai si c'est pour un week-end).

Grosses bises,

Martin

---

illisible contenait six lettres et il m'a fallu environ une semaine pour le déchiffrer. C'était : hétéro.

1. Mon tuteur me suggère à présent que « bisexuelle » aurait été plus exact.

Est-ce que vous pourriez envoyer les 50 livres à l'intendant d'ici la fin de la semaine, si possible, et à moi 5 livres et 5 shillings (pressing : £1 5 ; café, etc. : £ 1 ; dettes de dîner : £ 2 ; classeurs : £ 1)

Je vous embrasse tous — et Miss Plush aussi.

Agapes d'amis

Petit coup discret, mais insistant, à la porte de ma chambre. Je me réveille.

« Je peux entrer ? »

Mon fils cadet se tient au pied du lit. La scène se passe pendant le Noël lugubre de 1994, quand nous campions tous les trois dans l'appartement le week-end : il y a le pot de yaourt au chocolat contenant un sachet de thé usagé. Mes fils (huit et dix ans) me réveillaient en général, le dimanche matin, en sautant sur ma tête. Jacob a bredouillé :

« Papa, je m'excuse de te déranger.

— Ah bon ? Pourquoi ?

— Je m'excuse de te déranger, mais il y a le Chacal qui voudrait te parler au téléphone. »

Le Chacal était mon agent, Andrew Wylie. Mes fils avaient vu les journaux et ils m'avaient posé des questions. Qui était ce type, voulaient-ils savoir, qu'on appelait le Chacal ? On l'appelait le Chacal, je leur répondais, à cause de ses griffes et de ses dents acérées, ainsi que de la fente où il glissait sa queue de chacal dans son costume rayé. Ils ne me croyaient pas vraiment, mais Jacob, ce jour-là, voulait rester prudent.

Je ne me souviens pas des détails de la conversation. Mais l'appel devait être important et je suis sûr que j'y ai répondu avec un mélange d'attention et d'inquiétude sur le moment. Les négociations pour mon roman *L'information* allaient continuer l'année suivante. J'ai devant moi la lettre de Julian Barnes dans laquelle il met fin à notre amitié : elle est arrivée le jour après que le marché fut conclu et elle est datée du 12 janvier 1995. C'est un document remarquable. Elle mérite une réponse...

Je ne me souviens pas non plus des détails de tous ces mois de crucifixion dans la presse. « Pourquoi on s'en prend toujours à vous ? » me demandait-on. J'en ai assez de dire que je ne comprends pas. J'en ai assez de dire que j'en ai assez de dire que je ne comprends pas. Quand c'était d'actualité, je me répétais sans cesse : Seigneur, je suis ignorant, je suis un étranger pour mes semblables. Ça faisait réfléchir, c'était même stimulant d'être à ce point ébahi par une entité qu'on pensait comprendre : l'Angleterre. Ce n'était pas une histoire sur moi parce qu'il n'y avait pas d'histoire. « C'est quoi, *cette histoire* ? » me demandaient des journalistes étrangers en essayant de comprendre : on les voyait se prendre la tête entre les mains pour s'efforcer de comprendre. Mais je n'étais pas le sujet de l'histoire. Le vrai sujet, c'était l'Angleterre.

Le 16 janvier 1995, un Kinch libre s'envola de l'aéroport de Heathrow, à Londres, et atterrit à celui de Logan, à Boston. En sortant du taxi, j'imaginais les regards que nous allions bientôt nous lancer, Saul Bellow et moi. Il était mon aîné de trente-sept ans et il avait traversé une épreuve d'une gravité incommensurable, par rapport à la mienne. Cependant, pour paraphraser Philip Larkin dans sa *Correspondance*, même si ses tribulations avaient été les plus dures, c'était moi qui avais dû vivre les miennes. Un piètre détail, et un seul, faisait que j'avais souffert plus que lui : jusque-là, on ne l'attaquait pas sur tous les fronts pour sa maladie. Personne ne disait que son passage en réanimation était « cosmétique ». On l'attaquait comme toujours pour d'autres choses. Mais pas pour celle-là.

En nous étreignant prudemment, je lui dis :

« Tu m'as l'air plus léger.

— Mais *toi aussi*, tu m'as l'air plus léger. »

C'était un poisson, un vivaneau (« fondant » sous la langue et servi avec de la mayonnaise, cette « pommade à l'oxyde de zinc »), un « pescavore » qui, nourri de corail, avait failli causer sa fin. En tournant autour de coraux vivants, le poisson s'était armé d'une toxine tout ce qu'il y a de plus hostile à la vie humaine...

Au moment où j'écris, je perçois le supplice de Bellow à travers l'éclat de son roman *Ravelstein*, où les événements se voient conférer but, ordre et signification — et, dans ce cas, des signaux de magnificence universelle. Je dois me rappeler ce malheur ordinaire, cette folle malchance. Moi aussi, j'étais là, dans la substance épouvantable de mon propre cas : moderne, circonscrit, criard. Dans *Au jour le jour*, Bellow écrit que « les douleurs dentaires » comptent pour environ deux pour cent du total des misères d'un homme. Je réviserais au contraire ce pourcentage selon le dicton de Clive James, qu'il m'avait ressassé à l'envi quand j'avais à peu près vingt-sept ans : « Neuf horreurs sur dix se produisent chez le dentiste. » Pour Saul, cela s'était produit dans un décor paradisiaque. Moins beau, il est vrai, que la forêt tropicale de Nouvelle-Guinée, avec ses cascades d'orchidées et le fumet de guerriers vaincus rôtissant sur une broche pour accueillir les narines du voyageur. Mais les Caraïbes (leurs paysages marins, leurs brusques couchers de soleil) étaient un bon coin pour apprendre la fragilité de « la jouissance à vie » : l'absence de soutien cosmique à son endroit. Quand il s'était fait rapatrier à Boston, la technologie médicale s'était imposée. Les appareils vivaient pour lui, il resta dans le coma pendant trois semaines et demie. Il avait abandonné la conscience et tout ce qu'il lui restait était donc l'esprit subliminal. « Sub : sous, pour ce qui concerne la position + *limen-inis* (lat.) : seuil. » C'est là qu'il passa vingt-cinq jours : sous le seuil.

On a parlé à bâtons rompus ce soir-là ; on avait de bonnes histoires à se raconter — des histoires qui faisaient froid dans le dos, des histoires qui donnaient le frisson. À l'époque, les Bellow logeaient dans une espèce de résidence d'ambassade que l'université de Boston mettait à leur disposition ; la chambre d'amis était dans la maison d'à côté et il devait être cinq heures du matin, à mon horloge biologique, quand j'y suis allé et que j'ai sorti mon stylo. Sur la table près de la fenêtre, comme j'ai cru bon de le consigner, se trouvait un exemplaire du *Cœur à nu*, « le nouveau roman envoûtant de l'auteur du best-seller *Les vies mêlées* ». La pièce contenait aussi deux globes terrestres. Deux mondes. *Mêler des vies ?* Il y a des gens qui ne sont pas faciles à satisfaire et qui en demandent toujours davantage. Mais j'étais satisfait. Extrait de mon journal : « Tantôt la même lueur dans le regard, tantôt une lueur différente. » Il m'avait paru mentalement intact et intègre[1] ; Janis avait pourtant souligné que ses handicaps physiques le faisaient passer du désespoir à la colère. (*Ravelstein*, premier jet de l'avant-dernière page : « [Le neurologue] me fit passer quelques tests élémentaires — j'échouai à tous. Impossible de prévoir le degré de guérison ; j'allais bientôt avoir quatre-vingts ans. ») Extrait de mon journal : « Je jure qu'il était plus grand que moi et qu'il est devenu plus petit. Certitude (?) qu'il se remettra. » Il s'est remis.

Et j'étais satisfait. Lady Di aimait à répéter que son poème préféré était « Le voyageur fatigué » d'Adam

1. Avec une lacune fascinante. Il a décrit les « visions » qu'il avait eues pendant qu'il était plongé dans un coma profond (« J'étais dans la salle des coffres d'une banque à Paris ») comme si c'étaient de véritables expériences qu'il avait vécues, et non comme un homme qui essaie de se souvenir de l'enchaînement d'un rêve. Beaucoup d'assurance dans sa voix. Toutes ces visions sont amplement traitées dans la première mouture de *Ravelstein*, mais la plupart ont été expurgées de la version finale. Bellow a dû sentir qu'elles n'étaient pas à la hauteur, d'un point de vue structurel, ou qu'elles avaient tendance à compromettre l'universel.

Lindsay Gordon, véritable quatrain de bouillie victorienne :

La vie est avant tout écume et clapotis,
Deux bouées nous sauvent, dures comme l'airain.
Tendrement compatir aux soucis d'autrui,
S'armer de courage pour faire face aux siens.

Pour s'amuser, Kingsley avait récemment réécrit « Le voyageur fatigué » en lui insufflant un peu de l'air du temps :

La vie souvent se borne aux labeurs, aux douleurs.
Il n'y a que deux trucs pour pouvoir s'en tirer.
Glousser de son voisin touché par le malheur,
Pleurnicher sur son sort si l'on est concerné.

L'amitié, telle que je la conçois, se situe à mi-chemin de ces deux strophes. C'est une puissance mystérieuse : on montre ses faiblesses à un ami et on en sort tous les deux d'autant plus forts...

Le lendemain matin, j'ai demandé à aller prendre le petit déjeuner dans un restaurant qui s'appelait quelque chose comme Nous Sommes des Crêpes. En grande partie parce que j'aime son expression de reproche dans ces moments-là, je taquine souvent Janis sur la culture américaine moderne — sans raison, en fait, car elle est canadienne[1].

1. On l'entend légèrement dans sa manière de prononcer le son *ow* [*a-ou*], qui ressemble parfois à *oh* [*o-ou*]. Les linguistes parlent d'une

En fait, nous avons atterri dans une cafétéria qui ne s'appelait pas Nous Sommes des Crêpes, ou Les Crêpes, c'est Nous, mais quelque chose comme La Maison des Crêpes, ou Le Monde des Crêpes selon Mike. Saul m'a donné l'impression d'avoir fait de remarquables progrès par rapport à la veille. Lorsque j'ai pris congé de lui, j'ai été légèrement choqué de m'apercevoir, sans le moindre doute possible, qu'il était à nouveau plus grand que moi. (Je ne m'en attribue pas le mérite, même si c'était peut-être *moi* qui avait rapetissé.) « Il avait simplement *décidé* de mieux aller », me dit Janis des mois plus tard, lorsqu'il fut guéri, complètement et remarquablement guéri. Je la crois. C'est sa tête qui l'a sauvé.

J'ai pris l'avion pour Hollywood — pour aller voir un *acteur* qui s'était réveillé d'entre les morts : Mr. John Travolta.

Il le serrait contre lui

Les lecteurs de la *Correspondance* de Kingsley suivent la courbe émotionnelle que trace le livre. Ça commence,

---

intonation canadienne ascendante (la langue se soulève sur la diphtongue). Un jour, avec Kingsley, je regardais à la télévision un match de tennis retransmis depuis Montréal ; les juges de lignes criaient « *Oat !* » au lieu de « *Out !* » Kingsley m'a demandé si les Canadiens appelaient leur police montée [*Mounties*] « les Moanties ». Quand j'ai revu Chaim Tannenbaum, mon beau-frère canadien (à l'époque), je lui ai posé la question : « Est-ce que les Canadiens disent "les Moanties" ? » Et lui de se défendre plus énergiquement qu'il n'en avait l'habitude : « Non ! Les Canadiens ne disent *pas* "les Moanties". »

après un bégaiement intéressant[1], par un pavé de prose, massif et ininterrompu, adressé à Philip Larkin : plusieurs dizaines de milliers de mots, même après un sérieux élagage. C'était de l'amour, incontestablement de l'amour du côté de mon père. Kingsley voulait *tout le temps* être avec Larkin ; que ce fût impossible n'a cessé de le contrarier et de l'intriguer. Larkin, je pense, éprouvait la même envie, ou du moins son équivalent larkinesque. Mais il était moins doué pour l'amour... Puis Kingsley a connu la vie : d'abord la guerre, puis le mariage, les enfants, l'enseignement, les voyages, le divorce, le remariage, le divorce. Il a aussi connu le succès (qui agissait curieusement sur lui comme un calmant ; ça le détendait). Pendant ce temps, Larkin connaissait la vie, mais il n'était *absolument* pas doué pour ça et il est resté, jusqu'à la fin de ses jours, célibataire, sans enfants, sédentaire. Il y mettait un héroïsme discret, comme je m'en rends compte à présent. Il serrait la mélancolie contre lui dans ses poèmes — ou même *pour* ses poèmes, peut-être. Non qu'il cultivât le malheur : c'était plutôt de l'ordre du sentiment — le sentiment que le malheur est d'une banalité quotidienne, qu'il existe en surabondance ; voyons donc si je peux tirer quelque chose du mien, faute de quoi il est inconsolable.

Mes impressions de Larkin remontent à l'enfance. J'ai

1. Où KA harcèle sans humour un membre récalcitrant du parti communiste. À Oxford, en 1940-1941, Kingsley était le camarade Amis. (Et la camarade Murdoch était Iris.)

passé de bons moments avec lui quand j'étais adulte, ou presque adulte. Il a invité Osric à dîner au *college* All Souls, où il était en résidence et travaillait à une anthologie de poésie anglaise du XXe siècle, *The Oxford Book of Twentieth-Century English Verse*[1]. Dans sa chambre, avant le repas, il m'a donné — à moins qu'il ne se soit contenté de me le montrer — le disque des Rolling Stones enregistré en public, *Get Yer Ya-Yas Out* (était-ce un cadeau pour sa nièce ? De toute façon, je l'avais déjà). Nous sommes tombés d'accord pour lui trouver de grandes qualités, en particulier la chanson « Stray Cat Blues ». Puis nous avons dîné avec le Directeur, John Sparrow, et quelques autres. Affublé d'un smoking improvisé (un costume en velours noir et un bout de tissu noir noué autour du cou), je me suis tout à la fois senti la cible de railleries et l'objet de convoitise de la part de Sparrow ainsi que d'un ramassis de reliques à la chevelure d'étain dans ce sanctuaire réservé aux hommes. Qui d'autre y avait-il ? Bowra ? Rowse, le « biographe » de Shakespeare ? Et de quoi avons-nous parlé ?

Ce soir nous dînons sans le Maître
(Les vapeurs nocturnes lui déplaisent) ;
Le porto circule d'autant plus vite,

1. « J'ai lu *tout* Alan Bold aujourd'hui, me dit-il. — Tu as retenu combien de poèmes ? — Aucun », répliqua-t-il. Le livre est sorti deux ans plus tard, en 1973. Je travaillais alors au *Times Literary Supplement* et je me souviens que Peter Porter s'était précipité dans le bureau, écarlate, vif, énervé, angoissé (parce qu'il n'aimait pas descendre un livre) avec sa critique en première page. L'anthologie a suscité une large polémique, voire une controverse. On aurait dit que tout le monde en parlait. C'était comme ça, en 1973.

Les sujets fusent avec non moins d'aisance —
Quel droit paraît le plus juste pour nommer un ecclésiastique,
Combien va rapporter le bois de Snape,
Des noms de pudendum mulieris,
Pourquoi Judas ressemble-t-il à Jack Ketch[1] *?*

Larkin et moi, en tout cas, éprouvions du contentement à former une enclave petite-bourgeoise au milieu de toute l'argenterie, des domestiques et des règles protocolaires pour connaisseurs. Nous nous sentions solidaires, unis contre ce monde[2]. Nous avons bu et mangé — et le résultat ne fut pas triste à voir. Deux ou trois mois plus tard, après l'annonce des résultats des exa-

1. Extrait de la troisième partie (datée du 21 décembre 1971) du grand poème « The Livings » [« La cure »]. La deuxième partie est peut-être la plus extraordinaire, se concluant sur un rythme saccadé typiquement moderniste (le narrateur est gardien de phare) : « Des paquebots étagés, éclairés / Glissent à tâtons, univers en folie, cap à l'ouest. »

2. L'hégémonie d'Osric touchait à sa fin. J'avais vingt et un ans et je vivais, pour ma dernière année à Oxford, dans une chambre meublée qui appartenait à l'université, sur Iffley Road. Mon repas du soir habituel constituait la base de la nourriture quotidienne que j'ai servie, presque vingt ans plus tard, à Keith Talent dans *London Fields* : du poulet korma à l'indienne emballé sous vide, par exemple, suivi d'une tarte aux pommes Bramley. Je travaillais si dur pour les examens finaux (au moins quinze heures par jour) que j'aurais eu honte de ne pas être reçu avec la mention très bien. En outre, tard le soir, sous l'emprise d'un verre de whisky et sous l'influence de mon père, je me faisais la main en écrivant mes premiers paragraphes de fiction (des dialogues, des descriptions), non sans pressentir les signes funestes, mais également stimulants, du long trajet qu'il me restait à accomplir. Malgré tout cela, j'étais souvent aussi déprimé qu'une fin de vers chez Larkin, prématurément usé par le vieil anglais, strictement célibataire (une fois de plus), le visage pâle et comme affamé, lorsque je tournais à l'angle de la rue, sous la pluie, avec la monnaie nécessaire à l'achat d'une revue porno, *Escort* ou *Parade*.

mens, Larkin m'a écrit pour me faire part de son soulagement : il craignait que son hospitalité ne m'ait ramolli le cerveau. « À chaque siècle, son boulot pépère, avait-il dit ce soir-là. Naguère, c'était l'Église. Maintenant, c'est l'Université. » Nous étions assis à une table d'honneur de la Haute Église anglicane, entourés de plats de messe, de calices, d'ostensoirs et d'ampoules pour le chrême : l'université sous sa forme la plus épicurienne et pseudo-aristocratique qui soit. Les trois sections du poème « La cure » se terminent toutes sur l'évocation d'un paysage nocturne. Fin de la deuxième partie, citée plus haut :

Les cloches débattent des heures qui viennent,
Des étagères poussiéreuses contiennent prières et épreuves ;
Plus haut, les constellations chaldéennes
Étincellent au-dessus de ces toits encombrés qui m'émeuvent[1].

Larkin était assez émoustillé par l'éclat et la pompe du *college* All Souls, et moi aussi[2]. Mes années de formation s'achevaient. J'étais sur le point de connaître la vie. L'Université, sous une forme plus modeste qu'Oxford,

1. Les Chaldéens gouvernèrent Babylone de 625 à 538 avant Jésus-Christ. C'étaient des astronomes réputés. Babylone, comme chacun sait, était célèbre non seulement pour ses jardins suspendus, mais aussi pour ses fortifications inexpugnables et pour son grand luxe.

2. Il n'en allait pas autrement pour le radical bouillonnant du *college* Balliol, Christopher Hitchens, qui était souvent invité à dîner par le Directeur.

était une possibilité sur laquelle je devrais peut-être me replier. Mais ce qui m'avait fasciné, ce soir-là, c'était la compagnie du poète — sa présence, son exemple, son dévouement pour les mots et leur usage[1].

« Philip, tu devrais *dépenser davantage* », je lui ai dit une dizaine d'années plus tard sur un ton dogmatique, stupide, et surtout enfantin. Parce que mes impressions de lui remontent à l'enfance... Rituel immuable à Swansea, chaque fois qu'il venait nous voir : le Pourboire des garçons. J'ai décrit la procédure dans une notice nécrologique rédigée en 1985 :

> Au début, c'était six pence pour Philip, trois pour Martin ; quelques années plus tard, ce fut dix contre six ; encore plus tard, un shilling contre six pence : de petites sommes toujours indexées sur l'économie et prudemment inflationnistes.

1. Je passais, à cette époque, du snobisme à un abus de sérieux. Six ou sept ans plus tard, au cours d'une des réunions régulières auxquelles assistaient normalement Clive James, Russell Davies, Julian Barnes, Terence Kilmartin, Mark Boxer, James Fenton, le Hitch et (pendant un moment) mon père, j'ai posé la question suivante : De quel côté vous rangeriez-vous si vous aviez à choisir entre Leavis et le groupe de Bloomsbury ? Tous ont répondu Bloomsbury. Sauf moi, qui ai opté pour Leavis. Mon cher et regretté Mark Boxer (« dessinateur humoristique et dandy », comme il aimait à se définir lui-même) a doucement henni en signe d'incrédulité. Je n'avais jamais été fanatique de Leavis et j'avais plusieurs fois attaqué ses théories et ses disciples. Mais je crois que je voterais de la même façon encore aujourd'hui. Quoi de plus antipathique que le rejet d'*Ulysse* par Virginia Woolf, tout entier fondé sur la *classe sociale* à laquelle appartenait Joyce ? Non, à tout prendre, je préfère F. R. et Q. D., Frank et sa femme Queenie, malgré leur manque d'humour, leur hystérie et leurs ténèbres soviétiques.

Cette évocation contient une exagération grotesque : c'était *quatre* pence pour Philip et trois pour Martin. Larkin comptait les lourdes pièces noircies sur la table de la cuisine et les séparait en deux petits tas. Mon frère et moi échangions des regards d'incertitude (on n'avait jamais été si près d'une expérience religieuse) ; encouragés par notre mère, nous nous élancions et saisissions notre pécule, sous le regard baissé d'un Larkin mélancolique et sacerdotal. L'image de mon père me revient, debout, en retrait, retenant un sourire. Un sourire de quoi ? De sadisme affectueux en voyant son ami se débarrasser de sept pence ? Peut-être en partie. Quand je fouille la périphérie de ce souvenir, cependant, je tombe sur une scène antérieure où maman nous expliquait que nous aurions notre « pourboire », mais que nous devions nous rappeler que ce visiteur avare ne prenait pas l'affaire à la légère. « Ce n'est pas comme Bruce », disait-elle en dissimulant son manque de sérieux[1]. C'était donc

1. Bruce Montgomery, mon parrain à *moi*, un mythe de générosité. C'était un compositeur de deuxième zone qui avait connu un certain succès avec ses premières partitions pour le cinéma (*Doctor in the House*, un ou deux épisodes de *Carry On*). Bruce nous donnait des pièces d'argent, non de bronze ; on n'en a pas cru nos yeux lorsque, l'après-midi d'un inoubliable 5 novembre, en prévision de la nuit des feux de joie, il nous a donné *dix shillings* pour aller acheter des pétards. On disait de lui que lorsqu'il se déplaçait en public il avait toujours un billet d'une livre plié dans la main. Quand il avait besoin de quelque chose, il ne pouvait pas attendre. Il a connu le sort d'un biscuit imbibé, comme il arrive souvent aux talents précoces et hauts en couleur. Mon dernier souvenir de lui — un souvenir indirect, qui plus est —, c'est le soupir élégiaque qu'a poussé Kingsley quand on lui a demandé d'aller répondre au téléphone : Bruce se livrait à l'une de ses séances, bouteille de whisky et carnet d'adresses à portée de main.

un coup monté ! Et mon frère et moi, dans notre cupidité respectueuse et intimidée, faisions partie de cette comédie. Larkin était-il au courant ? Larkin était-il le personnage honnête ? Toujours est-il que, par quelque bout que l'on prenne sa vie, il représenta toujours l'homme étroit, prudent, mesquin, radin, pingre. *Grippe-sou* a de nombreux synonymes qui conviennent (y compris le bel américanisme *cheap*, avec sa connotation simpliste d'un revenu insuffisant), mais *près de ses sous* est l'expression la plus appropriée pour Philip Larkin. Près de ses sous : il ne se permettait aucun écart.

« Tu devrais dépenser davantage, Philip. »

Pas de réponse.

« Tu viens de t'acheter une voiture. C'est bien ! Maintenant, tu...

— Si seulement ils pouvaient arrêter de m'envoyer ces *factures*.

— Pour la voiture.

— Ils n'arrêtent pas de m'envoyer ces *factures*.

— Tu peux les payer. Maintenant, tu devrais...

— Si seulement ils pouvaient arrêter de m'envoyer toutes ces *factures*. »

Il comprenait parfaitement son blocage, bien sûr. Et c'était en somme typique de lui (de lui, de son époque, du lieu où il vivait) d'avoir identifié le problème sans rien faire pour y remédier. Là encore, il se contentait de le serrer contre lui. À preuve, la première et la dernière strophes du poème qui en compte quatre, « Money » [« Argent »] (1973) :

Quatre fois l'an, n'est-ce pas, argent me fait la plainte que voici :
« Pourquoi me laisses-tu dormir inutilement ici ?
Je suis tout ce que tu n'as jamais eu en biens et en sexe.
Tu pourrais encore l'obtenir, en écrivant de petits chèques. »

J'entends la chanson de l'argent. C'est comme regarder en contrebas
Une ville de province derrière des portes-fenêtres :
Le canal, ses taudis, les églises follement ornées
Dans le soleil du soir. Combien c'est triste et borné[1] *!*

« Pensez-vous que vous auriez pu avoir une vie plus heureuse ? » lui a un jour demandé un journaliste. Et

1. « Argent » était un de mes poèmes préférés. Quand, en 1984, j'ai publié un roman qui portait le même titre (*Money, money*), j'en ai envoyé un exemplaire à Larkin. Contrairement à mon père, il a réussi à le terminer. Mais dans sa réponse, il expliquait sans détour, mais sans me faire offense non plus, qu'il n'aimait pas les libertés postmodernes que je prenais avec le lecteur, et qu'il trouvait l'écriture trop dense et trop laborieuse. Certains passages l'avaient amusé. Je n'ai malheureusement pas gardé les lettres de Larkin (ni aucune de mon père, au grand écœurement muet de Zachary Leader), mais je me souviens de sa phrase : « Là où j'ai le plus hurlé de rire, c'est à la ligne 3 de la page 275. » Et *ça*, j'ai trouvé que c'était drôle. Larkin avait relevé un moment où une tentation sexuelle abracadabrante (et onéreuse) se heurte à une déception tout aussi abracadabrante (qui fait tout retomber). Mais je ne pouvais tirer fierté du hurlement de rire de Larkin. La blague était d'Ian McEwan ; elle interrompt une anecdote salace que je raconte sur un bordel d'Extrême-Orient. Dans l'édition de poche anglaise, ce moment se trouve à la ligne 33 de la page 292 ; dans l'édition de poche américaine, à la ligne 3 de la page 271 ; dans l'édition de poche française (Folio), à la ligne 21 de la page 493.

lui de répondre : « À condition d'avoir été quelqu'un d'autre. » Tu devrais dépenser plus, Philip. Naturellement, il ne l'a pas fait. Quelqu'un d'autre aurait eu les biens et le sexe. Mais Larkin a eu les poèmes.

Un matin, je l'épiai à travers la rampe des escaliers. Il se préparait à sortir dans la pluie de Swansea. Inutilement grand, chaussé de lunettes, prématurément et presque idéalement chauve, il se déplaçait déjà avec une certaine pesanteur. Il rassemblait en soupirant son imperméable, son écharpe et son chapeau. Tout en lui exprimait le stoïcisme (il n'avait pas le choix) et le contraire de l'aisance... Larkin était connu pour détester les enfants, ou du moins pour avoir déclaré qu'il les détestait[1], et bien sûr, il n'en a jamais engendré[2]. Je me demandais, lorsque j'ai commencé à le lire, si c'étaient mon frère et moi qui l'avions dégoûté. Quand j'étais

1. « Les enfants sont tout à fait horribles, non ? De petites brutes égoïstes, bruyantes et cruelles. » Dans sa propre enfance, a-t-il dit, il pensait détester tout le monde. « Mais en grandissant, je me suis rendu compte qu'il n'y avait que les enfants que je n'aimais pas. » J'interprète ces propos comme une simplification outrancière. Ce rejet des enfants, nul et non avenu d'un point de vue tant intellectuel qu'émotionnel, ne tient la route que pour une ou deux plaisanteries. Kingsley l'a quelque peu adopté un moment, comme nous le verrons. Mais il n'a jamais aspiré au véritable venin artistique du vers de Larkin : « les enfants aux yeux creux et violents ».

2. La dernière strophe de « Que ceci soit le vers » [« This Be the Verse »] — « L'homme refile le malheur à l'homme. Ça devient très vite abyssal. / Retire-toi vite de la danse / Et n'aie aucune descendance » — doit être mise en parallèle avec la dernière strophe du poème qui me semble lui répondre, « Les arbres » : « Pourtant encore, les châteaux battent, agités / Dans la foison épanouie à chaque mois de mai. / Morte, semble-t-on dire, est l'année passée. / À neuf, à neuf, il faut recommencer. »

enfant, Larkin était une figure mythique pour moi, à la maison : on en avait fait un avare et un misanthrope dans une parodie d'épopée. Mais je fais confiance à mes impressions de l'époque. Chaque fois que nos regards se croisaient et se soutenaient un moment, il me dévisageait avec douceur et je me sentais non seulement heureux et rassuré, mais aussi déçu comme un enfant peut l'être. Il était censé être un drôle d'écureuil, un barbare, et je le trouvais gentil, tout grisonnant.

Philip le romancier et Kingsley le poète, puisque c'est ainsi qu'ils se voyaient en 1942, ont donc commencé à connaître la vie. Ils ont continué à s'écrire intensément jusqu'au milieu de la décennie suivante. Mais après *Jim-la-chance*, leurs lettres s'amenuisent et se rafraîchissent. Impossible d'imaginer que Larkin ait jalousé la femme et les trois enfants de son ami[1] ; mais dans ses élucubrations distantes et martyrisées, Kingsley semblait avoir sombré, perdu pour l'éternité, dans un déluge de biens et de sexe — et de « tout ce que je n'ai jamais eu ». Du côté de Kingsley, je devine une

1. « Le moi est l'homme » [« Self's the Man »] se penche sur la question des mioches avec autant de brio que de brutalité : « Il a épousé une femme pour l'empêcher de partir, / Et la voilà qui reste tout le jour à la maison sans faillir. / L'argent qu'il gagne pour gâcher sa vie au boulot, / Elle le prend comme un cadeau / Pour payer les trucs des gosses, le séchoir / Et le radiateur électrique noir [...] » J'adore l'ennui parfait que vient sceller la dernière rime. Et l'injustice manifeste : comme si le moi éponyme ne profitait absolument pas du séchoir et du radiateur noir. Le mariage, prévoit le poète, le rendrait sans doute fou ; il va donc opter pour l'autre solution, consolider son moi sans rencontrer d'opposition et, dans cet état, tenir au mieux la folie pour une forte probabilité.

conscience aiguë de ce fantasme, doublée d'un certain refus de savourer les triomphes si vulgaires qui lui tombaient dessus, ainsi que d'une plus vague idée qui lui trottait dans la tête, liée à la parcimonie des émotions de Larkin, à son rejet antérieur d'un amour fraternel pleinement assumé. En suivant le parcours de ces lettres, qui vont s'amenuisant et se rafraîchissant, on se met à penser que la vie a remporté ici une sombre victoire, biaisant grossièrement un alignement complexe.

Puis c'est *la vie* elle-même qui finit par s'amenuiser et se rafraîchir. Les enfants grandissent, les femmes partent (ou un autre couple se forme), le soutien du monde se relâche... Mais Larkin est toujours là, à Hull, et l'intimité frustrée ici, dont les liens attendent d'être renoués. Quand, dans la *Correspondance* de Kingsley, on trouve un « Cher Philip » (et dans celle de Larkin un « Cher Kingsley »), on se prépare à un autre niveau de révélation : à quelque chose de plus profond. Au fur et à mesure que se tisse à nouveau l'intimité, c'est naturellement un plaisir de voir réapparaître des marques d'affection familières tombées dans l'oubli (Larkin : « Tu sais, mon cher, j'ai pleuré à la fin, car c'est pile ce que je ressens pour toi ») ; un plaisir, aussi, de voir la cure de jouvence que s'offrent les tics de jouvenceaux — plaisanteries cuisantes, fautes d'orthographe dégoûtantes, majuscules criantes. Mais le sentiment que l'on emporte, c'est que les deux hommes, en vieillissant, deviennent enfin transparents l'un pour l'autre. Ils sont finalement égaux, égaux devant Dieu et devant une mort privée de dieux, égaux physiquement et — pour la première fois — sexuellement[1]. Il est donc d'autant plus insoutenable de regarder Larkin tomber de ce plateau et se hâter vers sa fin. Quand il meurt, en 1985, le fil narratif de la *Correspondance* de Kingsley prend une tournure stupéfaite, assourdie. C'est comme si j'avais perdu plus qu'un ami et un poète, écrit-il à Robert Conquest. Quoi d'autre ? « Une présence. » À partir de

1. Selon toute vraisemblance, cette question mérite davantage d'attention que la longue note que je vais lui consacrer. Si Nabokov trouvait que les hommes se départagent essentiellement entre ceux qui dorment bien (des crétins fiers d'eux, suivant son expression) et les insomniaques qui se retournent dans leur lit (comme lui), Graham McClintock, personnage quelconque d'*Une fille comme toi* (1960), situe la séparation entre « les gens séduisants [et] ceux qui sont laids ». « Vous ne pouvez pas avoir idée des différences qui peuvent exister, dit-il dans toute sa laideur à la séduisante Jenny Bunn, entre la vie de ceux qui sont comme vous et la vie de ceux qui sont comme moi. [...] Les hommes laids ne veulent pas de filles laides, voyez-vous. Ils veulent de jolies femmes, et ils n'*ont* que des femmes laides. » La séduisante Miss Bunn ne finit pas avec Graham. Elle s'acoquine avec Patrick Standish (bien fait de sa personne, « bel homme » comme le décrit en toute impartialité un autre personnage masculin). Regardons à présent le poème inédit de Larkin, « Letter to a Friend about Girls » [« Lettre sur les filles adressée à un ami »] (1959) : « Après des années passées à comparer des vies avec toi, / Je m'aperçois comment j'ai perdu : tout ce temps-là, / J'ai rencontré un autre calibre de fille que toi. / Accorde-le-moi, et tu verras le sens de tout le reste. » L'ami dont il est question dans le titre appartient à un monde « où vouloir, c'est être voulu sur-le-champ », où « la beauté signifie oui en argot ». Par opposition aux filles sur qui tombe le poète : « Elles ont leur monde, qui fait pâle figure à côté du tien, / Mais où elles travaillent, vieillissent et repoussent les hommes / Par leur laideur, leur trop grande timidité / Ou leur morale rigide — mais peu importe, aucune ne capitule [...] » Le poème démontre l'échec de tirer la conclusion qui s'impose : le « Je » est laid, lui aussi. Les scientifiques prétendent que ce qu'on cherche en l'autre, ce sont les traits de la petite enfance : la courbe des yeux, des sourcils et de la bouche. Ce qui signifie au moins que nous avons tous été beaux. Et que nous serons tous laids, à la fin. Dans une lettre à Larkin datée du 14 janvier 1980, Kingsley se présente succinctement aux derniers du commun : « Je m'enlaidis à présent, écrit-il, parce que je vieillis. »

là, les dix ans qui restaient à vivre à mon père forment une entité détachable, presque un addendum. Quant à la *Correspondance* de Larkin, elle se termine par une lettre qu'il a dictée, puis qui a été signée en son absence (il était parti pour « le grand voyage »). Elle se termine elle-même ainsi :

> Je dois mentionner la lettre et la photo de Sally[1] qui sont arrivées ce matin. Elle mérite bien sûr un mot de remerciement et elle le recevra *peut-être* un jour. Je suis si content de voir qu'elle ressemble beaucoup à Hilly, qui est la plus belle femme que j'aie vue, sans être du tout jolie (je suis certain que tu comprendras ce que je veux dire, et j'espère qu'elle le comprendra aussi)[2].
>
> C'est bientôt la fin de la cassette. Pense à moi qui prépare mon pyjama et mes accessoires de rasage pour l'épreuve d'aujourd'hui, et souhaite-moi que tout aille bien. J'ai vraiment l'impression que cette année a été plus dure que je ne le méritais ; tout est arrivé d'un seul coup, au lieu de s'étaler dans le temps comme chez la plupart des gens.
>
> Tu me pardonneras de ne pas prendre congé comme d'habitude.
>
> Toutes mes amitiés,
>
> Philip

1. Ma sœur.
2. Ma mère avait ses propres règles, ses propres gradations, en matière d'attirance. Les membres des deux sexes étaient classés en trois catégories : les cageots, les possibles, les canons. Je lui ai un jour demandé où se situait Larkin sur cette échelle. Elle m'a pris par surprise en me répondant : « Oh ! Un possible, pas de doute là-dessus. » Mais le fait qu'il lui plaisait est déjà consigné dans une lettre qu'Amis avait écrite plus tôt à Larkin. Elle connaissait ses qualités.

Va te faire foutre (1)

On a dit que je m'étais éloigné. On a dit que je prenais une amitié à la légère — que je prenais *l*'amitié à la légère.

J'ai sous les yeux la lettre de Julian Barnes datée du 12 janvier 1995. D'un point de vue technique, ce bout de papier m'appartient, mais lui possède le copyright du texte. Je ne vais pas le citer, sauf pour dire que la dernière phrase est un juron très connu. Quatre mots, les deux premiers de deux lettres, les deux derniers commençant par un *f*.

Dans le même registre que « Donnes-y encore des coups, Dai », le traitement que me réservait la presse (« Cupidité déchaînée de Martin Amis[1] ») à propos de *L'information*, qui n'était pas encore parue, pas encore finie, me semblait *ipso facto* établir la preuve que la négociation avait déjà pris un mauvais tournant. J'ai donc fini par m'en remettre intégralement à mon agent

1. Pour passer de l'agitation au déchaînement, la presse doit s'assurer de la censure d'au moins un pair. Deux valent mieux qu'un, mais un suffit. Ils s'ingénient donc à appeler des écrivains jusqu'à ce qu'ils en trouvent un qui soit de mauvais poil. Cette fois-là, ils ont dégoté A. S. Byatt, célèbre à juste titre pour ses romans, ses nouvelles et sa propension à rester pendue au téléphone. Tout en admettant que je puisse avoir besoin d'argent (le divorce, le coût de mes « soins dentaires »), elle a écrit qu'elle ne voyait pas pourquoi elle devrait « financer » ma cupidité. Plus tard, elle m'a envoyé un mot d'excuse : elle avait une rage de dents lorsque le journaliste lui a téléphoné.

américain, Wylie, ce qui a entraîné la rupture avec l'agente anglaise que j'avais depuis vingt-trois ans, Pat Kavanagh. Funeste conséquence (malgré des séparations plus intimes dont j'avais récemment fait la triste expérience) ! J'ai senti que ces chagrins fonctionnent par accumulation, qu'on peut atteindre une limite et que j'avais soudain atteint la mienne. Pourtant, des années auparavant, mon père avait lui aussi quitté Pat Kavanagh, sans perdre aucun ami. Cette rupture professionnelle était passée inaperçue, tandis que de mon côté elle a été étalée au grand jour et m'a fait beaucoup souffrir, avec son lot d'exagérations et de déformations...

Or, comme on le sait, Julian était — et est encore — marié à Pat Kavanagh, et je connaissais son dévouement pour sa femme. Mais quand j'ai reconnu son écriture sur l'enveloppe, en prenant mon petit déjeuner le 13 au matin, je m'attendais à le voir dire qu'il connaissait la différence entre l'Église et l'État et qu'il ne remettait pas en cause leur séparation. Puis j'ai lu la lettre.

D'abord, je me suis senti coupable de l'avoir réduit à écrire une mocheté aussi grossière. Et aussi impropre. Merde alors, je me suis dit : c'est qu'il ne m'a donc jamais aimé. Sa lettre m'a fait douter de la nature — sans parler de la valeur — de l'amitié qu'elle annulait. Cette réaction peut paraître trop chic pour être vraie, je m'en rends compte, et de toute façon, elle n'a pas duré. Comme le lecteur en a amplement conscience, j'avais des soucis plus personnels — et Julian a énuméré ceux qu'il connaissait, sans se montrer le moins du monde compréhensif. Mais en fait, ce 13 janvier a été une bonne journée, une journée à marquer d'une pierre blanche. J'avais la lettre dans la poche quand mon ex-femme et moi, plus tard, avons parlé calmement, pour la première fois en douze mois. Le soir, j'ai passé une heure à songer à la lettre et j'ai écrit ma réponse.

La dernière fois que j'avais perdu un ami, c'était quand j'étais enfant. Depuis, j'ai connu des brouilles passagères, mais jamais d'excommunication. En l'occurrence, comme il arrive, ce n'était pas un ami que je perdais, mais deux. La lettre que j'ai écrite se voulait conciliante. Et j'ai essayé de renouer les liens de l'amitié, environ un an plus tard, après avoir fait parvenir des signes de dégel. Il m'a rabroué, avec courtoisie. Ses termes ont confirmé mon impression que tout cela datait de bien avant 1995.

Qu'est-ce que je suis en train de faire ? De clarifier les choses[1] ? Comme l'a appris Christopher Hitchens en signant la déclaration écrite des responsables de la Chambre (laquelle contredisait le serment du conseiller de Bill Clinton, Sidney Blumenthal, dans l'affaire Monica Lewinsky), le sacrifice d'une amitié constitue un affront terrible jeté à la face des Saul et des Jonathan des médias (tous des Achille, tous des Patrocle les uns vis-à-vis des autres). On peut leur faire confiance pour montrer que ce sacrifice tenait à la fois d'une machina-

1. Je suppose que le mieux qui puisse arriver, ici, c'est qu'un ou deux journalistes virent de mon dossier de connard les trucs sur l'amitié et qu'ils les versent au dossier de connard de Julian.

tion redoutable et d'une allégresse absolue. Et qu'il n'a jamais été regretté. Tandis que dans le monde réel, dans le monde de l'expérience vécue, la fin d'une amitié vous remplit de doutes et de questions ; c'est une absence amorphe qui hante votre présent, votre avenir et, pire encore, votre passé. Je crois que ce doit être ce que ressent Julian, lui aussi.

La lettre que je lui ai écrite lui appartient, mais j'en possède le copyright :

54A Leamington Road Villas
London W11 1HT

Cher Jules,

J'allais t'écrire et te dire à peu près :

Il y a douze ans, tu m'as donné un coup de fil : « Mart, tu peux me dire d'aller me faire foutre et tout ce que tu voudras... Mais est-ce que tu as quitté Antonia ? » Or, cette fois-là, j'étais revenu vers Antonia, il y a douze ans. Mais j'ai bien aimé ta manière de formuler la question. Typique de toi.

Puis j'allais te dire à peu près :

Jules, tu peux me dire d'aller me faire foutre et tout ce que tu voudras... Mais essaie de rester mon ami et aide-moi à être ami avec Pat.

Mais j'ai reçu ta réponse avant de te poser la question. Je t'appellerai d'ici un bout de temps, un bon bout de temps. Tu vas me manquer.

MARTIN

Pour la première fois dans ces pages, je sens la rancœur me tordre les boyaux ; en écrivant ces lignes, j'ai les mains sans ardeur et couvertes de froideur. Mais il me fallait l'affirmer, pour mes lecteurs ainsi que pour mes amis. On a dit que je m'étais éloigné, mais ce n'est pas mon genre. Je ne suis jamais celui qui part.

Lettre de l'université

Exeter College. Oxford
Lundi, [*sic*. Été 1971]

Très chère Jane[1],

Voici le décompte de mes frais de nourriture et d'hébergement. Je me suis débrouillé pour rester environ un mois et demi (jusqu'au 1er août) et je reviendrai sans doute deux ou trois semaines avant la rentrée (en septembre) si on a trouvé un logement d'ici là. J'ai demandé une bourse de vacances, ce qui m'aiderait bien puisqu'il va falloir que je prenne mes repas à l'extérieur, sans parler du reste. Je veux descendre à Londres certains week-ends, mais c'est ma dernière occasion d'étudier en

1. Ainsi j'ai laissé tomber papa. Je le regrette, rétrospectivement, maintenant que je sais combien il a écrit de lettres à tout le monde. La seule autre époque pendant laquelle nous avons été en correspondance régulière fut l'année fiscale 1979-1980. J'étais à l'étranger, il vivait sa grande climatérique, et je m'en veux de ne pas avoir été sur place. Mais il y avait Philip. Qui est aussi venu me voir à Paris où, en sept mois, j'ai écrit le roman qui, de tous mes livres, a mis Kingsley le plus en colère : *D'autres gens*.

profondeur, et ça va donc ressembler à un trimestre de 14 semaines. J'espère seulement que mon tuteur prendra encore la peine de me harceler un peu.

Je n'ai pas encore eu le courage d'expliquer à Gully que je ne crois pas que notre cohabitation fonctionnera. Ça commence à devenir un peu inquiétant étant donné qu'on est censés se mettre à chercher un endroit qui nous convienne à tous. Je crois qu'elle sait que ça ne me remplit pas de joie, mais j'imagine qu'elle espère que tout se passera pour le mieux. Quelle responsabilité atroce ! Un de mes amis se marie vendredi (je suis garçon d'honneur) ; je ne lui ai rien dit, mais à voir tout ce tralala, je suis de plus en plus convaincu que je ne me marierai pas avant 70 ans. Trop dur à supporter, tout ça.

J'espère que tout va bien à la maison. Rob et Olivia m'ont dit que vous étiez en pleine forme quand ils sont venus passer la journée. Je veux descendre un week-end, pas celui qui vient, mais le suivant. De toute façon, je confirmerai avant.

Embrasse tout le monde de ma part, y compris K. (j'ai vu l'autre jour deux Blenheim *splendides* — Il faudrait absolument en donner un à Rosie pour 2e mari).

Bises,

MART XX

P.-S. Est-ce que tu pourrais aussi m'envoyer un chèque de 8 livres ? — £ 3-10 pour le pourboire de mon scout (un peu plus que prévu parce que je reste davantage) ; 30/- pour le pressing ; 10/- pour des blocs [-notes ?] ; 10/- pour le café ; £ 2 – pour mon ardoise de dîners.

À bientôt.

Quand on pense avec le sang

« Tu as donc fini par gagner, m'a dit ma mère au milieu du mois de janvier 1995.

— Tu as vraiment suivi toute l'histoire, maman ?

— Pas au début. Mais à partir du moment où tu t'es fait attaquer, oui. Puis je me suis dit : *hou…* Mais bon ! Tu as fini par gagner, mon chéri.

— Tu trouves ? Peut-être que oui, au fond. »

J'ai pris l'avion pour Boston, et de là pour Los Angeles, où je suis descendu à l'hôtel Beverly Wilshire, où a été tournée une partie de *Pretty Woman.* Le film raconte, souvenez-vous, l'histoire d'une pute de Los Angeles (Julia Roberts) qu'un bel homme d'affaires (Richard Gere) remet dans le droit chemin. Une scène se passe dans l'une des plus belles chambres du Beverly Wilshire : dégustation de fraises, coupes de champagne et (si ma mémoire est bonne) fellation. Grâce à l'énergie toute postmoderne d'une spécialiste des relations publiques, une coupe de fraises et une (demi-) bouteille de champagne attendent désormais les clients fraîchement débarqués. Ce qui pourrait pousser les esprits les plus prosaïques à appeler le service en chambre pour s'enquérir de l'emploi du temps de Julia Roberts ou, du moins, des disponibilités des putes de Los Angeles... Au milieu de ses frasques, Kinch se préparait à ses tendres dîners avec John Travolta. Le premier soir, celui-ci est venu avec sa femme, Kelly Preston, et leur fils de deux ans : le petit Jett (« les cils de Jett font plus de deux centimètres de long », ai-je écrit plus tard dans mon journal). Jett Travolta, la vie de Jett Travolta : une idée formidable pour un roman... Une journaliste du *New Yorker*, Caroline Graham, est venue me voir au bord de la piscine du Wilshire. Elle a été légèrement consternée, je crois, devant mon visage en piteux état. « Mais vous avez gagné », a-t-elle déclaré. Vous trouvez ? Gagné sur quoi ? Quelques jours plus tard, elle me fabriquait à la hâte un nœud papillon noir dans un parking, sous la salle où allait se dérouler la cérémonie des Golden Globes. J'y allais pour encourager mon copain John (nominé comme meilleur acteur dans *Pulp Fiction*). Nous sommes entrés dans le sillage de Sharon Stone, elle et sa célébrissime crinière blonde de jument de cirque, acclamée à tout rompre par la foule massée derrière les cordons de sécurité. À l'intérieur, belle leçon d'humilité, je me suis tout de suite trouvé face à face avec Sophia Loren (« altière » beauté dont l'expression coutumière laisse entendre qu'elle est toujours à deux doigts de s'emporter comme une impératrice). Près de la porte, la silhouette discrète d'un Quentin Tarantino mal à l'aise. Il a gagné (meilleur scénario). Travolta a perdu. Qui l'a battu ? Tom Hanks ? Jessica

Lange a gagné (meilleure actrice dans *Blue Sky*). Dans son discours, elle a remercié absolument toute l'équipe. *Lastly but not leastly*, « Finalement mais pas moindrement ». Ouvrez largement. Et ensuitement ?... John Travolta est l'un des hommes les plus sains d'esprit que j'aie jamais rencontrés. Pas le genre à perdre son temps en faisant comme s'il n'était pas une star de cinéma. Même son ralliement à la scientologie (que la presse situe à l'intersection du yoga et du satanisme) se révèle d'une dureté presque choquante : il vit sa vie comme un tableau de service. Je ne me suis jamais senti plus laid qu'en dînant avec lui (ou plus pauvre : moi et mes trois Golf, lui et ses trois jets privés). Rien ne laissait croire qu'il remarquait mon problème : cette absence, cette perte au milieu du visage. Le dernier jour, sur le décor de *Get Shorty*, après une pizza dans sa caravane (une espèce de mobile home de luxe), il m'a embrassé au moment où je partais — lui, l'homme à la beauté androgyne encensée par Truffaut... Je suis allé à New York, j'ai écrit l'article dans une chambre d'hôtel. « Vous avez gagné, m'a bientôt lancé un journaliste américain, mais c'était de justesse, n'est-ce pas ? » J'ai répondu : « Gagné contre quoi ? »...

Un mois plus tard, je prenais un taxi devant l'hôpital St. Pancras, où mon père agonisait :

« Notting Hill ? s'est étonné le chauffeur. Mais je croyais que vous habitiez à Camden Town.

— Pas encore.

— C'est ce que j'ai lu quelque part.

— Je déménage le mois prochain. »

Dans la rue de mon père. À presque un kilomètre de sa maison, mais dans sa rue tout de même.

« Ah ! Ils sont donc en avance sur vous. Les voilà qui vous dominent maintenant. »

En rentrant de New York (d'autres soins dentaires, beaucoup d'autres soins dentaires), mes nouveaux éditeurs m'avaient expliqué qu'ils allaient mettre les bouchées doubles pour publier le roman le plus vite possible afin d'exploiter « toute la publicité ». Eh ! du calme, je me suis dit : cette publicité était de la *contre*-publicité. Est-ce qu'on ne ferait pas mieux d'attendre que les choses se tassent, au contraire[1] ?

C'est vrai, ils me dominaient. Et j'ai perdu, car mon roman me faisait de la peine. J'y avais fait un usage désintéressé des mots, mais cela ne *transparaissait* pas : la publication fut tonitruante, triomphante pour ainsi dire, mais elle a entraîné un malentendu discordant sur le plan cognitif. Car le livre parlait de défaite et non de victoire ; il ressassait l'échec — mon échec.

Cela ne s'est bien sûr passé qu'ici. On me dominait. On me dirigeait dans un film sur l'Angleterre.

Le Hitch : Nouvelle-Angleterre, 1989

Ravelstein riait à gorge déployée. Fermant les yeux, il se précipitait physiquement dans le rire. Dans mon

1. Toute la publicité n'est pas bonne. Pour reprendre les termes d'un agent new-yorkais : « Quoi ? Parce que le mec est un connard, je vais aller acheter son roman ? »

propre style, différent, j'en faisais autant. Comme je l'ai déjà dit, c'était notre sens du comique qui nous rapprochait, mais cela aurait été une manière bien mince, anémique, de le formuler. Un bruit joyeux — un *immenso giubilo* —, un gigantesque accord commun nous soulevait de concert, et cela ne vous mènerait à rien d'essayer de le définir.

Dans la voiture de location, une Chevrolet Celebrity, j'ai dit :

« Pas de conneries sinistres, d'accord ?

— ... Pas de conneries sinistres.

— Promis ?

— Juré. »

Mon passager était Christopher Hitchens et je l'amenais voir Saul Bellow dans le Vermont. On dînerait et on dormirait là-bas, puis on repartirait au cap Cod le lendemain matin. Le cap Cod, c'est là que j'ai passé huit ou neuf étés avec ma première femme et mes fils : à Horseleech Pond, au sud de Wellfleet... L'expression *conneries sinistres* datait de la période où l'on travaillait au *New Statesman*. En 1978, le rédacteur en exercice, Anthony Howard, s'était incliné devant l'impact de l'histoire et il s'était retiré avec les honneurs. Avec le Hitch, je faisais partie du comité complexe (six membres, deux niveaux de hiérarchie) chargé de nommer son successeur. Pendant un entretien, Neal Ascherson, l'un des trois candidats sélectionnés pour le poste[1], avait

1. Les deux autres étaient James Fenton et Bruce Page du *Sunday Times*. Hitch et moi avons fait tout notre possible pour que notre ami

lancé : « Quiconque défendra l'embauche d'un membre non syndiqué se fera méchamment écrabouiller le nez. » Des conneries sinistres, tout ça, avais-je dit ensuite. Qu'il ait été d'accord ou non (il était naturellement beaucoup plus favorable au syndicalisme que moi), Christopher avait été frappé par l'expression. « Pas de conneries sinistres » signifiait donc « pas d'affirmations virulentes de tendance gauchiste ». En 1989, une mode passagère (connue sous le nom du *politiquement correct*) avait érigé Saul Bellow en personnage de droite ; il faisait souvent l'objet d'attaques et je me disais qu'il méritait une soirée paisible chez lui. En fait, je crois à présent que Bellow et Hitchens ne professent pas des points de vue politiques opposés — notamment en ce qui concerne l'Amérique, la manière dont elle est gouvernée et mise en morceaux. En lisant le livre de Christopher sur Clinton, *No One Left to Lie To* [*Plus personne à qui mentir*] (1999), je me suis souvenu physiologiquement d'une heure que j'avais passée avec Bellow en 1988. Je descendais à La Nouvelle-Orléans pour couvrir la Convention républicaine (où Bush laissa le champ libre à Dan Quayle) et j'avais demandé à être briefé sur la situation politique pour me préparer. À entendre Bellow évoquer, sans se faire d'illusions, des magouilles et des

obtienne le poste (pure utopie : il n'avait pas encore trente ans). Le grand V. S. Pritchett, qui faisait partie du jury, a voté pour Ascherson. Cette nomination aurait été le résultat logique et réalisable. Mais étant donné la division du jury, le poste est revenu à Bruce Page, à la suite de quoi le déclin de la revue s'est brusquement accéléré. Ces tractations faisaient alors l'actualité dans tout le pays, et cela en dit long sur l'époque...

fonds occultes, j'en avais eu les cheveux qui m'avaient picoté derrière la tête... La Chevrolet Celebrity allait bon train sur la Route 6. J'étais assez confiant : la soirée se passerait bien, elle ne serait pas gâchée par des conneries sinistres.

Cinq ou six heures de trajet, mais une partie du plaisir venait de les partager avec un copain, la radio allumée. On s'est arrêtés pour satisfaire les desiderata du Hitch : les énormes repas qu'il ne mangeait pas et les nombreuses rasades d'alcool fort qu'il s'envoyait derrière la cravate. À l'époque, il n'était pas encore tout à fait sorti de sa crise de la quarantaine, qui avait commencé pour de bon à la fin de l'année 1987. Tandis que la mort faisait son œuvre sur le commandant Eric Hitchens, le frère cadet de Christopher, Peter, avait révélé des secrets de famille :

> Le récit de mon frère était simple, mais très surprenant. Notre mère était morte jeune, de façon tragique, en 1973[1], mais sa mère à elle vivait toujours, centenaire au pied alerte. Lorsque mon frère s'était marié, il était allé lui présenter sa femme. La vieille dame l'avait plus tard complimenté pour son choix, en ajoutant d'un air assez inquiet : « Elle est juive, n'est-ce pas ? » Peter, qui n'avait rien dit sur le sujet, avait acquiescé en restant sur ses gardes. « Bien, avait dit la dame que nous

1. À la réflexion, cet événement marque le début de notre amitié. Je connaissais à peine Christopher quand j'ai appris la mort de sa mère en lisant un tabloïd du dimanche. Je lui ai écrit, il m'a écrit, et c'est ainsi qu'a commencé notre amitié. (Soit dit en passant, c'était un suicide — un autre suicide.)

avions connue toute notre vie sous le nom de “Dodo”, j’ai quelque chose à te dire : toi aussi[1]. »

Cette nouvelle avait suscité une espèce de plaisir complexe et elle l’avait sans doute stimulé. Mais il avait tout reçu en bloc : nouvelle représentation de la mère, mort du père (transfiguration de leur image mentale respective), fin du premier mariage, séparation d’avec les enfants ; et à quarante ans, il apprenait qu’il appartenait à une autre ethnie. Je regretterai toujours de n’avoir pas été, pendant la grande climatérique de Christopher, un ami aussi présent qu’il l’a été lorsque ce fut mon tour. Il est vrai qu’il était en terrain connu : il avait affronté l’essentiel de la vie, y compris le divorce, alors que j’avais encore quelques années de retard sur lui... En « accomplissant » le planning de souffrance, « le plus dur à avaler concerne l’amour ». En quittant notre domicile, Christopher et moi avons agi « par amour ». Mais de quoi a-t-il l’air, le grand registre de l’amour une fois qu’on en a terminé ? Car on est tout autant l’ennemi de l’amour et — pour ses enfants — son spoliateur. « Je déteste l’amour », avait dit mon fils Louis à cinq ou six ans (il se plaignait de l’intérêt de l’amour dans un livre que nous lisions). Ce n’est pas ce qu’il

1. Voir « Ignorer la moitié de l’histoire : hommage au télégraphiste Jacobs » dans *Prepared for the Worst* [*Préparé au pire*] (1988). La mère de Christopher n’avait jamais dit qu’elle était juive à son mari, à ses enfants ni (sans doute avec sagesse) dans les milieux d’Oxford où elle avait grandi avant la guerre. Dodo avait pris la décision admirable, indispensable, de révéler la vérité à ses petits-fils.

voulait dire, mais il pourrait à présent déclarer qu'il n'a plus confiance en l'amour. Lorsque Dryden a repris l'histoire d'Antoine et Cléopâtre, il a intitulé sa tragédie *Tout par amour* (ou « Le monde perdu en entier »). Ces amants magnifiques sacrifiaient des empires, mais ils étaient sûrs d'exalter l'amour, cette valeur primordiale, jusque dans leurs défaites et leurs suicides. Je leur envie ce panache. Nous qui nous absentons de la compagnie quotidienne de nos enfants devons faire d'autres calculs. L'amour en sort avec des gains, mais aussi avec des pertes. Et quand l'amour perd, c'est la force de la mort qui marque des points. Le divorce : un événement d'une violence inouïe. Quel parent impliqué dans un divorce n'a pas souhaité la mort de celle ou celui qu'il aimait naguère ? C'est un fait universel. Et c'est pourquoi on se sent gangrené de l'intérieur. Et c'est pourquoi (comme je me le suis dit), on n'a qu'une envie : se faire embarquer par des blouses blanches et se faire purifier le sang.

La Celebrity couleur crème continuait à rouler doucement, traversant les champs et les prés du New Hamphire qui affichaient un moral d'acier, pénétrant dans les paysages du Vermont qui attendaient d'être sculptés. Quand la lumière a baissé et que les routes sont devenues plus tortueuses, nous nous sommes arrêtés sous un tunnel de feuilles orange pour acheter les quelques bouteilles de vin sélectionnées par le Hitch (avec mon aval : les Bellow sont des hôtes généreux, Saul connaissait John Berryman et Delmore Schwartz, mais ils ne pouvaient pas s'imaginer ce qui les attendait cette fois), ainsi que des quantités de miel et de sirop d'érable qu'on rapporterait au cap Cod. Puis la Celebrity a tourné à gauche, quittant la route principale et descendant dans la vallée. Les Bellow nous attendaient dans le jardin.

Je voudrais dire ici qu'en rentrant de Jérusalem en 1987, j'avais retrouvé une foi fervente dans la santé artistique de mon père (ce qui englobe tout ce qui me semblait vital à son état mental). Un an auparavant, il avait publié le livre pour lequel on se souviendra de lui : *Les vieux diables*[1]. C'est son roman le plus long, celui qui est le mieux tenu jusqu'au bout. À mon sens, il ne le cède en rien devant les autres romans anglais du XXe siècle (sauf *Ulysse*, bien sûr, mais *Ulysse* est un livre shakespearien). Il n'a rien à redouter d'aucun homme, rien — ni d'aucune femme non plus. Ce qui m'impor-

1. Avec *Jim-la-chance*, évidemment, et, j'espère avant tout, avec *L'homme vert*, *The Alteration* [*La transformation*], *Girl, 20*, *Sur la fin*, les récits « Dear Illusion » [« Chère illusion »], « All the Blood Within Me » [« Tout le sang dans mes veines »], « A Twitch on the Thread » [« Un petit coup sur le fil »], les *Collected Poems* [*Œuvre poétique complète*], *The King's English* et peut-être la *Correspondance*. *Les vieux diables* a remporté le Booker Prize — ou devrais-je dire le « prestigieux » Booker Prize, tant cette épithète est attachée au nom du prix lui-même, surtout aux États-Unis. Je suis prêt à parier que pour beaucoup d'Américains il s'appelle le Prestigious Booker Prize, ce qui devrait au demeurant être le cas. Voici la définition des Fowlers dans le *Concise Oxford Dictionary* : « **prestigieux** : a) possédant ou manifestant du prestige [orig. = trompeur, du latin *praestigiosus* (*praestigiae*, exercices de jonglage)]. » Mais le prix est décerné par un comité *ad hoc*, et non par un jury permanent. Ce qui lui manque donc, c'est du prestige, dans tous les sens du terme sauf le sens étymologique : « Fr. : illusion, brillant. »

tait le plus, à sa parution, c'est qu'il annonçait une *capitulation de l'intransigeance*. J'avais espéré un tel virage aussi ardemment qu'on espère la fin d'une crise de larmes chez un bébé, d'une bouderie marathonienne chez un enfant, d'un mécontentement chez un amant ou une maîtresse. *Les vieux diables* signalaient la fin de sa solitude volontaire. Il avait baissé les bras, il en avait rabattu. On doit tous en passer par là, à un moment donné ; on doit tous sortir de la pièce où l'on s'est enfermés. Mon père avait refait surface avec un roman sur le pardon. Il n'avait pas pardonné à Jane de l'avoir quitté, il ne le lui pardonnerait jamais, mais il avait pardonné aux femmes, il avait pardonné à l'amour ; il avait renoué avec la valeur suprême (et il renouerait encore avec elle dans cinq autres romans). « Je déteste l'amour », avait dit mon fils. Je déteste l'amour : ce n'est pas le genre de credo qu'on devrait avoir envie d'exposer longtemps. À l'époque, mon soulagement était purement instinctif : c'était comme une voix qui me soufflait : « Ton père s'est remis. » Je m'aperçois maintenant que son grognement de déception avait fini par s'épuiser de lui-même. Et je sais pourquoi... Mais bref ! Il n'y avait bien entendu pas de vide paternel à remplir, pas plus que Saul Bellow, avec ses trois rejetons, n'avait de place pour un fils[1].

1. Sa situation a changé en 1995 (puis à nouveau en 1999), comme nous le verrons. En 1997, dans un petit restaurant de Boston, j'ai fini par prononcer ces mots devant Saul.

Vers onze heures et quart, un silence s'étira lentement sur la table du dîner. Christopher, tout à fait sobre mais les yeux baissés, écrasait un paquet de Benson & Hedges entre ses mains. Les Bellow fixaient eux aussi leur assiette. En me tenant la tête, je contemplais les conséquences de ce repas — le télescopage sur la route de la soirée, les phares voilés, les charnières écartelées, l'enjoliveur encore vibrant. J'avais le pied droit blessé à force d'avoir frappé les mollets du Hitch[1].

Je simplifierais les choses en disant que Christopher

1. Contre le Hitch, l'opposition physique et l'opposition intellectuelle sont tout aussi superflues l'une que l'autre. Lorsqu'il a quitté le *New Statesman* en 1978 (nous précédant tous de peu) et qu'il est allé travailler pour le grand organe bourgeois, le *Daily Express*, je me suis battu à mains nues avec lui, dans la poussière et la fumée, au milieu de grosses fesses frémissantes, dans un pub irlandais en sous-sol, non loin de Piccadilly Circus. Une fois n'est pas coutume, je défendais des arguments de gauche en accusant Christopher de défection, de trahison, de rapacité. Triste spectacle observé par James Fenton, bagarre un brin minable et presque lacrymale : nos volontés, la mienne et celle du Hitch, se sont concentrées sur le verre qu'on tenait tous les deux de la main droite. C'était un verre à vin et il contenait un whisky. Sans nous quitter des yeux, nous l'avons serré et serré jusqu'à ce qu'il commence à se craqueler... J'ai lâché prise. J'en ai rabattu. Parce que je me suis tout à coup rendu compte que lui n'abandonnerait pas la partie, non, pour rien au monde, et que lorsque nous partirions ensemble aux Urgences (James réglant le chauffeur de taxi et nous accompagnant tristement), il n'exprimerait aucun regret, aucun, ni pour une paume tailladée ni pour un doigt perdu dans la sciure : rien. Plus tard, la même année, James et moi, ainsi que Christopher, sommes allés à Blackpool couvrir le congrès du parti conservateur. L'affection que nous nous portions était différente, mais non pas amoindrie. Pour le Hitch, le *Daily Express* avait réservé une chambre au Grand Hôtel, avec vue sur la mer d'Irlande. James et moi logions dans une petite pension à cinq livres la nuit, située dans une ruelle éloignée du centre-ville. *Ça,* c'est être de gauche : s'allonger sur un lit étroit et écouter, les yeux ouverts, le seul autre meuble de la chambre — la grosse armoire massive, rongée en direct par les cafards.

avait passé les quatre-vingt-dix dernières minutes à enfiler au triple galop une ribambelle de conneries sinistres. Mais il ne faut pas avoir peur de simplifier. C'est parfois tout à fait nécessaire... Le différend portait évidemment sur Israël. Christopher était déjà connu pour un article intitulé « Hérétique de la Terre sainte » (*Raritan*, printemps 1987), dans lequel il avait brocardé « les idéalisations généralisées d'Israël fréquemment exposées par Saul Bellow, Elie Wiesel et quelques autres ». On trouvera dans cet essai de 8 000 mots, rédigé pour ainsi dire d'un point de vue de Gentil, l'essentiel du discours qu'il a tenu pendant le dîner dans le Vermont. Le reste se trouve dans « Ignorer la moitié de l'histoire : hommage au télégraphiste Jacobs » (*Grand Street*, été 1988), texte rédigé d'un point de vue de Juif. Inutile de dire que Christopher avait mis son point d'honneur — c'était pour lui une question de principe, une position intellectuelle fondamentale — à ne pas laisser son nouveau caractère ethnique influencer en quoi que ce soit ses opinions en matière de science politique et de moralité politique. La révélation de sa grand-mère Dodo n'avait nullement diminué le messianisme, l'expansionnisme ou le régime quasi-démocratique d'Israël. Chez Christopher, ce n'était pas le sang qui pensait, ni à sa table de travail ni à la table d'un dîner. Les émotions, les atavismes, il les mettait de côté pour laisser la raison — ce nabab de toutes les facultés humaines — faire son œuvre.

Saul était connu, lui aussi, pour son livre *Retour de Jérusalem*, ses activités de journaliste et ses essais — sans parler de ses romans qui pivotent souvent autour du judaïsme — ce qui, en d'autres termes, signifie qu'il en a l'inconscient tout imprégné. (Tandis que l'âme de Christopher, me semble-t-il, est essentiellement celle d'un Gentil. Il n'a pas d'inconscient juif, même si le superbe rêve prémonitoire qu'il décrit de façon bouleversante dans son article de 1988 suggère qu'il en porte des traces.) Il ne servirait à rien de nier que, sur la question d'Israël, c'est le sang de Bellow qui pense, jusqu'à un certain point : l'inconscient pense toujours avec le sang. Et si tant est qu'un écrivain se compose de trois êtres différents — le littérateur, l'innocent, Monsieur tout le monde —, alors l'innocent se place au premier plan chez Bellow, malgré toute son érudition, ses expériences vécues et son bon sens. C'est ainsi qu'il procède en écrivant : tout s'explique par son innocence, son être intime, son âme première. Tout s'explique par son âme. C'est le sang qui pense, et Israël, par conséquent, se situe dans un rapport de consanguinité — « la consanguinité juive, archaïsme dont les Juifs, jusqu'à ce qu'ils soient arrêtés par ce siècle, essayaient de se dépouiller ». Consanguinité d'Israël avec l'Exode[1] et la Diaspora,

1. Un jour, dans un restaurant de Boston, j'ai abordé la question de la peine de mort. Karla Faye Tucker venait juste d'être exécutée par injection au Texas. (Le gouverneur Bush avait prié pour trouver des « conseils utiles » ; ses prières n'avaient rencontré que désapprobation.) Au bout d'un court instant, j'ai remarqué que mes arguments en faveur de l'abolition ne semblaient pas être partagés. Je posais la question :

« C'est quoi, le problème des Américains face à la peine de mort ? Au lieu de parler du recteur Rickey Ray, ils parlaient tous de Gennifer Flowers. Au lieu de parler de Karla Faye Tucker, ils parlent tous de Monica Lewinsky. »

avec les Pogroms, les Ghettos et l'Holocauste. Je l'ai un jour entendu dire que les Juifs « n'existeraient plus » sans Israël, « après la dérouillée qu'ils avaient subie ». Le chapitre suivant traiterait de l'Assimilation ; et ce serait la fin. La fin des liens avec tous les morts qui comptent.

Certes, Bellow était capable de tenir un discours rationnel — un vrai discours digne de Bentham — sur Israël. Il pouvait nuancer ses opinions. Mais pas ce soir-là. Non, ce n'était pas le bon soir. Très vite, Janis et lui se sont bornés à n'émettre, de temps à autre, que des sons de protestation. Saul, courbé sur la table, épaules en avant, jambes tendues sous la chaise, devenait de plus en plus laconique dans ses interventions, s'arc-boutant sous le déluge d'arguments de la raison pure et de références factuelles, avec en prime l'invocation de précédents historiques, le rappel de statistiques tonitruantes et de subtils distinguos beuglés à tue-tête. Christopher en pleine débâcle cérébrale.

Puis ce fut la fin. On n'eut que le silence à affronter. J'avais le pied droit qui m'élançait à cause de tous les coups que j'avais donnés en vain dans les mollets du Hitch sous la table. Comme je vais l'expliquer, c'est aussi le sang qui pense, en moi, lorsque je songe à Israël.

Saul est resté muet. J'ai repris :

« Ne me dis pas que tu n'y es pas opposé, *toi aussi.*

— Écoute... Prends... Eichmann. Qu'est-ce qu'on est censé *faire* d'un fils de pute pareil ?

— Bon Dieu ! Ce que tu peux t'accrocher à l'Ancien Testament ! »

Il a haussé les épaules et hoché la tête de côté.

Mais mon sang ne pensait pas à Israël à ce moment-là. Un consensus se dégageait dans la pièce en silence : impossible de sauver la soirée. Ni un changement de sujet ni une tasse de café purificatrice n'y pouvaient rien. Non, rien. Rien à faire, rien d'autre que de boucler l'épisode et d'aller au lit. Mais nous sommes restés assis, immobiles, tandis que le silence continuait à faire rage.

Christopher en était encore à écraser doucement son petit paquet doré de Benson & Hedges. Il semblait accorder toute son attention à cette activité. Devant lui, dans le silence, s'étendait le champ de bataille apaisé : l'État d'Israël, dominé de bout en bout, mis sens dessus dessous... Dans son roman à clés sur la vie littéraire londonienne, *Brilliant Creatures* [*Êtres d'exception*], Clive James dit du personnage basé sur Hitchens que l'expression « toute honte bue » aurait pu être inventée pour lui. Mais Christopher semblait à présent sur le point de s'adresser des reproches. Pendant la discussion, on avait pesé les opinions d'Edward Said et c'était cela que Christopher, pour conclure, souhaitait souligner. Le silence me faisait toujours l'effet d'un moucheron dans l'oreille.

« Bon, lâcha-t-il. Je m'excuse d'avoir poussé un peu loin le bouchon. Mais Edward fait partie de mes amis. Si je ne l'avais pas défendu... je ne me serais pas senti digne de lui.

— Et *maintenant*, vous vous sentez comment ? » lui a répliqué Saul.

Rachel

Imaginons que j'aie à lui parler des enracinements de la mémoire dans le sentiment, l'entretenir des thèmes qui la concentrent et la retiennent ; que j'aie encore à lui dévoiler le sens même de la rétention du passé. Lui dire : « Si le sommeil est oubli, l'oubli aussi est sommeil, et le sommeil est à la conscience ce que la mort est à la vie. Tant et si bien que même à Dieu les Juifs demandent de se souvenir — *Yiskor Elohim.* »

Dieu n'oublie pas, mais la prière surtout le requiert de se souvenir de tous les morts. Allons ! Arriver à impressionner un gamin pareil[1] ?

En 1987, ce n'était pas la première fois que j'allais en Israël. J'y avais été invité l'année précédente par le Friends of Israel Educational Trust avec quatre autres écrivains : Marina Warner, Hermione Lee, Melvyn Bragg et Julian Barnes. On avait rencontré des rabbins et des universitaires, on avait déjeuné dans la cafétéria de la Knesset avec quelques hommes politiques, on était allés sur les bords du Harod, à Masada, à la mer Morte, à

1. Extrait de *La Bellarosa connection* (1989), publié quelques mois à peine avant notre virée dans le Vermont. Christopher, qui l'avait lu, n'était pas comme le gamin du livre : un « petit crétin » professant un « nihilisme de bazar » et multipliant « les coups bas ». Ses complexités étaient bien plus humaines. Ma crise de la quarantaine m'a réduit, pour ainsi dire, à n'être plus audible. Dans le cas du Hitch, c'est le contraire qui s'était produit. Pendant son séjour au cap Cod, il a passé ses journées à écrire un long plaidoyer savant et très éloquent d'un homme qui deviendrait l'un de mes grands amis, et dont la vie, cette année-là, s'était brutalement trouvée changée, elle aussi, transformée du tout au tout : Salman Rushdie.

Bethléem, à Jéricho, on avait séjourné dans un kibboutz sur les hauteurs du Golan[1]. On avait pris un verre de thé avec le pittoresque bédouin dans sa tente et fait une promenade à dos de chameau. Un voyage agréable, en somme. Mais on n'avait pas été présentés à des Palestiniens ni à des Hérétiques de la Terre sainte — à des gens comme Israël Shahak, Witold Jedlicki ou Emmanuel Faradjun — avec lesquels Christopher Hitchens entretenait à l'époque des rapports dynamiques. V. S. Naipaul, dans ses récits de voyage, allonge les pays et les nations sur le divan du psychanalyste et les soumet à un examen de santé mentale. Tous les écrivains, tous les voyageurs font de même. Au bout de quelques jours, le corps rend son verdict sur l'endroit où l'on se trouve. Je m'étais senti revigoré, rajeuni. Les Palestiniens, il est vrai, étaient demeurés invisibles, mais tous les gens à qui j'avais parlé avaient fait preuve d'une grande loyauté sur leur situation et l'outrage qu'elle faisait à la justice et à la démocratie.

Un an plus tard, cette société me semblait déjà sur le point de prendre un virage. Son bilan de santé ne m'a guère détendu[2]. Ma femme était avec moi, et je remar-

1. Environ une demi-heure après le début d'une conférence informelle sur l'histoire du mouvement des kibboutzim, j'ai levé la main pour dire : « Il y a quelque chose que je voudrais savoir sur le mouvement des kibboutzim, et je sais que c'est une question qui préoccupe aussi beaucoup mon collègue Julian Barnes. Est-ce qu'il y a une table de ping-pong ? » J'ai eu l'impression (fondée) qu'on pouvait poser cette question en 1986. Mais est-ce que ce serait encore acceptable en 1999 ?

2. Kingsley avait de la sympathie pour Israël, mais il ne se serait pas plu dans le pays. Pendant un dîner, force m'a été de me rappeler un passage de *Jim-la-chance* : je tenais à la main le plus petit verre qu'on m'ait jamais sérieusement offert.

quais certaines obsessions impulsives chez les hommes — l'angoisse sur l'hygiène féminine, par exemple. Voir le type en calotte faire ses trucs devant le Mur des lamentations m'évoquait alors une remarque de Nabokov : les costumes qu'on fait porter aux chimpanzés de cirque pour exécuter leur tour rabaisse la nature animale. Qu'est-ce qui était rabaissé ici ? Quelque chose comme l'anatomie humaine. Et qui étaient ces intellectuels, qui étaient ces chantres qui vous croisaient sans vous voir, courant de toutes parts pour rien, se dépensant en pure perte ? (Des Américains prosélytes qui prêchaient pour leur religion nationale les accostaient de temps à autre : « Eh ! l'ami ! Il y a une autre voie ! ») Un jour, dans le quartier arabe, je me suis légèrement attrapé avec un des gardiens de la Mosquée sacrée, et j'ai vu dans ses yeux qu'il pouvait *tout* me faire, à moi, à ma femme, à mes enfants, à ma mère, et que cela ne ferait que valider sa droiture. L'humanité, ou moi-même, ne saurait supporter les excès religieux. D'un point de vue politique, il était également un peu plus difficile de dire ce qu'on pensait. Naipaul y aurait peut-être décelé des symptômes d'un vieux délire de persécution (largement justifié) : état de garnison, usure d'un pays assiégé.

Je garde espoir pour Israël et ne serai jamais complètement raisonnable vis-à-vis de ce pays. C'est avec mon sang que j'y pense.

En 1967, tandis que Saul Bellow flairait des cadavres dans le Sinaï (« l'odeur douce-amère de carton en putréfaction devient un goût dans la bouche »)[1], j'étais couché dans les bras d'une Juive séfarade à Golders Green. Dès le début de l'invasion, le 5 juin, elle s'est précipitée pour donner son sang pour Israël. À cet instant-là, j'ai su que c'était de l'amour : le premier amour… Mon seul ami, Rob, disait en se résignant que c'était la plus belle fille qu'il ait jamais vue : grande bouche, nez visiblement guerrier, chevelure d'ébène lustrée. Elle habitait avec sa mère (qui travaillait pour Lord Sieff de chez Marks and Spencer) et sa grand-mère, une très vieille femme minuscule, drôle et orthodoxe : même dans son garde-manger, le café était cascher. Ma copine avait un an de plus que moi et elle était vierge. Quand nous sommes enfin passés à l'acte, nous avons cherché une tache de sang sur les draps, sans en trouver aucune. Nous sommes restés inséparables pendant six mois. Avant, bien sûr, de nous séparer.

Mais cette liaison a connu une suite. Six ans plus tard, la fille a lu *Le dossier Rachel* et m'a téléphoné. Nous avons convenu de dîner ensemble dans notre « bistrot » près de Baker Street ; je m'y suis rendu, je dois l'avouer, en m'attendant à une dénonciation de trois heures, à une gifle, à un procès en diffamation. J'ai beaucoup parlé, ici, des êtres réels et inventés. Mais quand on commence à écrire à vingt et un ans (c'est du moins ce dont je me suis rendu compte), on n'a rien

1. Il y était parti comme journaliste. La Guerre des six jours (les Arabes l'appellent la Guerre de juin) s'est terminée, je m'en aperçois, le jour de son cinquante-deuxième anniversaire.

d'autre que sa propre conscience : on doit en passer par l'autobiographie parce qu'il n'y a *rien* d'autre. Dans le roman, Rachel est un personnage sympathique, mais également triste et dérouté ; et j'ai beaucoup exagéré la froideur avec laquelle elle finit par être rejetée. Je suis arrivé au bistrot et j'ai cherché mon premier amour. Mais il n'y en avait pas trace. À sa place était assise une femme de vingt-cinq ans dans la fleur de l'âge[1]... Ce fut un de ces repas où les serveurs n'arrêtent pas de vous demander si vous n'appréciez pas la nourriture. Parce que le corps vit dans sa plénitude dense et rassasiée, sans qu'on puisse rien lui ajouter ; il est déjà porteur de tant de richesses. Plaisir intense de ma part, soulagement grandiose, émotion extrême (pour ne rien dire de mon étonnement), lorsqu'elle m'a finalement proposé : « Tu veux rentrer avec moi ? Pour prendre un café. » Avant d'ajouter — ce qui ne lui ressemblait guère (mais qui étais-je pour en juger ?) : « Et pour le reste, évidemment »... C'est ainsi que j'ai passé ma première nuit (d'autres suivraient) sur le campus de son institut professionnel, sur la ligne Metropolitan. Elle faisait des études de médecine et s'apprêtait à quitter bientôt le pays. Où est-elle allée ? En Australie ? Au Canada ? En Israël, dont l'armée avait bénéficié de son sang ? Le matin, je prenais le métro jusqu'à la station Blackfriars

1. Dans le roman, je m'en rends compte, j'ai gommé tous ses traits exotiques. Rachel a l'air d'être juive, mais elle se révèle ne pas l'être. Je ne sais pas quel scrupule idiot s'est emparé de moi. J'ai changé son nom. *Ça*, je l'ai transformé dans le creuset, sur le terrain de lutte de mon imagination.

et entrais directement dans les bureaux du *Times Literary Supplement*. En montant à bord, je me disais que « le reste, évidemment » était ineffable, et je me rappelais ma stupéfaction (voire mon inquiétude) à la pensée de mon échauffement sanguin.

Je ne serai donc jamais tout à fait raisonnable vis-à-vis d'Israël. C'est le sang qui me fera toujours y penser. Non pas *mon* sang. Mais le sang de mon premier amour.

Mort d'un sentiment

Le garde forestier est volontiers d'humeur joyeuse le matin. En règle générale, il ne répugne pas à se donner en spectacle pendant le petit déjeuner et, s'il y a des enfants à divertir, à imiter la chèvre d'O'Hogan. Peut-être n'est-il pas surprenant qu'aucune chanson, aucune comptine ne se soit fait entendre alors que Christopher, après s'être arrêté pour éteindre sa cigarette dans la cheminée, reprenait sa place à la table. Un petit déjeuner poli. Mais lui et moi n'avons pas traîné : nous sommes bientôt repartis dans la brume et les bois feuillus — dans « [les] hêtres, bouleaux et érables, les tilleuls, les criquets, les rochers, les fossés de drainage, les oiseaux et toute la faune, jusqu'aux tritons rouges sur le revêtement de la route. [...] Les feuilles de peuplier, quand on étrécit les yeux, sont pareilles à une pluie de billon. » C'était bien le problème, ou du moins une partie du problème : le Vermont devait être le pays vert, une distraction qui détourne des autres distractions. Le Vermont, c'était *le bon coin*[1].

Sur le trajet du retour, j'ai exigé — l'expression est de James Fenton — une PRI : une petite revanche intéressante. Ce n'était pas un châtiment sévère, du moins comme je le voyais à l'époque (car le trajet du retour n'a pas dérogé à notre complicité fraternelle d'usage), mais je pensais simplement céder à une impulsion juvénile. Pourtant, je m'aperçois aujourd'hui que je souhaitais en fait obtenir satisfaction... En rase campagne, dans le Massachusetts, on a fait une pause nécessaire — pour les nombreuses rasades d'alcool fort et les énormes repas laissés intacts sans lesquels le Hitch ne pouvait plus subsister. C'est lorsqu'on a traversé le pont et qu'on s'est engagés sur la Route 6, pour rejoindre la péninsule du cap, que Christopher est revenu à la charge en demandant, non pas une autre division de Jérusalem, mais un arrêt immédiat. La Celebrity couleur crème a continué de filer à vive allure. Au bout d'une vingtaine de minutes, ayant cessé de pleurnicher et implorant ma pitié d'un ton geignard (il me rappelait mes fils et leurs appels pressants : « Papa, vite ! J'en peux *plus* ! »), j'ai obliqué sur une déviation et, à cent kilomètres à l'heure, j'ai enfoncé la pédale du frein de mon pied droit encore douloureux. La vessie du Hitch, intime-

1. « Le Vermont : le bon coin » (1990), dans *Tout compte fait*. Mon père, lorsqu'il écrivait son adresse privée dans ses premières lettres à Larkin, avait tendance à taper « La sale ville » au lieu de « Berkhamsted ». Pour lui, et pour un tas de raisons différentes, son domicile était le mauvais coin.

ment entortillée et remontée par la ceinture de sécurité, s'est propulsée en avant, puis, pire encore, s'est remise en place en vibrant. Il m'est difficile de transcrire le double grognement qu'il a émis — quelque chose comme Hou-*da* ! — l'inquiétude virant rapidement au suspense. Mais l'incident ne le faisait pas rire du tout. Quand il est revenu du petit bois détrempé et que j'y suis allé à mon tour (arbustes, broussailles, mégots, âcre fétidité de l'air après le passage haletant de tous ceux qui étaient venus s'y soulager), le Hitch a tenté une évasion finaude au volant de la Celebrity pour me faire parcourir à pied, disons, quelques kilomètres. Mais en l'occurrence, il n'a pas réussi à faire démarrer la voiture[1].

Ce soir-là, dans la maison de Horseleech Pond, nous

1. Qu'il ne sût conduire témoignait de ses qualités de poète (et de pacha). Les poètes ne savent pas, ne peuvent pas, ne devraient pas conduire. (En Angleterre, ils ne savent pas conduire et ne conduisent pas. En Amérique, ils conduisent, mais ils ne devraient pas.) J'ai écrit un essai sur la question au milieu des années 1990. Peu après, lors d'une signature sur la grand-place de Raleigh-Durham, en Caroline du Nord, un poète du cru s'est avancé et, d'un geste comique d'accusation, il a jeté sur la table un petit bouquin et un permis de conduire. Il était efflanqué, buriné, d'une beauté couleur sable. Il avait aussi le bras droit dans le plâtre. « Qu'est-ce que vous avez fait ? je lui ai demandé. Un tour en voiture ? » Depuis, Christopher Hitchens a appris à conduire. Mais il est d'une étrangeté touchante au volant : on dirait qu'il porte une robe de bal ou un costume de King Kong. Le plaisir qui se lit dans ses yeux suffit à attester qu'il n'est pas assis sur le bon siège. Larkin, après bien des tribulations, a lui aussi appris à conduire, et à maudire son imprudence (voir les dernières lettres de sa *Correspondance*). Fenton, le poète par excellence, le poète suprême, a multiplié les tentatives pour apprendre à conduire comme si c'était presque une tâche sisyphéenne : « éternellement laborieuse » (*Concise Oxford Dictionary*).

avons pris, avec Christopher, notre fou rire le plus long et le plus bruyant, qui s'en est suivi de notre dispute la plus longue et la plus bruyante. Sur le fou rire, je reviendrai plus tard. Mais la dispute était prévisible, elle couvait et devait arriver : « Donc, comme ça, tu défendais ton ami ! Ton ami Edward ! Mais Edward *n'était pas là*, que je sache ! L'ami qui était là, c'était *moi* ! Et tu en as fait quoi, de *lui* ? Et de *MON* ami, alors ? ET qu'est-ce que c'était que ces grimaces horribles que tu faisais avec les lèvres ? » Puis j'ai ciblé plus large et accusé Christopher d'être la *cause* des récents bouleversements dans sa vie[1]. Mais il y a des moments où la politesse compte plus que l'État d'Israël, tout comme il y eut un moment, en Israël, où la politesse comptait plus que la fin du monde... La vie, ici, prend l'allure d'un court récit. Tout est relié : tout par amour, le monde perdu en entier, la mort des sentiments. Christopher arrivait à la fin d'un monde, en butte à de grands changements, à des réajustements majeurs. Les images mentales, les figures d'un jeu de cartes se mélangeaient toutes — roi, dame, valet.

Au téléphone, le lendemain, je me sentais encore choqué, indigné et coupable.

« Excuse-moi auprès de Janis, je disais.

— Je t'en prie, ne te fais pas de souci.

— Tu méritais quand même une soirée tranquille. »

1. Faute de goût complètement déplacée. Christopher ne me l'a pas seulement pardonnée (je m'y attendais), mais il s'est montré beaucoup plus généreux et s'est débrouillé pour l'oublier, la reléguant au silence, refusant à jamais son activation. Elle ne le hante pas ; c'est moi qu'elle hante.

Saul insistait :

« Martin, tu ne dois *pas* être trop dur avec toi-même.

— Merci. Mais quand on amène...

— Écoute, j'y suis habitué. C'est le genre de discours que j'entends tout le temps.

— C'est aussi ce qu'a dit le *Hitch* ! »

Nous n'avons pas pu nous empêcher de rire, ce qui signifiait que l'affaire serait bientôt close. Quelques étés plus tard, j'étais dans la même cuisine du Vermont lorsque Christopher a envoyé un mot d'excuse aux Bellow, ou du moins un mot de remerciement, inséré sous forme cryptée dans un article qu'il avait publié dans la *London Review of Books*. Le message fut reçu avec indulgence — non, il fut accueilli chaleureusement. Tout comme ma femme, une autre femme, qui m'avait accompagné ; j'étais accepté dans ma nouvelle réalité... C'est un désir simple que de vouloir faire se rencontrer vos amis, et je suis encore prêt à recommencer. Car en toute justice c'est Hitchens qui m'avait fait connaître Bellow : par ses livres. « Jette un coup d'œil au *Don de Humboldt* », il m'avait dit en inclinant sérieusement la tête dans l'escalier du *New Statesman* en 1977 (je crois). À la place, j'avais pris *La victime* ; après très peu de pages, j'avais senti me parcourir une reconnaissance qui, mise en mots (sous forme plus solennelle qu'euphorique), disait à peu près : « Voici un écrivain que je vais devoir lire en intégralité. » Tout le reste a procédé de là, de ce qui est au fondement de notre lien. Je vois Bellow environ deux fois par an, nous nous téléphonons, nous nous écrivons. Mais cela ne rend compte que d'une fraction du temps que je passe en sa compagnie. Il est dans ma bibliothèque, sur mon bureau, partout dans la maison, et toujours d'humeur à parler. C'est l'essence même de l'écriture : non pas une communication, mais un moyen de communion. D'autres écrivains planent à l'entour tels des amis, patients, intimes et accessibles pendant les nuits d'insomnie, venus d'au-delà des siècles. Telle est la définition de la littérature.

Ah ! Oui ! Cette crise de rire... Le genre de paroxysme qui vous chamboule complètement et renouvelle tous vos liquides organiques. Un *immenso giubilo*. À l'origine, une blague — ou un numéro — qui n'avait rien à voir avec Israël ou le Vermont, mais qui appartenait encore à ce même petit récit où tout se tient. Dans l'un de ses aphorismes les plus frappants, Nietszche assimile une plaisanterie à une épigramme sur la mort d'un sentiment[1]. Notre numéro, violemment scatologique, ne sortirait pas indemne de sa transcription. Mais c'était *bien* du deuil de sentiments dont il était question — de sentiments portant sur la première moitié de la vie. Peut-être pourrait-on définir la jeunesse comme l'illusion que l'on va toujours durer. Quand finit de s'évaporer cette illusion, on a la peau qui se dessèche sous les yeux

1. Au passage : quand Lady Di est morte, les blagues ont mijoté pendant quatre ou cinq jours. Quand John Kennedy Junior est mort, elles ont fusé en un éclair, rapides comme l'électronique, à la vitesse de la lumière. L'émotion, en d'autres termes, n'avait pas la moindre chance de se faire sentir ; elle était morte dès la naissance. On se pose alors la question des futures victimes d'accidents sur les autoroutes de l'information.

et les cheveux qui crépitent sous le coup de brosse. C'était fini. L'enfer comme rançon. Des soleils agonisants d'une certaine taille réalisent le cauchemar de l'alchimiste : ils transforment l'or en plomb. Et en 1989, c'est la voie du métal vil que nous empruntions. Il avait connu la transmutation, je n'allais pas tarder à la connaître.

« Tout s'est enchaîné en bloc, je lui dis au cours de ce Noël lugubre où ce fut soudain mon tour d'y passer. Rupture, séparation d'avec les enfants, problèmes de santé. » Lucy Partington, Bruno Fonseca, Saul Bellow en soins intensifs. Sans parler d'un roman auquel je travaillais depuis cinq ans, *L'information*, que j'avais commencé dans la paix et qui finissait dans une guerre plus ou moins ouverte... Christopher était assis et faisait don de sa présence. Parle autant que tu veux ou tais-toi autant que tu veux. J'avais l'impression qu'il pouvait m'observer en adoptant le point de vue d'un homme plus âgé. En lui reconnaissant cette faculté, je dis : « Il ne me manque plus que la mort d'un parent. »

Reste encore, pour un bref moment, la maison de Horseleech Pond. Il y a le bouquet d'arbres où Christopher et moi, à trente-six ans, avons posé pour nous faire photographier avec nos fils dans les bras : Louis, Alexander. Les femmes qui prenaient les photos étaient Antonia et Eleni. Suivraient d'autres naissances : Jacob, Sophia. Tout cela va disparaître. Tout cela va partir en fumée. Échec en vue. Mon échec. Regarde un peu, je me suis dit : regarde ce que tu as fait. Il y a la voiture de location, une autre voiture de location, dans laquelle tu partiras seul à l'aéroport de Logan. Il y a ta femme qui pleure dans l'allée et, derrière elle, tes enfants sur la pelouse, qui jouent avec le zoo qu'ils se sont construit — ses grenouilles, ses tortues de mer.

Lettre de la vieille forge

La Vieille Forge,
Shilton,
Oxford.
[Automne 1971]

Ma très chère Wog[1],

Merci pour le chèque et ton mot. On vient de traverser une série de drames interminables : on dirait que ça se déglingue dans tous les sens. Suite aux événements

1. Cette lettre est la dernière dans les archives d'Osric, et c'est la première fois que le surnom de Jane n'est ni censuré ni expurgé. Je l'avais pris en grippe après avoir vu le téléfilm de William Boyd, *Good and Bad at Games*, qui se passe dans une école privée et dont le personnage principal s'appelle Woggie [Métèque]. Woggie était né à l'Est. On avait l'impression, à l'époque, que les Anglais allaient se faire appeler Wog ou Woggie s'ils étaient jamais allés au nord de la Trent ou au sud de la Tweed. Mais Wog, je m'en souviens, devait son surnom à ses cheveux en pétard [*golliwog*]. Aujourd'hui, j'ai une certaine affection pour ce surnom, parce que c'est une espèce d'adieu et que je veux remercier Jane de son aide. Osric avait déménagé dans un cottage éloigné du centre d'Oxford, et il le partageait avec un mari et sa femme (X et Y) et un autre homme (Z). La cohabitation a mal tourné.

divers et variés du week-end dernier, Z, que tu connais, s'est retrouvé à l'asile de fous d'Oxford. Ce qui s'est passé, c'est que vendredi, il a tabassé une fille dont il était amoureux depuis 6 mois sans comprendre que ce n'était pas réaliste. Il voulait sortir avec elle pendant le w-end il l'a trouvée au lit avec un ami de passage[1]. Le samedi, même comportement d'aliéné (il a volé ma bagnole pour l'après-midi et a dépensé tout son fric), suivi d'une tentative de suicide (quelques somnifères). On a essayé de le faire vomir et de le garder éveillé, avant de foncer en urgence à l'hosto à 120 à l'heure (c'est moi qui conduisais). Rien de trop grave. Le dimanche, quand il est revenu, il n'y avait que Gully et Y à la maison. Bagarre (avec Y). Après cette scène des plus élégantes, elle a appelé les flics parce qu'elle ne « voulait plus le voir dans la maison ». Je suis rentré à mon tour et j'ai calmé le jeu, provisoirement. Il est allé à l'asile (où il a déjà piqué une *crise*) et Y est partie en clinique... Ces dernières semaines, on a eu droit à une hystérie quasi permanente, à des hurlements et à des engueulades entre Y et X... Du genre : « Tu m'aimes pas ! Si tu m'aimais, tu t'occuperais de moi ! » (Traduction : tu passerais plus de temps à lécher le sol de la cuisine.) De quoi en faire un roman[2],

1. Rob.

2. *Poupées crevées* (1975). Il n'y a pas longtemps (en octobre 1999), je suis allé voir le décor pour l'adaptation cinématographique. Les acteurs et les actrices étaient tous épatants, mais le petit Keith était *époustouflant*. Ils avaient viré le premier Keith, m'a dit le réalisateur. C'était un bon acteur, largement apprécié, mais il voulait un Keith plus cruel. Ils en ont trouvé un. Tous les autres acteurs et actrices ont déclaré avec une pointe suffisante de regret qu'ils étaient en réalité plus satisfaits d'un Keith plus cruel.

mais rien de plus. Je n'ai jamais vu des gens travailler aussi fort à l'étalage de leur petite sensiblerie vulgaire et égoïste, à la manifestation si lamentable, si flasque de leur *vulnérabilité*. Les nouveaux édits de Y, qu'elle nous a fait parvenir de l'hôpital, stipulent entre autres : *pas* d'amis à la maison, *pas* de musique pop, etc., tout simplement parce qu'elle ne peut plus « le supporter ». Du même coup, à cause de l'éviction de Z, mon loyer est passé à 6 livres. Ça va, l'argent a été versé sur mon compte & je peux payer la différence & et j'espère que Gully va bientôt pouvoir venir vivre ici, ce qui serait mieux à tous les points de vue[1]. Mais d'un autre côté (et je vais sans doute utiliser cet argument comme menace), ça ne va pas donner une atmosphère très propice aux Examens de dernière année, en plus des allers et retours chers et fatigants jusqu'à la fac. Donc, si les choses ne se calment pas, je vais leur dire que je mets les bouts : Y n'est pas étudiante et X n'est pas en dernière année (qu'est-ce que ça peut donc bien lui faire ?). *Elle*, c'est la patronne, comme elle l'a suffisamment hurlé aux oreilles de Z, et elle s'imagine donc en position de le virer. Mais elle est aussi en position de devoir payer tout le loyer à elle seule si elle devient trop pénible[2].

1. Cette lettre abonde en notations psychologiques transparentes Mais bref... Peu après que Gully eut aménagé (elle a été adorable), je suis monté dans notre chambre et je lui ai dit : « Je viens d'avaler une pilule de la mort et je vais avoir des hallucinations horribles pendant les sept prochaines heures. » C'était de la MDA et j'avais raison.

2. Gully et Osric ont pris la fuite au petit matin, avec toutes leurs affaires dans la Mini, en deuxième vitesse pour ne pas réveiller la maison.

Comme tu peux t'en rendre compte, j'apprécierais tes conseils et ton soutien. Jonathan [Wordsworth] m'a dit qu'il aimerait qu'on le sorte le 11 j'ai hâte de voir vos mines rayonnantes. Est-ce que tu pourrais me dire ce que tu as prévu pour Jonathan et ce que tu penses de tout ça ? Je vais très bien, mais je suis de plus en plus remonté contre la tournure que prennent les choses, rapport à mon travail et tout le reste.

À tous les deux, je vous dis à bientôt. Donne le bonjour à Col (et dis lui que ça marche pour l'assurance).

Grosses bises à toi et à papa.

Je vous embrasse.

MART XXX

SECONDE PARTIE

L'ESSENTIEL DE LA VIE

1. Delilah Seale

C'était la fin du printemps de l'année 1995. Je rentrais d'une tournée promotionnelle qui m'avait fait sillonner l'Amérique du Nord pendant trois semaines — le genre d'opération où, comme Ian McEwan en fit un jour la remarque, on a l'impression d'être « l'employé d'un ancien moi ». Le livre est sorti, il vit sa vie, et pourtant on doit le défendre, l'escorter, alors même qu'on est passé à autre chose. Dans ce cas bien précis, pourtant, le roman en question, *L'information* (avec tout son barda et son fatras de problèmes), ne m'avait pas quitté, pas assez quitté, pas quitté d'une semelle. Mais je ne vais pas en rajouter dans la liste des jérémiades. Il y a des écrivains qui trouvent ce rôle de double plus dégradant / aliénant / fastidieux / fatigant, et j'en passe, que d'autres ; il y en a qui ne se laissent pas facilement scinder et qui doivent se cloîtrer derrière des douves et des barbelés[1]. Jugée scandaleuse à ses débuts,

1. On pense bien sûr à J. D. Salinger. Une seule journaliste est allée le débusquer dans son camp retranché, et elle a mis des années à en ressortir.

la promotion fait désormais partie de la vie et de la routine professionnelle d'un écrivain, et on l'accepte comme telle. On arrive dans les villes inscrites au programme et on se présente aux médias locaux ; après quoi, dans la soirée, on passe à la librairie du coin sous un jour d'emprunt et on fait son petit numéro. C'est alors que se produit un événement salutaire au moment où l'on est confronté à son atout le plus précieux : les lecteurs. Qu'est-ce qu'on a besoin d'eux ! Au moins, ils savent qui on est vraiment, ces confidents de l'esprit inconscient. Ça met du baume au cœur de l'auteur d'aller à la rencontre de ses lecteurs. Parfois, dans la file d'attente de ceux qui viennent faire dédicacer leur exemplaire, j'aperçois une paire d'yeux qui me disent tranquillement qu'ils sont entrés en communion avec moi, et je suis animé en retour d'un semblable mouvement de sympathie.

J'étais rentré par le vol de nuit, ce matin-là de printemps. Mon avion, en outre, avait fait un détour pour s'arrêter dans l'Arctique et il était arrivé à Londres avec quatre ou cinq heures de retard. L'état où l'on se trouve après une tournée me paraît impossible à distinguer

En 1975, Gore Vidal m'a dit qu'il faisait apparemment « très froid » là où vivait Salinger — formule d'un raffinement exquis pour dire à demi-mot que le grand homme buvait pour se réchauffer. Il n'empêche : on ne peut qu'aimer un écrivain qui fait dire à l'un de ses personnages « d'jà déj' ? » lorsqu'il demande à un autre s'il a mangé. Ces spectres littéraires ne sont pas toujours aussi impalpables qu'ils en ont l'air. Salman Rushdie a assisté à un match de base-ball avec Don DeLillo, et il fut un temps où Ian McEwan *déjeunait* avec Thomas Pynchon.

d'un énorme décalage horaire — avec ou sans l'énorme décalage horaire qui l'accompagne d'ordinaire. Brisé, laminé, l'auteur (cet être qui n'est pas particulièrement fragile) doit alors se dépouiller de sa personnalité d'homme d'affaires et retrouver sa forme précédente. C'était un dimanche. Mon fantôme et moi étions seuls dans le studio que j'habitais. Nous avons pris un café — ou plutôt, j'ai fait du café et mon fantôme l'a bu. Il a pris un bain pour se décrasser du voyage et je me suis senti un peu mieux. Nous avons partagé une cigarette pendant que j'inspectais mon courrier. J'avais lu la moitié de la première phrase d'une lettre lorsque soudain j'ai dû m'asseoir. Ça, aurais-je pu murmurer à mon fantôme, ce doit être pour toi...

Le soir même, la lettre dans la poche intérieure de ma veste, j'ai accompagné Isabel au Coronet, à Notting Hill Gate, pour aller voir *An Awfully Big Adventure*, l'adaptation cinématographique du roman de Beryl Bainbridge. Mille excuses, Beryl, mais j'ai dormi pendant presque tout le film (d'un sommeil à la fois profond et agité) avant de sortir de la salle. Nous nous sommes retrouvés pour dîner au petit restaurant italien qui sert des pizzas et des pâtes, un peu plus loin dans la rue. Sur la carte figurait un plat dont on pourrait traduire le nom par « droit venu du sac à main de grand-mère » ; un autre jour, quand elle était venue y manger, Isabel avait demandé à Kinch s'il se laisserait tenter par une assiette d'épingles à cheveux et de fil dentaire. Elle était assise en face de moi, j'ai sorti la lettre de ma poche et je la lui ai tendue.

Isabel l'a lue en entier :

« ... *Bien,* a-t-elle dit.

— Il n'y a pas de raison que ce ne soit pas une bonne nouvelle, n'est-ce pas ?

— Absolument aucune. »

J'ai téléphoné à ma mère le lendemain matin et je l'ai replongée presque vingt ans en arrière. Elle a répondu du tac au tac.

« J'ai toujours la photo.

— Tu crois que tu pourrais la retrouver, maman ?

— Elle est là, sur la coiffeuse », a-t-elle répondu.

Et maintenant, elle est posée sur l'étagère de mon bureau, à portée de ma table de travail.

Je me disais que je devais raconter l'histoire le plus simplement du monde. Après tout, mes interlocuteurs avaient respectivement onze et dix ans : mon fils numéro un, Louis, et le numéro deux, Jacob. Pour l'occasion, je les avais amenés au Marché aux Épices, un restaurant chinois qu'ils appréciaient beaucoup à cause du libre-service et du buffet à volonté, sans parler du Grill mongol qui grésillait de toute sa puissance. J'étais sur le point de leur révéler une affaire de famille, une affaire privée dont je savais pourtant qu'elle ne pouvait pas rester privée. Mes proches étaient d'avis que je devais attendre, que « les garçons n'étaient pas prêts » pour cette nouvelle. Mais j'avais l'impression de ne pas avoir le choix. Pour bien me faire comprendre, je dirais que mon libre-arbitre était compromis. Le quatrième pouvoir n'irait pas se demander si les garçons étaient prêts ou non, de toute façon[1]. Et par-dessus tout, je pensais que les garçons étaient fin prêts, qu'ils avaient toujours été prêts. Je faisais confiance en leur sens moral.

« Il était une fois une petite fille », j'ai commencé.

J'ai dit que j'allais leur raconter une histoire. Il était une fois une petite fille qui s'appelait Delilah. Elle avait un frère, une mère et un père. Quand elle avait deux ans, sa mère était morte. Elle s'était tuée. Pendue. Delilah avait grandi avec son frère, elle avait été élevée par son père, qui s'était ensuite remarié. Et à l'âge de dix-huit ans, elle avait appris que son père n'était pas son vrai père. D'un seul coup, elle avait eu l'impression de n'avoir plus de parents du tout.

Louis et Jacob m'ont répondu d'une seule voix. Ils avaient cette manie, ce soir-là, de parler d'une seule voix.

« La pauvre, ils ont dit.

— En fait, mes petits, son vrai père... c'est moi.

— Bien », ils ont répondu.

La conversation a repris.

Bien, bien : ça se présentait bien.

On s'était fixé rendez-vous à dix-neuf heures au bar d'un hôtel de Knightsbridge qui s'appelait Le Rembrandt — enseigne prometteuse et ambiance provocante pour des étudiants en physionomie humaine. Bientôt,

1. Assez vite, d'ailleurs, j'allais me retrouver dans mon appartement à lancer de patientes bordées d'injures à une femme en imperméable marron qui n'arrêtait pas de sonner à ma porte : un « Allez vous faire *foutre* » toutes les vingt minutes.

deux visages se feraient face, comme dans un miroir, et ils s'adresseraient l'un à l'autre avec une curiosité sans précédent. J'avais vingt minutes d'avance et j'étais accompagné d'une indispensable Isabel. Mes mains tremblaient. Elles tremblent toujours, mes mains, mais ce soir-là, on aurait dit qu'elles avaient acquis leur autonomie. Si j'attrapais une tasse et une soucoupe, cela faisait un bruit de castagnettes ; un verre avec des glaçons se transformait en maracas. Nous nous sommes assis sur un canapé, au milieu de lampes et de tables basses, de napperons et d'appuie-tête. Je surveillais la porte. Elle savait à quoi je ressemblais, *moi* ; je savais qu'elle avait dix-neuf ans et qu'elle arriverait pile à l'heure convenue.

La veille, au même moment, dans le même bar du même hôtel, j'avais eu une longue conversation avec le père de Delilah, ou son co-père, Patrick Seale — personnage touche-à-tout qui avait plus d'une corde à son arc : agent littéraire, marchand d'art, correspondant à l'étranger et spécialiste du Moyen-Orient. Il avait signé plusieurs ouvrages ; il avait également signé la lettre que j'avais dans la poche de ma veste. Lors de notre rencontre, comme dans la lettre en question, il n'y alla pas par quatre chemins. Il me dit qu'au départ il avait envisagé de tout raconter à Delilah lorsqu'elle aurait vingt et un ans. Mais des pressions familiales s'étaient interposées (il y avait la belle-mère, ainsi que deux autres enfants) et Delilah était désormais au courant. Cela faisait quelques mois. Comment avait-elle réagi ? D'après lui, elle avait d'abord sombré dans le chagrin avant de reprendre peu à peu le dessus et de se faire à l'idée. Il avait poussé le raffinement jusqu'à lui donner un carton contenant mes livres (une espèce de coffret de mes œuvres complètes) ainsi qu'un entretien d'une heure enregistré en vidéo. Pour elle, j'étais en partie une image — une image forgée par moi et par d'autres : elle devait savoir que j'avais abandonné mes fils pour aller vivre à New York avec une riche héritière, afin de dilapider mes à-valoir en me faisant fabriquer un sourire à la Sacha Distel... Mais c'était une affaire secondaire, ou tertiaire. Au moment de la révélation, elle avait dû se moquer éperdument de mon identité (peu importe quelle pouvait en être la carapace). Quand j'essayais de me représenter ce moment-là, je la voyais se débattre dans un océan panique de liens perdus. Ses liens — avec son père, avec son frère — lui semblaient perdus, mais ils ne l'étaient pas. Et il y avait d'autres liens qui attendaient d'être noués. Je pensais aussi au courage qu'il lui faudrait rassembler en cette soirée d'été pour monter l'escalier et pousser la porte du bar.

Elle est entrée.

« Ton portrait tout craché », a dit Isabel.

Je l'ai prise dans mes bras et je l'ai embrassée, la fille qui avait mon visage.

Le lendemain, au téléphone, j'ai eu une conversation d'une courtoisie surréaliste avec Patrick. Nos phrases avaient tout l'air de n'avoir jamais été entendues auparavant. Je l'ai félicité de sa fille. Il m'a félicité de la mienne.

« La pauvre », avaient dit les garçons d'une seule voix en apprenant son histoire. « Bien », avaient-ils répondu quand je leur avais annoncé qui était son père. « Je suis fier et ravi que vous le preniez comme ça. » Et très soulagé, aurais-je pu ajouter — à ceci près que je ne crois pas avoir ressenti le moindre soulagement, puisque je ne me rappelle pas avoir éprouvé le moindre doute. À l'unisson de nouveau, d'un ton sinistre, le duo a froncé les sourcils : « On a eu tort ? » Non, tout au contraire. Vous avez eu raison. Un ou deux jours plus tard, lorsque Delilah est venue dîner à la maison pour la première fois, les garçons ont bondi au moment où la sonnerie de l'interphone a retenti ; ils ont grimpé à l'étage et lui ont ouvert la porte.

Six semaines plus tard, je suis allé chercher Louis à la sortie d'un cours de guitare (tiens, d'ailleurs, qu'est-ce qu'ils sont devenus, ces cours de guitare ?) et nous nous sommes arrêtés chez un marchand de journaux pour acheter une bande dessinée ou une revue de foot. Delilah et moi faisions la une du *Daily Express*. Je n'emploie pas souvent l'adverbe « narquoisement », mais c'est sur ce ton qu'il m'a demandé :

« Encore du lynchage médiatique, papa ?

— Je ne sais pas. Peut-être que non. »

Sans lui indiquer la source, j'ai cité son grand-père et le parallèle qu'il avait établi entre cruauté et mièvrerie.

« Ils n'ont que deux possibilités, j'ai dit. À mon avis, ils vont commencer par apaiser les lecteurs.

— Quoi ? Encore ?

— Je sais. »

Delilah se trouvait en lieu sûr, ou du moins loin d'ici, et elle devait être absente trois mois. Mais l'*Express* a dépêché un journaliste à ses trousses : direction Quito, en Équateur. Delilah a bien voulu collaborer (sur une idée de Patrick, nous nous étions fixé pour principe de collaborer) et l'article qui est ensuite paru portait la marque d'un sourire bienveillant. Tout le reportage était de cet acabit : il manifestait à notre égard une sympathie rayonnante. Sans aucun doute, c'étaient la jeunesse de Delilah, son innocence et sa vulnérabilité évidentes qui avaient apaisé l'humeur du journaliste. J'ai été ravi de voir qu'ils n'avaient pas essayé de lui faire de mal. Mais j'ai vécu tout l'épisode comme on tolère (en comptant ses bienfaits à court terme) les pleurnicheries éphémères d'un ivrogne connu pour sa violence. Notre histoire a fait le tour des quotidiens et elle a été reprise avec plus de détails dans les journaux du dimanche. Puis est venue une autre révélation.

Dans son étude sur *Le magasin d'antiquités*, G. K. Chesterton signale que certaines critiques ou certains commentaires sont capables de « faire sauter l'auteur au plafond ». Or, leur fréquence s'estompe de plus en plus. Je suppose que neuf écrivains sur dix traversent la vie sans jamais en faire l'expérience. Mais cela arrive ; cela m'est arrivé. Dans l'*Observer* du dimanche, la romancière Maureen Freely ne s'est pas embarrassée de précautions pour écrire que mes romans déjà parus faisaient tous intervenir, à point nommé — et juste à temps pour mon troisième livre, *Réussir* (1978) —, une floppée de filles perdues ou en vadrouille, de pères putatifs ou en fuite, autant de personnages qui devaient revenir, avec quelques variantes, dans tous mes ouvrages postérieurs. Je ne pouvais rien à ce diagnostic. Il faisait écho à une remarque de Patrick lors de notre première conversation téléphonique : « J'imagine que vous y pensez sans le savoir. » Oui, exactement : sans le savoir. L'écriture vient d'on ne sait où, d'un lieu où les idées ne sont pas encore formulées et où l'angoisse est muette. C'est de là qu'elle vient : de l'angoisse muette. Dans l'interprétation brillamment convaincante de M. Freely, il y avait cependant quelque chose qui me gênait aux entournures, mais qui m'apportait aussi une bonne dose de réconfort, parce que cela voulait dire que j'avais mentalement cohabité avec Delilah beaucoup plus longtemps que je n'en avais conscience.

Son interprétation est pourtant incomplète. Il y a au moins une autre idole, un autre spectre, à la fois redouté et idéalisé. À un mètre de mon épaule droite est posé le cadre transparent qui contient les deux photographies dos à dos (comment sont-elles arrivées là ensemble ?) : celle de Delilah Seale (à deux ans, vêtue d'une robe imprimée et chaussée de sandales) et celle de Lucy Partington (avec ses lunettes, en uniforme de lycéenne, assise dans une cabine de Photomaton devant un rideau)... Il y a une troisième présence, une troisième absence : la mère de Delilah, Lamorna, qui s'est pendue en 1978.

Je me rends compte que j'ai beaucoup écrit sur le suicide, sur ses causes et ses conséquences. Le suicide... sujet lugubre entre tous, histoire la plus triste qui se puisse concevoir. Il provoque en moi terreur et pitié, et pourtant, il m'attire, il attire irrésistiblement ma main d'écrivain. Peut-être parce que ce que je fais tout le jour et ce qu'ils font en un éclair, les gens qui se suicident, ce sont deux actions quasiment antithétiques. Chesterton (encore lui) a dit que le suicide était une entreprise plus lourde que le meurtre. Un meurtrier ne tue qu'une personne. Un suicidé tue tout le monde. Et quel *autre* souvenir enfoui m'a fait exhumer hier un certain roman qui, au bout de treize pages, m'a assené :

> Je voyais maintenant [...] combien mes anciennes idées sur les occupations d'un candidat au suicide étaient conventionnelles ; l'homme qui a décidé de mettre fin à ses jours est parfaitement détaché des choses de ce monde ; s'installer pour rédiger ses dernières volontés en un moment pareil est un acte aussi absurde que de se mettre à remonter sa montre puisque, de toute façon, le monde entier va disparaître avec vous à l'instant de votre mort ; votre dernière lettre sombre dans le néant, et tous les postiers avec elle ; et tous les biens légués à une descendance en même temps que vous abolie s'évanouissent en fumée[1].

« Tous les postiers » : ça, c'est un trait de génie. J'éprouve une résistance tenace et inébranlable face à la dureté de la grande maxime de Chesterton. Nabokov, moral sans être moraliste, a un pouvoir de persuasion autrement douloureux. Il montre aussi, dans ce court

1. *Le guetteur* de Vladimir Nabokov (1930, 1965. Je n'avais pas ouvert le livre depuis quinze ans.

roman, que l'écrivain se tient à l'opposé du candidat au suicide, lui qui ne cesse d'exalter la vie, qui la crée, de surcroît, en donnant un pouls et une respiration à une « descendance » à venir. Le suicide, c'est un omnicide. Mais ce n'est pas à moi de juger. Il échappe à la morale. Au cours de l'histoire, il s'est ingénié à échapper à la censure humaine : malédictions et amendes en tous genres, tumulus en terre impie, cadavres profanés. Pourquoi planter un pieu dans le cœur des suicidés alors que — Joyce le savait — leur cœur a déjà été brisé ?

Dans le roman *Train de nuit*, j'ai fait observer à la narratrice : « Il n'y a pas si longtemps, on disait qu'un suicide donnait à Satan un plaisir particulier. Je ne crois pas que ce soit vrai, ou alors, ce n'est pas vrai non plus que le Diable est le prince des démons. » Mais le Diable *n'est pas* le prince des démons. Les tendres finissent par accéder au chagrin. Et lorsque Satan, dans *Le Paradis perdu*, s'élance hors du Pandémonium (capitale de l'enfer), c'est avec une mission bien précise :

détruire en totalité la Création divine,
confondre la race
Humaine en une seule souche, et la terre avec l'enfer
Fondre et mêler [...]

Par ailleurs, les suicidés sont des assassins du monde ; ils sont, au moment crucial de leur geste, tout homme et toute femme. Aucun reproche de ma part, pour autant. Car si ce qui les faisait souffrir avait été tolérable, ils l'auraient toléré.

Delilah avait deux ans, elle se tenait debout sur l'escalier. Son frère aîné, Orlando, la précédait et il a vu le corps. C'est Patrick qui a dû entrer dans la pièce pour le « dépendre », et c'est bien entendu ce monde vide, là-haut, qui est au cœur de l'origine et du développement de Delilah, et non pas le piètre mystère du père perdu / retrouvé : cela, c'est bien, bien, mais seulement bien. Pas de mère, mais plus d'un père désormais — sans parler du reste. La vie continue. Quand l'affaire lui a été révélée, Delilah a renoncé malgré elle à la consanguinité qui la liait techniquement à son demi-frère et à sa demi-sœur. Mais il y avait deux personnes de plus, un demi-frère et un autre demi-frère, qui attendaient en s'épaulant comme deux bons camarades, tout comme ils attendent la sonnerie de l'interphone et grimpent à l'étage pour lui ouvrir la porte.

« Qu'est-ce que tu en dis, maman ? je lui demandai lorsqu'elle m'arracha la photo des mains.

— *... Pas le moindre doute.*

— Qu'est-ce que je dois faire ?

— Rien. Ne fais rien, mon chéri. »

J'avais toujours voulu une fille, et elle m'arrivait d'un seul coup au Rembrandt, en miroir. Cela faisait dix-sept ans que je m'inquiétais pour elle sans en avoir conscience. Vu sous cet angle (me suis-je dit), le temps nous mettrait à l'épreuve ; mais il n'en a pas été ainsi. L'amour a jailli (et il s'est vite déclaré). Maintenant, elle et moi pouvons prononcer ces mots d'une seule et même voix : pourquoi en aurait-il été autrement ?

2. *Encore un peu dans tes bras*

Le début de la fin

Avant de perdre un père, j'avais donc trouvé une enfant...

Tout a commencé par l'annonce d'une chute. Ça ne m'a pas inquiété outre mesure, pour la simple et bonne raison que Kingsley tombait tout le temps. Tomber (ainsi que je le lui disais), il n'avait jamais rien fait d'autre. Lents et grandioses affaissements, comme celui dont j'avais essayé de m'occuper en plein milieu d'Edgware Road (voir ci-dessous), et toute une panoplie de faux-pas, de culbutes et de trébuchements qu'il exécutait en général chez lui, surveillé par ma mère et par mon beau-père depuis leur appartement au rez-de-chaussée, juste en dessous. D'après le récit de ma mère, certains de ces effondrements résonnaient comme des commodes qu'on aurait larguées de la soute d'un avion. « Un bruit complètement assourdissant. Mais on n'est pas censé lui en parler. Ça arrive si souvent qu'on ne monte même plus voir. Sauf s'il n'arrive pas à se relever.

Auquel cas, il cogne au plancher et j'envoie Ali à son secours. » Il n'y avait donc rien d'inquiétant dans l'annonce de cette nouvelle chute : rien d'inquiétant *en soi*[1].

Pourtant, lorsque je l'ai apprise, ce n'est pas une prémonition que j'ai ressentie, mais une impression antérieure à la prémonition : une coloration, un changement de lumière. Mon père avait fait une chute sur un escalier en pierre, dans le sud du Pays de Galles, à Swansea, où il continuait à se transporter quelques semaines par an au mois d'août, l'air plutôt sombre, et de toute évidence conscient de son propre courage. Il était étroitement lié à des amis qui le logeaient là-bas (les Thomas, les Rush), et il aimait le temps qu'ils passaient à parler

1. Extrait de *La moustache du biographe*, publié plus tôt cette année-là (Gordon est le biographe, Jimmie le sujet) :

> Gordon se leva à son tour.
> « C'est promis. Et je vous enverrai mon CV.
> — Vous m'enverrez quoi ?
> — Mon CV, mon curriculum vitae. »
> Il prononça le premier mot comme curriculum et le deuxième comme vii-taè.
> « Votre *quoi* ? »
> Gordon répéta [...]
> « Ah, vous voulez sans doute parler de votre curriculum vitae », fit Jimmie, prononçant le premier mot comme curriculum et le deuxième comme vii-té.

La sympathie de l'auteur va ici à Gordon ; mais Kingsley, c'est certain, aurait prononcé *per se* comme per-si et non pas comme per-sé. Sur ce point, il appartenait à la vieille école. Si on prononçait *sine qua non* siné-quoi-non, il vous renvoyait la formule sur un air d'opérette italienne. Il fallait que ce soit saï-ni-coué-non. Mais par-dessus tout, ma préférence allait à sa manière de traiter *pace*. Pas de pa-ké qui vaille, et encore moins de pa-tché (un peu plus d'italien d'opérette). Il disait pay-sii, comme s'il décrivait une voiture ou un champion de cricket.

et à boire[1]. Mais il n'était plus, désormais, un être d'habitudes annuelles ; ses habitudes tenaient du jour qui passe, de l'heure qui tourne, et il craignait tout bouleversement du calendrier. Lorsqu'il partait au Pays de Galles, devions-nous comprendre, il ne faisait que se soumettre aux pressions familiales pour ficher la paix à Hilly pendant un moment — ce dont elle n'avait pas besoin, selon lui. Il y avait une chose qu'il avouait apprécier énormément : les excursions en minibus. Ces excursions avaient commencé au milieu des années 1980. Ses *Mémoires* contiennent une photographie qui le montre, avec sa bande d'amis, devant l'Auberge de la Charrue dans un village du Carmarthenshire. À la page suivante, dans un autre hameau de la vallée, on le voit s'agenouiller de bonne grâce, la tête et les mains dans le carcan ; l'expression totalement apocryphe TOI, VIEIL IDIOT DU VILLAGE est peinte sur le biceps de l'appareil de torture, et Kingsley affiche un visage d'une abjection et d'une ignorance obligeantes (et géniales). Face à moi, il avait un peu honte de ces excursions : c'étaient en réalité des virées motorisées dans les pubs des environs,

1. *Les vieux diables,* dont l'action se déroule au Pays de Galles, raconte un *déjeuner* « bien rincé à l'aquavit, à la bière brune et appuyé par endroits par des rasades d'Irish cream. Avec un bien-fondé douteux, les hommes s'enhardirent à laver au whisky leur verre où l'on remarquait encore des traces de liqueur forte. » La bière brune est très prisée des hooligans et des toxicomanes. Kingsley lui a consacré tout un texte, sinon deux : il rapporte que les Danois l'ont brassée en hommage à Winston Churchill et qu'elle est extrêmement forte. Avec un mélange de crainte et de déférence, Rob prétend qu'elle a des pouvoirs fortifiants et des vertus que ne lui conteste aucune autre boisson — ni même aucune autre substance.

entrecoupées de haltes dans des lieux touristiques à mesure qu'ils traversaient la campagne ondulante. Ce n'était pourtant pas la tournée des pubs qui le mettait mal à l'aise, mais le reste, qui lui donnait l'impression de ressembler à Daddy B. (expert chevronné et intarissable sur le Pays de Galles, comme il le savait). Lorsqu'il parlait du plaisir qu'il prenait à ses excursions, son air trahissait que je n'avais pas tort d'y trouver à redire. Mais je n'en disais rien. J'appréciais au contraire la vivacité dont il faisait preuve... Je ne sais toujours pas si c'est au cours d'une de ces excursions que se produisit la chute, mais je sais que ce fut après un déjeuner. « Il s'est cogné la tête », m'a dit ma mère. Il était tombé sur la tête.

J'ai dit que Kingsley se transportait tous les ans à Swansea, mais la forme pronominale est ici erronée, tout autant que vieillie (*vx*)[1]. Jamais de sa vie il n'avait voyagé seul sans crainte. Même avant d'avoir trente ans, il devait être accompagné. La présence d'un enfant à ses côtés, ou même d'un bébé (je pense ici à une lettre particulièrement triomphale de sa *Correspondance*, qui raconte comment il réussit à faire un court déplacement en train avec mon frère, âgé d'un an à l'époque), piquait son amour-

1. Mon père suggérait que *ill.* devienne une abréviation courante dans les dictionnaires. *Fam.* était d'un tout autre ordre. Même son *Concise Oxford Dictionary* appelait de temps en temps la mention *ill.* Comme il aimait ce dictionnaire ! Et comme je l'aime aussi ! L'exemplaire dont je me sers en ce moment vient juste de se casser en deux et je vais devoir le remplacer. Lorsqu'il l'avait à portée de la main et qu'il vantait ses mérites (« On n'a rien fait de mieux ! »), Kingsley caressait parfois, ou même cajolait, le gros volume noir, comme s'il s'était agi d'un de ses chats.

propre et lui donnait du courage. Je me souviens aussi de l'époque où ma mère l'aidait à venir dans ma chambre, la nuit, après qu'il eut été victime d'attaques de dépersonnalisation ; ou bien de l'ascension familiale sur la terrasse panoramique de l'Empire State Building, en 1959, à l'occasion de laquelle il avoua que, sans ses enfants, il n'aurait pu s'empêcher de hurler... C'était Sally, à l'époque, qui le conduisait dans l'Ouest, puis, après avoir bu un thé à la cafétéria de la gare, reprenait le train pour Londres. Trois semaines plus tard, elle retournait au Pays de Galles et le ramenait. Mais cette année-là, la date de son retour n'était pas fixée et elle prit un air d'urgence. J'en sais désormais plus long qu'à l'époque sur ce qui s'était passé : il était tombé à la renverse dans l'escalier, sa tête avait heurté le béton, il avait commencé à se sentir plus mal que jamais. J'avais éprouvé du soulagement et de la gratitude en apprenant qu'il y avait un ami sur place pour le reconduire à Londres. L'ami en question, c'était le biographe de Kingsley[1].

On était à la fin du mois d'août, la famille se retrouvait après la dispersion de l'été. J'appris la nouvelle le jour où on attendait le retour de Kingsley en ville : il entrerait à l'hôpital Chelsea and Westminster, dans Fulham Road. Ma mère, largement habituée aux bobos et aux petites frousses de son ancien mari, était tout sauf pessimiste dans son laconisme : Kingsley avait fait « une autre chute », il était « secoué », on allait le mettre

1. Eric Jacobs. La biographie était sortie. Voir l'appendice. Mais pas maintenant.

« en observation ». Avec ce qui apparaît aujourd'hui comme une indécence grotesque, j'avais pris mes dispositions pour aller jouer au billard ce soir-là. J'appelai mon partenaire de jeu, le mis en attente et téléphonai à l'hôpital. Après plusieurs tentatives, je finis par joindre mon père vers sept heures.

« Papa. »

Mais je n'arrive absolument pas à me rappeler les deux mots par lesquels il me répondit — à ceci près qu'ils clochaient. Si on veut se rappeler les néologismes d'un enfant, il faut les noter tout de suite ; c'est de la bouillie verbale, ils défient la mémoire tout autant que le sens. Mon père eut l'air de faire un effort ensommeillé pour me saluer tout à fait normalement. « C'est toi », peut-être, ou bien « Te voilà ». Mais que dit-il au juste ? « Tiens, toi » ? « Toi là » ?

« J'arrive. »

Il continua de bafouiller, méconnaissable.

« Non. Je préfère te garder pour demain, si tu vois ce que je veux dire.

— Tu es certain.

— Certain. »

Je sortis donc pour aller jouer au billard parmi tous les traînards flétris et anémiques qui peuplaient le club de sport de Portobello, juste sous l'autoroute qui file vers l'Ouest. Je me figurais le biographe, fonçant sur Londres dans un engin anonyme mais à la pointe du progrès. C'était une tâche dont j'aurais pu me charger moi-même. La reconnaissance que j'éprouvais à son égard était teintée de culpabilité, d'une culpabilité en partie superflue puisque, en l'occurrence, le journaliste était allé au Pays de Galles non pas pour chercher Kingsley, mais pour lui rendre visite : il était donc déjà sur place. En d'autres termes, j'étais content de n'avoir pas eu à prendre le volant. Dans mon autre club de sport, dans le quartier de Paddington, il y a un solide gaillard, Ray Gibbs, qui, un jour où l'on s'était risqué à mettre en doute sa forme physique, s'était levé de son fauteuil et avait *couru* jusqu'au Pays de Galles. Ray a soixante ans. Tandis que mon corps jouait au billard ce soir-là, qu'il se tendait, se pliait, s'exécutait sans bien s'y prendre, beaucoup moins bien que d'habitude, il n'arrêtait pas de penser : j'aurais pu le faire. J'aurais pu prendre le volant. Qu'est-ce qu'il avait dit, mon père ? « Te voilà. » Ou « C'est toi. » On aurait dit la réponse à une question sur l'amour, dans son livre *The Anti-Death League*. Les années 1994 et 1995 ne s'étaient pas donné beaucoup de mal pour me persuader que j'étais immunisé contre la catastrophe ; mais personne n'échappe à l'essentiel de la vie. À présent, un pressentiment me parcourait et s'incrustait en moi, un pressentiment qui n'avait rien à voir avec l'amour, mais avec son contraire. C'était ça ? C'était lui ?

Pendant l'été, j'avais à plusieurs reprises imaginé la première rencontre entre Kingsley et Delilah. Elle était toujours en Amérique du Sud, elle sillonnait le continent avec d'autres personnes, dans un monospace de la taille d'un camion. Voilà qui leur donnerait de quoi parler, les excursions en minibus. Je savais que ce serait comme un rêve, un rêve tendre et doux, que de présenter Delilah à ma mère ; mais je ne pouvais pas me fier autant à mon père[1]. J'avais pourtant la certitude qu'il aimerait son rire, ses éclats de rire, sa spontanéité et son dynamisme. Ce qui aurait son importance. Il voudrait encore entendre ce rire, il ferait tout son possible pour le déclencher.

À la suite d'une de ses chutes précédentes, ou d'un incident moteur (car on soupçonnait les chutes de s'accompagner de lésions ou de thromboses : des attaques mineures), mon père avait temporairement perdu la raison. Cela lui fournit matière à écriture, avec toute la fraîcheur et les détails d'une lucidité retrouvée, dans un petit texte sensationnel intitulé « Retour sur la déglingue » (qui conclut la partie en prose de ses *Mémoires*). Illusions, erreurs[2], hallucinations volontaires, pouvoirs psychokinétiques imaginaires. Il était à l'hôpital — déjà à l'hôpital, pour ainsi dire, avec une jambe cassée ; et il avait l'air sain d'esprit lorsque nous lui rendîmes visite. À une différence près. Il me parla des voix qu'il entendait.

1. Quelques minutes avant de rencontrer Kingsley pour la première fois, Carol Blue (la deuxième Mrs. Christopher Hitchens) m'a demandé conseil. « Ne dites rien de gauchiste, j'ai répondu. — D'accord, elle s'est empressée d'acquiescer. — Ne dites pas grand-chose, j'ai précisé. — D'accord, elle a répliqué. — En fait, ne dites rien du tout, j'ai fini par lui souffler. — D'accord. » Après lui avoir serré la main, Carol s'est lancée dans un long panégyrique sur le taux élevé d'alphabétisation à Cuba. Un coup de théâtre qui faisait fi de tous mes conseils. Peut-être que Kingsley en a eu l'intuition. En tout cas, il a bien aimé Carol et il l'a décrite plus tard comme une bonne petite.

2. Dans le *King's English*, il consolide la distinction des deux termes en citant Fowler : « Que le soleil tourne autour de la terre était jadis une erreur, et reste aujourd'hui une illusion. »

« Il y a une petite fille qui m'a traité de vieux facho.
— Mais non, pas vraiment.
— ... Non.
— C'est comme dans *Pinfold*[1]. C'est quoi, la phrase, au juste ? "Bien sûr, tu sais qu'il est homosexuel. Tous les Juifs le sont." »

Kingsley fronça les sourcils d'un air vigilant. Nous continuâmes à parler. Un autre visiteur arriva, visiblement un de ses anciens étudiants qui avait appris l'accident dans les journaux. Il avait quelque chose d'inquiétant (était-il saoul ?) et il ne sembla pas étrange — juste étrangement franc — que Kingsley lui demandât, sur un ton assez aimable, de partir. Ce qu'il fit. Mon père et moi continuâmes à parler. Il avait l'air sain d'esprit, à une différence près. J'ai fini par comprendre de quoi il s'agissait, et cela m'a épouvanté.

Je pense à présent à *Stanley*, le roman auquel il travaillait à l'époque, et à l'étude saisissante de la folie exposée par le vieux psychiatre Nash. « Il n'y a peut-être pas beaucoup d'avantages à avoir toute sa raison, mais l'un d'entre eux est de savoir reconnaître ce qui est drôle. Point final. »

Fulham Road

Spécialistes des départs et des arrivées, les hôpitaux invitent la comparaison avec les aéroports. Mais le

1. Evelyn Waugh, *L'épreuve de Gilbert Pinfold* (1957).

Chelsea and Westminster semblait pousser trop loin la ressemblance. Le rez-de-chaussée n'était qu'un grand centre commercial où se succédaient magasins et franchises : on profitait des affaires. Il ne manquait plus que la boutique hors taxes... Samedi matin. Le samedi matin succède au vendredi soir, et comme cet hôpital n'échappait pas à la règle des hôpitaux, il devait sans doute y avoir, quelque part, des salles d'attente et des postes de secours pour la confrérie de ceux qui se sont planté une hache dans la tête — sans parler de la prolifération des pavillons gériatriques. Mais de tout cela, on ne voyait rien : ni classe économique, ni troisième classe. Kingsley était dans l'aile privée, en classe affaires, à l'autre bout de l'ascenseur.

Si mon père avait joué au jeu des adverbes (pour emprunter une autre expression de *Stanley*), l'adverbe en question aurait été « normalement ». Je l'embrassai et il m'embrassa normalement, il sirotait son jus de fruit ou son soda normalement, il parcourait le *Daily Telegraph* normalement. Il parlait peu, mais ce qu'il disait, il le disait clairement. Il voulait rentrer chez lui... Philip était dans la chambre : nous échangeâmes un regard, un regard qui remontait à l'enfance, à la petite enfance, un tressaillement prudent qui signifiait, avec une légère dose d'humour : « *Et maintenant*, on fait quoi ? » Sally était dans la chambre aussi. Elle était au téléphone, elle commandait un cocktail de crevettes au service en chambre. Voilà donc où l'on était : dans l'une des meilleures chambres de l'hôtel de l'aéroport. Il n'y avait que la salle de bains, avec ses rampes en métal et ses tapis de caoutchouc munis de grosses ventouses antidérapantes, pour révéler le fardeau du handicap. L'un après l'autre (la vie doit continuer), les enfants Amis descendaient à tour de rôle dans la fosse sulfureuse de la salle fumeurs et ils s'asseyaient à côté d'un spectre tremblotant en chemise de nuit, couvant la cigarette qu'il avait réussi à allumer...

Un docteur arriva, un immense échalas que son costume à rayures allongeait davantage, aussi doux qu'un agent immobilier des beaux quartiers. Ah ! les docteurs... Mais qui sont-ils[1] ? Celui-ci, en tout cas, expliqua que Kingsley avait été « secoué » et qu'il avait « besoin de repos ». Mon père s'amusa à redoubler d'agitation jusqu'au départ du docteur. L'après-midi, comme un vol retardé de cinq heures, s'étendait devant nous.

Du « Daddy-sitting » : c'est comme ça qu'on disait. C'est comme ça que lui aussi l'appelait. Être avec papa, lui tenir compagnie, était devenu, au fil des ans, une activité ou une expérience empreinte d'une torpeur de plus en plus évidente. Il lisait son journal, les autres lisaient le leur. En général, il se lançait dans d'étranges jérémiades sur les impropriétés linguistiques, les barba-

1. Moi aussi, j'ai mes phobies. « [Les docteurs] : intimes des bacilles et de la trichine, du traumatisme et de l'humiliation, avec leurs mots écœurants et leurs objets écœurants. [...] Ils sont les gardiens de la vie. Et pourquoi voudrait-on l'être ? » Ce passage est tiré de la première page de *La flèche du temps* (1991) qui décrit, il est vrai, un cas extrême : l'instance narratrice est assumée par un sous-fifre de Mengele à Auschwitz-Birkenau.

rismes, les jeux de mots univoques des manchettes. Mais pas aujourd'hui. La vieillesse était pour lui de l'ordre de l'intimité, d'une intimité qui gagnait en épaisseur et en profondeur.

« Tiens, papa. Donne-moi un coup de main. »

Je lui tendis mon exemplaire de l'*Independent*, que j'avais plié en quatre pour isoler les mots croisés. Kingsley était naturellement très bien équipé pour faire des mots croisés, mais son intérêt s'était émoussé au fil des ans sous prétexte que ceux qui les concoctaient le « faisaient chier »[1]. Ou bien, objectait-il aussi, « ça ressemblait trop à du travail ». Il disait la même chose des échecs. Un jour, à Princeton (j'avais neuf ans), il réussit à perdre une partie en quatre coups. Rien à voir avec une victoire rapide de la Reine des noirs, qui requiert la coopération tacite de l'adversaire et qui se fait en *deux* coups. Dans la version prolongée, les noirs doivent simplement ignorer la menace évidente — et honteusement éculée — d'un mat des sots. (1. P-K4... 2. Q-KB3... 3. B-B4). « Échec et mat », m'écriai-je avec étonnement, en songeant un instant qu'il voudrait à coup sûr m'accorder une revanche. Mais il se leva à regret et regagna son bureau. Non, il n'aime pas *vraiment* les échecs, me dis-je. Ce fut notre dernière partie... En haut de l'Empire State Building (journée également célèbre pour son coût sans précédent : 100 dollars),

1. Alun Weaver dans *Les vieux diables* : « En prenant son petit déjeuner, il faisait allègrement les mots croisés du *Times*. "Espèce de *vaurien* ! lâcha-t-il en écrivant une solution. Oh ! espèce de... espèce de... *salaud* !" »

j'avais observé Manhattan, qui s'étendait en contrebas à perte de vue, avec un infini sentiment de privilège et d'exploit. Que cette immensité scintillante ne lui inspirât que terreur m'avait paru douloureusement contradictoire. J'étais désolé pour lui, mais j'étais aussi intrigué, de manière générale, parce que je croyais qu'aucun adulte ne laissait prise à la peur.

Allongé sur son lit d'hôpital, il accepta que je lui livre l'*Independent* avec ses mots croisés et la récompense offerte (un livre de référence d'Oxford : sans aucun doute un Graal qui en valait la peine). Je le regardai : lèvres serrées, légèrement incurvées dans une moue hautaine ; puissante expiration par le nez, signe préparatoire de la tête au moment où il commença, à contrecœur, de se concentrer. C'est alors que je compris ses principaux griefs : encore des mots, encore des tractations avec les mots. Des tractations superflues, qui plus est, parce qu'un mordu de mots croisés trouverait la solution avant vous (un type qui *ne faisait que ça*) et qu'on ne parviendrait jamais à gagner le Dictionnaire de la littérature anglaise ou le Dictionnaire des citations promis au vainqueur. De toute façon, il les avait déjà. Il était déjà *dedans*... Mais il n'empêche que Kingsley me donnait en général un coup de main, à l'heure du déjeuner le dimanche, et qu'il trouvait les cinq ou six solutions en suspens dans la grille du samedi que je lui apportais (pendant que les garçons regardaient *Tom et Jerry* ou *Alien* en vidéo), avec un mélange d'irritation et d'aisance impressionnante.

Il me rendit le journal (il n'en voulait plus) :

« Huit, horizontalement, c'est *stop* », fit-il.

Du moins je *crois* que c'était *stop*. Un mot de quatre lettres mettant en jeu deux abréviations et un synonyme. La définition pouvait être : « Cesser le travail dans les parkings » (travail = *STO*, P = *parking*, cesser = *stop*).

« Merci, papa. »

Je ne tardai pas à repenser à cet épisode avec vénération, comme un apostat se souvient de l'onction et de l'ardeur de la foi.

On le garda une semaine, et même si c'était surtout ma mère qu'il avait vraiment envie et besoin de voir, les enfants se succédèrent sur la liste des visiteurs, et je passai pas mal de temps à faire des allers et retours.

Larkin, dont on avait alors l'impression qu'il était mort depuis longtemps, commença par ces vers son monumental poème d'hôpital, « L'immeuble » (1972) :

Plus haute que le plus beau des hôtels,
La crête luminescente se voit à des kilomètres, mais
Tout autour d'elle montent et descendent des rues entrelacées,
Tel un long soupir venu du siècle dernier.

Fulham Road n'avait pas l'air d'un long soupir venu du siècle dernier. Plutôt d'un long soupir venu du prochain siècle. Non, pas d'un soupir, mais d'une chansonnette tintinnabulante. Le quartier est en voie d'italianisation ploutocratique (avec Milan pour modèle, et non pas Florence ou Rome) et il tirait son identité de l'équipe de football de Chelsea, comptant parmi ses joueurs Roberto Di Matteo, Gianfranco Zola et Gianluca Vialli. Dans la rue, tout le monde est tiré à quatre épingles, belles chaussures, taille de guêpe, veste en cuir. Ils ont tous l'air de gagner trente mille livres par semaine et de manger des pâtes trois fois par jour. Leur cœur est au repos, il bat une fois par heure.

On a vécu dans cette rue, il fut un temps, à quelques pâtés de maisons plus à l'est, au numéro 128 : moi, mon frère, ma sœur, ma mère. C'était au début des années soixante, après la rupture du mariage et l'intermède sans père à Soller, dans l'île de Majorque. J'étais inscrit dans un lycée du quartier de Battersea, de l'autre côté de la Tamise (près du zoo où ma mère travailla plus tard : elle avait été employée dans un chenil quand elle était jeune, et elle s'était occupée de toute une écurie de chevaux). Philip était reparti en pension à Cambridge. Pendant les vacances, avec différents copains et selon différentes combinaisons, on passait la journée à draguer[1] et la nuit à jouer au Scrabble[2]. En 1963, ma mère sombra dans une espèce de dépression. Elle partit se

1. La méthode était la suivante : on écrivait des cartes de visite, avec notre nom et notre numéro, et on les distribuait par dizaines de milliers à toutes les filles qu'on croisait dans le métro londonien ; puis on rentrait dare-dare à la maison et on attendait, souvent en vain, qu'une ou deux d'entre elles téléphonent.

2. Le Scrabble me faisait halluciner. Le jeu ne me quittait pas plus qu'une tache de soleil ou un logo. À trois heures du matin, je fixais la cuvette des toilettes et je voyais le damier se dessiner, avec ses diagonales de cases roses et ses angles rouges.

refaire une santé et, sans que je puisse l'expliquer, pendant plusieurs jours, peut-être une semaine, peut-être davantage, les enfants livrés à eux-mêmes se déchaînèrent. Un après-midi, George Gale sonna à la porte. Il se promena de pièce en pièce avec un air de consternation solennelle. Dès qu'il ouvrait un placard, il y trouvait enfermée une fille de quatorze ans. Kingsley et Jane emménagèrent temporairement. Jane reprit la maison en main et releva sensiblement le niveau de la bohème (jusqu'alors, on avait rarement fermé à clef la porte d'entrée). L'un de ses amis s'arrêta un jour pour prendre un verre, Alexander Mackendrick, le réalisateur de *Whisky à gogo*, *Tueurs de dames*, *Le grand chantage* ; quelques semaines plus tard, je prenais l'avion en première classe sur British Airways et j'offrais à ma mère deux mois de vacances aux Antilles, tous frais payés en plus d'un salaire mirobolant. Je gagnais cinquante livres par semaine et elle, en tant qu'accompagnatrice, vingt (on payait alors quarante-huit livres de loyer mensuel pour notre maison de quatre étages à South Kensington)[1]. Sans aucun talent, j'interprétais le rôle d'un enfant dans l'adaptation cinématographique que Mackendrick tirait du roman de Richard Hughes, *Cyclone à la Jamaïque*[2]. Sally vint nous rejoindre et tint

1. J'en donnai cinquante à Philip. Il me dit ce qu'il allait en faire : héler un taxi (nous ne prenions des taxis qu'en cas d'urgence) et lancer au chauffeur : « *Carnaby* Street. »

2. 1929. Je ne le savais pas, à l'époque, mais c'est un livre du tonnerre : un roman historique (situé à l'époque victorienne) sur des chenapans qui se déchaînent tous azimuts. Dans l'approche du thème, il est plus sinueux de

un rôle important de figurante. Je jouais aux échecs avec mon partenaire-vedette, Anthony Quinn, qui me traitait constamment comme si j'étais son neveu, et Lisa Coburn, la fille divinement belle de mon autre partenaire-vedette, le génial James, était tombée amoureuse de moi et me suivait partout, jusque dans le grand bassin de la piscine de l'hôtel sur la Baie de Runaway. Je l'aimais aussi, mais je voulais profiter de moments de répit. Elle avait sept ans. Le personnage principal du film était interprété par une fille extraordinaire qui s'appelait Deborah Baxter. Elle jouait ma sœur cadette. Je n'avais d'yeux que pour sa sœur *aînée*, *Beverly* Baxter, mais ni lèvres ni mains pour l'approcher. Ma plus petite sœur (il y en avait trois, celle du milieu, Roberta Tovey, allait plus tard jouer dans la série *Doctor Who et les Daleks*) s'appelait Karen Flack et était

---

bout en bout, plus intime (et plus agréable) que le roman de Golding. Hughes est venu sur le lieu du tournage à Pinewood. Il était extrêmement grand et me faisait penser à Robert Graves par son tempérament, son teint et son passé (ils avaient tous les deux fréquenté Charterhouse, un collège privé de mauvaise réputation). Accompagné de sa femme et peut-être d'un enfant adulte (il avait dépassé les soixante ans), il se montra ravi, impressionné, intrigué (aussi bien, ils filmaient *Opération tonnerre* sur le terrain d'à côté). Ses habits ressemblaient à mon costume : pantalon beige, chemise beige, chapeau de paille... J'ai toujours l'intention de lire d'autres livres de lui, mais il y a quelque chose qui m'en empêche. Cette année-là, en 1963, me dit mon *Précis de littérature*, il avait déjà rédigé un volume d'une série de plusieurs romans destinée à rompre le silence et imprudemment intitulée « La tragédie humaine »... Ces vies en abrégé sont souvent sinistres dans ce qu'elles préfigurent. *Le renard dans le grenier* était sorti en 1961. Le deuxième tome, *La bergère de bois*, paru en 1973 (rejoignant ainsi *Le dossier Rachel* sur les listes des prix littéraires de l'année), fut mal reçu (on lui réserva « un accueil critique frileux »). Puis, en 1976, il mourut.

encore plus jeune que Lisa Coburn. Avec Hilly, nous nous répétions que Karen était destinée à faire carrière. À une ou deux reprises, je la gardai le soir pendant que nos mères sortaient en ville avec les principaux acteurs et les cascadeurs. Karen dormait déjà quand elles partaient. « Va dans le lit avec elle, me disait ma mère. Comme ça, quand tu seras plus grand, tu pourras dire que tu as couché avec Karen Flack. » Ça ne lui ressemblait guère, cette repartie, c'était plutôt le genre de mon père ; mais nous savions tous les deux que c'était drôle. En Jamaïque, nous partageâmes de grands moments de rire et elle finit par m'épargner les angoisses sur sa dépression. (Cette nuit-là, à Londres, on m'avait empêché d'entrer dans la chambre où elle était couchée.) Lorsqu'elle marcha sur une anémone de mer dans les rochers, vers la fin du séjour, j'attendis d'elle du courage — et elle en montra : elle ne donna ni dans l'apitoiement ni dans la dramatisation. Mes devoirs d'acteur étaient minces par rapport à ceux des autres enfants, parce que je mourais juste après le milieu du film : alors que je regardais un combat de coqs sur la place en contrebas, assoiffé de sang, je tombais de la fenêtre du bordel tenu par Lila Kedrova... Nous sommes rentrés en Angleterre en avion (et en seconde classe : ma mère se fit rembourser les billets de première) et nous avons passé l'été à faire des allers et retours aux studios de Pinewood jusqu'à ce que le film soit terminé[1]. Vêtu

1. Il m'a fallu des années et beaucoup de courage pour me résoudre à le voir — et encore, seulement sur le petit écran où ma panique adolescente,

d'un nouveau blazer flambant neuf, je retournai à l'école de Battersea le jour de la rentrée, et j'en fus presque tout de suite exclu (pour absences répétées). Événement marquant, mais aussi risible. Car c'était une école violente, avec des élèves violents et des adultes violents. J'avais l'impression qu'on pouvait y faire *n'importe quoi* et n'écoper que d'une heure de retenue. Je m'inscrivis alors dans une boîte anarchique dans le quartier de Notting Hill, et je me remis à draguer le jour et à jouer au Scrabble la nuit. « Est-ce qu'ils couchent avec ces filles ? » demanda ma tante Miggy à ma mère, un jour où elle vint la voir. « Non », répondit Hilly. En fait, Philip couchait, mais pas moi. Pourtant, après des lustres de cajoleries et de supplications, je perdis soudain ma virginité avec une fille que j'avais rencontrée le jour même dans un fast-food Wimpy. J'avais quinze ans. Ma carrière amoureuse était lancée. Ma carrière cinématographique fut stoppée net. Quant à ma carrière universitaire, elle se mit à prendre une drôle de tournure, comme je l'ai dit plus haut : une matière de brevet tous les deux ans. Je n'avais pas beaucoup le temps de lire, mais quand je lisais, c'étaient des bandes dessinées, et une fois que

---

pensais-je, sauterait moins aux yeux. Mais ce n'était pas tout. Pendant le tournage, j'avais enfin mué et j'avais donc été doublé (selon une pratique courante) par une vieille dame. L'autre angoisse concernait mon physique. J'ai été content d'apprendre, l'autre jour, que quelqu'un avait écrit tout un roman intitulé *Est-ce que ça me fait un gros cul ?* La même question s'appliquait à mon personnage dans *Cyclone à la Jamaïque*. Si je l'avais posée, la réponse aurait été affirmative. Imaginez un peu ce que ça doit donner en cinémascope.

je les avais terminées, je les relisais. J'étais tranquillement allongé sur mon lit, sans rien faire d'autre que de puer discrètement, lorsque ma mère hurla le résultat de mon examen d'anglais depuis le rez-de-chaussée : « T'as été *collé.* » Je me levai et passai le reste de la journée à transporter une chaussette d'un bout de la chambre à l'autre. Il fallait en finir. Mon frère et moi partîmes vivre chez Kingsley et Jane ; ma mère se remaria et déménagea à Ann Arbor, dans le Michigan ; Sally la suivit.

En allant à l'hôpital Chelsea and Westminster, je ne prenais pas la peine de pousser jusqu'à notre ancienne maison. Parce que je passe tout le temps devant. Maintenant, c'est une résidence de luxe, un joyau d'habitation. Difficile de croire que cette façade nacrée a abrité tant de chahut candide. Télés et radios, chats et pensionnaires de tout poil, incendies et inondations — sans parler de la drogue, des hallucinogènes[1]. J'ai l'impression, aujourd'hui, que mes facultés étaient complètement inertes. Je savais qu'il y avait de plus grandes perspectives dans le monde, et qu'elles avaient trait à l'âme. De l'*âme,* on discutait d'ailleurs beaucoup, ou plutôt on la mentionnait telle qu'on la comprenait, mon frère et moi : c'était le premier attribut qu'on cherchait

1. Mais pas d'alcool. On trouvait ça barbare, même si ça peut surprendre. Était-ce une forme de révolte ? Un matin à Swansea, en s'asseyant à table dans son uniforme d'écolier, Philip s'exposa à la colère de ma mère qui n'avait pas assez dormi. « Ah ! fit-il. Le petit déjeuner dans une cave à vin. » Nous avions tous les deux à peu près vingt ans lorsque nous commençâmes à comprendre l'intérêt de la boisson.

en toute chose et en tout être (mais surtout chez une fille). En outre, je me targuais en secret de vouloir devenir écrivain[1]. À quoi passais-je donc le temps ? À rêvasser et à gribouiller, à lire, à prier ? Non. Je faisais le chemin en sens inverse dans ma chambre et j'allais chercher l'autre chaussette.

La dépression de ma mère, en 1963, culmina par une overdose accidentelle : des somnifères. Elle reposait dans une chambre derrière des rideaux. Je jetai un coup d'œil et je vis la lampe de chevet et son abat-jour rose. Quelqu'un, un adulte, me barra l'entrée. Sa guérison fut rapide et complète. En me parlant plus tard de cet épisode, elle me dit qu'elle avait craqué parce qu'elle était toujours amoureuse de mon père.

Je ne saurais trop insister sur le fait que ce n'était plus du tout le cas en 1995. C'était même tout le contraire. À ce stade, ma mère envisageait toujours de se suicider pour échapper à ses sentiments envers Kingsley — mais pour y échapper dans l'autre direction. « Je *meurs* d'envie d'avoir un infarctus depuis des années », me dit-elle. Pourtant, il y avait des jours, il y avait des semaines, où elle donnait à ses mots tout leur poids. Quant à Kingsley, il était toujours difficile et de plus en plus invivable : il progressait désormais vers l'incroyable.

1. Une telle prétention, à cet âge, peut être quasi universelle : c'est le moment où l'on commence à y voir plus clair dans sa personnalité. Les écrivains, dit-on, seraient ceux qui « évoluent » à partir de cette intuition, mais on pourrait aussi bien soutenir que les écrivains sont ceux qui ne dépassent jamais ce stade : cette partie de leur identité ne grandit pas, tout simplement.

« Le courage [...], c'est ne pas faire peur aux autres. » Mon père y avait bien réussi avec ses enfants : l'effet de l'Empire State. Mais il ne songeait pas à épargner ma mère. Parce qu'elle était tout ce qui lui restait à présent — ou du moins l'image mentale qu'il s'en faisait. J'avais toujours été frappé, voire préoccupé qu'il l'appelle, si loin que je m'en souvienne, comme nous l'appelions. Il l'appelait maman.

Le 6 septembre, à peine plus d'une semaine après sa chute, Hilly et Sally sont allées le chercher pour le ramener à la maison.

Mouettes

D'abord, je voulais savoir ce qui se passait de son côté du bureau. De cela dépendrait tout le reste.

J'étais avec ma mère dans son salon au rez-de-chaussée. La pièce donnait sur un petit jardin asymétrique qui avait été, aux beaux jours, le théâtre de déjeuners en plein air et d'arrosage de petits-enfants au jet d'eau. Kingsley était à l'étage avec des amis.

« Il s'assied dans le fauteuil rouge. »

Le ton sur lequel elle prononça cette phrase était de mauvais augure. Le fauteuil en cuir rouge tomate habitait le bureau de Kingsley. Mais si ce détail était important, c'est que ce n'était pas sa chaise de travail. Le fauteuil rouge était l'endroit où Kingsley s'asseyait lorsqu'il n'écrivait pas.

« Pour lire ?

— Oui, ou du moins pour essayer... »

Le diagnostic, tel qu'il me parvint (ou tel qu'il me fut transmis), se présentait à nouveau comme une ribambelle de clichés rassurés. Premièrement, Kingsley avait affronté et surmonté cette mauvaise passe, mais il n'était pas encore dans son assiette ni tout à fait d'aplomb, encore un peu détraqué et blanc comme un linge : mais, deuxièmement, s'il prenait soin de lui et ne forçait pas, s'il trouvait du repos et du calme, s'il s'imposait des limites et ne tirait pas sur la ficelle, alors, troisièmement, il se rétablirait bientôt et redeviendrait lui-même. Comme naguère.

À l'étage, les bruit de voix, le rire du biographe.

« Papa est en train de boire, n'est-ce pas ?

— Bien sûr que oui. Il voulait *à tout prix* retourner au Garrick. *À tout prix.* »

C'est la première chose qu'il a faite. Il est allé au Garrick et il y a passé une journée à ... déjeuner.

« Il était saoul ?

— Oh ! Comme une barrique... J'aime le bruit de la machine à écrire. Pour moi, c'est un bruit de fond tout à fait naturel. »

Ça lui manquait. Comme à quiconque en aurait entendu le cliquetis pendant près d'un demi-siècle (avec un interrègne, de 1963 à 1981 — mais les autres maris de ma mère étaient eux aussi écrivains). Tous ces romans, ces poèmes, ces essais, ces lettres. Kingsley ne tapait qu'avec deux doigts, mais il tapait à toute allure ; parmi les touches les plus utilisées du clavier, certaines étaient profondément fendues de côté à cause de ses ongles.

Ma mère était perturbée par le silence de la machine à écrire : c'était comme si les voitures avaient cessé de circuler, ou les oiseaux de chanter.

Hillly s'était retenue. Puis elle lança :

« Il n'arrête pas de taper le mot *mouettes*.

— Mouettes ?

— Mouettes. »

À l'époque, cela me parut beaucoup plus étrange qu'aujourd'hui. Aujourd'hui, j'habite dans la rue de mon père et les mouettes, lorsque la température le permet, font partie de ma vie quotidienne. Attirées par les canaux du quartier, elles remplissent le ciel au-dessus de Regent's Park Road. Replètes, balourdes, pontifiantes, elles volent en masse vers le balcon recouvert de leurs chiures à l'extérieur de mon bureau. Toute la journée, elles couinent et crient, jouant de leur harmonica à deux balles et de leur mirliton désaccordé. Une mère a fait son nid dans la cheminée. Elle vient frapper de son bec jaune sur la porte vitrée de la terrasse et demande quelque chose. Une fois, elle est entrée dans la pièce : elle avait la taille d'une autruche.

« Il tape des *i* et des *o*.

— Quoi ?

— Il se lève à cinq heures du matin pour taper des *i* et des *o*. »

Une semaine plus tard. Cela faisait trois jours que je n'avais pas vu Kingsley. Tout à coup, il était plus petit que moi. Où étaient passés ses dix centimètres de plus ?

Avalés par la gravitation. Il me faudrait une bonne semaine pour m'y faire.

Il avait l'air d'être à moitié passé au compactage : la compression verticale avait été effectuée, mais il restait encore la compression horizontale. Je suis allé m'allonger sur son lit pendant qu'il se tenait en face de moi, tassé dans un petit fauteuil bas. Il avait sur le visage un air que je ne lui connaissais pas, et que je pris d'abord pour de la colère. Je tentai le coup et dis, en sachant que c'était le genre de choses que mon père appréciait :

« Si nous étions tous islandais, tu t'appellerais Kingsley Williamson. Je m'appellerais Martin Kingsleyson et Louis serait Louis Martinson. Sally s'appellerait Sally Kingsleydottir et Jessica serait Jessica Philipsdottir.

— M'ouais », fit-il sans y prendre goût.

J'espérais alors qu'il était pour de bon en colère contre moi. Je l'espérais... Et Delilah, comment s'appellerait-elle ? Delilah Patricksdottir ou Delilah Martinsdottir ? Première solution, sans aucun doute. C'est *lui* qu'elle appelle papa, et il n'y a rien de plus normal. Je lui ai donné la vie, il lui a donné une éducation. Il lui a donné son temps... Je rentrais juste d'un voyage de deux nuits en Islande (et j'espérais que c'était le motif de la colère de Kingsley). Là-bas, j'avais vu un arc-en-ciel s'étirer dans toute son amplitude entre les deux rives d'un fjord austère isolé du monde. Des montagnes au sommet arrondi se découpaient sur l'horizon telles des planètes. Mais j'étais de retour dans le petit univers, dans la chambre du malade où mon père se versait des rasades de whisky pour avaler ses médicaments. Il avait un drôle d'air. Un air de quoi ? Non, pas de colère. Plutôt de provocation : un air de laisser-aller provocateur.

À la relève de la garde, j'échangeai quelques mots avec mon frère dans l'entrée.

« Il s'empoisonne, dit Philip.

— Ses médicaments sont tout mélangés dans la boîte à chaussures.

— Je le vois en train de suer, *de suer à grosses gouttes...* »

Au rez-de-chaussée. Je sentis, à ce moment-là, que ma mère avait changé, elle aussi, qu'elle avait rétréci. Il ne s'agissait plus de rouler des yeux et de souffler sur une mèche rebelle en travers du front. À partir de maintenant, c'était une question de travail et de chaleur humaine. Je lui dis en vain (a-t-on *jamais* besoin de s'entendre dire pareille chose, une fois passée la trentaine ?) :

« Tu as l'air fatigué.

— Il hurle à cinq heures du matin et demande son Nurofen. Des hurlements, je t'assure. »

La sonnette retentit.

« Toute la journée, il attend des visites. Et quand des gens viennent le voir, il allume la télé. Puis il demande : "Qu'est-ce qu'il y a à dîner ? Qu'est-ce qu'il y a à dîner ?" Alors qu'il a *déjà* dîné. »

Alors qu'il n'a *pas* dîné. Il ne mange rien du tout.

À l'étage. On était bien représentés ce soir-là : moi, Philip, Moira et Percy Lubbock, Dick Hough. Sans parler du biographe sur lequel on pouvait toujours compter. Économe de ses mots, les yeux baissés, Kingsley était installé dans son fauteuil, le Macallan et l'eau d'Évian sur la table basse. Mais il me paraissait mimer sa propre amabilité, comme s'il se disait : c'est ce qui me plaît. Boire, parler, être entouré d'amis et de ma famille. C'est ce qui est censé me plaire. Alors pourquoi... ? D'un seul coup, il leva la tête et émit une opinion. Son roman, *La moustache du biographe*, était sorti récemment et s'était, dans l'ensemble, attiré les foudres de la critique. Je trouvais les entrefilets et les entretiens plus lourds à supporter que tout ce qu'on avait écrit à mon sujet l'année précédente, et j'espérais que mon père n'attachait plus la moindre importance à ce genre de chose. Il n'avait jamais été homme à se répandre en confidences, mais il éleva la voix en se saisissant d'un détail, alors que personne ne s'y attendait.

« Quelqu'un m'a reproché d'avoir introduit un "vrai" restaurant. Mais une fois qu'il est dans un roman, même si c'est un lieu qui existe bel et bien, il n'est plus vrai. Plus tout à fait. »

Je me dis que je le comprenais, je me dis que j'étais d'accord avec lui. Il n'y a peut-être rien à ajouter sur la question. Le problème de la vérité et de l'invention s'adresse aux biographes, aux auteurs de mémoires et autres amateurs de faits concrets. En attendant, c'était la dernière fois que j'entendais mon père exposer une théorie critique. L'amusement lui reviendrait, mais ce fut là sa dernière tentative de formuler une idée abstraite. Pendant les semaines qui suivirent, je repensai à ce moment-là comme à un sommet une dernière fois atteint, au même titre que la définition des mots croisés.

Juste à côté, dans son bureau, il y avait des feuilles de papier couvertes de *i*, de *o* et de *mouettes*.

Va te faire foutre (2)

Voici quelques aperçus de la routine matinale d'un vieux diable, Charlie, dans *Les vieux diables* :

> Quand Charlie se rendit compte que l'homme le plus petit du compartiment de son train sous-marin avait un visage recouvert de moquette, il comprit qu'il était temps de partir.

Charlie se réveille et somnole, en proie à ses tourments. Il est tout juste cinq heures du matin. Quelques heures plus tard :

> Il se retourna, regarda fixement le bois massif de la tête du lit recouverte d'une couverture en patchwork, compta jusqu'à cent, puis s'y agrippa en un mouvement convulsif du bras qui rappelait celui d'un joueur de bowling ; il compta à nouveau jusqu'à cent et se hissa de toutes ses forces en position assise.

Encore plus tard, debout cette fois, Charlie jette un coup d'œil par la fenêtre de sa chambre,

[...] le regard dans le vague, sans rien voir. Charlie avait survécu à d'innombrables épreuves analogues ; mais à présent, il n'en avait pas moins la ferme conviction qu'il avait perdu tout ce qu'il possédait, et que tous ceux qu'il avait connus l'avaient délaissé.

Avec une infinie difficulté, il s'habille et descend :

Dix minutes après s'être levé de la table du petit déjeuner, Charlie atteignit le réfrigérateur. [...] La vue d'un sachet de café qui traînait près d'une tasse propre ne réussit pas tout à fait à le décider, mais en trouvant la bouilloire électrique à moitié pleine, il s'enhardit. [...] Lorsqu'un peu de salive lui entrava le gosier, il parvint à reposer la tasse, reconnaissant là le signe avant-coureur d'une violente quinte de toux. Effectivement, la toux le secoua bientôt, il virevolta dans la pièce, fut expulsé à l'extérieur et se retrouva nez à nez avec Mr. Bridgeman [le jardinier], à quarante centimètres derrière la fenêtre de la cuisine[1].

Charlie prend un « léger whisky coupé d'eau » à onze heures moins le quart et monte dans un taxi. Il va assister à l'inauguration officielle de la statue d'un poète

1. La manière dont Kingsley considère le petit déjeuner ressemble davantage à celle de Peter, le plus gros des vieux diables. Le voici aux prises avec son pamplemousse : « Certains [morceaux] restaient obstinément accrochés à leur enveloppe, même s'ils paraissaient en avoir été correctement détachés, tandis que d'autres ne se dégageaient qu'à moitié, retenus par un filet de peau blanche. Dans ces cas difficiles, il soulevait tout le pamplemousse en le tenant par la partie qui l'intéressait et le faisait tounoyer jusqu'à ce que le lien cède et que le fruit atterrisse sur son assiette — ou à côté. »

national mineur, Brydan (personnage inspiré de Dylan Thomas). Lors de la cérémonie, il est accosté par un Américain qui se présente sous le nom de Llywelyn Caswallon Pugh :

> « Je suis un officiel des Compagnons gallois des États-Unis », dit Pugh.
>
> À cet instant, tout se brouilla dans le cerveau de Charlie. Pugh continuait à parler, toujours sur le même ton, sans varier le rythme de son discours ni ses intonations ; mais Charlie ne pouvait plus distinguer aucun mot ; seuls des bruits lui parvenaient. Des larmes lui venaient un peu aux yeux. Il fit un pas en arrière et écrasa de tout son poids un pied anonyme. Puis il discerna un son qu'il reconnut et bascula presque dans l'autre sens, tellement il était soulagé. Comment espérer qu'un vieux poivrot comme lui, dont la connaissance du vocabulaire gallois commençait et s'arrêtait à *yr*, *bach* et *myn*, pût comprendre des foutaises débitées tout à trac avec un fort accent américain ? « Ah, fit-il avec sympathie. Ah... »
>
> Pugh n'en finissait pas d'écarquiller les yeux, et Charlie se demanda alors à quoi il venait d'acquiescer. Mais le moment fut vite passé et Pugh s'exprima de nouveau en anglais. [...]
>
> Une rafale de vent et de pluie rafaîchit le visage de Charlie ; une mouette passa si près au-dessus de sa tête qu'il faillit chanceler.

Sacrée mouette... Charlie est ensuite secouru par Alun, le plus malin des vieux diables, le plus priapique aussi. Au moment où démarre leur voiture, Alun passe sa tête par la vitre et dit à Pugh d'aller se faire foutre. Les deux hommes se renfoncent sur la banquette.

> « Il disent bien "va t' faire foutre" en Amérique, hein ? demanda Alun anxieusement.
>
> — En tout cas, je suis sûr qu'ils comprennent ce que ça veut dire. »
>
> [...] Alun rit en douce quelque temps, en secouant benoîtement la tête pour se reprocher son attitude. [...] Il baissa le ton et enchaîna : « Hé ! Il fallait bien choisir son moment pour ça. Un jour, je me suis fait avoir à Kilburn, en répétant pendant deux ou trois minutes à un auteur de nouvelles bulgare [...] d'aller se faire foutre pendant que le type qui me conduisait en décapotable faisait demi-tour dans le cul de sac où nous avions atterri sans que je m'en rende compte. C'est incroyable, la vitesse à laquelle le brillant se patine. Il suffit de répéter deux ou trois fois à quelqu'un qu'il aille se faire foutre, et on en a tiré à peu près tout ce qu'on peut en tirer.
>
> — Et c'est pas facile de trouver autre chose pour enchaîner, acquiesça Charlie.
>
> — C'est sûr, t'as raison. »

Dimanche 17 septembre. Je viens d'apprendre comment Kingsley a passé la nuit de samedi. Il était, comme a dit ma mère, « très actif ». Tandis que je sens le principal défaut de la famille — la passivité — s'infiltrer en nous et nous submerger. Mère est un fantôme. N'est-ce pas à moi qu'il revient de faire preuve de force ? Kingsley doit aller à l'hôpital. Mais il ne *veut* pas en entendre parler. Je ne veux pas lui faire peur. Je ne veux pas qu'il me fasse peur.

Qui est responsable ? Où est le docteur ? Le spécialiste qui s'occupe de lui ne se déplace pas à domicile, vu sa grandeur de gastro-entérologue[1]. On en est réduits à feuilleter les pages jaunes à la recherche d'un jobard ou d'un fumiste. Soixante livres pour une visite à domicile, ma mère s'est laissé répondre... On ne manque pas d'éloquence, dans la famille, mais là, on commence à être atteints d'aphasie. On suit la pente de Kingsley. On devient aphasiques comme lui.

La nuit dernière, donc, il a été très actif. Il voulait, disait-il, organiser une réception. Puis il a dit à tout le monde (à Maman, à Ali, à Connie[2]) d'aller se faire foutre. Ils sont tous descendus. Il les a suivis jusque dans l'appartement du sous-sol[3] et il leur a répété d'aller se faire foutre. Il est remonté. Ils lui ont emboîté le pas avec précaution. Puis il leur a redit d'aller se faire foutre.

1. C'était le médecin dont Kingsley semblait le plus proche. Il lui téléphonait presque chaque fois qu'il allait aux toilettes. Après soixante ans, mon père fut martyrisé par des TGI (ou troubles gastro-intestinaux). Cet état était aggravé chez lui par une légère, quoique indéniable, paranoïa. Parfois, je devais lui servir de chauffeur parce qu'il redoutait un incident dans un taxi. Son état et sa paranoïa touchèrent à leur comble lorsqu'il fut appelé au palais de Buckingham pour y être fait chevalier par la Reine. KA avait demandé à son médecin de lui déployer tout un arsenal d'Immodium, à tel point qu'on douta ensuite qu'il puisse retourner aux toilettes. Une fois la crise résorbée, je lui dis qu'il serait passé à la postérité comme le connard qui mourut pour un titre de noblesse. Cela le fit rire et j'en fus surpris, car il était aussi sensible aux TGI qu'à S.A.R.

2. Connie Basil, copropriétaire de la friterie Jim-la-chance à Ann Arbor, tant qu'elle dura.

3. Où, de plus, il pissa dans un seau de ménage à la vue de tous. J'aurais bien voulu épargner ce détail à mon père, mais il est déjà imprimé (voir l'appendice).

C'est ce que j'ai appris dimanche. Le dimanche était le jour où j'amenais presque toujours Louis et Jacob déjeuner ici : une habitude prise depuis des années. C'était un grand-père qui avait l'œil, même s'il n'avait plus l'usage de ses jambes. Il les aimait, les admirait, en était fier. La naissance de Louis fut pour lui un immense bonheur. Il se démena pour accompagner ma mère à la maternité. Nous nous sommes vus et nous sommes allés fêter l'événement chez moi. C'était en novembre : je dirigeai un radiateur vers ses genoux. Le bébé était prématuré de six semaines (mais tout mignon) et la mère heureuse... Ensuite, nous sommes tous les trois allés déjeuner dans un restaurant chinois. J'étais encore, je crois, en état de choc, mais je me sentais beaucoup plus réchauffé qu'abasourdi. À son tour, Jacob (né avec juste quatre semaines d'avance), eut droit à l'affichage de son nom sur le tableau du Garrick et, grâce à un coup de téléphone de dernière minute, à son ajout sur la page de dédicace des *Vieux diables* à côté de Louis (dans la première édition, son nom est suivi d'un point qui a l'air importuné). Les garçons faisaient partie de l'essentiel de la vie. Mais la seule chose qu'il fît jamais avec eux, ou pour eux, mis à part les embrasser en les voyant ou en les quittant, fut de tendre la main (quand ils étaient tout petits) pour les protéger de l'arête vive d'un meuble bas lorsqu'ils marchaient à quatre pattes ou faisaient leurs premiers pas.

Ce dimanche, les garçons sont ailleurs, absents. Comme ils le seront dimanche prochain aussi. Il ne les a jamais revus.

Avec mon père, nous sommes souvent tombés d'accord pour trouver que l'expression « se faire foutre » était très drôle. L'allitération, le crescendo, l'ouverture de la voyelle en étaient naturellement admirables, mais c'est aussi que cela faisait un *bien* fou[1].

Le meilleur exemple de tous les temps s'exerça aux dépens de mon père. Ou du moins, c'est ainsi qu'il présenta la chose. Un après-midi, à Hampstead (ce devait être avant 1980, quand il habitait encore avec Jane, car il dégageait une légèreté qui l'a quitté en même temps qu'elle), il franchit le seuil de la porte d'entrée après être allé poster une lettre, en riant tranquillement et généreusement sous cape.

« Qu'est-ce qu'il s'est passé de si drôle ? lui demandai-je.

— Je viens de voir un putain de clébard... »

C'était un véritable jour d'été, parfait, sans nuages. En allant à la boîte à lettres, mon père était passé devant un berger allemand adulte qui semblait dormir sur la poitrine bouillante d'une voiture en stationnement. Il le

1. C'est en réalité Stephen, et non pas Rosemary West, qui fait des miracles avec l'expression (« Enfance », *Inside 25 Cromwell Street*) : « Je n'avais pas beaucoup d'amis pour la simple et bonne raison que maman leur disait d'aller se faire foutre dès qu'ils frappaient à la porte. » Qu'il me soit ici permis de mentionner, en dehors de toute morale, que mon père nous a dit, à Christopher Hitchens et à moi, d'aller nous faire foutre après que nous l'eûmes amené voir *Le flic de Beverly Hills* à Leicester Square. Lui avait aimé ; pas nous. Si je me souviens bien, nous avons dû lui faire la grimace. Il s'est éloigné tout seul, ce qui ne lui ressemblait pas du tout, et il nous a fallu redoubler d'amabilité pour le convaincre de nous accompagner dans un pub ou de prendre un taxi.

regarda d'un œil intéressé, le chien se dressa et lui renvoya son regard, comme pour dire : Je suis couché sur cette voiture. Et alors ? En revenant de poster sa lettre, il regarda de nouveau le chien, et le chien fit de même en ajoutant : Peut-être que c'est chaud, mais je reste couché sur cette voiture. Avant d'ouvrir la porte du jardin, mon père se tourna pour lui jeter un dernier coup d'œil.

« Et lui ? » le pressai-je, parce qu'il riait tranquillement et généreusement sous cape.

Il leva la tête de ses pattes, s'étira le cou et... Kingsley choisit l'une des deux options : soit il fit résonner son aboiement comme un « va t'faire foutre », soit il fit sonner le « va t'faire foutre » comme un aboiement.

Lorsqu'il vous faisait rire, il vous faisait parfois rire (de façon ponctuelle et non pas continue) pour le restant de vos jours. C'était son superhumour : le formidable moteur de sa comédie. Mais à présent, le moteur avait des ratés.

Il s'est levé en plein milieu de la nuit, il a pris une douche, il s'est habillé — et il a préparé ses affaires. Pour les mettre dans une valise. C'est ce que m'apprend ma mère. Cette nuit-là, il a dit à Hilly qu'il devait prendre un train. Quoi ? Kingsley, tout seul, au milieu de la nuit, en train de prendre un train ? Il était attendu à une réunion très importante. Sans tenir compte des conseils que lui prodiguait ma mère sur le pas de la porte, il est sorti dans la rue, s'est approché d'une voiture vide qui était garée là et il a demandé d'être conduit au Garrick.

« Pourquoi il refuse de m'amener au Garrick ? » a-t-il lancé en direction de ma mère.

Visite éclair. Il a l'air comateux dans son fauteuil et je suis surpris de l'entendre parler.

« Quelle heure il est ?

— Deux heures.

— Deux heures de l'après-midi ? Quel jour on est ? »

En sortant, je jette un coup d'œil sur la feuille glissée dans la machine à écrire de Kingsley. Je ne vois plus de *mouettes*. Il en est toujours à la page 106 de son nouveau roman. Ça n'a pas bougé depuis l'automne. Mais quelque chose semble avoir été ajouté. La page se termine sur ces mots : « "Au contraire", rétorqua Holmes[1]. »

Autre visite éclair. La nuit dernière, Kingsley était encore agité. Mais quand j'entre, il somnole dans son fauteuil. Avec cet air sur le visage : le visage d'un enfant qui a peut-être fait une bêtise, selon certains, mais qui n'est pas du tout prêt à le reconnaître, et qui est de toute façon fatigué, à présent, fatigué par la lutte (le combat pour la vérité), et qui se détourne du monde pour chercher refuge dans le sommeil.

1. Depuis, j'ai lu ces 106 pages. L'ouvrage inachevé s'intitule *Black and White* et raconte l'évolution d'une attirance entre un Blanc homosexuel et une Noire hétérosexuelle. Bien qu'assez poussif, et peut-être mal centré sur le sujet, ce demi-roman ne manque pas de finesse. Tout ce qui concerne Sherlock Holmes est une digression, mais c'est parfaitement justifié.

Ma mère me rappelle une infirmière. Mieux : elle me rappelle une infirmerie, la mienne... Bien entendu, on évoque toujours la possibilité de faire venir des infirmières, d'engager des professionnels. Mais ma mère prétend qu'ils ne pourraient pas supporter Kingsley (argument discutable) et que lui ne pourrait pas les supporter (ça, c'est certain : il faut que ce soit elle et personne d'autre). À l'hôpital, c'est différent. L'hôpital joue sur un certain instinct d'obéissance en lui. Et c'est à l'hôpital qu'il doit aller, au moins pour un moment. Il doit suivre un traitement, comme on dit. Quand on ne suit pas la bonne voie, c'est un traitement qu'il faut suivre.

Kingsley bouge, ou sursaute.

« Tu veux un gilet ? » lui demande ma mère en lui caressant affectueusement l'épaule.

Je suis encore assez loin de me rendre compte que mon père est en train de mourir. Mais je commence à me faire à l'idée que je ne verrai plus la lueur amusée briller dans ses yeux. Comme si elle me confirmait cette idée, ma mère me dit :

« Tout ce que tu peux faire, maintenant, c'est être gentil avec lui. »

Elle est prête à affronter l'éternité. L'amour s'en est allé, il n'en reste que le souvenir, mais c'est encore plus simple que cela. Sa conscience morale ne tolérerait pas qu'il en aille autrement. Kingsley avait raison :

En 46, à vingt-quatre ans,
J'ai rencontré une femme inoffensive, démunie,
Mais jusqu'alors entière, inadaptée de l'intérieur ;

Une femme gauche, douce, rayonnante, droite comme un i,
Qui ne parlait pas pour ne rien dire et ne riait pas sans raison,
Qui craignait, si les choses tournaient mal, d'être en cause [...]

Minute... En 1963, il lui a brisé le cœur et elle l'a quitté.

[...] Une femme dont j'aurais pu à jamais croiser le regard,
Oh oui ! et qui était belle aussi.
On n'en demandait pas davantage aux femmes,
J'ai pensé, avant de me remettre en quête.
Comment savoir, sans point de comparaison ?

À présent, elle est prête à affronter l'éternité, même s'il continue à vivre — s'il persiste, s'il dure — jusqu'à la fin du siècle. 1963, c'était il y a trente-deux ans. Comment en est-elle arrivée là ?

La soirée de la pêche

J'étais assis dans mon sabot[1] à Bayswater, alors que je commençais à écrire *Money, money*, lorsque je reçus l'appel.

1. « Le sabot », c'était le nom que ma famille et mes amis donnaient à mon deux pièces de Kensington Gardens Square — et le terme s'est répandu après la parution de *Money, money*. Son étymologie remonte à un article de Tina Brown, publié dans le *Tatler* (me semble-t-il), où elle écrivait que l'appartement d'un jeune homme « ressemble à un sabot ». À la suite

« Mart.

— Phil.

— Ça y est.

— Quoi ? » demandai-je. Mais je savais de quoi il retournait.

« Elle l'a quitté.

— ... Merde. »

Philip n'avait pas été surpris non plus. Vu la situation, c'était un *aboutissement logique*...

Nous prîmes nos dispositions. Mais pas comme s'il s'agissait de deux fils qui s'organisent pour aller réconforter un père qui a perdu sa femme. C'était beaucoup plus élémentaire. L'un de nous deux devait être avec lui tout le temps. Pas vingt-quatre heures sur vingt-quatre, mais tous les soirs, toutes les nuits, tous les matins. Il avait toujours sa femme de ménage, la fidèle Mrs. Uniacke dont la présence l'aiderait à passer la journée ; mais pour les heures sombres, il ne pouvait compter que sur la famille ou des amis en qui il avait pleinement confiance. C'était la fin de l'après-midi. On était en novembre. Lorsque j'arrivai chez lui, Philip y était déjà.

Dans mon souvenir, Kingsley se tenait, ce soir-là,

---

de quoi, la comparaison fut élevée au rang de nom propre par Christopher Hitchens (à qui l'on doit aussi le néologisme « remoumoutage », signifiant « coupe de cheveux »). À cette époque (en 1980), il venait de passer une année dans mon sabot pendant que j'étais en voyage. Ma femme de ménage, Ana, qui continua à venir toutes les semaines, me rapporta : « Je le vois seulement *une fois* dans la journée. Au milieu de l'après-midi. Il pousse un grognement terrible dans la chambre. Et là, Miss Teuramis, je prends les jambes à mon cou. »

perché sur le bord du petit fauteuil bas (sa position caractéristique pour soulager son dos : quand Philip l'imite, il est attaché à son siège par environ un millimètre de son coccyx) ; il clignait des yeux plus vite que d'habitude et se triturait sauvagement les cuticules des pouces avec l'ongle de ses index. Presque sans rien dire. Il répondait volontiers aux questions sur la fin de la liaison et les tactiques employées (Jane qui n'était pas revenue de son établissement de remise en forme, la lettre qu'elle lui avait fait apporter par le cabinet de son avocat), mais rien ne perça de ses sentiments, de l'amour, des cœurs brisés, des serments rompus. À ce moment-là, il semblait n'avoir que des besoins primaires, presque animaux : un toit, de l'affection, la chaleur de bêtes familières. Mon frère et moi lui répétâmes ce qu'il lui fallait tout de suite entendre :

« Papa, on ne te laissera jamais seul la nuit. On se débrouillera pour être toujours avec toi.

— Merci, mes fils. »

Le ton était solennel. Mais je me rends compte à présent qu'il avait la mort dans l'âme, qu'il était à l'agonie — une agonie romantique et (en un sens) incurable. Plus tard, réécrivant l'histoire comme ça lui arrivait, ayant cessé de voir en Jane un être humain, l'objet de son amour, il repensa à la souffrance qu'il avait alors éprouvée avec un sentiment de ridicule et d'incrédulité. Pourtant, la souffrance avait bel et bien été vécue. Le soir même, il écrivait en pensée une lettre à Jane où il la suppliait de revenir, et aussi un poème. Il avait perdu quelque chose qu'il avait cherché de toutes ses forces à conserver, au prix de minutieux outrages à sa dignité[1]. Mais surtout, c'était peut-être que deux mariages, et non pas un seul, se trouvaient ainsi annulés, effacés. Comme il le formula dans une lettre à Larkin datée du 24 juin 1981, où il décrivait une rencontre avec une amie de longue date : « Elle me dit à quel point j'avais rendu Hilly malheureuse, me rappelant ainsi (gratuitement) que le départ de Jane m'avait empêché de me mentir à moi-même et de faire comme si la manière dont j'avais traité H en valait au moins un peu la peine. » « [O]n ne vit qu'à moitié quand on n'a pas de femme », me dit-il plus tard. La femme, l'épouse, l'autre moitié[2] était partie,

1. J'entends par là toute la psychothérapie sexuelle qu'il décrit dans *Jake's Thing*. Ce qui m'impressionne vraiment, à présent, c'est la dose d'*ennui* qu'il a dû endurer. « [Le psy] avait également [...] expliqué qu'il était fondamental que toutes les activités de l'atelier, sans la moindre exception, durent beaucoup plus longtemps qu'on n'aurait pu l'envisager. » « [Un autre patient] se lança dans un éloge des femmes d'une telle intensité, d'une telle fermeté et, bien sûr, d'une telle longueur que l'aveu d'une homosexualité hyperactive semblait inévitable, quitte à ennuyer tout le monde. » « Pour limiter le risque d'un infarctus provoqué par son indignation et son incrédulité, Jake se promit secrètement de ne jamais regarder sa montre [...] » Ailleurs, KA parle de « l'ardente sincérité de toute forme d'ennui ». Qu'est-ce qui le soutenait dans cette épreuve ? L'ardente sincérité de ne pas vouloir être abandonné.

2. Kingsley maîtrise admirablement sa vicieuse jubilation dans son article sur « Le langage sexiste » publié beaucoup plus tard (à titre posthume, en fait) dans *The King's English*. Tout est affaire de langage, selon lui : l'anglais « appose fréquemment une racine masculine irrévérencieuse dans les termes appliqués au sexe féminin. Le mot *female*, qui vient de *femella*, diminutif du latin *femina*, se termine par *male*, comme si la femme n'était qu'un simple appendice ou une sous-catégorie de l'homme. [...] Le terme presque archaïque de *lady* échappe à tout héritage ou à toute dérision linguistique préétablie, mais peut-être que c'est normal étant donné que le mot ne désignait personne d'autre, à l'origine, que celle qui pétrissait la miche de pain

et il n'allait en chercher aucune autre pour prendre sa place. Mon père n'a plus jamais embrassé passionnément de femme après elle. Et ceci, de la part d'un homme qui *vivait* pour l'adultère[1]. Au fil des ans, j'ai réussi à forger une explication psychologique qui, comme toutes les explications de ce genre, frôle le degré zéro de la réflexion. Mais elle explique, et donc pardonne largement. Je lui dois d'avoir adouci mon expérience la plus destructrice de Kingsley (qui allait bientôt survenir).

La lettre à Jane finit par être écrite. Et obtint une réponse. Il s'ensuivit un échange stérile où chacun posa ses conditions et envoya ses ultimatums. Chez elle, je ne peux m'empêcher de déceler un soupçon de dogmatisme dans l'insistance qu'elle mettait pour qu'il rejoigne les Alcooliques anonymes. Ce qui ne fut pas écrit fut le poème. À la place vint le roman de haine : *Stanley and the Women*. *Jake* (1978) laissait sa conclusion humainement ouverte. De manière un peu systématique à mon goût (c'est un procédé trop fréquent dans l'œuvre de mon père), les meilleures reparties morales sont dans la bouche de la femme extravertie[2]. Mais je connais plu-

---

[*loaf-kneader*, du vieil anglais *hlafdige*] à côté du seigneur, du *lord* qui, lui, était en tout état de cause le gardien [*warden*] de cette miche [*hlafweard*]. »

1. Je crois qu'il a été plus ou moins fidèle à sa seconde épouse. Il m'a raconté un incident peu probant, quoique assez cru, qui eut lieu dans le salon de Lemmons. « Où était Jane ? je lui ai demandé. — Au lit. — Au lit ? Ça alors ! J'ai cru que tu allais me répondre : "*En Grèce.*" »

2. Or, il se trouve que je déplorais déjà cette manie, ou que je la combattais en écrivant *Le dossier Rachel*. À la dernière page, le narrateur remarque que l'héroïne (éconduite) quitte les lieux « sans même me dire une ou deux choses sur moi, sans me demander si je savais en quoi consistait mon problème, sans m'infliger aucune espèce de réquisitoire ».

sieurs lectrices qui admirent et approuvent la superbe dernière partie du roman. Notre héros sans libido, sans épouse non plus, vient de se voir proposer par son médecin un traitement aux « cachets de taureau », comme Kingsley les appelle dans *Girl, 20* — autrement dit, les ancêtres du Viagra.

> Jake passa vite en revue les femmes dans sa tête : non pas celles qu'il avait connues et fréquentées au cours des derniers mois et des dernières années, mais toutes les femmes : l'attention qu'elles prêtent à la surface des choses, aux objets, à l'apparence, à leur environnement (à l'image de leur personne et au son de leur voix dans cet environnement), leur impression de progresser et d'avoir raison tout en ayant constamment tort, leur défense automatique des faibles dans n'importe quel conflit d'intérêts, leur certitude qu'une opinion est d'autant plus crédible et utile que ce sont elles qui la professent, leur recours aux malentendus et aux déformations dont elles se servent comme d'armes rhétoriques, leur sensibilité sélective aux intonations, leur ignorance de la différence entre sincérité et mensonge pour ce qui les concerne, leur obsession de l'importance (jointe à une remarquable incapacité à trier le bon grain de l'ivraie dans ce domaine), leur penchant pour les discussions en l'air et pour les conversations à bâtons rompus, les prérogatives qu'elles revendiquent dans les sentiments, l'estimation exagérée de leur propre crédibilité, l'absence d'écoute, et tout un tas de choses de cet acabit, selon lui.
>
> Pas difficile de trancher : « Non merci », fit-il.

En revanche, *Stan* (1984) est complètement verrouillé et barricadé de l'intérieur. J'en ai eu la tête qui tombait, à l'époque, de voir mon père s'ingénier, non sans mordant, à comparer les femmes à l'URSS (plus précisément, aux services de propagande) : quand ça vient d'*elles*, c'est *ceci*, mais quand ça vient de *vous*, c'est *cela*. Et ainsi de suite. À peu près à la même période, il se mit à parler de « gonzesses ». « Papa, ne *prononce* plus ce mot », lui répétais-je. Il se modérait un peu en ma présence, tant il aurait tout donné pour qu'on lui fiche la paix... *Stanley* est en fait un sale petit roman, dans tous les sens du terme : plein d'aigreur, économe de ses moyens, et méchamment ficelé. Mais il y a quelque chose d'ignoble dans ce tour de force. L'auteur exécute — au pied de la lettre — la promesse poétique de Jake, à savoir : interdit aux femmes. Sans dégoût sexuel pour autant (Kingsley ne fut jamais ce type de misogyne), mais sur des bases purement intellectuelles.

Ça m'a toujours fait l'effet d'un suicide — d'un suicide artistique. Il ne tuait pas le monde. Il en tuait juste la moitié[1].

Pendant les semaines qui suivirent, je parlai souvent

1. « Un grognement de déception », peut-être, mais aussi d'autre chose. Telle est la violence des vaincus qu'elle s'exerce par transfert, par procuration. « "D'après ce que déclarait un type l'autre soir à la télé, dit-il, vingt-cinq pour cent des violences en Angleterre et au Pays de Galles sont perpétrés par des maris sur leurs femmes. Étonnant, comme chiffre, tu ne trouves pas ? On s'attendrait plutôt à ce que ce soit de l'ordre de quatre-vingts pour cent. Ce qui prouve bien que les maris anglais sont plutôt faciles à vivre [...]" » La réplique sort de la bouche d'un « vague médecin » bourru prénommé Cliff, et la scène se passe dans un pub barbare qui s'appelle l'Amiral Byron (« C'est toute l'existence des femmes »). Un autre personnage, un policier de haut rang, fait observer que les pays arabes « ont l'air d'avoir joliment résolu le problème des femmes. Qu'on le veuille ou non ».

avec Philip du cas Kingsley. Soit il devait aller quelque part (dans un club, un appartement, à l'hôtel ?), soit quelqu'un devait venir à lui. Et ce quelqu'un devrait être... Comment dire ? Ce devrait être quelqu'un, ou plutôt quelqu'une, qui comprenne, et donc pardonne sa fragilité. Et il faudrait que lui, il l'aime vraiment beaucoup. J'avais trente et un ans, Philip trente-deux ; c'était un peu tôt, selon nous, pour consacrer notre vie à faire du Daddy-sitting. Mais on ne pouvait pas écarter l'hypothèse. Il me semblait que le cas Kingsley avait une drôle de forme, et que la solution, par conséquent, devrait avoir aussi une drôle de forme.

Entre-temps, quand je ne me faisais pas de souci pour mon père, c'était pour ma mère que je m'en faisais. Son troisième mariage était une réussite absolue, mais elle, son mari et le petit Jaime étaient confinés à une bicoque des Midlands sans avoir les moyens de déménager à Londres... Ce ne serait sans doute pas un exploit de chercher une solution. Philip en était arrivé à la même conclusion. Les principaux intéressés, lorsqu'on leur posait la question, semblaient favorables. On organisa un dîner de présentation. Tous les autres, soit dit en passant, trouvaient l'idée à la fois saugrenue et impraticable. « On se croirait dans un roman d'Iris Murdoch », réagissaient-ils. Oui, et on y aurait été encore plus si Kingsley s'était appelé Otto, et Hilly, George. La demande n'avait certes rien de conventionnel, mais c'étaient des gens qui n'avaient rien de conventionnel non plus. Philip et moi pensions que cela pourrait marcher pendant six mois et quelques, peut-être même un an.

Nous nous retrouvâmes à la maison située dans Flask Walk et le dîner inaugural commença.

À un âge plus avancé, Kingsley allait nier que cela se soit jamais produit, en mettant dans cette négation toute son ardeur et sa force, malgré la présence de quatre témoins adultes. Je crois que mon père était arrivé, jusqu'à un certain point, à chasser l'épisode de sa mémoire. C'était complètement incroyable, après tout.

Notre dîner se déroulait à la perfection. Mon frère et moi échangions déjà des sourires de connivence. Chacun des convives passait pour un modèle de souplesse et de discrétion. Au début du dessert, Jaime, huit ans et incorrigible de bout en bout, tendit le bras vers la corbeille à fruits. Il y avait là des oranges, des pommes, des raisins et une pêche solitaire. Au moment où ses doigts l'effleurèrent, Kingsley hurla, comme un passant qui hélerait un taxi de l'autre côté d'Oxford Circus sous une pluie torrentielle le soir de la Saint-Sylvestre :

« *HÉÉÉÉ !!!* »

... Une exclamation tonitruante, d'une dureté et d'une brutalité monstrueuses. Le bruit sorti de la bouche de Kingsley aurait été approprié si, disons, Jaime avait tendu la main, non vers une pêche, mais vers la goupille d'une grenade à main. Il n'y eut pas de silence : chacun vacilla en arrière sous les grognements et les jurons. Même Jaime murmura « Putain... » en se ratatinant sur sa chaise. Je ne me souviens plus, et je ne peux même pas imaginer, comment nous avons survécu au reste de la soirée.

Mais le trio a duré quinze ans.

« Philip a pris un biscuit. » Jaime avait pris une pêche.

Si vous êtes adulte et que vous avez peur du noir, que se passe-t-il quand quelqu'un vous quitte ? Quand on vous laisse comme ça seul dans le noir, que vous arrive-t-il ? C'est bête. Bête comme chou. Il y a une part de vous qui retombe en enfance et réclame sa mère.

Je trouve ça bien, que ce soit Jaime qui ait procuré à mon père son dernier épisode de plaisir sur terre. Jaime avait vingt-trois ans à l'époque. Mais à ce moment-là, ce serait la stricte vérité de dire que Kingsley n'avait plus aucun souvenir de la soirée de la pêche. La stricte vérité, à coup sûr.

Je devrais donc dire à ma mère : je sais que tu as détesté qu'il tire sur la corde sensible (« La sentimentalité, disais-tu, donne envie de dégue...rpir »), mais tu l'as ramené à la vie et à l'amour. C'est la meilleure façon d'envisager la chose, maman. Il s'est débarrassé de *Stanley*, puis il a écrit *Les vieux diables*, *Difficulties with Girls*, *The Folks That Live on the Hill*, ses *Mémoires*, « Un petit coup sur le fil », *The Russian Girl*, *You Can't Do Both*, *La moustache du biographe*, *The King's English* et quelques autres poèmes.

Il n'aurait jamais pu écrire tout cela sans toi, parce que pour lui tu évoquais l'amour. Maman : c'était toi, la pêche.

C'est la meilleure façon d'envisager la chose.

Pas du tout fillable

Mercredi 20 septembre. Le biographe a amené Kingsley à l'hôpital d'University College, dans Gower Street. Oh le beau jour. Gratitude profonde et furtive à son égard. Je passe tout l'après-midi à bredouiller : Muchas gracias, señor. O, muchíssimas gracias...

En apprenant plus tard les détails de l'histoire, je comprends que je n'aurais pas pu faire ce qu'il a fait.

Dans l'ambulance, l'aide-soignant révèle qu'il a lu quelques romans de Kingsley, mais qu'il en a lu davantage de moi. Heureusement, papa n'a pas entendu.

Aux Urgences, on l'installe sur un lit à roulettes. Le biographe tente de l'empêcher d'en sortir (il le fait exprès) et Kingsley hurle : « M'sieur l'docteur ! M'dam' l'infirmière ! Arrêtez-le ! »

Un portier et deux infirmières ont dû le transporter dans sa chambre.

Avant de s'endormir, il a supplié le biographe : « Ne partez pas, oh non, ne partez pas. »

C'est sûr, je n'aurais jamais pu le faire. Mais peut-être que si je l'avais fait, il n'aurait pas supplié. Que reste-t-il à présent de l'effet de l'Empire State ?

À six heures et demie, je suis sorti du métro à la station Goodge Street. Mon frère et moi avons pris un café et nous sommes entrés dans l'hôpital, dans l'ascenseur de l'hôpital. Accolade rapide, agrippement réciproque des bras, à mesure que l'ascenseur montait . nous nous préparions à l'épreuve.

Seul dans sa chambre individuelle, Kingsley est couché sur le côté, dos à la porte. Le hit-parade (il se moquait toujours de nous quand nous le regardions) passe à la télé : « chansons vulgaires », des couples qui « exécutent des figures désunies, font mine de grimper à la corde ou d'esquiver un coup de feu avec l'air d'y croire, comme si tout cela ne servait que de prélude à une épreuve de plus large envergure qu'ils devraient finir par partager[1] ».

« C'est l'enfer ici. »

Une phrase surgie de nulle part. Philip et moi, le regard tout à coup concentré, les yeux écarquillés, prenons un air qui dénote une inquiétude croissante. Nous en avons besoin, maintenant que notre père, avec une inquiétante agilité, sort de son lit et commence à ôter son pyjama vert pâle. Quand est-ce que je l'ai vu nu pour la dernière fois ? À Cambridge ?

Il est assis sur le côté du lit et dessine la silhouette touchante d'un ours malhabile dans le crépuscule.

« Je ne vais pas vous attaquer », dit-il.

L'aisance de son élocution me surprend davantage que le contenu de ses paroles. Une aisance vite perdue, mais sa fébrilité, ses précautions soudaines, ne manquent pas d'éloquence.

1. *Girl, 20*. Auparavant, dans le même chapitre, le narrateur a assisté à un combat de lutte auquel participait un athlète surnommé le Phénomène de Bornéo. « Dans le-euh coin rouge-euh, avec-euh ses cent seize-euh kilos-oh, le-euh Phé-eh-no-mène-euh de-euh Bornéo-oh-oh. »

« Qu'est-ce qui t'inquiète comme ça, papa ? lui demande Philip.

— Tous ces gens.

— Mais non, rassure-toi. Ils sont là pour t'aider.

— Non. Pas vraiment.

— Tu crois qu'on te trompe, nous aussi ?

— Non. Vous, je vous fais confiance. Mais je crois plutôt qu'il y a des trucs que vous ne voyez pas.

— Tu en as parlé dans tes livres, papa, j'ai dit. Rappelle-toi. Le dernier texte de tes *Mémoires*. "Retour sur la déglingue", ça s'appelle. Tu t'étais cassé la jambe et tu étais à l'hôpital. Tu as légèrement débloqué pendant quelque temps. Tu croyais qu'ils allaient t'attaquer. Comme maintenant. C'est la même chose. »

Cette histoire l'a sans aucun doute intéressé, et il y a prêté une oreille attentive. J'ai cru discerner une lueur d'amusement dans son regard, mais ce n'était pas de l'amusement, pas tout à fait. Juste cet air de plaisir franc qu'il arborait quand on le flattait. Dans son port de tête, la modestie et une certaine prétention se livraient combat.

Il a remis son pyjama. Puis il l'a de nouveau ôté. Puis, dans la quasi-obscurité, il a fini par se mettre au lit et par se détourner — de nous, ses fils, et du monde.

Nous sommes allés au pub voisin qui portait un nom splendide : le Jeremy Bentham. Ce vieil utilitariste (1748-1832) était un philosophe que Kingsley aurait sans doute jugé digne de prêter son nom à un pub.

Contrairement à d'autres écrivains. Mon père n'aurait pas aimé que ses fils prennent un verre au Bertrand Russell ou au A. J. Ayer. Je connaissais A. J. Ayer, et c'est à lui que je songeais à présent, pendant une pause dans la conversation : à sa mort, à la messe dite en son souvenir, au curieux panégyrique de Roy Jenkins (qui parlait de « l'impact nécrologique » d'Ayer). A. J. Ayer était le beau-père de mon deuxième grand amour, celle à qui j'avais dédié mon premier livre. *Lui*, il jouait aux échecs avec moi, sur un échiquier de poche que l'on se passait en général sur les genoux. Il gagnait presque tout le temps. Le seul espoir, c'était d'arriver à une fin de partie en conservant tous ses cavaliers. Mais il s'énervait tellement en songeant à la multiplicité de coups possibles qu'il abandonnait le jeu d'un air dégoûté ou envoyait tout en l'air... Une phrase d'Allan Bloom : « C'est la tâche la plus dure de toutes que d'affronter l'absence de soutien cosmique pour ce qui nous importe le plus. C'est pourquoi Socrate définit la philosophie comme "l'apprentissage de la mort". » Je ne pensais pas encore à la mort, mais juste à ses ravages et à une guérison passable. Mais y a-t-il une philosophie pour ça ? Une philosophie de la mort ?

Le lendemain, Philip retourne le voir et Kingsley lui lance d'emblée : « Va t' faire foutre. »

Le surlendemain, j'y vais seul. Je commence par jeter un coup d'œil à travers la découpe vitrée de la porte, cette petite lucarne carrée à hauteur de la tête. À présent, ce doit être pratique courante parmi les visiteurs. Tout peut arriver dans cette chambre, ou presque...

Ce dimanche ensoleillé, je l'ai épié par la lucarne et j'ai soudain reculé de plaisir, comblé dans mes espérances. Tiré à quatre épingles, rasé, mon père était assis dans le fauteuil, un stylo à la main, courbé en avant. Sur son visage immobile se lisait une concentration fascinée. Peut-être qu'il *écrit*, me disais-je. Je vais entrer, il va me dire qu'il s'en est tiré et qu'il en a profité pour composer un grand roman, une série de sonnets, un poème épique.

« Ah ! Viens voir ça. »

Je me suis penché par-dessus son épaule. Sur la feuille de format A4, des colonnes de chiffres arabes plus ou moins penchées, quelque chose comme :

017 212 2010	0175687278
017 222 [biffé d'un trait léger] 2100	0175867278
017 221 2100 [biffé d'un trait léger]	0175687872
017-221 6102	017 586 7872 [biffé d'un trait léger]

À gauche, des chiffres qui essayaient de reconstituer mon numéro de téléphone ; à droite, des chiffres qui essayaient de reconstituer le sien. En face d'un des numéros erronés, cette inscription : PAS DU TOUT FILLABLE. À ce moment-là, je ne savais pas que ma mère avait, bien malgré elle, fait changer le numéro de la maison. Kingsley l'appelait toute la journée. Toute la nuit aussi.

« On recommence, dit-il.

— Attends. Là. Pas besoin du 017, papa. On a tous le même indicatif. Le même central. Là. »

J'écris : MART : 221 6110. HILLY : 586 7872

« Ça, c'est tout à fait fiable, papa.

— On recommence. »

Nous voilà repartis. Il écrit les numéros. Trente fois. Quarante fois. Il n'y a que les enfants et les parents (à ce qu'il semble) pour vous obliger à ces répétitions marathoniennes. Il s'arrête, apparemment satisfait pour l'instant, et demande comme si de rien n'était : « Pourquoi je suis ici ? » Je lui réponds. Il ne se souvient de rien. Puis il se redresse sur son fauteuil et propose sur un ton enthousiaste.

« On recommence. »

La série de numéros, veut-il dire.

« Mais on les a ! Regarde ! »

Lorsque est venue l'heure de partir, il ne m'a pas supplié de rester. Pendant que je le serrais dans mes bras, il m'a juste dit :

« Rapide. »

Je me suis relevé. Il a dit :

« Encore un peu dans tes bras. »

Je l'ai repris et je l'ai serré.

La poitrine des femmes

Selon toute probabilité, me dit ma mère, c'est la maladie d'Alzheimer qu'on va lui diagnostiquer. « Il peut rester dans cet état pendant des années. » Comment réagit-on à cette perspective quand on est anglais ? Ni pleurs ni signes nerveux. Un haussement d'épaules, un rire « sec ». Comme Cliff à la fin de *Stanley and the Women* :

> [Il] leva un peu le menton comme les habitants du sud de Londres pour dire « J't'avais prévenu », « C'est reparti » ou « Sans blague ». Il y a aussi des gens qui le font ailleurs. Peut-être dans le monde entier.

« Tu as franchi une étape dans *Stanley* », je lui dis un jour de 1984.

Il était sur ses gardes. Il connaissait les raisons qui me faisaient douter de l'histoire, et il me trouvait trop branché, trop sensible. Rien n'est affirmé en littérature, nous dit-on. Sauf dans *Stanley*. Mais je n'allais pas lui exposer mes réticences en long et en large.

« Comment ça ?

— Il y a une femme avec une forte poitrine qui n'est pas sympathique.

— Laquelle ?

— La première épouse. Nowell. C'est une première pour toi, non ?

— Arrête tes conneries. »

Il réfléchit tranquillement. Il pouvait citer deux ou trois femmes sympathiques avec de petits seins, mais il avait du mal à en trouver qui soient à la fois plantureuses et antipathiques.

« De toute façon, ça parle trop souvent de la poitrine des femmes dans ce que tu écris. C'est quoi, déjà, la réplique de *That Uncertain Feeling*[1] ? Rappelle-toi aussi Ann Jones.

— Qui ça ? »

Ann Jones avait gagné le tournoi de Wimbledon en 1969. C'était, comme on dit, une fille forte. À l'époque, certains avaient estimé que son adversaire en finale, Billie Jean King, exploitait cette dimension en « serrant » Ann quand elle montait à la volée.

« Elle avait un corps de rêve et un visage de niaise. Toi, tu posais ton pouce sur sa tête à la télé pour regarder sa poitrine.

— Et alors ?

— Un jour, tu m'as dit que la partie la plus sexy d'une femme nue était son visage. Je me souviens aussi d'une autre conversation. Jane était là. Je t'ai demandé si tu n'en pinçais que pour les nichons, si tu n'aimais pas d'autres parties du corps, comme les jambes. Et tu m'as répondu que tu aimais savoir que la fille avait deux jambes.

— Et alors ?

— Alors, rien. Mais tu pourrais envisager de diminuer la taille des seins de Nowell pour la deuxième édition. Oh ! À propos... Il y a un long article de Marilyn Butler dans la *London Review*, selon lequel *Stanley* défendrait les femmes, tout compte fait. C'est des conneries, non ?

— Absolument. »

1. « Pourquoi j'aimais tant les seins des femmes ? Je savais pourquoi je les aimais, merci, mais pourquoi est-ce que je les aimais tant ? »

Kingsley a ses deux jambes. Et ses parties animales. Auxquelles il a commencé à porter un nouvel intérêt, attitude symptomatique pour quelqu'un dans son état. Il se touche (mais juste un instant), comme un enfant qui, au milieu de ses nombreux frères et sœurs, tombe sur un jouet délaissé dans un coin. Philip avait pris un biscuit. Jaime avait pris une pêche.

Une terrible symétrie s'impose. Je pense au père de Kingsley, à sa propagande sur la folie et le plaisir solitaire. Hôpital. Liquéfaction du sang.

C'est comment, déjà, dans *Les âmes mortes* ? « La vieillesse vous menace, l'implacable vieillesse qui ne laisse rien reprendre de ce que l'on a une fois abandonné ! » Non, c'est vrai. Elle se rit de vous, mais elle ne laisse rien reprendre.

Pas toujours de pierre, les vieilles ?

Dimanche 24 septembre. Quand j'entre, il se tourne dans son lit et me regarde.

« *Mon Dieu* », lâche-t-il avec émotion.

Debout devant la fenêtre, le biographe arbore un sourire d'impuissance.

« Quelle heure est-il ? reprend Kingsley.

— Six heures, je lui réponds.

— Du matin ?

— Du soir.

— Six heures du soir ? Mais lui, là (le biographe), me disait que c'était six heures du *soir*.

— C'est bien *ça*. Six heures du soir. »

Kingsley ne pouvait en supporter davantage. Il se tourna, non pas vexé mais résolu dans sa décision. Il se tourna et pivota loin du monde.

Six heures, six heures, six heures. Ce qu'il a dit à Philip vendredi, en fait, ce n'était pas d'aller se faire foutre. Ce qu'il lui a dit, c'était : « Tue-moi, enfoiré ! » Sa chambre donne à l'ouest, à mi-hauteur de l'horizon. Sa fenêtre est la cible d'un immense soleil. « C'est l'enfer ici », avait dit Kingsley. À six heures du soir, on a vraiment l'impression que la chambre est sur le point de s'enflammer.

J'en ai envie tout de suite. Ronnie et Simona sont en fuite et arrivent (on est dans le vieux Sud américain) au parc national des Vieilles Pierres. Ronnie s'endort, avant d'être tiré de son sommeil par un soubresaut de la voiture.

> « Elles sont pas toujours de pierre, les vieilles ? » Ronnie chercha une cigarette. « Je veux dire : Pas toujours de pierre, les vieilles ? Et merde ! Pas toujours vieilles, les pierres ? Je me demande bien quelle idée ils ont eu de donner ce foutu nom à un parc. »

Pas toujours de pierre, les vieilles ? C'est peut-être l'état où se trouve Kingsley : comme s'il sortait d'une sieste tragique à un étrange moment de la journée.

Ronnie réussit vite à dire correctement les vieilles pierres. Mais qu'est-ce qui se passe si on reste bloqué aux vieilles de pierre ?

Note de mon carnet, à la date du mercredi 27 septembre :

> Agitation de K. Un psychodrame se joue en lui, dont il ne dira jamais rien, ni à toi ni à personne. Les mots lui manquent. Mais il pourrait l'écrire, s'il se retape.

Fariboles et balivernes. Il ne se retapait pas. Les mots et les souvenirs le quittaient : comme des rampes de lumières et d'interrupteurs qui soupirent en s'éteignant.

« Je me sens un peu... Tu vois.

— Comment, papa ?

— Tu vois.

— Angoissé ? Mal à l'aise ?

— Pas vraiment. Juste un peu... Allez, tu vois, *toi.* »

Moi ? Dans son choix des mots, mon père ne délègue rien, surtout pour ce qui concerne son état d'esprit. Mais là, il m'adresse un sourire confiant, calme dirait-on, en mal de mots. Je comprends aujourd'hui que c'était dans un autre monde que Kingsley se réfugiait désormais, un anti-Kingsley dans un régime de tautologies et de clichés. Son cerveau fonctionnait *à l'envers de l'écriture*[1]... Ses mains, aujourd'hui, se promènent partout, elles s'agitent, se serrent et se croisent, s'agitent à nou-

1. Joyce le fait exprès dans *Ulysse*, avec l'épisode de l'Abri du cocher.

veau. Est-ce que je devrais lui servir la délicieuse description qu'il m'a faite du critique et écrivain John Berger[1] ?

« Tout ça avec mes mains. Ça n'a rien de sinistre. »

Je suis impressionné par la réussite rare et immédiate de l'adjectif. (« Ou est-ce un attribut, papa ? » lui avais-je demandé un jour. « Oui, mais c'est *d'abord et avant tout* un adjectif », avait-il répondu, un instant furieux de cette pédanterie compétitive.)

« C'est juste pour savoir où elles sont, ajoute-t-il.

— Au moins, elles sont quelque part.

— *Exactement.* »

J'ai enchaîné par quelque chose que j'avais prévu de lui dire.

« Tu te souviens du livre que tu as écrit, intitulé *Sur la fin* ? On en a tiré une adaptation pour la télé. Avec John Mills, Michael Horden, Wendy Hiller et Googie Withers. Tu te souviens ? Bref, un des personnages de ce livre que tu as écrit, un type sympa qui s'appelle George Zeyer, souffre d'aphasie. Il n'arrive pas à se souvenir des noms communs, il n'arrive pas à se souvenir du nom des objets de la vie quotidienne. Dans ce livre que tu as écrit, ça lui permet d'amuser la galerie en *barbant* ses comparses de trois manières différentes : d'abord, il est incroyablement rasoir parce qu'il tré-

1. Un jour, Kingsley a vu John Berger, qui représentait bien des choses qu'il détestait, gesticuler à tort et à travers dans un restaurant. Il a d'abord cru, disait-il, qu'une bagarre allait éclater, mais en fait, Berger se contentait de confirmer sa réservation. Ses mains, d'après lui, ressemblaient à deux avions de guerre en plein combat.

buche au fil de ses improvisations. Exemple : “Ce type a un truc, le genre de truc qui roule. Et ce truc a un machin, comment ça s'appelle ? un machin qu'on tourne[1].” Ensuite, il est incroyablement rasoir parce qu'il essaie de surmonter la difficulté avec des périphrases et des formules toutes faites. Exemple : « Ils l'ont tabassé avec un truc qui visse et le machin en fer qu'on utilise pour la cheminée[2].” Enfin, il est incroyablement rasoir parce qu'il guérit et qu'il n'arrête pas de faire étalage de sa maîtrise des noms communs. Exemple : “Table, feuille, chaise, verre, bouteille, cuillère[3]. ” Tout ça, papa, dans un livre que *tu as écrit.* »

1. Les vieux partagent leurs impressions sur un nouveau dictateur africain. George : « Bon, bref, pour commencer il doit avoir un... un truc, tu vois, on se promène avec, ça a un... euh... ça tourne. Très luxueux, à coup sûr. [...] Sans doute en or, ou plaqué or. Comme l'autre, là. Un bar... non. Un autre truc en or, comment on dit déjà, là où on dort. [...] Pareil pour son... zut, le truc dans lequel il mange, tu vois. Sans parler de son truc privé, euh, tu sais, il s'en sert pour aller où il veut quand il veut... Un moteur. Non. Avec un type qui pilote. Un fanion. Non, mais tu vois ce que je veux dire. »

2. « Je lisais là où un gars a écrit ce matin [...] sur ces quatre jeunes salopards qui sont entrés dans un endroit pour faire un casse, mais il n'y avait pratiquement pas d'argent là où on met l'argent. [...] Alors ils ont tabassé le mec avec un truc qui serre, un machin en fer pour le feu et d'autres engins, et ils ont pris l'argent dans ce qu'il portait et même ce qui sert à lire l'heure et pareil pour son attirail de fumeur. Qu'est-ce qu'on peut faire avec ce genre de types ? » (« Les envoyer à l'hôpital de toute urgence », répond Adela, son interlocutrice sainte mais toujours dans le flou.)

3. « “Il me reste à trouver un objet que je ne puisse nommer [...]. Porte, poignée, gond, linteau, montant, panneau, fenêtre, embrasure, loquet, carreau, châssis, cordon, vitre, coiffeuse [...] tiroir, bouton, miroir, brosse à habits, brosse à cheveux, peigne, robe de chambre, ceinture, poche, table, lampe, ampoule, interrupteur, câble, prise, douille...” En répétant avec douceur et obstination, et de plus en plus fort, que oui, c'était très intéressant, tout à fait remarquable, absolument extraordinaire, le docteur Mainwaring finit par le faire taire. »

Il me dévisage avec admiration et ravissement.

« Tu t'en souviens ?

— *Non* », répond-il.

Après un silence, je me remis à le sonder. Son amnésie se révélait étrangement sélective. Il se rappelait notre premier déjeuner avec Isabel (« très nettement »), mais pas le second, qui était beaucoup plus récent... En partant, je citai sans y penser les paroles d'un vieux disque de Peter Sellers (un classique dans la famille) et il les répéta. Peut-être éprouvait-il le plaisir simple de la reconnaissance. Mais je vis planer sur son visage un air que je ne lui avais pas vu depuis des mois : la volonté, l'empressement, la faculté de rire. Pourquoi lui enlever ces qualités ? Pourquoi lui enlever *ça*, en plus des mots ?

De retour chez moi, j'ai feuilleté *Sur la fin*. Je me frottais souvent les yeux, tellement je riais, ou tellement je faisais le contraire de rire. George Zeyer de nouveau, complètement guéri (juste avant son riff d'intarissable *chosisme*) :

> « J'étais juste en train de dire à Bernard que le sens de l'humour a plus de valeur que des perles précieuses, des rubis, une écurie de voitures de course, une flotte de yachts luxueux ou de jets privés, ou un patrimoine de châteaux. [...] Je veux dire que si on mange dans une assiette en argent avec des couverts incrustés de pierres précieuses et si on boit dans un verre en cristal ciselé... » Après avoir énuméré d'autres attributs concrets de la richesse, George se mit à douter de leur réelle valeur sans manifester le moindre sens de l'humour.

Maintenant (mais pas sur le moment), je pense à *Stanley* et au grand discours du psychiatre :

> « Lorsque [les fous] rient de choses que le reste d'entre nous ne trouvons pas drôles, comme la mort d'un proche, ce n'est pas qu'ils soient perspicaces. [...] Ils rient parce qu'ils sont fous, trop fous pour pouvoir encore discerner ce qui est drôle et ce qui ne l'est pas. Il n'y a peut-être pas beaucoup d'avantages à avoir toute sa raison, mais l'un d'entre eux est de savoir reconnaître ce qui est drôle. Point final. »

Kingsley ne rit pas de ce qui n'est pas drôle. Dieu merci. Mais il ne rit de rien. Parce qu'il a perdu la raison ? Ou bien parce qu'il est dans un monde où rien n'est drôle ni risible ? Ce qui serait un *autre* point final.

Dernières paroles

Mardi 3 octobre. « Martin », dit ma mère au téléphone.

Le fait qu'elle m'appelle par mon prénom entier me prépare et déjà, sans autre précision, m'apprend tout ce que je dois savoir.

Un dimanche, alors que les garçons mangeaient leur cuisse de poulet (« le meilleur repas de la semaine ») en regardant un dessin animé, ou un bain de sang à très gros budget, et que Hilly allait et venait dans la cuisine... Ce devait être en 1992. Je faisais un compte rendu de la *Correspondance* de Larkin et de sa Vie.

« J'imagine que ta *Correspondance* à *toi* va être encore pire, j'ai dit. Pour les adeptes du *politiquement correct*. Ça va faire encore plus d'histoires.

— Mais je ne serai plus là.

— Moi, si.

— Oui, *toi*, tu seras là. »

Un autre dimanche, peut-être le dimanche suivant, nous avons évoqué les dernières paroles de Larkin. Je les lui ai citées.

« Je pars vers l'inévitable.

— Pas mal », a répondu Kingsley.

Pas mal : accentué comme un spondée ordinaire. Comme *dehors*. C'était difficile de savoir s'il se méfiait des Dernières Paroles en général ou de celles de Larkin en particulier. Mais j'ai senti une certaine approbation en lui — une approbation de ces dernières paroles, de leur nature particulière, du caractère inévitable de la mort parce que lui, Larkin, ne pouvait s'empêcher d'y penser. Pas plus que Kingsley.

« Tu as les tiennes ? Tu y as travaillé ? »

J'ai posé la question prudemment, mais il s'est montré tolérant et intéressé dans sa réponse.

« Oui, j'avoue. Puisque tu me poses la question.

— Mais je ne crois pas que tu vas me les dévoiler.

— Non, en effet. »

Lues en grand nombre, sous forme d'anthologie, les Dernières Paroles ont piètre allure : on se demande pourquoi on en a fait tant d'histoires — des histoires sur la mort, des histoires sur la vie. Dans l'ensemble, elles se résument à des étourderies, des coq-à-l'âne, des platitudes déguisées en paris, et des théâtralisations grandiloquentes du moi. Henry James appartient à la dernière catégorie : le beau style de sa déclaration, « La voilà enfin, cette marque distinguée », est lourd d'évocations, mais il sent l'effort et l'autosatisfaction. Blake passe du retentissement au ravissement (« Ma chère, répondit-il à sa femme qui lui demandait de qui étaient les chansons qu'il fredonnait, ce ne sont pas les miennes, non, pas les miennes »), Jane Austen va au plus court (« Rien que la mort », répondit-elle quand on lui demanda ce dont elle avait besoin), Byron résiste (« Je veux dormir maintenant. Vais-je implorer la miséricorde ? Viens à moi, nulle faiblesse. Homme je serai, jusqu'au bout. »). Marx, à son habitude, ne manque pas d'à-propos : « Allez, dehors ! Réservons les dernières paroles aux idiots qui n'en ont pas assez dit »... D. H. Lawrence, comme tant d'autres dont le murmure faiblit, crut, ou du moins annonça, qu'il se sentait soudain sur la bonne voie : « Je me sens mieux à présent », dit-il.

« Ton petit Hopkins s'est bien débrouillé. »

Mon père, qui détestait Hopkins, a levé les yeux de son journal.

« Ah ! "Je suis heureux, si heureux !" »

Kingsley a lentement acquiescé par une grimace.

« Mais ça pose un autre problème, j'ai ajouté. Est-ce qu'on peut les prononcer, ces dernières paroles ?

— Oui. Il y a de ça. »

Le jour de sa mort, Lawrence avait eu l'hallucination

de quitter son corps. Il aurait dit à Maria Huxley : « Regarde-le, *lui*, sur le lit là-bas ! » Et à Frieda un peu plus tôt le même jour : « Ne pleure pas. » Voilà des dernières paroles bien senties. Je les recommande pour un usage général... à condition de pouvoir les prononcer.

Le plus farouche, dans son refus de toute consolation, fut Kafka. Exigeant que ses archives soient entièrement détruites, il aurait dit : « Comme cela, il n'y aura plus de preuves que j'aie jamais été écrivain. » Pour un écrivain, ses livres — tous ses livres — forment ses dernières paroles.

« Martin.

— Oui, maman. »

Kingsley perd la parole, elle le fuit. Mais il aura quand même ses dernières paroles.

« Ton père va mourir *très bientôt.* »

Retour du même sentiment : un sentiment de lévitation imminente.

Ferme cet œil coquin

Samedi 7 octobre.

À cette date, mon journal contient les lignes suivantes :

> Battu Zach 6-1, 6-0 en 55 minutes. Pas de problèmes de constitution — je veux dire, de concentration.
>
> À quand remonte mon dernier match en cinq sets — juste pour arrêter de penser ?

Ce soir-là, j'ai demandé à ma mère, sur un ton qui a résonné en moi comme celui d'un gamin (intrigué, interrogateur) : « Il meurt de quoi, maman ?

— Trop bu. »

Nous étions assis, en buvant bien sûr, au Jeremy Bentham... Jeremy Bentham était un homme qui, comme Kingsley, ne pouvait se passer de défendre des ignominies. Il s'était fait l'avocat de l'usure et l'adversaire de la Révolution française et de la Déclaration des droits de l'homme (« une foutaise sur pilotis »). Dans son échelle de valeurs, qui promouvait « le plus grand bonheur au plus grand nombre », les plaisirs et les peines étaient quantifiés selon quatre facteurs : intensité, durée, certitude et proximité. Ce soir-là, au Jeremy Bentham, les quatre facteurs étaient réunis.

La veille ou l'avant-veille, ma mère avait dit qu'il faudrait tenir une « réunion de crise » (pour parler infirmières et maisons de retraite), mais la *certitude* remplace à présent la *durée*. En plus de la *boisson*, il y a aussi l'*accident cardiovasculaire* à prendre en compte. Lorsque je suis allé le voir ce jour-là, il dormait sur son fauteuil (soulagement de mufle). Pose de Penseur, mais bouche figée dans l'amertume. Une belle femme entre deux âges, de souche perse, passait l'aspirateur dans la chambre. Elle s'affairait sous le fauteuil comme si l'occupant était non seulement un être non humain, mais aussi une matière inorganique : un réfrigérateur ou un vieil appareil radioscopique. C'était dans l'aile privée de l'hôpital. On continuait à jouir des bénéfices de la classe affaires.

Cela fait quelques jours qu'un travail silencieux, intérieur, me force à l'évidence : mon caractère anglais, notre caractère anglais. C'est dans mes conversations avec Isabel que je m'en rends le plus compte. Elle, son instinct la pousserait à chercher et, le cas échéant, à épuiser, toutes les possibilités de remède médical avant de réfléchir davantage. Je me vois, ou je ne me vois pas, pousser Kingsley sur un fauteuil roulant dans un avion pour aller voir tel ou tel ponte à Zurich ou à Toronto. Je me vois, ou je ne me vois pas, lui administrer un nouveau régime à base de barium et de riz basmati. Isabel vient d'un pays où la première chose à faire devant la mort, c'est lui jeter toutes ses économies. À tout le moins, elle réclame un deuxième avis, alors que, moi, je ne veux même pas de *premier* avis ; j'ai dû me faire violence pour garder le combiné à portée d'oreille lorsque le spécialiste de Kingsley, un dénommé Croker (non, ce n'est pas le genre d'ironie qu'eût « goûté » Kingsley), m'a trompeté, certes avec une profonde sympathie professionnelle, les lésions cérébrales, la perte de la motricité, l'incontinence qui affectait à présent « votre pauvre père ». Dans mes conversations avec Isabel, je m'abrite derrière le voilage de l'anglicité, de la vieille Angleterre. Ça se sent, c'est un cliché terrible. En Angleterre, quand on voit la mort approcher, on se demande si on est dans la bonne file d'attente.

« Il a toujours dit, ma mère reprit au pub : "Si jamais

je fais une *crise* et que je me retrouve dans un *sale état*, je veux pas qu'on *touche* à moi. Compris ?" »

Puis il avait poursuivi : « Achète le cercueil le moins cher que tu trouves et enterre-moi sans un mot. »

Nous sommes retournés à l'hôpital. Le patient était agité ; il se tordait en protestant, mais on ne comprenait pas ce qu'il voulait. Ma mère lui tamponna le visage avec une lotion. On sentait l'angoisse de mon père céder à un rituel en lequel il avait confiance.

« Tu peux dormir maintenant, mon chéri. Tu as fait tout ce que tu avais à faire. »

Son œil faible resta encore un peu ouvert.

« Ferme cet œil coquin. Tu as tout fait. Tu as fini ton travail. »

Le lendemain, la chambre de Kingsley est à nouveau un creuset baigné de lumière. Le mari de ma mère, Alastair, aide patiemment le malade qui se débat avec un tube fermé par un bouchon visqueux ; dans le même ordre d'idées, il lui demande aussi, en fait, où il veut mourir.

« Ça te dirait de rentrer chez toi ?... C'est une mauvaise idée ?... Une bonne idée ? »

Alastair avait pour ancêtre William Boyd, quatrième comte de Kilmarnock — qui, lui, avait prononcé de bien belles dernières paroles, anodines en soi, mais rehaussées par les circonstances. Il tenait un mouchoir qu'il se proposait de laisser retomber après sa dernière prière. « Dans deux minutes, dit-il, je donnerai le signal. » Partisan de Jacques II, William Boyd fut décapité sur Tower Hill en 1746.

« Ça te dirait de rentrer chez toi ?... Une bonne idée ? »

Papa a du mal à saisir les choses, du mal à y arriver, du mal à les lâcher. Il a toujours le même visage, mais sa main est méconnaissable : c'est une main diminuée comme celle d'un nabot.

« Tu pourrais rentrer chez toi... Mauvaise idée ? Bonne idée ?

— Pas vraiment », finit-il par dire.

J'aime ange évêque bouillant

Je lui avais fait la lecture plus tôt dans la journée. J'avais proposé Chesterton, *Le Napoléon de Notting Hill* ou *Le nommé Jeudi*. J'avais proposé Anthony Powell, j'avais proposé George Macdonald Fraser (les Flashman[1]), et Kingsley opina d'un seul coup.

Au début de *Flash for Freedom*, notre héros envisage de se lancer dans une nouvelle carrière : la politique. Lors d'une réception dans le Wiltshire, son beau-père le présente à tout un groupe d'huiles conservatrices, parmi lesquelles un certain romancier : « cet effronté de petit D'Israeli bien lustré. » J'ai poursuivi la lecture :

1. Les recueils de Flashman se présentent comme les mémoires de Harry Flashman, le petit dur de *Tom Brown à l'école*. Mufle et lâche jusqu'au bout, il finit par devenir célèbre, en uniforme, en triomphant des ennemis de Sa Majesté.

« Ça se passe pas terrible pour vous à la Chambre des Lords, pas vrai ? » dis-je. Il baissa les paupières avec l'élégance affectée qui était la sienne. « Vous savez, je repris, le rejet de la loi juive, une soufflerie à réparer à Whitechapel, et puis quoi encore. Pas de bol d'aucun côté, je continuai, sans parler de Shylock qui finit deuxième aux courses d'Epsom. J'avais moi-même parié vingt livres sur lui. »

J'entendis Locke bredouiller « Seigneur ! », mais l'ami Codlingsby[1] se contenta de renverser la tête et de me dévisager d'un air songeur : « C'est vrai, dit-il. Incroyable. Et vous aspirez à la politique, Mr. Flashman ?

— C'est mon programme », répondis-je.

Je levai les yeux en guettant (distraitement) sa réaction. Mon père me fixait avec une concentration intense et futile ; et bien sûr, sans humour... Il y a peut-être des dizaines de descriptions, dans son œuvre, d'hommes adultes qui essaient de lire — qui essaient de lire dans un état d'ébriété. En général, leur première réaction est de s'en prendre au livre. Comme Shorty dans *Sur la fin* :

Shorty s'escrimait à lire un livre de poche qui racontait, lui semblait-il, une histoire de soldats partis en mission pour faire sauter quelque chose. Vu l'état de son cerveau, qui, dans son cas, était normal à cette heure de la journée, le récit lui semblait nimbé de mystère. De nouveaux personnages ne cessaient de surgir de nulle part, ou plutôt, il s'apercevait qu'il suivait leurs actions

1. *Coningsby*, le roman de Disraeli, parut en 1844.

> depuis plusieurs pages sans avoir remarqué leur entrée en scène, ou plutôt, en consultant les deux premiers chapitres, il s'apercevait qu'ils étaient là depuis le début. C'était écrit dans un style alambiqué, plein d'ellipses, de clins d'œil, de curieuses poétisations [...] De temps à autre, tel détail le convainquait presque qu'il avait déjà lu le bouquin, peut-être même plus d'une fois.

Kingsley avait lu et relu *Flash for Freedom*. Mais maintenant, ça lui faisait l'effet de *Finnegans Wake*.

Je continuai. Pourquoi pas, après tout ? On procure du réconfort à Kingsley par notre présence, mais un seul être lui a procuré du plaisir : Jaime. Il aimait, il adorait Jaime, parce qu'il était encore frais, parce qu'il était encore tout mignon. Jaime lui apportait sa jeunesse, dans toute sa force conradienne (la jeunesse, « cette force vigoureuse »). Je n'ai pas de jeunesse à offrir à mon père. Cette année a marqué la fin de ma jeunesse. Pardon, papa : j'ai passé l'âge... J'imagine parfois que les morts ont le pouvoir d'observer leurs enfants. Ce serait un de leurs privilèges. Mais il doit arriver un moment où les morts ne veulent plus regarder. William Amis, et même Rosa Amis : ce n'est pas possible qu'ils aient envie de regarder en ce moment.

En sautant une page ici et là, je poursuivis. Après avoir assassiné, en état d'ivresse, un hôte à la réception des conservateurs, Flashman est envoyé en mer par son beau-père. Je venais juste d'arriver au passage où il s'aperçoit que le *Balliol College* n'est pas un navire de marchandises, mais un bateau d'esclaves. Fortement inquiet (mais absolument pas scandalisé), il passe en revue les dangers qu'il encourt. « Mais à quoi cela pouvait-il me servir, lisais-je,

> d'avoir ce genre de pensée vu ma situation actuelle ? Au final, comme d'habitude, il ne me restait qu'une idée principale : survivre, sauver ma peau et laisser courir le reste. Mais je me décidai à garder ma vengeance au chaud dans l'intervalle.

Soudain, Kingsley s'assit dans le lit et prononça une série de mots qui faisaient la longueur d'une phrase. Je n'y comprenais rien.

« Quoi ? » lui demandai-je.

Il essaya de nouveau. Maintenant, c'était *lui*, *Finnegans Wake*. Le sens général était plus ou moins clair, mais ce phénomène-là était tout aussi incompréhensible. En infraction totale avec le présupposé comique du livre, Kingsley me donnait à entendre qu'il désapprouvait fortement Flashman : son égoïsme, sa méchanceté.

« Désolé, papa, mais je ne te suis pas. »

Mon père fit sa moue d'embarras et essaya de nouveau. Au moins, ça lui ressemblait de penser que j'étais tout bonnement trop idiot, ou trop niais (ou trop saoul), pour saisir le sens de ses propos.

« Désolé, je repris.

— Et merde ! »

Je vais vous montrer à quoi ressemblait sa, ou ses phrases. Dans *Une fille comme toi*, Patrick Standish entre en titubant dans un appartement londonien, où on le présente à deux femmes. Il s'approche de l'une d'entre elles, prénommée Joan.

> En venant, il arriva au bord d'un tapis dont il triompha comme on enjamberait un dalmatien endormi.
> « 'Soir, ma pelle en plastique kitsch et doigt paître jaune, s'entendit-il dire. J'aime ange évêque bouillant et honte à bu ferrailleur. »

« J'aime ange évêque bouillant » : voilà un *bon* argument pour se convertir. Avec un peu de temps, de réflexion et d'aide, j'arrive à déchiffrer ces paroles : « Bonsoir, je m'appelle Patrick Standish et tu dois être Joan. J'ai mangé avec Julian, et on a bu un verre ailleurs. »

Mais je n'arrivais pas à déchiffrer une syllabe de son réquisitoire contre Flashman.

Les thèmes se recoupaient naturellement. Même s'il n'était pas ivre, il avait très souvent été ivre par le passé, et il pensait et parlait donc comme un ivrogne. Et son bagage lexical (qu'est-ce qu'il pouvait détester ces expressions toutes faites, qui lui rappelaient comme il avait cherché à s'en défaire pour ne pas tomber dans la vulgaire facilité) se dilapidait sérieusement.

Il avait trouvé le sommeil. Le sommeil, frère de la mort.

« Avant, j'étais quelqu'un d'important », avait-il dit à Jaime, avec une joie tout apparente. Avant, j'étais quelqu'un d'important. « Mais plus maintenant. »

Boire

« De temps à autre, j'ai conscience d'avoir la réputation d'être l'un des plus grands buveurs, sinon des plus grands ivrognes, de notre époque », écrit Kingsley dans ses *Mémoires*.

Boire, donc. Oui, comme il aurait dit : il y avait de *ça* aussi.

« Je suis rentré hier soir dans un sale état, me raconte-t-il (un jour de 1985, je crois). Je n'avais pas de liquide pour payer le taxi. J'ai demandé au chauffeur s'il prendrait un chèque. "Ben, j'imagine que j'ai pas l'choye", il a répondu. Il s'est plaint un peu, mais sans plus. Je sentais son regard peser sur moi pendant que j'essayais de faire le chèque sur le capot de la voiture. J'en étais à ma troisième tentative lorsqu'il m'a interrompu : "Toye, t'es un type cultivéye. Pourquoi te mett' dans c't état-laye ?[1]"

— Bonne question.

— Très bonne question. »

1. Le taxi mangeait des syllabes et grasseyait sur un mode qui tenait du parler familier, mais qui aurait aussi bien pu passer pour un tic de la prononciation pseudo-bourgeoise. La première fois qu'on s'était rendu compte de ce phénomène, c'était en voyant une publicité à la télé dans les années 1970. Une pub pour de l'alcool, en plus. Un gars sympa s'adresse à la caméra pendant une réception festive et animée : « Avec ma femme, on aime recevoir des amis en soirée. Porto à volontéye. » Kingsley avait tout de suite remarqué ce tic. Après avoir obtenu son accord, je l'ai utilisé pour *mon* Stanley : Stanley Veale, dans *Réussir*.

Très bonne question. Kingsley a écrit trois livres sur l'alcool : *On Drink* [*Boire*], *How's Your Glass ?* [*Encore un verre ?*] et *Every Day Drinking* [*La boisson au quotidien*]. L'alcool imbibe ses romans jusqu'à plus soif[1]. Cela voulait dire beaucoup de choses pour lui, parmi lesquelles l'oubli (peut-être selon deux acceptions du mot), mais la progression se faisait par degrés innocents. Son enthousiasme était en partie de l'ordre du loisir, surtout lors des longues journées à Lemmons : le verre à vin chauffé, la liqueur glacée versée sur le dos d'une cuiller, les feuilles de menthe et le jus de concombre, les fines pelures d'orange, les bords salés du verre, les mixeurs et les mélangeurs. C'est la seule fois que je l'ai vu s'activer dans une cuisine. Mais il avait aussi un air de gosse, de hibou, dans sa façon de couver son petit tonneau de malt, de le nourrir et de l'entretenir. Il pouvait alors prétendre qu'il faisait de la recherche pour la chronique qu'il tenait régulièrement sur l'alcool, mais c'était plutôt dans l'autre sens que ça marchait. En écrivant sur le sujet, il retirait quelque chose de toutes les heures qu'il y consacrait.

Outre le goût sincère et modeste du rituel, du parfum et, par-dessus tout, des effets immédiats de l'alcool, mon

1. J'ai toujours pensé que le premier roman d'Alan Sillitoe, *Samedi soir, dimanche matin*, aurait dû s'appeler « Samedi soir, *lundi* matin ». Il oppose la gratification personnelle au travail, alors que l'axe du samedi soir et du dimanche matin donne en fait le rythme d'une bonne partie des obsessions de mon père : la gratification personnelle par opposition à l'observation de soi, aux reproches que l'on s'adresse et (souvent) à la haine que l'on se voue.

père était aussi un être compulsif, trait de caractère qui allait réapparaître de temps en temps chez ses trois enfants. Avant la sortie de *Jim-la-chance* en 1954, il ne pouvait pas se permettre de boire autant qu'il le voulait. Après, il a bu moins qu'il ne pouvait se le permettre, mais plus qu'il ne le voulait, ou plus qu'il ne voulait le vouloir. « J'en veux beaucoup, il m'en faut beaucoup », m'a rapporté Peter Porter, avant de nuancer davantage son penchant pour l'alcool. Kingsley en voulait beaucoup, il lui en fallait beaucoup. L'alcool était chez lui un sombre présage de gourmandise, de satiété. « Emprisonné dans tout homme gros, écrit Cyril Connolly, se trouve un homme mince qui se débat pour sortir. » Kingsley, dans *Un Anglais bien en chair*, est beaucoup plus proche de la vérité, et beaucoup plus drôle : « Autour de tout homme gros rôdait un homme encore plus gros qui essayait d'entrer dans le premier. »

Chez Biagi, un jeudi soir du printemps de 1994. Avec précaution, je l'observe qui entre de sa démarche pesante et balaie la salle du regard comme s'il cherchait le visage de son ennemi. Je me suis levé. Nous nous sommes embrassés. Je l'ai aidé à s'asseoir et j'ai dit :

« Trop mangé à midi ?

— Euh... Le problème... Le problème, c'est qu'à mon âge, le repas de midi est déjà celui du soir[1].

1. Cf. *Les vieux diables* : « C'est un vrai problème pour les retraités, je m'en rends compte. D'un seul coup, la soirée commence à débuter après le petit déjeuner. Toutes ces heures sans rien qui justifie la sobriété. Sans rien qui justifie une sobriété naturelle en attendant mieux... »

— Tu veux dire qu'à midi, c'est l'apéritif. Et que tout le reste...

— Ouais. »

Il commanda un Campari soda : première étape de sa progression habituelle... Au restaurant, mon père avait toujours l'air d'être sur ses gardes, comme s'il s'attendait à être chapitré, morigéné, ignoré ou régalé de prétention (de prétention, pas de vulgarité transparente, ce qu'il appréciait en règle générale)[1]. Même chez Biagi, sa cantine occasionnelle pendant trente ans, il était constamment sur le qui-vive. Pour le mettre à coup sûr en rage, il suffisait qu'un serveur arrive sans avoir été appelé (il avait l'impression que les serveurs calculaient toujours leurs interventions pour désamorcer les anecdotes qu'il racontait). Ceux qui portaient un moulin à poivre s'attiraient un mépris tout particulier.

« Un peu de poivre, monsieur ?

— ... Euh... Comment je pourrais savoir ? Je n'ai pas encore goûté. »

Quant à moi, je fis recouvrir mon hors-d'œuvre intact d'une épaisse couche de poivre. Kingsley me dévisagea d'un air sévère.

« Quand on aime ça, dis-je, on ne lésine pas. C'est

1. La nourriture, de plus, devait être ajustée au goût de la clientèle. Extrait d'une critique parue dans un livre sur les habitudes alimentaires des Anglais : « "Un repas à Hong Kong [...] est une formule qui fait fi des convives." Je connais ce genre de repas, et la formule signifie Je vous emmerde — sauf qu'il n'y a pas besoin de se déplacer jusqu'à Hong Kong pour ça. Il suffit d'aller à Soho. »

pas comme pour le sel. Voilà pourquoi ils ne se promènent pas avec une salière. »

Il eut l'air d'avoir reçu une révélation. Mais il ferma ensuite les yeux et dodelina de la tête. Pas loin de nous, un bébé pleurait.

« Dans le temps, dit-il, la mère aurait dû le sortir et s'occuper de lui. Dans le temps, ils avaient de la chance qu'on les amène au restaurant.

— C'est bien, c'est un net progrès.

— Ou du moins, un changement », dit-il en relevant le menton.

Je n'avais jamais compris son aversion pour les bébés, ni celle de Larkin ou de quiconque. Du moins n'en étais-je pas responsable, puisqu'elle remontait à l'époque où ni moi ni mon frère n'étions nés. « C'est *l'intensité égoïste* des pleurs, écrivit-il à Larkin, encore plus que leur *narcissisme féroce*, qui me met le plus en colère ; c'est comme si, en négligeant de hurler pendant une seconde ou deux, ils craignaient d'être privés d'une *seule goutte* de lait. » La lettre est datée du lundi de Pâques de 1948 : mon père avait vingt-cinq ans. À ce genre de choses, on répond simplement : « Il voit la paille dans l'œil du voisin, et pas la poutre dans le sien. » Ou « Charité bien ordonnée commence par soi-même. » Car Kingsley avait été bébé, lui aussi. Et parfois (dirait ma mère), il réagit encore comme un bébé soixante-dix ans plus tard.

Le bébé continuait de pleurer, et Kingsley de ronger son frein en renchérissant sur le mode mélodramatique. Je ne voulais pas le provoquer (j'attendais mon heure), mais je ne voulais pas non plus faire comme si de rien n'était. Je lui dis :

« Ce genre de chose, c'est drôle dans les livres[1], mais à part ça, c'est complètement nul. Tu te souviens de ce poème débile que tu as écrit ? "Les femmes, les pédés et les bébés / Pleurnichent au moindre incident."

— "Les femmes, les pédés et les enfants..."

— Et toi, c'est à quel moment que tu entres en scène ? Les types bien, ils interviennent quand ? "Mais les autres hommes..."

— "La gente masculine ordinaire / Qui mène le monde / Affronte le sort / Contre vents et marées.[2]"

— Comme toi. Des héros tranquilles. »

Je l'imitai : Kingsley et ses lèvres crénelées, son air

1. Par exemple, j'aime bien ce passage d'*Un Anglais bien en chair*, roman tout entier bâti sur la haine des enfants (nous avions quatorze, treize et neuf ans lorsqu'il est sorti) : « Il y avait de l'enfant en Joe, trait fort répréhensible, mais il était... [suit l'énoncé de ses qualités]. » Quant à « la pagaille » évoquée dans ce bel extrait de *J'en ai envie tout de suite*, elle suscite une antipathie tonifiante. Entouré de richards, le héros, Ronnie, s'interroge sur le prénom d'un Américain qui s'appelle Student Mansfield. « Ce n'était vraisemblablement pas un sobriquet qu'eût justifié le passé de Mansfield, sauf à lui appliquer l'antiphrase responsable du surnom de Gros Lard qu'on avait collé au maigre Upshot. Mais c'était une ironie britannique, et Mansfield était américain. Il y avait une autre éventualité, selon laquelle la prononciation enfantine de son propre nom "était restée", dans toute sa pagaille à peu près reproductible. D'où le nombre d'Oggie, d'Ayya, de Brumber, de Ploof et de Jawp que fréquentait Ronnie parmi les nantis et les membres de la haute société. »

2. Ce poème, le dernier de Kingsley, ne fut jamais publié. En voici la troisième strophe, qui le clôt sur une note tout à fait grotesque à mes oreilles : « À force de grimaces et de jurons contrits / Ils assurent la marche du monde. / Mais les femmes, les pédés et les enfants / Pleurnichent au moindre incident. »

d'héroïsme tranquille. Il aimait tellement voir ses fils l'imiter qu'il les bissait presque toujours. (« Refais voir. Refais-moi ça encore une fois. ») Il ne m'a pas bissé. De toute façon, un serveur arriva pour nous présenter la bouteille de vin, ce qui déclencha chez mon père une autre saturnale de soupirs et d'agacements féroces. Ce soir-là, je me demandais où le situer sur sa propre échelle d'ébriété : sept et demi ? Huit ? J'avais en effet l'intention de reprendre la discussion politique qu'on avait commencée la semaine précédente, et j'essayais de mesurer sa sobriété. Kingsley ne s'était jamais caché pour boire, mais l'alcool pouvait être responsable, dans son discours, de certaines impasses et de zones interdites : des terrains de discussion minés d'avance.

Je me demandai comment il réagirait si je le remettais en place sur Nelson Mandela.

Symposium : ce terme a largement dévié, ou dérivé, de son sens premier. À la mort de F. R. Leavis en 1978, j'ai réuni des mélanges pour faire un bilan de sa carrière dans le *New Statesman*, sous le titre : « Symposium sur F. R. Leavis ». Composé de contributions sobres et discrètes rassemblées en l'espace de plusieurs mois, le titre n'aurait pu représenter plus grand affront à l'étymologie. Car *symposium* signifie, ou signifiait, « banquet », « beuverie », « discussion conviviale » : il vient de *syn* (« ensemble ») + *potes* (« buveur »).

Or, c'est là ce que Kingsley aimait par-dessus tout. Mis à part l'adultère, peut-être, qu'il préférait dans la force de l'âge[1] ; mais un symposium lui procurait un plaisir beaucoup plus durable et moins ambigu — un amour qui s'épanouissait toujours en mai. Cette seule perspective lui faisait se frotter les mains si vite qu'elles semblaient sur le point de prendre feu. Débats à bâtons rompus, anecdotes (sans malveillance), numéros d'imitation, morceaux de bravoure, citations et récitations... Ah ! Ces récitations ! Quand nous veillions tous les deux jusque tard dans la nuit, je me disais parfois : « Mon Dieu ! Mais il connaît *toute la poésie anglaise.* » Dix vers par-ci, vingt vers par-là, tirés de Shakespeare, Milton, Marvell, Rochester, Pope, Gray, Keats, Wordsworth, Byron, Tennyson, Christina Rossetti, Housman, Owen, Kipling, Auden, Graves et, bien sûr, Larkin. En un sens, l'ivresse se tient à l'opposé de la création poétique (ce n'est que verbiage amphigourique), mais d'un autre côté, il existe un lien étroit entre les deux.

À mon avis, la critique que Kingsley avait faite des *Hautes fenêtres* de Larkin (1974) versait dans le sentimentalisme et la platitude, au risque de rabaisser la dimension sublime du poème. Elle commençait ainsi : « Quand tout le monde est couché, combien de poètes peuvent rivaliser avec succès avec un nouvel enregistrement de la symphonie en si bémol mineur de Tchaïkovski pour accompagner le dernier verre de whisky ? » Suit la liste de tous les poètes mentionnés ci-dessus (auxquels

1. Un jour, mon père a amené ma mère dîner chez sa maîtresse, elle-même mariée. Étaient également invités un autre homme et son épouse. Et c'est avec *cette dernière* que Kingsley a pris rendez-vous ce soir-là.

s'ajoutent Betjeman, le Macaulay de « Horace » et le premier R. S. Thomas). « Ils partagent, continue-t-il, une qualité d'immédiateté, de densité, de force qui, d'une certaine manière, s'apparente à ce qu'il y a de fort dans le whisky. » Je trouvais cette remarque tout à fait inconvenante, d'abord parce que *Les hautes fenêtres* était de loin le meilleur livre de Larkin, ensuite parce que c'était clairement son dernier. Mais je l'admets à présent, comme Larkin l'aurait sans doute fait si la boisson en question avait été du gin. Un jour, dix ans plus tard, pendant les premiers mois de sa liaison avec Jane, Kingsley m'a dit :

« J'ai eu une drôle d'expérience avec Byron l'autre soir. Comme j'avais une heure à tuer avant un dîner à Chelsea, je suis allé dans un pub et j'ai commencé à lire *Don Juan*. Au bout d'une demi-heure, je n'en croyais pas mes yeux, tellement c'était beau. Je savais que j'aimais *Don Juan*, mais là, c'était... oh ! c'était d'un tout autre ordre. Au moment de partir, j'ai jeté un coup d'œil à la cantonade et j'ai eu envie de demander aux clients s'il y en avait un, parmi eux, qui *savait* à quel point *Don Juan* était merveilleux.

— Donc tu as...., j'ai répondu en hésitant, tu as changé d'avis.

— Non. J'étais saoul. C'étaient mes premiers verres de la journée et, en fait, j'étais en train de me saouler.

— Avec l'aide de *Don Juan*, ce qui ne gâche rien.

— Évidemment. »

Se saouler : il ne fait aucun doute que c'était là une quête permanente chez lui. Être saoul avait ses avantages, mais se saouler était le meilleur moment. On trouve dans plusieurs livres de Kingsley la description, souvent poignante, du passage de l'acte à l'état. Et il remporte bien sûr la palme de la gueule de bois. Pourtant, nulle mièvrerie chez lui lorsqu'il reconnaissait que se saouler ou, à défaut, être saoul, était ce qu'il avait en tête. Prenez ces phrases enjouées de *I Like It Here* (où le terme « propriété » est remarquable de précision) :

> [Bowen] avait ajouté à l'adresse de Barbara [son épouse] que la bière était moins chère, tout en partageant avec le gin et le bourgogne la propriété de le saouler. Ce dernier argument n'ayant pas remporté l'adhésion escomptée, il se dit que, si jamais il entreprenait une carrière dans les vins, on verrait en haut de ses affiches l'inscription « Bière de Bowen » puis, dessous, au centre, une photo de [sa belle-mère] en train d'en boire en se tordant de rire et, enfin, tout en bas, en grosses lettres ou en caractères rehaussés, le slogan : « Ça monte à la tête ».

Pourquoi ? Pourquoi donc se mettre dans pareil état ? La vie d'un écrivain n'est qu'angoisse et ambition — et l'ambition, dans ce cas, n'est pas facile à distinguer de l'angoisse. Elle entre dans le désir de bien agir en fonction de son talent. Certains vont vouloir prendre du recul, si c'est faisable. Dans la préface de ses *Mémoires*, Kingsley remarque : « J'ai déjà parlé de moi dans une bonne vingtaine d'ouvrages, pour la plupart rangés sous l'appellation de romans. » Ces romans « n'ont strictement rien de biographique, mais en même temps, chacun des mots que j'emploie révèle un aspect de la personne que je suis. "*In vino veritas* ? Je n'en sais rien, m'a dit un jour Anthony Powell. Mais *in scribendo veritas* ? Rien de plus certain" ». Ce qui forme un autre lien. Dans le vin comme dans l'écriture, l'esprit conscient reflue et l'esprit inconscient afflue. Le même besoin s'impose de changer de décor. Reste l'éternel problème : la vieillesse, et la seule fin possible de la vieillesse.

On vient d'apporter à Kingsley ses croquettes au poisson. Pas un jeudi ne passe sans qu'il en prenne. Lorsqu'il avait trouvé quelque chose qu'il aimait (ou qu'il pouvait avaler sans peine), il avait tendance à s'y tenir. Dans les restaurants indiens, c'était du *rogan josh*. Toujours du *rogan*. « Pas moyen de se tromper avec le *rogan josh* », disait-il rituellement. Comme je dis maintenant :

« Pas moyen de se tromper avec les croquettes de poisson.

— Exactem... »

Sauf que Kingsley, aujourd'hui, se trompe dans les grandes largeurs avec ses croquettes. Il retire de sa bouche une partie de son dentier inférieur. L'appareil va passer le reste de la soirée à la vue de tous, à côté de son verre à vin, comme un signe avant-coureur de ce qui va bientôt m'arriver. Lorsque j'aurai fini mon roman, je dois partir en Amérique et m'en remettre aux mains de Mike Szabatura. De toute façon, je pars en

Amérique la semaine prochaine : pour voir Bruno Fonseca avant qu'il ne meure... Arrive le serveur, que je vois regarder la prothèse. Je redoute un instant qu'il ne la prenne pour un morceau de prosciutto qui serait tombé sur la nappe et qu'il ne la débarrasse prestement. Mais les tortillements furieux de Kingsley suffisent à l'intimider et à le faire disparaître. Je commence avec modération :

« La semaine dernière, je t'ai demandé si tu étais passionné par les événements qui se passent en Afrique du Sud, et tu m'as regardé comme si j'étais devenu fou. Tu m'as répondu que Mandela était un terroriste qui avait assassiné des femmes et des enfants et qui n'en faisait pas mystère.

— Ouais, c'est vrai.

— Eh bien, non, c'est... *faux* et tu as *tort*. Tu aurais du mal à trouver un extrémiste afrikaner pour tomber d'accord avec toi. Avec ce genre d'opinions, tu te ferais proprement virer d'un bar qui s'appellerait le Bourreau des Cafres. Les seules personnes à penser comme toi sont une poignée de centenaires qu'on appelle les Viernicht. »

Puis je lui ai envoyé une salve de références au visage.

Dans ma jeunesse, mon père m'a donné un tuyau sur ce qu'on boit à midi et l'ombre que ça jette sur ce qu'on boit au dîner. Prends tout ce que tu as bu au déjeuner (disait-il), multiplie les doses par deux et songe que tu as tout avalé d'un trait à six heures moins cinq. Je me suis rappelé ce principe lorsque, une heure plus tard,

Kingsley a terminé son verre de *grappa* et qu'il s'est dressé d'un air interrogateur. Il avait pris en bonne part ma plaidoirie pour Mandela, en se contentant de frétiller sur sa chaise et de répéter : « Tu comprends pas. *Tu comprends pas.* TU COMPRENDS PAS. » Jusqu'à ce qu'il finisse par se boucher les oreilles de ses deux mains et par fixer son assiette, ce que je ne lui avais jamais vu faire. Je me suis tu. Il a marqué une pause avant de reprendre :

« Changeons de sujet.

— D'accord. Mais laisse-moi te dire un truc. Trouve d'autres conneries sur Mandela quand je serai en Amérique. Parce que ce que tu dis là, c'est n'importe quoi. Changeons de sujet. Retournons aux femmes, aux pédés et aux enfants.

— Compris. Mais laisse-moi te dire un truc. Tu penches du côté où souffle le vent. »

Scellé par des liqueurs de feu, le dîner s'est terminé sur une note amicale, comme toujours. Mais sur le visage de Kingsley, qui émergeait alors de la table, se lisait une réelle inquiétude. J'avais sous les yeux le spectacle d'un abus d'alcool dont l'effet était aussi exponentiel que l'efficacité en était redoutable. Je lui ai tendu le bras.

Sur l'îlot entre les deux chaussées d'Edgware Road (cette artère perpétuellement mal famée, orientée vers le nord-ouest depuis le monument ostentatoire de Marble Arch, puis bordée de pubs, de débits d'alcool et de galeries de machines à sous en contrebas de l'autoroute, traversant ensuite Little Venice avant de se calmer du côté de Maida Vale, où nous habitions une maison avec Philip et Jane, trente ans plus tôt), Kingsley fit une chute. Une chute qui n'avait rien à voir avec un léger vacillement ou un trébuchement timide. Non ! Une opération d'une gestion colossale. D'abord ce fut comme un lent effondrement, qui me fit tout de suite craindre que Kingsley ne s'affale sur la chaussée, là où passaient voitures, camions et autobus crachotants. Ensuite, lorsque je le saisis, il me fit l'effet d'un gros navire qui penche dangereusement : allait-il se redresser ou s'abîmer ? Puis vint l'impression d'une totale dissolution et la perte de toute cohérence motrice. Je tâtonnais autour de lui, en cherchant des endroits contre lesquels il pourrait se maintenir debout, mais tout en lui tombait, chutait, cherchait le plus bas niveau, comme un affaissement de terrain.

Je finis par le ramener chez lui. Il avait retrouvé un certain équilibre, une certaine hauteur : je passai mon épaule sous son aisselle et je le soulevai. Mais toujours trois pour cent de comique dans cet incident. Même lorsqu'il avait la tête à hauteur du genou, les yeux ahuris par la peur, tel un homme qui disparaîtrait dans un marécage, il ne perdait jamais cette lueur d'amusement étonné devant ce qui lui arrivait — devant le poids qu'il transportait, l'attraction de la gravité, la roue du temps. Papa, tu as passé l'âge pour ces conneries, j'aurais pu lui dire. Mais à quoi bon ? Vous croyez qu'il ne le savait pas ? Tu as passé l'âge pour ça, papa, pour ce genre de blague, pour ce genre de circonstance. Passé l'âge.

Le Tournant

Jeudi 12 octobre. Kingsley a été transféré à l'hôpital St Pancras, juste derrière la gare de King's Cross : dans le Pavillon du phénix. Je suis à son chevet, je continue à lui infliger *Flash for Freedom* (on approche la côte du Dahomey). Honnêtement, je serais bien incapable de dire ce qu'il en retire. Il a la tête rejetée en arrière (il ouvre un instant ses yeux humides, puis les referme). Mais je suis content qu'il ne se tourne pas sur le côté, qu'il ne se détourne pas de moi.

Plus tard, le biographe a écrit (de manière peu plausible — mais je dois vérifier cette information) que ma mère s'attendait à me voir horrifié par le Pavillon du phénix, à tel point que je demanderais qu'on transfère Kingsley dans un autre service. De toute façon, ce n'est pas le cas. Je ne suis pas horrifié par le Pavillon du phénix.

Ce pavillon est un pavillon d'hospice. C'est ce que les détenus, en prison, appellent le couloir de la mort : le Tournant.

Eric Shorter, un brave type du Garrick, vient lui rendre visite. Le biographe, qui fréquente le même club que Shorter, est déjà passé. Après un mot ou deux avec moi, le visiteur se penche au-dessus du lit et demande, avec beaucoup d'affection et un peu de componction :

« Alors, Kingsley, comment ça va, *toi* ? »

Mon père m'a à peine adressé la parole depuis quelques jours. Il m'impressionne donc d'autant plus, et me fait rire, lorsqu'il lève le visage vers Eric Shorter et lui répond avec la plus grande clarté :

« Putain ! Vachement mal, mon pote. »

Après un silence, Eric émet vaguement l'hypothèse de visites ultérieures, de visites que d'autres habitués du Garrick pourraient lui rendre aussi...

« Je veux voir *personne*... *Personne* », dit mon père en se retournant ostensiblement sur le côté.

En se préparant à partir, Eric jette un regard autour de lui, secoue la tête et frissonne. Le frisson exprime son rejet total du spectacle.

Je veux voir personne. Ça ne peut pas être tout à fait vrai. Il veut à coup sûr voir sa visiteuse la plus fidèle : Sally.

Eric quitte la pièce au milieu de la scène.

C'est la mort par l'Insécurité sociale, pourrait-on dire. Et à partir de maintenant, il ne s'agit plus de jouer au petit jeu de la classe affaires, du service en chambre, de la femme de ménage promenant son tuyau d'aspirateur indifférent. On a atteint le Tournant et il ne reste plus que les transports publics : seconde classe pour tout le monde.

Les hommes sont assis droits dans leur lit, les yeux brillant d'une réprobation d'instituteurs, d'automobilistes indignés au volant d'antiques voitures, tandis que les femmes se regroupent, se tassent, se rassemblent autour de petites tables ou s'alignent en face de la télé dans la salle de jour. Sur le sol gît un cancéreux si diminué, si usé, qu'il rampe sur son matelas vers l'oreiller, pas plus grand qu'un enfant de deux ans.

Mais rien à redire. J'aimerais mourir ici. Pritchett consacre quelques lignes aux hôpitaux, dont il dit qu'ils donnent au corps « un sentiment d'importance » parce qu'on apporte son « talent de souffrance » à l'ensemble. J'aime beaucoup le talent de souffrance.

Ce qui m'entoure à présent, toutefois, et me remplit d'effroi, c'est le talent d'amour. D'amour surérogatoire. Voilà ce dont souffrent les infirmières, toutes couleurs confondues : d'un surcroît d'amour. Cet amour qui déborde, elles doivent venir lui trouver un exutoire ici[1].

On dirait qu'il y a une pellicule, une fine averse de poussière ou de vapeur, mais tout est propre — les choses et les gens. Kingsley est très propre et il commence, sans qu'on sache pourquoi, à retrouver sa beauté.

Tout à coup, il me fait sursauter en s'asseyant dans le lit et en marmottant quelque chose d'incompréhensible. Il répète, mais cela ne veut toujours rien dire.

Il a l'air de dire : « ... Borges. »

Bor-jess, comme dans Jorge Luis Borges. Je crois qu'il essaie de m'envoyer une bordée d'insultes. Il a injurié Philip et j'ai eu ma dose de « Putain ! » si jamais j'empiétais sur sa vision. Peut-être qu'il essayait d'injurier Eric Shorter — c'est concevable — ou Bernard, le pantin du pavillon. Bordel. Baratin. Peut-être « Bernard ». Bor-

1. Vérification faite. Ma mère s'attendait à me voir « horrifié » à l'idée que la maladie de Kingsley le condamne à l'hospice. « J'étais en réalité plus horrifiée par le côté privé du C.H.U., écrit-elle le 16 novembre 1999. [L']équipe d'infirmiers a éliminé l'hypothèse du C.H.U. par souci, respect & amabilité. Je devrais donc remplacer "l'horreur" par la tristesse, la perte du Père la conscience de ce qui est en train de se passer. »

jess... En tout cas, ce que Kingsley n'essayait pas du tout de dire (que cela soit clair pour permettre d'autres interprétations), c'était précisément Borges — qui figurait en bonne place dans le panthéon de mes auteurs fétiches, mais dont il se méfiait spontanément, pour lequel il n'avait pas de temps à perdre et qu'il n'avait jamais commencé à lire.

Rien à redire de ce côté-là non plus. Maman avait visé juste. « Tu as fini ton travail. » Tu as fait tout ce que tu avais à faire. Tu as fait tout ton travail.

Il ne fut pas perturbé plus de trente secondes. Puis il se tourna sur le côté, se détourna de moi.

Super chic

« Papa rentre à la maison. Papa rentre de l'hôpital, a dit Philip. Super chic. »

Rien à voir avec Superman ni avec les histoires de Flash, abandonnées un ou deux jours plus tôt. En réalité, c'étaient moi et Philip qui rentrions de l'hôpital, où papa continuait à reposer. Mon frère me racontait un rêve. Je lui dis :

« Il rentre super chic ?

— Il est juste allé à l'hôpital pour une cure de désintox et un régime amincissant. Mais là, il revient — super chic. »

Super chic. Vers l'âge de seize ou dix-sept ans, Philip et moi avions pour prof de maths, dans ce bahut anarchique de Notting Hill, un type de quatre-vingts ans qu'on appelait Chic Crunch. C'était le surnom qu'on lui donnait. « Crunch », c'est facile à deviner pourquoi : il crissait et grinçait des dents, de fausses dents. Il m'a inspiré le personnage de Greenchurch dans *Le dossier Rachel*, avec sa manie de laisser pendre son appareil jusque sur le menton avant de le ravaler et de le remettre en place. « Chic », c'est un peu plus dur à justifier. N'importe qui aurait trouvé le sobriquet « Crunch ». Mais d'où ce vestige ratatiné et tremblotant (qui s'était un jour ouvert la tête sur la portière de sa Morris 1000 *sans s'en apercevoir*) tirait-il ce surnom ? Tout simplement parce qu'à deux reprises il nous avait infligé un piètre blâme à cause de notre manque de ponctualité. Ça paraissait bizarre, venu de lui, et il n'en avait pas fallu davantage pour que le nom s'impose. « J'ai des devoirs supplémentaires. — Donnés par qui ? — Chic Crunch. » Ou bien : « Je suis en retard pour un cours. — Avec qui ? — Chic Crunch. »

« Il avait les cheveux super chic, dit Philip en continuant à raconter son rêve du retour de Kingsley. Il avait une voiture. Il rentrait avec Jane. Super chic. »

Dans Regent's Park Road, on est descendu du taxi et on a sonné à la porte. Alastair nous a fait entrer. Ma mère se tenait sur l'escalier.

« Il rentre à la maison, maman », nous lui avons annoncé.

Elle a lancé un regard circonspect par-dessus la rampe.

« Il a l'air en pleine forme. Il porte son pardessus doré. »

Ma mère a continué à nous observer. Elle n'était pas du tout convaincue.

« Et, bien sûr, il rentre au volant.

— Super chic. »

C'est la moindre des choses, ces moments de sursis comique. Je trouve à présent, dans mon journal, quelques exploits gênants accomplis sur le court de tennis.

Battu Zach 6-2, 6-2. Battu l'inépuisable David 6-2, 2-6, 6-4. Battu George 6-3, 6-3. Battu Ray (celui qui court jusqu'au Pays de Galles) 6-3, 6-1. Et même battu *Chris*, techniquement. Le score était de 4-6, 4-3. À ce moment-là, il a brisé *deux* nouvelles raquettes et quitté le court.

Ce dernier résultat est le plus remarquable parce que Chris, ex-champion de judo, n'a rien d'un glandeur : il joue bien et, en général, il me bat à plates coutures. Mais ce jour-là, il était opposé à un Martin Amis dont le père était en train de mourir. La donne était complètement différente. La première raquette, il l'a brisée avec colère. Quant à la seconde, il l'a calmement sortie de sa housse, l'a posée sur le sol, a mis le pied sur le manche et saisi le tamis pour le courber presque en deux. « Fini, le tennis, cette année », a-t-il murmuré en quittant le court à grands pas, sans ramasser les détritus flambant neufs qui le jonchaient. Les deux raquettes ressemblaient à des cintres.

L'été où je suis parti de chez moi, j'arrivais à peine à soulever une balle de tennis. Quant à une raquette... J'arrivais à peine à porter la main à mon front. Sur le court, je m'en sortais à peu près dans des parties de doubles mixtes avec des septuagénaires.

Mais là, avec mon vieux qui clamsait à l'hôpital St Pancras ? Il fallait me voir bondir à la hauteur du siège de l'arbitre pour rattraper les lobs de mon adversaire, tourbillonner sur la ligne de fond pour renvoyer ses revers liftés, courir pour amortir une balle... Quel *dynam*...

Pourquoi je me lève le pied léger ? Pourquoi je me réveille échauffé par l'idée qu'un bien tangible suit son cours et progresse ? Pourquoi mon corps est-il tout excité ? Pourquoi je me sens super chic ?

« Qu'est-ce qui m'arrive donc ? dit mon journal. Est-ce que je veux juste ne pas perdre la part d'héritage qui me revient ? Est-ce que je ne l'aime pas, *lui ?* Est-ce que c'est lui qui ne m'aime pas, *moi* ? »

« Oh ! Bernard a la tête sur les épaules.

— Bernard n'est pas né de la dernière pluie. Ça, c'est sûr.

— Bernard sait se servir de sa caboche.

— Bernard sait bien où est son intérêt. »

À St Pancras, ma mère n'est pas la dernière à plaisanter avec ou sur Bernard, le pantin du pavillon. Celui-ci donne l'impression d'avoir passé toute sa vie ici. Il flâne, bredouille, gargouille, sourit mollement, et ne dit presque jamais rien : il surgit, il plane. Pas facile de comprendre comment il en est venu à acquérir cette réputation de pertinence et de spiritualité. Mais une chose est sûre : elle lui colle à la peau.

« Je parie que Bernard se débrouille bien. Pas vous, ma chère ? dit ma mère.

— Oh ! Bernard a ce qui lui revient, lui réplique une infirmière.

— Je parie qu'il est plutôt futé.

— Bernard ? Oh oui ! Il peut s'occuper de lui. Pas d'inquiétude à avoir.

— Je m'inquiète pas. »

Et notre Bernard de lorgner ici et de planer par là : super chic.

Pendant ce temps, le chef de file des romanciers comiques de sa génération est couché sur le flanc, dans des ténèbres silencieuses. Visiblement, le biographe s'est attiré un « Salut, vieille branche » l'autre jour, mais tout ce que j'arrive à obtenir se limite à un grognement de tolérance lorsque je l'embrasse à mon arrivée et à mon départ. Kingsley a contracté « l'amie du vieillard » : une pneumonie. Il est sous morphine et sous antibiotiques. À la rechute inévitable de la pneumonie, on lui laissera la morphine, mais on supprimera les antibiotiques. Ça se passe comme ça en Angleterre... Lorsque je suis seul dans la chambre, ce n'est plus à mon père que je fais la lecture : je lis pour moi, tout en le surveillant du regard et en espérant, ou sans espérer, qu'il se réveillera. Le livre que j'emporte le plus souvent, ce sont les mémoires de Gore Vidal, *Palimpseste*, dont je vais faire une critique détaillée pour le *Sunday Times*. J'ai l'esprit à peu près net, mais je reste taraudé par un chaos douloureux d'émotions. Dans *Palimpseste*, par exemple, court en arrière-plan le thème, ou la blague récurrente, de la

Malédiction de Gore : tous ses ennemis, tous ses diffamateurs subissent un châtiment rapide et souvent définitif. Vidal a le sort de son côté, et je ne veux pas le tenter. Quel autre effet cette Malédiction pourrait-elle avoir sur mon père à présent ? Quoi de plus ? Elle pourrait rendre à son corps agonisant tout ce dont il est heureusement dépourvu : raison, bon sens, conscience. Je n'en veux pas.

« Oh, Bernard sait faire la différence entre les choses.

— Bernard connaît des trucs.

— Bernard sait de quoi il retourne.

— Bernard est plein de jugeotte. »

D'un seul coup, d'un mouvement atroce, mon père se soulève du puits de gravité de son lit et dit :

« Oh ! *Allez...* »

Je pense d'abord — réaction grotesque — qu'il parle de Bernard, de son élévation faramineuse et imméritée. Mais le ton est doux et empreint de supplications. Peut-être que c'est à nous qu'il lance cet « Oh ! *Allez* », à ma mère et à moi : cette mascarade démoniaque a tellement dépassé la conscience morale qu'on ne peut pas s'en tenir là. Peut-être que c'est à la vie qu'il s'adresse : arrêtez les détails, s'il vous plaît, arrêtez de couper les cheveux en quatre dans cet asile pour le troisième âge. Peut-être que c'est à la mort qu'il parle.

Il se recouche, ma mère le borde.

Ce sont là les dernières paroles qu'il a prononcées et l'on sait où elles tendaient. Reprendre ou terminer. Assez. En finir.

Je me dis ce que je me suis toujours dit. C'est ce que tous les écrivains se sont toujours dit, consciemment ou non. Ce qu'on ressent est universel.

Le père meurt, comme le sien est mort (et comme celui de ce dernier). L'inévitable est en route, on se prépare à se lever pour l'accueillir. « Un sentiment d'une lévitation imminente. » Oui, de *lévitation*, c'est le terme juste. De *lévitation* ou de vérité — mais c'est la même chose.

Les supermédicaments dans le corps attendent choc et souffrance. Ils sont capables de vous faire soulever un autobus pour dégager un bébé. Ils sont là pour vous aider à passer le cap, pour vous transborder de l'autre côté.

Les hôpitaux donnent de l'importance au corps. Le père à l'agonie donne de l'importance au corps. Le corps fait ce que le père ne fait pas : il vit. Jusque-là, on n'avait aucune raison d'en être frappé : d'être frappé que le corps vive.

On est en 1995, il est là depuis 1949. Le personnage intermédiaire s'efface à présent et il ne reste rien entre vous et l'extinction. À l'approche de la mort, on se rappelle tout ce qu'on a à faire : les enfants à élever et les livres à écrire. Le travail à accomplir.

On est maintenant en 1999, quatre ans plus tard jour pour jour, et ses livres sont partout dans ma chambre, sur le bureau, sur la table, par terre, dans la bibliothèque. Je dois sans cesse aller chercher celui dont j'ai besoin et je n'arrête pas de me dire : tous ces livres que tu as écrits, papa, tout ce travail que tu as fait. Les voilà, tes dernières paroles. *L'univers de la science-fiction* est sous *The Anti-Death League*. *The King's English* est sur l'*Œuvre poétique complète*. *What Became of Jane Austen ?* est appuyé contre *The Alteration*. *Les vieux diables* se cachent derrière *Sur la fin*. Tout ça, c'est toi, le meilleur de toi, et c'est toujours là, toujours en ma possession.

Bernard parle

Jeudi 17 octobre. J'entends un bruit sourd, suivi d'un vacarme dans le Pavillon du phénix : Bernard vient de faire une chute. Bernard est tombé et toute la cohorte des infirmières a surgi pour l'entourer et s'occuper de lui, plié sur le sol en robe de chambre.

« Oups ! Un petit accident. Voilà, relevez-vous.

— Bernard va bien.

— Bernard est solide comme un roc.

— Bernard ? Il se porte comme un charme. »

Cette semaine, je suis dans les journaux pour une raison bien connue. Oui, les journaux continuent à exister, mais on dirait qu'ils couvrent un univers parallèle qui ne ressemble que très fugacement au mien. Cette semaine, je suis dans les journaux parce que *L'information* ne figure pas dans la dernière sélection du Booker Prize. Pour autant que je sache, personne n'a relevé une autre absence, celle du dernier roman de Kingsley, *La moustache du biographe*, dont la sortie, si vous vous souvenez bien, a poussé à bout critiques et intervieweurs à la fois. Kingsley, qui se meurt, n'est pas dans les journaux.

Tout ce qui a été imprimé s'est résumé à un paragraphe jovial sur son incident et sur l'hospitalisation qui s'en est suivie. Ce qui ne fait pas grand-chose, comparé aux remous que provoquent mes problèmes dentaires dans le quatrième pouvoir. Aucun journaliste, par exemple, ne s'est infiltré dans le Pavillon du phénix pour révéler les dessous de l'histoire (alors qu'il s'en est trouvé un pour se glisser dans le cabinet de Mike Szabatura). À moins que ce journaliste ne soit Bernard, qui, je m'en rends compte, réussit de nouveau à rôder dans les parages et se rapproche souvent, comme pour écouter. Mais il n'y a rien à entendre... À la une des journaux, en particulier des tabloïds, le procès de Rosemary West. Lorsqu'il arrive au *Sun* de publier un article sur Kingsley, on le décrit comme l'auteur de *Jim-la-chance* et l'oncle de Lucy Partington.

Kingsley affiche une douce beauté. Il a les cheveux plus longs qu'à la normale, et ils ont l'air plus satinés, plus argentés. Comme il a minci, son visage a retrouvé son vieux visage, qui est son visage de jeunesse. Le premier jour où Kingsley a enseigné à Swansea, l'une de ses étudiantes s'est tournée vers ses camarades et leur a dit : « Reluquez bien, les filles ! On a affaire au talent, T majuscule. » Pas mal, pour sa pierre tombale, avec ces vers de son poème, « Rêve de jolies femmes » :

Dans le battement continu de la porte, des filles reprennent vie,
Aéronautes évanouies dans les hautes sphères
De l'ennui, qui plongent

Dans l'oxygène éclatant de mon hochement de tête ...
« Moi d'abord, Kingsley ; je suis la meilleure », dit chacune.
Mais aucune amatrice de bonne chaire ne descend dîner,
Et je ne me précipite pas à l'étage.

Mais je ne sais pas à quoi joue la nature, en ce moment, en lui redonnant une beauté pour moi. La nature devrait l'enlaidir pour que je le laisse partir plus volontiers.

Le patient s'agite et ouvre la bouche. Je suis obligé de dire que les dents de Kingsley étaient l'unique élément déplaisant de sa personne. D'où les nombreuses photographies de jeunesse, où il arbore un sourire tout à fait amusé en prenant soin de ne jamais entrouvrir les lèvres. Sa bouche est vide à présent. On dirait la douille d'une lampe d'appoint que l'on aurait retournée pour changer l'ampoule.

« *Il* a fait une chute. »

Aussi étrange que cela paraisse, c'est Bernard qui parle.

« Ça t'emmerde ?

— Ben oui. »

Bernard prend sur lui de me raconter l'incident avec beaucoup plus de cohérence que je ne le souhaiterais. J'aurais vraiment préféré changer de sujet. Si c'était un roman que j'écrivais, vous ne croyez pas que je voudrais faire une pause ?

Mais non. Délogées, peut-être, par l'effort ou la nouveauté de la parole, les *dents* de Bernard, ses *fausses dents* (de la mâchoire supérieure) ont commencé à glisser de sa bouche. Les voici qui sortent. Pendant un instant, il a l'air juvénile et potache, l'air d'un castor qui regarde passer les trains, mais il redevient tout de suite très vieux, catastrophiquement vieux. Serait-il le *fils* de Chic Crunch ? Une infirmière s'avance pour ôter doucement, habilement, le dentier folâtre et le mettre — nous y *voilà* — dans un récipient en plastique blanc qui porte l'étiquette (écrite en majuscules noires) DENTIER. Bernard ne relâche pas son large sourire.

Il y a un an, ça m'aurait donné la chair de poule. Mais là ? Maintenant ?

J'ai prudemment remis mon compte rendu des mémoires de Gore Vidal. Mille huit cents mots, qui coulent avec une belle aisance. Je crois que ce sont mes endorphines qui l'ont écrit. Une critique positive, ferme et sincère dans le ton, mais qui n'en attire pas moins l'attention sur certaines anomalies dans le caractère de l'auteur : sur son désir d'être à la fois au centre des événements et au-dessus de la mêlée. Je commence à regretter d'avoir dit que Vidal (comme Lear) a toujours su qui il était, mais faiblement. Le pouvoir de sa Malédiction est impressionnant. Et pourtant, je ne suis pas superstitieux. Nous savons en gros ce qui va arriver à Kingsley. Mais ce qui va nous arriver à nous, nous ne pouvons pas le savoir. Ma critique va paraître dimanche.

Dans les limbes (2)

On était en janvier 1974, la scène se passait à Lemmons, dans la maison qui donne sur le pré de Hadley et la forêt de Hadley.

Je me souviens qu'au petit déjeuner Kingsley avait eu l'air vraiment ravagé, comme sous le coup d'une gueule de bois pas piquée des vers ; mais c'était juste sa pénitence quotidienne, ses droits syndicaux à l'angoisse de la page blanche. Il en faisait les frais tous les jours. Tous les jours, il croyait qu'il allait passer dans son bureau et qu'il n'arriverait à rien. À rien de concret au bout du compte... Il finissait par émettre son barrissement d'éléphant blessé, signal infaillible d'une soumission furieuse, et il se levait d'un bond de sa table.

Son bureau était juste sous la chambre où je continuais à dormir le week-end et pendant d'autres séjours. Je l'ai donc entendu, ce matin-là, éclater de rire au bout d'une heure de travail : c'était le bruit d'un homme qui succombe, après un certain degré de résistance, à un amusement incontournable. Il écrivait *Sur la fin*, j'écrivais *Poupées crevées* (et Jane, dans le couloir du rez-de-chaussée, *Something in Disguise* [*Camouflage*]). Les romans des deux Amis étaient des comédies noires qui se déroulaient dans des maisons de campagne. Dans son livre, tous les personnages mouraient sans exception ; dans le mien, ils mouraient tous sauf un.

Il est venu me demander quelque chose et m'a trouvé en train de regarder par la fenêtre. À quatre-vingts mètres de la maison, au beau milieu du pré de l'autre côté de la route, s'étendait une pièce d'eau circulaire, entourée de policiers en civil. En y repensant, je sens ma mémoire tentée de broder et d'en rajouter : un homme en uniforme, un plongeur équipé d'un masque et de palmes. Mais non : trois ou quatre hommes debout autour de la pièce d'eau.

« J'ai envie de sortir pour leur demander s'ils vont aller y chercher Lucy », j'ai dit.

C'est la seule fois que mon père et moi avons jamais parlé de Lucy Partington. Depuis, un hurluberlu stipendié par la presse a été inventer qu'elle était une chouchoute de Kingsley, alors qu'il l'avait à peine connue (et qu'il est très dur, dans sa *Correspondance*, avec sa sœur Marian, alors âgée d'un an).

« Elle était comment ? » m'a-t-il demandé.

Qu'est-ce que j'ai répondu ?... Il n'y a pas longtemps, pendant l'été 1999, j'ai rêvé d'elle. Dans mon rêve, elle avait environ dix-huit ans et elle m'expliquait le fonctionnement complexe d'un ancien instrument de musique. Elle avait l'esprit vif, joyeux, encourageant. Et je sentais que c'était un *plus* dans ma vie. J'avais l'impression d'avoir découvert un *plus* non négligeable. En me réveillant, en reprenant mes esprits, c'est l'inverse que j'ai éprouvé : un moins dans ma vie, une vie de moins.

Qu'est-ce que j'ai répondu à mon père ? Quelque chose comme : Douce. Passionnée. Croyante, je pense. Intellectuelle, mais ingénue aussi. Elle n'avait pas encore eu de petit ami.

« Dans les limbes, comme on disait.

— Dans les limbes. »

J'ignore si la pièce d'eau a jamais été draguée. Vingt ans plus tard, en apprenant ce qui lui est arrivé, je me rappelle que Kingsley avait tendance à ne pas se mêler aux discussions que j'avais avec ma mère. Mais je savais très bien ce que le destin de Lucy avait suscité en lui : la haine de Dieu.

En repensant au Pavillon du phénix, je sais que c'est bien et j'ai toujours envie de dire aux infirmières : « Merci ! Mille fois merci ! » Mais ce lieu est un lieu de mort. Il arrive parfois que les images et les sons qui en émanent se combinent funestement avec ce que j'apprends de ce qu'a peut-être subi Lucy, et avec elle, toutes les autres jeunes filles. Je dois lutter contre une espèce de vision apocalyptique, où la chair humaine aurait été complètement paupérisée, et toute sa signification dépossédée[1].

1. Lors de son procès, Rosemary West ne nous a rien appris de la mort de Lucy — sans doute parce qu'elle n'en était pas coupable (voir Brian Masters, « *She must have know* »). En tout cas, elle n'a rien eu à nous apprendre. Un autre écrivain, Geoffrey Wansell, a commis un livre ignoble, *An Evil Love : The Life of Frederick West* [*Un amour maléfique : la vie de Frederick West*], où il s'autorise à concocter un décathlon de supplices endurés par ma cousine (« L'hypothèse est que... Il faut émettre la supposition que... Il doit au moins y avoir toutes les chances pour que... peut-être... sans doute... presque à coup sûr... La probabilité paraît très grande que... La possibilité paraît très grande que... La possibilité paraît très grande que... La seule conclusion possible est que... »). Mais le fait est que nous ne savons pas — et que nous ne saurons vraisemblablement jamais. À côté du corps de Lucy, on a retrouvé un bout de ruban adhésif

Visite nocturne

Vendredi.

Nous rentrions d'un dîner avec des amis et nous sommes passés devant l'hôpital... Ce qui m'a d'abord frappé, c'est la profondeur collective du sommeil après l'absorption de médicaments. C'est plus que du sommeil : il faut tenir compte de l'anesthésie. Toute cette souffrance droguée, piégée. Elle ne se fait pas sentir ni enregistrer, cette souffrance, mais elle arpente encore la chambre. Comme la mort arpente encore la chambre. L'air est lourd de cette souffrance piégée. Ni cris ni gémissements ; repos et silence de tous les malades alignés, regroupés, disposés en rectangles. On perçoit qu'ils rétrogradent, et qu'il ne leur reste plus que le

---

(avec une cordelette, quelques mèches de cheveux et deux barrettes), ce qui, en l'occurrence, paraît indiquer qu'à un moment donné elle s'est fait bâillonner. Une autre victime, Shirley Hubbard, quinze ans, a été retrouvée le visage presque tout entier englouti sous du ruban adhésif. Des tubes en plastique, comme West en utilisait pour siphonner l'essence, avaient été insérés sous le masque et introduits dans ses narines. Avait-il fait le tour du corps de Shirley en déroulant le ruban ? Me reviennent à l'esprit les propos de Kingsley sur la signification du visage des femmes... Lucy n'a pas mis longtemps à mourir. Je crois pouvoir dire que c'est ce que je pense aujourd'hui. Du haut de sa jeunesse perspicace, Stephen West a fait remarquer que son père battait en retraite dès qu'on lui opposait une résistance acharnée. Et Lucy, la présence de Lucy, possédait une grande *puissance*. La peur, cette nuit-là, empruntait diverses directions, et West était loin d'être immunisé contre elle. C'est le fond des choses. La nature de cette peur *ne risquait pas* de l'échauffer. Il avait donc voulu en finir le plus vite possible.

labeur animal, à cause de cette impression de grange qui se dégage, d'une grange ensoleillée où sont séparées vieilles poules et brebis d'un côté, vieux chiens et chevaux de l'autre. Ici, les vieilles amours ; là, les vieux diables.

Isabel a arrangé son pyjama et lui a passé la main dans les cheveux pour les lisser.

Chez Homère, les dieux se délectent d'assister aux sacrifices en leur honneur. La vénération leur donne un plaisir physique, mais ils se régalent aussi de la fumée, des fragrances. Comme le cœur du dieu de la souffrance a dû palpiter à la vue de tous les sacrifices, de tous les actes de propitiation qui lui étaient adressés ce soir-là, à grand renfort de bols, de lavements et de seringues hypodermiques.

Sueur de l'agonie

Samedi.

Lorsque j'arrive vers l'heure du déjeuner, Sally est dans la chambre. Elle y a passé toute la matinée. Elle reste assise avec lui des heures et des heures, à l'apaiser, à le bercer. Au bout d'un moment, je me propose de la reconduire chez elle, mais juste pour une pause, parce qu'elle va revenir.

Son appartement est d'une propreté impeccable. Il est aussi (comme toujours) incroyablement petit. Je dis souvent que si on téléphone à Sally, on peut raccrocher après une sonnerie : impossible que l'appareil ne soit pas à portée de la main. Malgré l'exiguïté des lieux, il y a tout un coin de l'appartement formé par ce que les journaux appelleraient un « autel ». Un autel consacré à Kingsley : des exemplaires signés de ses livres, des photos et des souvenirs. Sur l'étagère se trouve également un ouvrage publié par les Presses Universitaires de Caroline du Sud, intitulé *Understanding Kingsley Amis* [*Comprendre Kingsley Amis*]. Je tire de mon sac un volume que je viens de recevoir dans la même collection : *Understanding Martin Amis*. On tombe tous les deux d'accord pour penser qu'on doit lire ces livres avec soin et que deux ou trois autres du même genre ne seraient pas superflus.

Le studio de Sally est vraiment minuscule. En rentrant chez moi à Notting Hill (chambre, bureau, salon et cuisine), j'ai l'impression de pénétrer dans un grand magasin. Ces heures sonnent creux.

Le Pavillon du phénix, au milieu de la nuit, me rappelle un livre que je connais bien : *Big Red Barn* [*Belle grange rouge*] (de l'auteur de *Goodnight, Moon* [*Bonsoir, lune*]). Les animaux sont à l'étable et dorment à poings fermés, « Tandis que la lune poursuit sa course / Tout là-haut près de la grande ourse ». « Les petites chauves-souris noires se sont envolées / De la grange à la fin de la journée. » De loin, on les voit sortir par une fenêtre du haut, comme de la fumée. Les chauves-souris me font penser à toute cette souffrance prise au piège.

En 1948, l'université de Tucumán, en Argentine, a commandé à mon père un livre sur Graham Greene :

quelque chose comme *Comprendre Graham Greene*, aussi bien. Payé 1 500 dollars, une somme qui paraissait astronomique. Le 6 août, neuf jours avant la naissance de mon frère et trois mois avant ma conception, Kingsley a écrit à Larkin :

> J'ai des nouvelles pas terribles sur ces foutus dollars : j'ai demandé à mon père de s'informer et il m'a rapporté, de source sûre, qu'ils valent chacun 1 shilling. 1500, ça fait 75 livres, 7 shillings et quelques, ce qui n'est pas mal, mais pas aussi bien que ce qu'on croyait au départ.

Il a terminé le livre et l'a envoyé. À l'autre bout, quelqu'un a perdu le manuscrit. Il n'a jamais été publié. Et mon père, jamais payé. Mais on aurait du mal, aujourd'hui, à trouver de la place pour ajouter *Comprendre Graham Greene* à sa liste de publications sur une jaquette. Pourtant, dans le pavé que forme sa *Correspondance*, il ne cesse de ressasser ce qu'il se reproche : et ce qu'il se reproche, c'est sa paresse.

S'il lui reste quelque trace d'inquiétude, désormais, elle a pour origine la culpabilité. Il n'arrive pas à croire que tout le travail a été fait. Chez lui, sur son bureau, attend la moitié d'un roman intitulé *Black and White ;* l'autre moitié est toujours en lui, enfouie quelque part.

Rechute de sa pneumonie, pour laquelle on ne le soigne pas. J'ai l'impression que son corps ne manque pas d'une certaine force physique, en fin de compte, mais qu'il a bien du mal à comprendre ce qui lui arrive, ce corps qui lutte pour rester en vie, qui lutte pour quitter la vie. Les poches d'air de ses poumons sont pleines de matière. Il doit respirer d'autant plus fort et d'autant plus vite pour recevoir l'oxygène dont il a besoin. Qu'est-ce que c'est dur, de mourir. Une course haletante. Grande sueur de l'agonie, disait le poète divin en désignant la bataille à livrer. On peut étendre la portée de l'expression. Mon père fait ce qu'il a toujours fait. Comme lorsqu'il se rendait dans son bureau au milieu de la nuit pour taper ses *i*, ses *o* et ses mouettes, ses mouettes... Il s'acharne et s'échine à cheminer vers l'événement essentiel de la vie, qui y met fin.

Mon père s'est tourné sur le côté et s'est détourné de moi. Il me montre comment on s'y prend. On se tourne, on se détourne, on exécute l'agonie.

Dimanche.

Lors d'un des tout derniers dîners du jeudi, Kingsley m'a dit qu'au plus vulnérable de ses insomnies, il avait tendance à s'inquiéter pour Sally, pour ce qu'elle ressentirait une fois qu'il serait mort. Un soutien général moins grand, a-t-il soufflé, un but moins évident aussi... Une intuition, « un drôle de pressentiment » a réveillé Sally à deux heures du matin (« J'ai senti qu'il avait besoin de moi »). Elle s'est habillée, elle a rassemblé ses affaires et elle a foncé à l'hôpital.

C'est le jour où on est passé à l'heure d'hiver (au printemps, on avance ; à l'automne, on retarde) et nous nous sommes retrouvés à cette période de l'année où la nuit tombait tôt. Comme convenu, j'ai rencontré Philip devant l'hôpital. Il était midi. J'avais sous le bras le journal du dimanche où était parue ma critique de Gore Vidal... J'ai suggéré de prendre le temps de fumer une cigarette ; nous nous sommes assis et nous avons parlé dix minutes — ce qui nous a été relativement facile, la présence de la peur n'empêchant pas l'absence de regret. Cela n'a strictement *rien* d'universel. Lorsqu'on lit ce qu'écrivent des écrivains sur la mort de leur père, lorsqu'on lit ce qu'a écrit Kingsley sur la mort de son père, c'est l'impression de regret qui ressort. Pour tout regret, mon frère et moi aurions juste voulu qu'il continue à vivre. Mais nous nous étions expliqués avec lui, nous avions bien profité de lui. Et pendant que nous fumions, assis sur le rebord d'une plate-bande circulaire, dans les percées de soleil sous les nuages qui filaient rapidement, notre père est mort.

Exact, tout à fait exact : c'est Sally qui était avec lui. Elle ne l'avait pas quitté pendant dix heures... Lorsque nous avons débarqué dans la chambre, quelqu'un tirait les rideaux blancs autour du lit, et Sally se tenait au milieu de la pièce comme une pile électrique, comme un caractère en italique — comme si elle avait tant de tâches à accomplir qu'elle était absolument incapable de savoir par où commencer. Philip a tressailli et reculé pour ne pas voir le corps, je lui ait dit qu'il devait y aller, que c'était son devoir ; en avançant avec lui vers le lit, je l'ai senti m'attraper par le bras, comme nous nous étions agrippés l'un à l'autre des centaines de fois quand nous étions enfants, si jamais planait une menace de réprimande. Il s'est ensuivi un moment d'horreur extraterrestre : dans le lit de Kingsley gisait une silhouette meurtrie sous le drap (c'est papa qu'on assassine !) — mais c'était quelqu'un d'autre, quelqu'un de différent, un nouvel arrivant qu'on isolait du monde dans ses couvertures. Notre père était plus loin, de l'autre côté des rideaux que j'ai entrouverts. La chimie de la mort était à l'œuvre, le faisant passer de l'alkaline à l'acide. Les couleurs de la mort, les verts et les indigos, telles des teintes de caste, beaucoup plus vives que les couleurs de la vie. Comme pour repousser quelque chose, il avait la main en l'air (convulsée, marbrée) et le bracelet en plastique autour du poignet qui portait son nom.

J'ai arpenté ardemment. Il y avait des choses à faire (réconforter Sally, appeler maman, remercier les infirmières, signer des papiers), puis j'ai arpenté ardemment. Chariots, déambulateurs, fauteuils roulants ; paniers à linge propre, paniers à linge sale ; la « salle de jour », avec ses puzzles, ses jeux de société, ses livres de poche datant d'avant-guerre, un film en noir et blanc qui passait à la télé surélevée. Bernard était toujours là, juste un peu à l'écart. Je l'ai dévisagé... comment ? Je l'ai dévisagé avec un air de défaite. De défaite. Et lui, blasé et insouciant comme d'habitude, se reposant sur ses lauriers. Pas de doute, il lui en fallait plus que la mort d'un écrivain pour lui faire perdre contenance. Il fallait se lever de bonne heure pour l'embobiner, celui-là... Le nouvel arrivant qui avait pris la place de Kingsley avait arrêté de gigoter. À plusieurs reprises, il m'enjoignit de m'approcher en fronçant les sourcils d'un air autoritaire. Je me souviens de cette mimique. En sortant dans la rue à toute allure, obligeant une voiture à faire un écart ou à se fracasser, j'allais la revoir, cette mimique, sur le visage figé du conducteur derrière le pare-brise. Aujourd'hui, un air si autoritaire faiblit ou diminue chez les vieux maîtres d'école. Car on est à l'école (même bâtiment de briques rouges), on est à Swansea, on est dans l'enfance : tout a un demi-siècle de retard sur le présent. L'horloge incurvée vers le bas, le Monopoly, la télé en noir et blanc. Mon frère et ma sœur sont là, ma mère va arriver ; mon père n'est pas là, mais il n'est pas loin : sans doute dans son bureau, en train de se mettre au travail.

Excuse-moi, Sally, mais il n'y a rien d'urgent qui t'attende. Il a fini son travail et tu as fini le tien. Il n'y a rien d'autre à faire.

3. *Les deux magies*

Novembre 1996

« Ça, dit mon adversaire (Zachary Leader), c'est un homme qui va avoir un bébé. »

Il était allé aux toilettes du club de sport, pendant un arrêt de jeu entre les sets. De retour sur le court, il s'attendait à me voir fumer une cigarette sur le banc.

Je faisais des tractions sur la ligne de fond.

J'étais un homme qui allait avoir un bébé.

La semaine auparavant, j'avais orchestré la cérémonie à la mémoire de Kingsley à l'église Saint-Martin-in-the-Fields, à Trafalgar Square, devant un large public où se pressaient de nombreux romanciers, dont Ian McEwan, Salman Rushdie, Piers Paul Read, A. N. Wilson, William Boyd, David Lodge, V. S. Naipaul[1] et

1. Ma relation avec V. S. Naipaul est agrémentée d'une douce symétrie qui suffirait à en tirer (dans un style peut-être un brin démodé) une nouvelle. Deux de ses préceptes sont célèbres : le manque de ponctualité est inexpiable, et il ne faut « jamais laisser une seconde chance à quelqu'un ». Quand nous nous sommes rencontrés la première fois, je me suis donc dit

Iris Murdoch[1]. Il y avait Hilly, il y avait Jane. Il y avait Delilah, bien sûr, et Louis et Jacob, et ma nièce Jessica, la fille de Philip. Une autre petite fille était là aussi, mais qui ne s'était pas encore aventurée dans le vaste monde. Kingsley n'a jamais connu l'aînée de ses petits-enfants. Pas plus qu'il ne connaîtrait jamais la dernière,

---

que c'était la dernière. Car, pour lire un poème lors de la messe de souvenir en l'honneur de son frère Shiva, j'étais en retard. Un retard important, un retard éhonté. J'avais choisi quelques vers d'Auden ayant échappé à l'autocensure de l'auteur pour apporter ma contribution à la mémoire du défunt, si attachant et si doué de son vivant : « Le temps qui ne supporte / Ni les courageux ni les innocents, / Et qui oublie en une semaine / Un beau physique, // Vénère la langue et pardonne / Tous ceux qui la font vivre. » Mais Sir Vidia a l'air de m'avoir excusé. Lorsque je lui ai envoyé une invitation pour la veillée funèbre de Kingsley, je n'ai pas pu m'empêcher d'ajouter ces quelques mots (était-ce pour implorer son pardon tacite ?) : « Ne soyez pas en retard. » Parmi les bancs de Saint-Martin-in-the-Fields, je lui ai remis cet épisode en mémoire ; son regard s'est vite dirigé vers les cintres de l'église à la pensée d'une telle faute de goût. « Je n'étais pas... en retard », a-t-il dit. À tort peut-être, ou par manque de lucidité, j'ai senti la reconnaissance des pécheurs absous. Ou la reconnaissance de quelqu'un qui s'est vu accorder une seconde chance.

1. Iris, grande amie de mon père (il s'inclinait devant son intelligence), est morte de la maladie d'Alzheimer en 1998. À l'époque, son entourage cachait discrètement son état de santé en prétextant une crise d'inspiration. Pendant la réception d'après messe, au Garrick, je lui ai dit qu'elle vivrait assez longtemps pour repenser à ces instants et qu'elle retrouverait les mots pour les raconter. Mais ce ne fut pas le cas. En 1990 ou dans ces eaux-là, le *Sunday Times* me proclama écrivain de l'année, et il s'ensuivit un dîner public où des lecteurs pouvaient côtoyer le milieu littéraire en achetant leur couvert — ce qui était le but recherché. Iris et John étaient venus, et elle m'attira vers elle pour m'embrasser fermement sur la bouche de ses lèvres charnues. Insigne marque d'honneur que ce *baiser* — et je ne me privai pas de le lui dire. Les Bayley étaient de vrais excentriques, de vrais rêveurs, mais ils étaient aussi doués d'une présence physique animée, échevelée, moite, intime. John était capable de sortir une olive du fond de la poche de son pantalon en disant : « Tiens, elles sont dé-li-cieuses. »

bien évidemment. Cela faisait un an jour pour jour qu'il était mort.

L'essentiel de la vie, ce sont ces miracles ordinaires, ces catastrophes ordinaires.

« Elle est donc à Oxford, maintenant, répondit Salman Rushdie lorsque je lui parlai de Delilah. Elle est déjà à Oxford.

— En histoire. Deuxième année.

— Tout à fait intéressant, cette tactique. Directement à la cérémonie de remise des diplômes, sans passer par la case des couche-culottes.

— Exactement. »

Je me calmai (j'avais alors quarante-sept ans) en m'amusant à détailler cette tactique. La solution d'Oxford, la solution émérite (où le titre du père est tout juste honorifique), expliquait que nous ayons choisi la clinique St Mary pour l'accouchement : c'était la plus proche de la gare de Paddington. Dès que le bébé serait né, je l'expédierais à Oxford. Je savais que ce programme contenait un vice de forme. Je ne m'attendais pas à être surpris lorsque le téléphone sonnerait et qu'on me dirait que le bébé ne savait ni lire ni écrire, ni marcher ni parler, et qu'il était constamment en larmes. Et qu'on allait donc le réexpédier, ou le renvoyer à Londres... En vérité, j'étais prêt pour un autre enfant (je me préparais à avoir un autre enfant), mais je ne me cachais pas de vouloir une fille. J'avais bien Delilah, à présent, mais je ne l'avais pas élevée. Or, c'est une fille que je voulais élever. J'avais très envie de voir comment vit l'autre moitié du genre humain.

À ce stade, cependant, il me fallait reconnaître que le bébé avait tout l'air d'un garçon. Il était haut dans le ventre de sa mère, comme on le dit des garçons, et il gigotait avec une violence masculine un peu suspecte. Ce n'était pas la peine de « sentir le bébé bouger » : on le *voyait* bouger. On aurait dit qu'il essayait de sortir du ventre, tellement il tambourinait de ses petits poings. Nous aurions pu en avoir le cœur net en passant un coup de fil, mais c'était une commodité moderne dont je voulais me passer, une tentation moderne à laquelle je voulais résister. *On ne doit pas savoir*. Cette nécessité de l'incertitude, le moment de la naissance la confirme pleinement. Vers la fin de l'accouchement, on arrête de penser « fille » ou « garçon » et on se met à penser *bébé*. Bébé, bébé, bébé. Au moment de la naissance, la nature semble annuler la question du sexe ; ce n'est même pas un détail. On ne doit pas savoir. Sinon, l'expérience que l'on vit échappe à l'universel. On s'isole de ses ancêtres et de toute l'humanité passée.

Bien entendu, j'étais prêt. L'essentiel de la vie, ce sont ces miracles ordinaires, ces catastrophes ordinaires. Dans un miracle ordinaire, deux personnes entrent dans la salle d'accouchement et il en sort trois. Dans une catastrophe ordinaire... j'allais dire que deux personnes entrent et qu'il n'en sort qu'une. Mais en réalité, il n'y en a qu'une qui entre, et il n'y en a aucune qui sorte.

J'ai appelé Rob pour lui annoncer : « Le King est mort — Eh bien, je trouve ça *très triste...* », a-t-il répondu. C'est aussi ce que je pensais : que c'était *très triste...* « C'est comme si on perdait une partie de soi, non ? » me demanda Chris au club de tennis. Oui, ça fait exactement cet effet-là. On sait qu'on vit une expérience essentielle lorsqu'on est saisi par un cliché dans toute sa puissance originelle. D'autres expressions de condoléances, d'autres manifestations de sympathie me restent à l'esprit : la douceur des infirmières à l'hôpital, le long message passionné de Dmitri Nabokov[1], la lettre de Pat Kavanagh, la lettre de Gore Vidal. Pourtant, la Malédiction de Gore n'a pas tout à fait fonctionné cette fois-là ; elle est arrivée à temps, mais d'une certaine manière, elle a raté son but.

Le jour où mon père est mort, j'ai emmené mes deux fils et leurs copains de toujours (deux frères, eux aussi) manger une pizza dans le quartier de Shepherd's Bush, puis faire un tour à Wormwood Scrubs, vaste terrain de jeux pelé comme une lande à l'abandon et dominé par ses institutions tutélaires : l'hôpital, la prison (où Rob fit un séjour et où je fis un jour une lecture de *London Fields*). Ces quatre garçons, je les avais vus au sein de

1. Le fils unique de Vladimir et de Véra Nabokov : alpiniste, coureur automobile, chanteur d'opéra et, bien sûr, principal traducteur de l'œuvre de son père et gardien de sa mémoire.

leur mère, et ce jour-là, ils formaient presque une demi-équipe de foot... Jamais ne diminue mon sentiment d'incrédulité face à mes enfants. Il me suffit d'en contempler un : impossible de croire qu'un être à la création duquel j'ai participé a acquis une telle silhouette, une telle substance, un tel volume. Il faut les voir remplir une voiture ou une pièce dans la maison. Et dans le bain, quelle masse d'eau ils déplacent !

Un peu plus tard, assis sans bouger dans la cuisine, je me suis senti au centre d'un grand néant circulaire. À la naissance de son propre enfant, on chancelle dans le vide apparent de la rue : le monde s'est poussé pour faire place au nouveau venu, mais le monde a exagéré en libérant tant d'espace que l'on ne peut qu'y chanceler. La mort ne produit pas un effet symétrique. Elle crée de l'espace, elle aussi, mais un espace qui vous isole et vous coupe des autres en son sein. Mourir un dimanche : c'était du Kingsley tout craché. Et le dimanche où l'on passe à l'heure d'hiver, en plus : jamais de demi-mesures.

Dans la lumière artificielle de la salle de bains, alors que je me regardais pendant une bonne minute dans le miroir, la sensibilité à fleur de peau, une espèce d'hallucination à laquelle je consentais à moitié est venue me barbouiller des teintes de la mort, des jaunes et des verts que j'avais vus dans le Pavillon du phénix. La mort est censée ne rien rendre (rien !), mais elle va sans doute jusque-*là* pour le fils. Dans mon cas, elle approchait, elle se concrétisait, elle montrait — ou masquait — ma propre mort sous les couleurs du cadavre de mon père. On avait déjà changé d'heure et je n'avais jamais été spectateur d'un crépuscule si gigantesque. « Le King est mort, j'ai dit au téléphone. — Eh bien, je trouve ça *très triste...* » Après avoir appelé Rob, j'ai appelé Saul. Que j'hésite beaucoup à déranger en temps ordinaire. Pour des raisons égoïstes, je ne veux jamais le déranger ou le distraire. Je préfère le laisser continuer à écrire ce qu'il est en train d'écrire pour que je puisse le lire quand ce sera fini. Mais j'ai passé ce coup de fil. Un coup de fil sans scrupule, un coup de fil sans anticipation de la suite. J'ai dit d'un ton morne : « Mon père est mort aujourd'hui. » Et lui m'a répondu ce que j'avais rudement besoin d'entendre.

La nuit, de fait, est tombée tôt, comme il fallait s'y attendre avec le passage à la nouvelle heure.

« Tu as beaucoup changé depuis la mort de ton père, dit-il.

— En quel sens ?

— Tu es plus posé. Fini, le môme.

— Mon Dieu, oui. Le *môme* ? »

La scène se passe beaucoup plus tard : en 1997. Nous étions assis, avec Janis, sur la banquette d'un café-restaurant à Boston. Autour de nous, une équipe de la télévision remballait son attirail encombrant ; elle venait de tourner les dernières images d'une émission littéraire intitulée « Saul Bellow Gift » [« Le don de Saul Bellow »] (j'avais proposé de l'appeler « Saul Bellow véritable »). L'ambiance artificielle, les règles de l'environnement que nous subissions depuis deux ou trois jours (la mise en scène des conversations, le harcèlement innocent des bruits de fond et de passants curieux) s'estompaient petit à petit et nous redevenions à peu près nous-mêmes. J'allais avoir quarante-huit ans ; lui, quatre-vingt-deux. Au cours de nos discussions, je l'avais interrogé sur la mort, sur « la lucidité plus ou moins agréable qu'on trouve au bout de la vie », et j'avais été surpris de l'entendre me répondre : « Je pense parfois que je *suis* mort. » Ce qui semblait préfigurer une nouvelle lutte que je n'avais pas envisagée : la lutte pour croire qu'on est en vie.

Dans le café-restaurant, je lui avais dit, comme j'en avais l'intention :

« Vous vous souvenez que je vous ai appelé le jour où mon père est mort ? Vous avez été formidable. Vous m'avez dit la seule chose qui pouvait m'être utile. La seule chose qui pouvait m'aider à franchir le cap[1]. Et je vous ai répondu d'un ton morne : "Vous allez devoir être mon père, maintenant." Ça a marché, ça continue de marcher. Aussi longtemps que vous vivrez, je ne me sentirai pas tout à fait orphelin. »

On est en 1999 et ça continue de marcher. Mais je ne dois pas empiéter sur le territoire occupé par Gregory, Adam et Daniel — et par un quatrième enfant attendu pour la fin du millénaire. Je crois que j'ai le droit de citer un passage d'une lettre que j'ai écrite à Janis, quand j'ai appris la nouvelle, parce que je ne fais que

1. Au moment de prendre congé, il m'a glissé : « Je t'aime beaucoup. » Je ne suis pas son fils, c'est sûr. Tout juste son lecteur idéal. Mais pas le lecteur idéal de mon père. C'est assez drôle, mais son lecteur idéal *à lui*, c'est Christopher Hitchens.

citer mon père[1]. « Le plus dur, c'est de croire qu'un bébé a tant de résistance. Une résistance *acharnée*, une résistance de fanatique... Tu sais que ça vaut aussi pour Saul, n'est-ce pas ? Tu vas garder une partie de lui, une moitié de lui, à tout jamais. »

L'émissaire

Ma vie, me semble-t-il, est informe à en être ridicule. Je connais les ingrédients d'un bon récit, mais les vies n'en sont guère pourvues : structure et équilibre, harmonie, ampleur, plénitude. Il arrive souvent qu'une Vie, du moins au départ, paraisse promise à un happy end : mais la seule forme que *la vie* manifeste à coup sûr est celle de la tragédie — sauf qu'il lui manque le grandiose apparat de la vengeance, de la roue de la fortune, de la faute fatale. La tragédie suit la courbe de la bouche sur le masque tragique (et il en va de même, à l'inverse, pour la comédie). On s'élève jusqu'à un sommet, puis on redescend vers un point situé à la même hauteur que le point de départ. C'est la seule forme réelle que prend normalement la vie — et encore une fois, inutile de chercher une cohérence aux images ou une unité thématique[2].

1. Voir la fin de *Difficulties with Girls*. Naomi Rose Bellow est née le 23 décembre 1999.

2. Kingsley a composé un bon poème sur ce sujet, « L'énorme artifice », dans lequel un plumitif moralisateur (dans la lignée de Leavis) passe en revue toute création : « On peut être certain, même à ce stade, / Que le sérieux digne de mobiliser / Nos plus profonds jugements critiques / Est

J'avais une cigarette à la bouche. Elle se faisait implorante, elle réclamait de flamber. On attendait des consignes qui devaient être transmises par les autorités de l'étage supérieur... C'était le début du mois d'avril 1996, j'étais à New York où je terminais une courte tournée promotionnelle. J'étais assis dans une loge d'un studio de télévision, mon briquet prêt à l'emploi. Le message parvint du dessus : « La vedette peut fumer. » Ce que je fis. La vedette savoura ce moment.

Le lendemain, en entrant d'un pied mal assuré dans le hall de mon hôtel, je fus accueilli par un vieil ami.

« *Encore ?* demanda-t-il.

— *Encore* », je répondis.

« Encore » avait deux acceptions. La première s'expliquait par certains signes dus à mon apparence physique : le mouchoir en papier ensanglanté appliqué à une bouche enflée dont sortaient des bouts de gaze. La seconde acception, le second « encore », tenait à l'Affaire du biographe de KA (ou à l'affaire des « volontés » de KA[1]) — tempête qui se déchaînait encore faiblement dans les journaux anglais.

---

introuvable ici », commence-t-il en manière de préambule. Puis il poursuit : « Les concepts rarement surpassés / En termes d'ignorance, de pure méchanceté — / Que l'habitude de l'indifférence est moins / Destructrice que l'étreinte de l'amour, que les fautes / Restent ou bien impayées ou mille fois remboursées, / Que les tendres connaissent le chagrin —, tout cela se retrouve / Dans des scènes, des dialogues, des commentaires, et se voit confirmer / Par l'action principale, manifestant ainsi / Une inhumanité au-delà du désespoir. »

1. Ses volontés posthumes, auxquelles on m'accusait de faire obstacle. Voir l'appendice.

« T'en auras donc jamais fini. Il y aura toujours un autre *encore*. »

Todd Berman venait de m'arracher une molaire inférieure : à la place, un trou béant. La dent avait annoncé sa fin à Nashville, l'Athènes du Sud, mais elle avait tenu bon, presque à angle droit de la gencive, lors de mes séjours à Miami et à Philadelphie. L'extraction n'eut rien d'une formalité : trois piqûres, deux points de suture, un intermède sanguinolent en salle de réanimation[1]. On me fit alors passer une radiographie « panoramique » : vêtu d'un gilet de plomb, j'étais attaché dans un fauteuil tandis qu'un appareil patrouillait au-dessus de mon visage, sans se presser, mais sans rien rater. Comme d'habitude, la claustrophobie fit son entrée en étouffant un toussotement poli. On ne peut pas s'en

1. Ma mâchoire inférieure attendit l'été de ma quarante-neuvième année pour déclarer forfait. Je n'eus à m'en passer que pendant les dix minutes qu'il me fallut pour me rendre du cabinet de Todd Berman à celui de Mike Szabatura. Ma lèvre inférieure, toute molle à cause de l'anesthésie, me pendait sur le menton comme la langue d'un chien. « C'est du joli ! » se moqua Mike lorsque je me hissai dans son fauteuil. Il parlait de la greffe osseuse sous les incisives disparues. Puis il vissa et souda l'implant à sa place : c'était comme du fer, comme la grille d'un foyer dans une cheminée. À moitié entier, j'étais prêt pour le prochain *encore*. Mike Szabatura quitta son cabinet de bonne heure ce jour-là. Je pris l'ascenseur avec lui. Il s'était changé et portait un polo et un pantalon de toile blanche. Que disait le poème ? « Je n'ose résister à ce froid contact que je redoute. / Tire de moi encore / Ma lente vie ! Penche-toi plus avant sur moi, tête-menace, / Fière de ma chute, en souvenir et en pitié / De celui qui est, de celui qui fut. » Mike Szabatura resplendira toujours comme un mythe à mes yeux. Mais ce soir-là, en 1998, il n'était qu'un dentiste comme les autres, qui rentrait chez lui dans la banlieue chic de Westchester.

détourner, parce qu'on n'a pas la possibilité de se tourner ailleurs. Je passai ces minutes avec ma cousine, rassuré de savoir que la souffrance (quoi qu'en dise Bernard Shaw) est quelque chose de relatif. Il en existe toute une gradation, de zéro à l'infini.

Cette nuit-là, mon père m'apparut en rêve. Il était tout à ses affaires. Il ne vint pas comme un fantôme, mais comme un émissaire.

Quand je m'endormis, il était déjà là, selon toute apparence. Il attendait patiemment, bien que son temps fût compté. Il avait à peu près soixante ans, un air respectable à en paraître légèrement démodé, une assurance, une bienveillance plus grandes qu'il n'en avait jamais manifesté de son vivant. Et il était asexué, fondamentalement asexué : ni genre ni désir.

En rêvant des morts, on a toujours envie de s'exclamer : Petit malin ! Tu as bien trompé ton monde ! Tu as bien su déjouer les manigances...

Alors, papa, lui demandai-je, comment veux-tu que ça se passe, maintenant que tu es revenu ?

Non pas revenu d'entre les morts, voulais-je dire, mais revenu dans le quartier. Mais en même temps surgissait en contrepoint le sentiment qu'il n'aurait plus à s'impliquer dans ces préoccupations superficielles, étroitement humaines, peut-être, qui n'avaient plus le pouvoir de le chagriner ni de le fasciner.

Il ne répondit rien (et je sentis qu'il ne voulait pas être touché). Par ses seuls gestes, ses regards, ses silences, il me donna à comprendre qu'il m'accordait toute sa confiance — pour l'exécution de ses volontés et tout le reste. Parce que mes volontés étaient les siennes, et vice versa. Puis il partit, il s'absenta d'un seul coup et regagna, non pas la mort, mais une position intermédiaire. Il était déterminé. Ce rêve était marqué au sceau des affaires. Il n'était pas venu comme un fantôme, mais comme un messager.

Un messager surgi de mon propre inconscient, naturellement. Mais il n'y a pas de mal à ça. Parce que mon esprit est son esprit, et vice versa.

Ça m'a fait terriblement chaud au cœur de te voir, papa. Pourquoi ne viens-tu pas comme ça plus souvent ? Comme un messager, et non pas simplement comme un fantôme que je submerge, harcèle et ennuie de mes hommages respectueux.

Ça m'a fait terriblement chaud au cœur de te voir, mais je n'avais pas vraiment besoin d'être rassuré sur tes volontés. Parce que tes volontés sont les miennes et que je suis toi et que tu es moi.

La ruse des bébés

Lorsque mon premier fils est né, je voulais une fille, mais je ne tardai pas à me ranger à l'opinion de Kingsley (quelque traditionaliste qu'elle fût) qu'il valait mieux commencer par un garçon. Lorsque mon deuxième fils est né, je voulais une fille, et il m'a fallu plusieurs minutes pour lui pardonner de ne pas en être une. Il est né par césarienne. Je n'étais pas là au moment où « garçon » et « fille » se perdent dans l'urgence de la situation. D'où ma perplexité en apprenant de la bouche d'une infirmière que la fille était en réalité un garçon. Quoi qu'il en soit, toute ma vie j'ai voulu une fille. Même quand j'étais un petit garçon, je voulais une fille.

À la clinique St Mary, je m'étais demandé, par intermittence, si le bébé arriverait à temps pour le train de quatre heures à destination d'Oxford ; mais la plaisanterie avait fait long feu bien avant la parturition. Un peu plus tôt, pendant une minute entière, le cœur du bébé s'était arrêté de battre. Dans ces circonstances, il est impossible d'avoir des pensées autres que primitives et chorales — gémissement continu qui en appelle à la miséricorde. Mais j'avais une foi inébranlable en la ruse des bébés ; je savais qu'en venant au monde ils n'étaient ni passifs ni désintéressés, qu'ils avaient l'intention de vivre et de persister dans leur être. Mes deux fils avaient été prématurés, dangereusement prématurés, et ils avaient persisté. Le nouveau bébé était allé à terme et il serait donc encore mieux préparé, mieux équipé, plus déterminé et plus astucieux... Dans la salle d'accouchement régnait à présent une ambiance de crise qu'on s'efforce de gérer. Des renforts — un pédiatre, deux sages-femmes supplémentaires — se tenaient prêts lorsqu'on appliqua fermement l'instrument de succion.

Le docteur Marwood écarta les cuisses du bébé d'un grand geste de matador. Je le regardai ; mais ce qui retint mon attention, c'était la lèvre inférieure, qui tremblait encore, comme si elle essayait de refouler des larmes. C'est vrai, le voyage avait *bel et bien* été ardu, à travers toutes sortes de climats insolites. Au bout d'un moment, j'emmenai le petit être encore chaud dans la pièce à côté pour le faire laver, peser, mesurer, étiqueter, et pour qu'il reçoive dans la cuisse son premier acompte de la douleur, infligé par l'aiguille d'une infirmière.

Notre première visiteuse, le lendemain, fut Delilah Seale. Avant de monter, elle s'était arrêtée chez la fleuriste au rez-de-chaussée de l'hôpital.

« En emballant les fleurs, la femme m'a demandé : "neveu ou nièce ?", nous dit-elle.

— Qu'est-ce que tu lui as répondu ? »

Les mots de Delilah me firent plaisir, mais ils me firent aussi comprendre combien de jours et de nuits j'avais passés sur cette planète.

« Ni l'un ni l'autre. Une sœur. Une petite sœur. »

Deux personnes étaient entrées dans la salle, et trois en étaient sorties. Plus tard, je dis à Isabel que la maternité s'accompagnait d'un autre privilège moins palpable : elle pourrait désormais enrichir ou parfaire son amour pour ses propres parents, conséquence inconnue de ceux qui n'ont pas d'enfants. À la naissance d'un enfant, on pardonne *tout* à ses parents, sans réfléchir une seconde, comme une révolution de velours. Cela fait partie de la ruse des bébés. Il y avait du temps pour ça, mais pas énormément, car Gonzalo Fonseca mourut l'année suivante. La mort lui fut douce. Elle vint d'un coup. Après une journée de voyage spartiate depuis New

York, Gonzalo dîna et partit se coucher dans la maison près de Pietrasanta, village de sculpteurs et de carriers. Un homme est entré dans cette pièce et il n'en est sorti personne. Le nouveau bébé serait doublement privé de grand-père. Des grand-mères, il en avait. Mais pas d'Abu, pas de Nonno pour l'incroyable Fernanda. Fernanda est une fille. C'est aussi une Juive. Un quart de Kingsley, un quart de Betty, un quart de Hilly, un quart de Gonzalo.

Gonzalo avait été au chevet de Bruno à la mort de celui-ci, comme Sally au chevet de Kingsley. Tout le monde était d'accord pour penser que c'était logique.

« La vie se borne aux labeurs, aux douleurs [...] » C'est vrai, papa. La vie est surtout faite de morts et de bébés, de miracles ordinaires et de catastrophes ordinaires : d'un côté, la magie blanche de la croissance, et de l'autre, la magie noire, tout aussi étrange, tout aussi fébrile, tout aussi parachutée de nulle part.

Quatre ans ont passé, mais Sally est toujours capable de me téléphoner en larmes lorsqu'elle passe « une sale journée à cause de papa ». Après la mort de Kingsley, nous avons tous été démoralisés par l'ampleur du vide qui lui succédait. Je m'en sors à peu près parce que ses livres sont toujours là, et donc lui aussi : comme une présence disponible dans une nuit sans sommeil.

J'ai détesté le moment où, dans le Pavillon du phénix, il s'est détourné de moi — le moment où il s'est détourné. Je déteste à présent voir les gens se détourner. N'importe qui, même un animal : un berger allemand endormi au bord de la route, un éléphant de mer échoué sur un rivage tropical. Ma fille, pivotant sur elle-même pour la première fois de sa vie, et se détournant de moi. Je déteste voir les gens se détourner.

Postface : Pologne, 1995

Trois semaines après la mort de mon père, je suis parti seul à Varsovie. À l'aéroport m'attendaient Alexandra, une représentante de la maison d'édition, et Jeff, un membre de l'Institut britannique. Pendant tout le trajet qui nous conduisait à la ville, le ruban poisseux des voitures agglutinées semblait directement contribuer au coucher de soleil par-delà le brouillard de pollution. Il y eut une conférence de presse dans un bar en sous-sol, assortie d'une jolie prise de bec entre l'interprète officiel et Alexandra, qui n'arrêtait pas de le réinterpréter. Un journaliste m'assura de sa sympathie dans le deuil qui me frappait, et je me surpris à parler librement de mon père, pour la première fois en dehors du petit cercle familial. Je dis l'horreur qu'il avait dû ressentir en s'apercevant que les mots le lâchaient, et la conscience de la mort imminente que cet instant avait dû représenter en son for intérieur... Puis vint, dans une librairie, une séance de signature précédée d'aucune lecture (expérience toujours douloureuse, où qu'on soit dans le monde). Puis l'heure du dîner. Forte de ce qu'elle avait lu sur mes problèmes dentaires, Alexandra avait ôté du menu tout plat *al dente* (et elle poussa la compassion jusqu'à découvrir le dessin sinueux de sa gencive supérieure). Attention touchante de sa part, bien que l'insipide carpe en gelée n'en gagnât pas pour autant en saveur (et qu'à ce stade j'eusse pu manger un steak). J'aimais bien les gens qui m'entouraient, et j'aimais leur manière de pratiquer l'anglais. « Entre vous et moi soi dit... » « Pourriez-vous lui glisser le mot ? » On enchaîna sur une émission pour Radio Zet. L'animateur commença par donner les résultats d'un sondage selon lesquels personne, en Pologne, n'avait jamais entendu parler de moi. Quand il me demanda ce que je pensais de la Pologne, je répondis naturellement que je n'en avais jamais entendu parler — même si, bien sûr, c'était faux et que j'avais plusieurs idées sur la question. Je pensais que c'était l'un des pays les plus meurtris au monde et que cela se reflétait dans la moindre question, dans le moindre regard. Le lendemain matin, je vis un vieil ami, Zbigniew, homme d'affaires désormais recherché sur la place de Varsovie pour la perfection de son anglais (parlé et technique), et naguère menuisier compétent qui travaillait au noir à Londres[1]. C'est lui qui avait fabriqué les étagères de mon appartement de

1. Après avoir vu le fim de Jerzy Skolimowki *Travail au noir* (1982), Zbigniew était ressorti convaincu que Jeremy Irons était polonais, que c'était en fait un Polonais qui travaillait au noir à Londres. Quel n'avait pas été son choc lorsque je lui avais montré des extraits de l'adaptation télévisuelle de *Retour à Brideshead*, où Jeremy Irons minaude dans le rôle de Charles Ryder.

Notting Hill, ce « putain de *paradis* » comme il le qualifiait (en songeant à son bar, son jeu de fléchettes et son flipper). Après quelques tasses de café, nous partîmes d'abord voir le Monument du soulèvement de Varsovie, grande frise exécutée dans le plus pur style socialiste pour commémorer les événements du 31 juillet 1944 (en se retirant, les nazis avaient réduit la ville à n'être qu'un « nom sur la carte » et ils l'avaient livrée à l'Armée rouge), puis la statue de marbre noir de Nicolas Copernic, l'homme qui avait fait voler en éclats l'univers anthropocentriste, en démontrant que l'illusion était une erreur et que le soleil n'était pas notre satellite. C'est à lui que l'on doit l'origine des Lumières. Je déjeunai avec les éditeurs et les traducteurs, puis je prononçai ma conférence (sur *Lolita*)... À l'hôtel, ce soir-là, je me détendis sur une chaise métallique au bar, devenu un véritable bordel de la vie nocturne. On m'avait mis en garde contre ces filles : après avoir loué un passe au concierge, elles entraient dans la chambre des clients et commençaient à négocier leurs tarifs alors même qu'ils étaient déjà au lit[1]. Zbig m'avait dit que Varsovie était devenue une « ville de fric » ; en sortant de l'avion, j'avais également remarqué que la Pologne, en vraie pin-up, faisait la couverture du numéro de *Business Weekly* que lisaient tous les passagers. Le bar de l'hôtel

1. Le principe du client-déjà-au-lit, ou à-moitié-couché, me rappela indirectement le personnage de l'avorteur ruiné dans *Le festin nu* de William Burroughs. La vie est si dure, dit-il, qu'il en est réduit à aborder des femmes enceintes dans la rue.

offrait sa propre version des faits : les blondes en tailleur-pantalon rose ne pouvaient manquer de surgir comme un produit frais du marché, dès l'arrivée de gros chefs d'entreprise en blouson de daim et de cuir. Pendant ce temps, la musique d'ambiance chantait l'amour libre : « If You Go to San Francisco » des Flowerpot Men.

Je partis ensuite à Cracovie, puis à Oświęcim.

J'avais dix ans quand j'avais vu pour la première fois ces images de voies ferrées et de hautes cheminées.

« Maman, c'était qui, Hitler ?

— Ne te fais pas de soucis. Avec tes cheveux blonds et tes yeux bleus, il t'aurait bien aimé, *toi.* »

Cette réponse qui me serra le cœur, et le soulagement vulgaire qu'elle me procura sur le moment m'ont sans doute inspiré le roman que j'ai écrit trente ans plus tard : un roman sur l'Holocauste, raconté par un homme aux cheveux blonds et aux yeux bleus. C'est là que se déroule une partie du livre, mais je n'étais jamais allé à Auschwitz.

Voici la ville : Oświęcim (1 km). Et la gare qui, à son époque, avait la taille d'une gare du Nord, d'une Victoria, d'une Grand Central. La cafétéria, l'hôtel. Et voici ma guide, une jeune femme qui s'appelle Dovota.

De quel rêve émerge-t-on avec le plus grand désir de conscience lucide ? Du rêve où l'on se fait assassiner, ou bien du rêve où l'on est soi-même l'assassin (ou le complice, l'ami proche, le chef de l'assassin) ? Le premier rêve ébranle peut-être davantage, mais le second est plus dur à chasser. Auschwitz est désormais un musée, un monument inerte érigé à la mémoire du passé, un lieu qui continue, du fond de son inertie, à susciter une honte mortelle — pour l'Allemagne — et un affront indélébile — pour la Pologne.

Quand nous abordâmes ce point, ma guide dit :

« La Pologne avait cessé d'exister. »

Oui, bien entendu. Et ce n'était pas la première fois. En 1939 : aryanisée, soviétisée ; hitlérisée, stalinisée. À la fin de la guerre, le pays se trouva diminué en superficie (et déplacé à l'Ouest), sa capitale rasée, sa population amputée d'un quart de ses habitants. Tout ce qui restait à la Pologne, c'était Auschwitz et les autres îles de l'archipel du Kat-Zet... Ma guide s'appelait Dovota, elle était d'une élégance robuste et parlait d'une voix douce et calme. Elle s'était maquillée avec soin, sa peau luisait. Ses yeux aussi étaient luisants — la lueur de la fraîche innocence.

« On voit maintenant arriver des touristes, dit-elle, qui pensent que tout cela a été construit pour les tromper. Pas seulement des Allemands. Mais aussi des Hollandais, des Scandinaves. Ils croient qu'il ne s'est rien passé ici et que l'Holocauste est un mythe. »

Comment leur répondait-elle ?

« Je me concentre sur les *preuves*. Les unes après les autres. Je les énumère. Mais cela ne les empêche pas de les réfuter. Ils n'y croient pas. »

Il faut avouer que le camp d'Auschwitz-Birkenau est très difficile à croire. Mais un cœur bien accroché peut toujours en ressentir les rythmes sauvages. Auschwitz offre le spectacle d'une intimité répugnante (la maison de Hoess se niche derrière la potence ; sa femme et ses enfants jouaient là-bas, dans le jardin) et Birkenau celui d'une immensité tout aussi répugnante. Il est plus facile de croire à la cruauté que de croire au mépris, à l'incroyable mépris. Que dire d'un projet aussi vertigineusement prosaïque (*tous* les Juifs d'Europe ? Même les Juifs d'Irlande étaient visés — tous les Bloom, tous les Herzog) ? Et que dire de l'efficacité, de l'économie censées l'auréoler ? De quelle efficacité peut bien se prévaloir un camp de travail où les esclaves ne durent que trois mois (c'était toujours trois mois. On était tué tout de suite, ou bien on s'arrangeait pour survivre. Mais sinon, c'était toujours trois mois) ? Et quelle était la rentabilité des monceaux de brosses à dents, des trains déments remplis de poils humains ? Pendant la guerre, il existait un service de météorologie dans l'*Ahnenerbe*, qui se consacrait à « prouver » que la race aryenne, restée pure au cours de l'évolution de l'espèce, était congelée et préservée depuis la nuit des temps sur le continent perdu de l'Atlantide. D'un point de vue idéologique, tout fonctionnait à ce niveau de démagogie et de sensationnalisme : un monde peuplé d'animaux doués de parole, de vedettes revenues d'entre les morts, de panacées miraculeuses, d'enlèvements par des extraterrestres, de bébés bicéphales. À l'autre bout de la chaîne se trouve Auschwitz-Birkenau, où l'idéologie laisse place à l'action : c'est comme un modèle d'utopie négative, mettant en scène l'esprit d'un bavard, d'un hâbleur, d'un orateur perché sur une caisse de lait, les yeux pétillants.

En se penchant sérieusement sur le sujet, on passe par toute une série de réactions. À mon avis, et dans l'ordre, ce sont : l'incrédulité pleinement renouvelée, malgré tout ce que l'on peut déjà savoir des faits ; la colère frustrée, au moment où le corps cherche un moyen de se manifester ; les protestations obscènes — insultes, larmes, jurons, sanglots, souvenir des morts ; un sentiment de *nullité* envahissant, comme une infestation ; une nausée qui ressemble à de la culpabilité poussée à l'extrême, mais qui ne la représente pas (c'est peut-être la honte de l'espèce) ; et, vers la fin, la capitulation, le consentement de l'âme vaincue. Ce n'est pas sans mal qu'on est enfin passé de l'incrédulité à la croyance. Ou, du moins, que l'esprit y est passé. Car il faut plus de temps au corps, je crois, pour accepter la défaite. Il lutte en silence pour y parvenir, il accomplit ce lent travail la nuit, à force de bouillonner, de broyer et de se soulever. C'est peut-être aussi la marque — ou la tentative — d'une communion physique. Il fut un temps où ce réajustement intérieur me réveillait en sursaut, et je me sentais alors dans le même état que lorsqu'on a passé une journée dans une voiture de course ou sur des eaux agitées, le torse prêt à accompagner le mouvement et néanmoins réfractaire à la poussée... J'avais déjà effectué tout ce cheminement, et j'en reconnaissais au fur et à mesure toutes les étapes intermédiaires, tandis que je m'efforçais de trouver le sommeil dans mon lit d'hôtel à Cracovie.

Je pense à présent à ma rencontre avec mon cousin, David Partington. Il m'a dit qu'il ne pouvait pas voir le mot *West* (comme dans western ou Far-West) sans éprouver un sentiment d'horreur (West : un Kat-Zet personnifié). Il m'a dit qu'il avait été heureux, en portant le cercueil de sa sœur, d'avoir la main sciée par la poignée en cuir : heureux d'avoir mal, car cette douleur le ramenait avec insistance à la réalité. C'est pour la même raison que Marian est allée voir et toucher les os de sa sœur... David m'a parlé des heures qu'il avait passées à jurer et à pleurer, des nuits où il s'était levé pour jurer et pour pleurer. J'ai alors compris les effets de l'atrocité : quand on est plongé dedans, comme lui, le plus dur n'est pas de l'accepter, mais seulement d'y croire. L'atrocité défie la croyance en même temps qu'elle la *persécute*, car elle exige ce qui ne se peut jamais donner de plein gré : le consentement. Lucy Partington était la fille de la sœur de ma mère. C'était ma cousine — ni ma sœur ni ma propre fille. Jamais on ne m'a demandé de croire à un phénomène vraiment incroyable, exception faite des articles de foi ordinaires d'un homme de cinquante ans (dans toute leur apparente improbabilité) : les parents disparaissent, les enfants restent, et je suis pris quelque part entre les deux.

Appendice : Le biographe et le quatrième pouvoir

Un jour où je descendais lentement Portobello Road (il y avait une vieille femme devant moi), obligé de marcher en file indienne comme les autres piétons (il y avait des travaux sur cette rue de marché), j'ai senti une paire de mains vigoureuses m'attraper par la nuque. J'ai sursauté et je me suis retourné ; mais, en l'espace de cette demi-seconde, je me suis dit que ce devait être un ami, non un agresseur. J'avais même eu le temps de penser : Redmond ! Redmond O'Hanlon. Un geste typique de lui, bourru (et affectueux) comme il l'est. Je me suis souvenu du passage où, dans son premier récit de voyage, il raconte comment il a fait exprès de flanquer une frousse mortelle à son compagnon d'infortune, James Fenton. Mais la scène se passait à Bornéo, un endroit bien plus effrayant que Portobello un samedi matin. Je me suis donc retourné, les mots prêts à jaillir du fond de ma gorge : « Dégage, Redsi ! » Mais ce n'était pas lui. C'était un jeune Noir que je ne connaissais pas, qui souriait de toutes ses dents et qui m'a poussé sur le côté pour me dépasser avec sa petite amie. « Non, mec, il m'a lancé. C'est pas comme ça qu'on marche dans la rue. » Aussi lentement, voulait-il dire. Juste à ce moment-là, l'obstacle a bifurqué sur la gauche (je parle de la vieille femme qui me précédait) et le couple s'est engagé sur le carrefour en agitant les bras en signe de libération. La fille, qui était blanche, a pris son petit ami par le bras en approuvant sa réaction : « T'as vu ça ? Y chiait dans son froc, le mec ! » Je me suis senti... J'ai senti une extrême lassitude m'envahir, une lassitude si lourde que j'ai failli m'affaisser contre le mur sous son poids. Non, je n'avais pas *choisi* de marcher lentement ! Non, on n'attrape pas des étrangers par la nuque ! Non, je ne chiais pas dans mon froc. Et non, je... ! L'impression d'une injustice, d'une futilité où tout se mélange, la conviction que l'univers était sans raison ni remède — voilà qui me rappelait quelque chose.

C'était comme faire la une des journaux.

Si ces pages ont jusqu'ici été dépourvues de tout grief, ce n'est pas parce que j'ai essayé de me censurer. C'est parce que ce n'était pas le lieu. Mais on se trouve à présent dans un appendice, domaine séparé du reste, et je vais rétablir la vérité. Ce qui suit ne vise pas un individu en faute, mais le quatrième pouvoir en son ensemble. Or, ce pouvoir en est à un stade particulier de son évolution. D'un côté, il est toujours plus satisfait de la puissance qui le corrompt ; de l'autre, il progresse vers une impuissance éléphantesque sur toutes les questions qui comptent vraiment.

Trois jours après la mort de mon père, j'ai reçu un coup de téléphone du biographe, Eric Jacobs. Il avait conservé quelques « notes » sur Kingsley, et il les destinait à un second livre qu'il avait l'intention d'écrire sur mon père. Comme s'il voulait ponctuer sa phrase d'un point d'exclamation, un ton de surprise et d'amusement mêlés s'est glissé dans sa voix au moment où il m'a dit que le *Sunday Times* trouvait ces notes publiables. Je lui ai répondu quelque chose dans ce goût-là :

« Voilà qui me paraît bien.

— Je trouve normal que vous y jetiez d'abord un coup d'œil. »

Aucune appréhension de ma part. J'avais de la reconnaissance pour Eric. Avec son énergie et sa sympathie, il avait allégé le fardeau de la mort de Kingsley. Ou le fardeau de son agonie. Je n'ai pas changé d'avis. Je m'attendais à trouver des marques d'affection et des remarques anodines dans ce qu'il avait écrit. Entre parenthèses, je trouvais ça juste que le biographe fauché empoche un peu d'argent en contribuant à l'éclat général des nécrologies. À un moment, vers la fin, j'avais craint que même les *nécrologies* ne soient hostiles...

J'ai continué à travailler. Le paquet est arrivé et j'ai continué à travailler. À deux heures et quart, j'ai commencé à jeter un œil sur le texte d'Eric ; à trois heures moins le quart, je me suis souvenu que j'avais un match de tennis et j'y suis allé. Mais après quelques jeux, j'ai dû abandonner, m'excuser (j'avais pour adversaire, cette fois encore, Zachary Leader, et il a vite compris ma situation) et je suis rentré m'occuper de l'affaire.

Les notes couvraient une trentaine de pages tapuscrites et se terminaient par une chronique des derniers jours de Kingsley, écrite en épisodes par quelqu'un qui avait vécu l'événement de l'intérieur. Dans notre boutique de fragiles sensibilités familiales, Eric multipliait les embardées, les ruades et les gaffes. Chaque fois qu'il se penchait pour examiner un vase en morceaux, il balayait les bibelots d'une autre étagère avec son gros derrière. Mais qu'est-ce qu'il *foutait* là ? Et surtout, qu'est-ce qu'il foutait là *maintenant* ? Il se livrait à une douloureuse violation qui attentait aux proches du défunt (et à des membres plus éloignés de la famille : mes fils, par exemple), de sorte que l'événement central, le rite de passage s'en trouvait rabaissé à un niveau intolérable. Ce n'était pas rien, ces notes : j'avais l'impression d'entrer dans un monde sans affect en lisant cette description crue de mon père gisant au plus profond de son impuissance, littéralement nu comme un ver. Il était mort depuis soixante-douze heures.

Lorsque j'ai fini le texte, j'ai pleuré de malheur — de pur malheur. Et c'est dans cet état-là que j'ai commencé à passer des coups de fil.

« Quel ... *goujat* », a dit ma mère.

Elle tirait toujours un grand parti de ce mot : Eric, voulait-elle dire, était d'une brutalité, d'une dureté, d'une vulgarité qui dépassaient les bornes.

« Mets ton type sur le coup. Comment il s'appelle, déjà, ton chacal ?

— Wylie, maman. Il est déjà au courant. »

Eric a tout de suite accepté de retirer son texte (j'ai conservé sa lettre d'excuse quelque part). Il m'a ensuite confié qu'il avait montré ses notes non seulement au *Sunday Times*, mais aussi au *Daily Mail*. Ce jour-là, et le jour suivant, je les ai passés à purger la prose d'Eric du système sanguin des journaux. J'avais une certaine influence au *Sunday Times*, où j'étais responsable du cahier Livres, ou un titre dans ce genre. J'ai également parlé à Gillon Aitken, l'associé d'Andrew Wylie, qui, incroyable, représentait *Eric*. (Cela faisait longtemps qu'il était son agent, mais je continuais à trouver ça incroyable.) J'avais envie de tout sauf de ce genre de tractations, alors que mon père ne reposait pas encore dans son cercueil et que l'enterrement n'aurait pas lieu avant quelques jours.

La famille, bien sûr, ne voulait plus entendre parler d'Eric. Ce qui impliquait, ou entraînait, de le licencier du travail (auquel il ne s'était pas encore attelé) consistant à réunir la *Correspondance* de Kingsley. On lui fit savoir qu'il ne serait pas invité à l'église St Mark le 31 octobre. Plus tard, je lui ai écrit une lettre en termes douloureux et choisis. Il me faisait de la peine, ma reconnaissance n'arrivait pas à s'estomper.

Quatre mois et demi plus tard, les notes furent publiées en trois épisodes dans le *Sunday Times*. La première fois que j'en entendis parler, ce fut lorsque le coursier arriva le samedi soir avec l'édition du lendemain, accompagnée d'un mot du rédacteur en chef de la section : du type, chien qui aboie ne mord pas. En première page du cahier Livres figurait le texte que j'avais écrit sur Hillary Clinton. En première page d'un autre cahier, le premier des trois articles d'Eric sur Kingsley.

Le biographe de mon père, dans mon journal, grâce à une négociation effectuée par l'associé de mon agent, Gillon Aitken... Un instant, je me retrouvai sur Portobello Road.

Pourquoi Eric avait-il changé d'idée ? Parce que j'avais mentionné, dans un entretien, que quelqu'un d'autre que lui était désormais chargé de réunir la *Correspondance* : mon ami Zachary Leader. À sa manière, Eric songea que l'affinité et le copinage m'avaient poussé à refiler le travail à mon « partenaire de tennis », dont il fustigea plus tard « l'étrange patronyme » dans une lettre adressée à l'un des correspondants de KA. Sans parler de son étrange *titre*, avais-je envie d'ajouter : Zachary Leader était professeur.

Comme auparavant, la décision d'Eric me fit redoubler d'efforts et de contorsions en tous sens. Elle m'obligea aussi à adopter une conduite malhonnête, ce que je ne lui pardonne pas. Pour conserver si peu d'influence que ce fût au *Sunday Times*, je dus dire au rédacteur littéraire, Geordie Greig, qu'il parviendrait peut-être à me convaincre de continuer à travailler pour lui, alors même que mes liens avec le journal s'étaient brisés net en l'espace des quelques secondes qu'il m'avait fallu pour ouvrir l'enveloppe sur le pas de ma porte, sous le regard du coursier ; pendant tout cet épisode, Greig fit preuve de compréhension, d'une pudeur désespérante, et je me sentis humilié de l'induire en erreur. Plus pénible encore : je ne devais pas me départir d'un ton calme lorsque je parlais à Eric au téléphone, en exigeant de lui telle coupe ou tel élagage. Ces discussions sont parmi les plus étranges auxquelles j'aie jamais participé. Exemple :

« Vous avez donc ajouté une description de l'enterrement.

— Eh bien, oui.

— Que vous évoquez comme si c'était une pure formalité. Votre description se termine par ces mots : "Sally est la seule à avoir pleuré." Si j'étais vous, Eric, je supprimerais ce passage. Parce que ce n'est pas vrai.

— Ah bon ?

— Comme pourraient vous le confirmer bien des personnes qui ont assisté à l'enterrement.

— Ah !

— Vous n'étiez pas là, n'est-ce pas ? Qui vous a dit que Sally était la seule à avoir pleuré ?

— Quelqu'un qui... quelqu'un qui y était.

— Qui que ce soit, cette personne s'est trompée.

— Ah. Dans ce cas, je... Dans ce cas, je vais...

— Tout le monde a pleuré. »

L'affaire défrayait peu à peu la chronique. J'imagine que tu esquisseras un sourire de pitié, ô mon lecteur, lorsque je te dirai que je m'attendais à ce que la presse se range du côté de la famille. Si c'était en Italie, par exemple, qu'Eric avait fait ce qu'il a fait, il serait maintenant en prison. Avec la moitié des journalistes britanniques. Mais comme le but des journaux est d'apporter des révélations, de les imprimer, ils prennent toujours le parti de ceux qui apportent des révélations et les impriment. Un journaliste tombe toujours d'accord avec un autre journaliste, et Eric était un journaliste qui se comportait tout bonnement en journaliste. Il y avait d'autres forces à l'œuvre, ou en jeu. On s'imagine souvent que l'existence de plusieurs organes de qualité ayant pignon sur rue dans la capitale est un gage de diversité et de bonne santé. Mais en fin de compte, on se heurte à une chambre d'écho de relativistes ou, comme disait Kingsley, à une neutralité pernicieuse. Toute « querelle publique », toute « dispute littéraire », toute « bagarre de seconde zone » doit mettre aux prises deux parties, n'est-ce pas ? Faute de quoi, elle ne peut continuer. Pendant les deux ou trois semaines qui suivirent, je contemplai avec fascination la sortie des journaux, avant qu'ils ne retournent boxer dans le vide contre des adversaires imaginaires.

Car on avait atteint le degré zéro de la pensée, on ne risquait pas de se prendre la tête. Pas besoin de tête pour ça. Tout ce qu'il fallait, c'était un cœur raisonnable. Ça se résumait à ce qu'Eric nous faisait et à ce que nous lui faisions. Ses agissements avaient pour effet de nous assaillir dans notre chagrin. Et nous avons réagi comme auraient réagi toutes les familles que je connais : en coupant les ponts avec lui. La « revanche amère » que nous aurions soi-disant prise (en le licenciant de la *Correspondance*) n'était qu'un autre pont coupé. J'ai honte pour lui, maintenant, quand je l'entends parler des « volontés » de Kingsley. « Je croyais que les exécuteurs étaient censés respecter les volontés de ceux qu'ils représentent, a-t-il déclaré au *Sunday Times*, mais en l'occurrence, on se trouve aux antipodes de ce que voulait Kingsley. » (Eric se tenant aux antipodes de quelqu'un comme Zachary, j'imagine.) S'il réussit par là à te convaincre, lecteur, que mon père — et par extension n'importe quel être humain — peut soutenir après sa mort l'homme qui a blessé sa famille en deuil, alors il remporte la palme.

La Bible elle-même ne dit pas autre chose, ni la colonne du cimetière derrière la gare St Pancras, où repose mon père : « Bénis soient ceux qui pleurent, car ils seront consolés. » Si Eric a commis une faute, c'était une faute en soi. Et ce qui était une faute en octobre en est toujours une en mars. Mais il faut néanmoins porter à son crédit d'avoir fini par la reconnaître[1].

Le deuxième samedi après la mort de Kingsley, je me suis retrouvé seul dans l'appartement, incapable de travailler ou même de lire. J'arrivais tout juste à contempler mes chaussures d'un œil vide. Ce n'est pas que je me sentais malade, mais j'étais plutôt engourdi, comme sous l'emprise de médicaments. On en était tous là, on avait tous pris des antibiotiques contre le chagrin. Un week-end sans mes fils : leurs lits de camp

1. En octobre 1996, Eric Jacobs et Christopher Hitchens ont échangé ces quelques mots. EJ : « Tu dois me prendre pour une merde après ce que j'ai fait. » CH : « Absolument. Mais qu'est-ce qui a bien pu te passer par la tête ? Comment tu as fait pour croire un seul instant que tu allais t'en sortir ? » EJ : « C'est vrai. Je sais que je me suis comporté comme une merde. » Nous le verrons plus loin : Eric a davantage poussé l'expression de son remords.

étaient rangés dans un coin, rien ne traînait par terre, ni pot de yaourt, ni paquet de chips, ni jouets monstrueux. Pas même un sachet de thé usagé mollement posé contre le tube de dentifrice. J'avais envie de voir mes fils et j'ai décidé de passer une heure ou deux avec eux. Belle erreur, cette idée, vu la pluie, les embouteillages et le centre commercial minable où on s'est rendus dans la pire lumière des dimanches... Notre but : acheter une paire de baskets à Louis. Le jeune vendeur ouvrait beaucoup de boîtes et contemplait leur contenu avec beaucoup d'attention. Il a fini par nous tendre deux chaussures en disant :

« En v'là deux d'la mêm' pointure. »

Je les ai regardées d'un air las. En panne de tolérance peut-être, je me disais que la pointure des chaussures était de son ressort, pas du mien.

« Non. On voit bien que non », je lui ai lancé.

Une chaussure était nettement plus grande que l'autre. Et d'une couleur légèrement différente. Le vendeur s'est remis à les contempler avant de conclure :

« Font la paire. »

Notre excursion avait dû être en partie réussie, parce que j'ai écrit dans mon journal : « Tendre reconnaissance de Louis, plus compréhensif. Nombreux tapotements de Jacob. » Ces tapotements affectueux étant sa spécialité ...

Pour en revenir au petit vendeur de chaussures, je crois qu'il s'était trompé de métier. Il n'avait aucun avenir dans ce commerce. Il aurait dû écrire pour un journal de qualité, où il est coutumier de contempler une botte et une pantoufle de verre avant de grommeler : Font la paire...

Tout le monde a pleuré.

« Sally est la seule à avoir pleuré. » Non, tout le monde a pleuré. Sally a peut-être pleuré le plus fort (« Il me faudrait un Valium », s'est-elle plainte, et Rob lui en a tout de suite tendu un, comme un distributeur automatique), mais tout le monde a pleuré. Une contagion qui n'épargnait personne. Pendant la cérémonie, Jacob m'a tenu la main et m'a affectueusement tapoté l'épaule. Les garçons m'avaient déjà vu pleurer, mais pas au grand jour ; et ils n'avaient pas vu Sally pleurer, Isabel pleurer, Hilly pleurer, Philip pleurer. Leur mère pleurait, elle aussi. Ils s'y sont donc mis à leur tour. Après les obsèques, dans la rue, Louis avait troqué son assurance d'habitude si élégante contre l'air déboussolé et chiffonné qu'il avait parfois eu à quatre ou cinq ans. Le pauvre. Il s'était dit que la cérémonie lui ferait juste manquer une heure de classe. Il ne s'était pas attendu à l'un de ces événements qui constituent l'essentiel de la vie.

Les membres les plus âgés de la famille (cigarette au bec et toux en prime) avaient pris une Daimler jusqu'au cimetière de Golders Green, puis ils en étaient revenus dans le même véhicule, cigarette au bec et toux en prime. Lors de la veillée funèbre, la première personne à laquelle j'ai parlé fut la première personne que j'aie jamais embrassé sur les lèvres : ma cousine Marian Partington, qui avait assisté au procès de Rosemary West.

« Quand tu prononces le nom de *Jacobs*, répétait Jacob à l'époque, est-ce que tu pourrais accentuer le *s* ? J'ai toujours l'impression que c'est de *moi* que tu parles. »

Oui, bien sûr, Jake. On ne peut pas se permettre cette confusion. Mais que devient ton quasi-homonyme ? Que penser de lui, en fin de compte ?

Le soir où la dernière partie des notes parut dans le *Sunday Times*, j'appelai Eric et l'accusai violemment : « Avant de dormir, demandez-vous ce que Kingsley penserait de vous à présent. » Je me demande ce que *moi*, je pense de lui à présent. Je le trouve beaucoup moins antipathique, dans mon souvenir, que son agent et conseiller, Gillon Aitken. Il avait agi sans réfléchir, sans méthode, et peut-être sans le bon sens que le chagrin lui volait. Je pousserai même la charité jusqu'à supposer qu'il l'avait fait pour l'argent. Mais lui, Aitken, qu'est-ce qu'il croyait faire[1] ? S'il avait donné un autre conseil à son client, Eric aurait été maintenu dans sa tâche de réunir la *Correspondance*. Il s'en serait sans aucun doute acquitté en provoquant une belle controverse, mais il s'en serait sorti la conscience tranquille.

Car Eric ne manque pas de conscience morale. C'est un fait acquis.

1. Pour tout le monde, il voulait entre autres envoyer un signe à Andrew Wylie. Quand il approcha le *Sunday Times* pour la deuxième fois, il sonna le glas de leur association. J'émis un sifflement entre les dents lorsqu'il raconta plus tard que son rôle dans les négociations de *L'information* ne lui avait « rien apporté ». Qu'est-ce que ses négociations avec le *Sunday Times* lui avaient donc apporté ?

Lors de la messe organisée pour commémorer le premier anniversaire de la mort de Kingsley, Karl Miller parla de son œuvre romanesque et Blake Morrison de son œuvre poétique ; Mavis Nicholson évoqua l'enseignant, Richard Hough et Eric Shorter l'homme en société ; Christopher Hitchens aborda tous ces aspects. Quant à moi, je parlai des derniers jours de Kingsley, de son attitude face à Dieu, et je suggérai qu'on allait bientôt le voir sous une autre facette que celle du vieux diable, qu'on allait le considérer en intégralité, dans toute sa complexité. La messe se termina par la diffusion d'une de ses nombreuses imitations enregistrées : Franklin Roosevelt aux prises avec une fanfare sur les ondes courtes, au plus noir de la Seconde Guerre mondiale. Rires et applaudissements, le tout à l'avenant. On sortit sur Trafalgar Square pour se rendre au Garrick : on parla et on but dans le cénotaphe de Kingsley. Ce fut, pour la plupart d'entre nous, un jour de bonheur.

Eric est le seul à avoir pleuré, suis-je tenté d'écrire. Eric est le seul à avoir pleuré. Mais ces mots fleurent le style journalistique, et ils risquent donc fort de passer à côté de la vérité.

Marigold Johnson a pleuré, elle aussi, tandis que son mari, Paul, se lançait, le nez en l'air, dans un discours où il expliquait que Kingsley avait été « phagocyté par la gauche comme par des aliens ».

Des vestiges de gratitude me restent à l'endroit d'Eric, dont je ne saurais me défaire. Mais on ne peut pardonner que ce que l'on peut estimer comprendre, et il demeure une énigme pour moi. Même s'il entrait dans un de mes romans, je ne saurais qu'en faire. Il m'a souvent fait l'effet d'un personnage fictif, toute la question étant de savoir quel auteur l'aurait imaginé.

En parcourant à nouveau les « notes », je me suis rappelé la grande convention moderniste du Narrateur partial, ce « je » dont la version des faits est hautement sujette à caution. Pour que le procédé fonctionne, le narrateur partial doit en réalité être des plus impartiaux : impartialement subjectif, impartialement ignorant de son propre égotisme. Il m'est venu à l'esprit qu'Eric aurait pu être un cousin éloigné de Kinbote, l'« éditeur » zélé de *Feu pâle* de Nabokov, qui croit à tort que le poème qu'il entreprend d'annoter constitue une version admirative de sa propre vie[1]. Voici ce qu'il dit du dernier roman de KA, *La moustache du biographe* :

> Je lui ai dit : « Kingsley, ça me ressemble un peu, cette histoire d'Écossais qui écrit sur un écrivain. — Oh oui, a-t-il vivement répondu, mais il n'a rien de toi. » [...] Je me suis demandé s'il avait choisi le prénom Cedric, dont il est plutôt satisfait, parce qu'il contient le prénom Eric. [...] Je commence à me demander si le roman, apparemment si proche de sa propre vie, lui a été inspiré par le fait que j'écrivais sa biographie.

1. À titre d'exemple, ce passage fleuri où Kinbote révèle tout son talent pour passer à côté de l'essentiel : « [i]l y avait au moins un malin génie ; je le savais depuis le jour où, en rentrant chez moi [...], je trouvai dans la poche de mon manteau un mot anonyme et méchant qui disait : "T'as une hal----- terrible, mon pote", ce qui signifiait visiblement "hallucination" [...]. »

Le passage d'Eric à Cedric (par la suite, Kingsley a baptisé le personnage Gordon) et cette incise, « a-t-il vivement répondu », pourraient être le fait de Kinbote — par un jour de grand calme, il est vrai. Soit dit en passant, Gordon ne ressemble pas à Eric, et le roman, contrairement à beaucoup d'autres, ne contient absolument rien d'autobiographique... Une phrase continue à me trotter dans la tête : « Sally est la seule à avoir pleuré » — glas sonnant la fin des extraits dans leur première version non expurgée. Le représentant d'Eric aux obsèques (événement d'une haute teneur lacrymale, à tous points de vue) était a priori doué de sensibilité. Ou peut-être Eric avait-il simplement besoin de s'en faire cette idée, lui à qui on avait tragiquement interdit de mêler ses larmes à celles de Sally. Il aimait Kingsley autant qu'il le pouvait, tout comme Kinbote adorait son poète, John Shade.

Bien sûr, *l'affaire* Jacobs nous montra nos plus grands experts culturels au mieux de leur forme, au sommet de leurs capacités, tout tendus vers le zénith de leur petit jeu. En vain. Ils essuyèrent un échec piteux, mais du moins essayaient-ils d'être sérieux. Même Eric n'était pas en reste... Quant aux autres, quant à tous les petits employés laborieux du quatrième pouvoir, on peut ajouter à leur curiosité, à leur négligence, à leur vulgarité et à leur dipsomanie — autant de traits qui les rendent célèbres dans le monde entier — ce que Kingsley appelait leur « attitude neutre et hautaine », leur penchant pour une « ironie permanente et sans objet », leur « hostilité racoleuse »[1]. Après une brève enquête, nous avons trouvé l'archétype d'Eric Jacobs. Mais cela ne prend qu'un instant de trouver l'archétype d'un journaleux ordinaire par un jour ordinaire. Il suffit de remonter à la source, à Shakespeare, où tout le monde est sûr de découvrir tôt ou tard son reflet. Lui, c'est Thersite, auteur d'une seule tirade dans l'*Iliade*, mais sujet pleinement élaboré dans *Troïlus et Cressida*. « Épaisse fournée de la nature », comme le qualifie un Achille (ici) méprisable, « abcès d'envie », « misérable dont le fiel bat monnaie de calomnie », « Grec difforme et insulteur », poussé par sa propre vilenie à ne voir partout que difformité[2].

1. On assista, en 1999, à un autre centenaire : celui de la naissance de Jorge Luis Borges. Ian McEwan et moi lui rendîmes hommage à la Bibliothèque de Londres. L'événement, qui se déroula dans une atmosphère de célébration chaleureuse, fit l'objet d'une attaque au vitriol, presque léniniste, dans un grand journal. Pour être extrêmement trivial, cet exemple n'en est pas moins éloquent. Le journaliste écrivit que je portais un costume « passé de mode ». Mais un costume « à la mode », vous pouvez en être certain, n'eût en réalité pas mieux valu.

2. Le seul problème, c'est que Thersite, en tant que personnage shakespearien, demeure irrésistible. Mon passage préféré de la pièce n'est pas vraiment représentatif de lui, il nous montre plutôt un autre aspect de son caractère. Au cours d'une bataille :

Arrive Hector

HECTOR, *apercevant Thersite* : Qui es-tu, Grec ? Es-tu un adversaire pour Hector ? Es-tu de race et d'honneur ?

THERSITE : Non ! non ! Je suis un gueux ! un malingreux ! un injurieux maroufle ! un crapuleux chenapan.

HECTOR : Je te crois ! Vis ! (*Il s'en va.*)

THERSITE : Dieu soit loué ! tu m'as cru ! Mais que la peste te rompe le cou pour m'avoir fait peur !...

Assez. Nabokov, je le crains, aurait trouvé ce biographe trop lent pour ses desseins. Et les conspirateurs et autres intrigants de Balzac, par exemple, l'auraient tout de suite expulsé de leurs pages en prenant prétexte de sa piètre naïveté. De toute façon, Eric est trop *british.* Maintenant, je me dis que V.S. Pritchett aurait compris son personnage en un éclair. Et il y a un autre écrivain qui, s'il avait entendu toute l'histoire, l'aurait peut-être sauvé du désastre : Kingsley Amis.

Addendum : Lettre à ma tante

Le 8 novembre 1999

Chère Miggy,

Voici une lettre que je n'enverrai jamais, publiée dans un livre que tu ne liras jamais. Pourtant, je ne pouvais pas mettre le point final sans t'adresser quelques mots, même laconiques et provisoires.

Au printemps, Isabel et moi avons amené Fernanda et les garçons en Espagne, pour voir ta sœur. Je sais que tu as passé quelque temps dans la maison de Ronda il y a vingt-cinq ans. J'y étais aussi. Mais je ne sais pas si tu as vu leur casita dans le campo, juste à la sortie de la ville. C'est là qu'elle vit maintenant avec Ali (Jaime, qui habite Séville, fait sans cesse l'aller-retour). C'est plutôt spartiate chez eux. En hiver, dit maman, il lui faut au moins une heure pour s'habiller avant d'aller se coucher, car elle doit superposer des couches et des couches de vêtements. Elle s'est fait opérer du genou et c'est une réussite totale ; pour la première fois depuis des années, elle ne se plaint plus d'avoir mal. Mais il ne s'agit pas seulement de son genou. C'est une vraie campagnarde maintenant, et elle a enfin trouvé ce qu'on lui souhaitait tous : une vie après Kingsley. Elle a des poulets et des chiens. (Mais elle s'est débarrassée des deux chèvres qui pouvaient se sauter dessus et rester sans bouger l'une sur l'autre.) Ça m'a rappelé la cour de ta maison quand j'avais dix ans, la vie anarchique qui l'animait, les cocoricos et les aboiements, les courses effrénées auxquelles se livraient les enfants les plus turbulents du monde. Fernanda a arraché ses vêtements et elle est partie dans le poulailler « ramasser » les œufs. Un mot qu'elle a vite adopté, « ramasser », pour l'ajouter à la petite masse de son vocabulaire.

Marian m'avait fait part de tes réserves si j'essayais de commémorer le souvenir de ton autre fille, Lucy. Nous avons donc commencé à nous écrire. Tu m'as expliqué tes raisons, d'une main qui traçait des lettres droites et vigoureuses, mais qui m'évoquait pourtant celle de ma mère (exception faite des célèbres fautes d'orthographe qui les émaillaient). Tes réserves ne se sont pas dissipées. J'avais déjà commencé le livre, mais je n'arrivais pas à le continuer. Lorsque je me mettais à écrire, je sentais l'absence concrète de ta bénédiction. Puis, un jour, j'ai eu une intuition qui prenait la forme d'une certitude que je n'avais encore jamais éprouvée : j'ai compris qu'il n'y avait qu'un seul être à qui tu la donnerais, ta bénédiction.

Nous étions venus déjeuner chez toi, t'en souviens-tu ? Ce n'était pas la première fois que je retournais au Moulin dans ma vie d'adulte. Le village, le chemin qui conduisait à la maison, l'allée circulaire et sa meule, ta pelouse, tes étangs, tes asters d'automne... Dans ce jardin, je me suis rappelé que j'avais couru comme un fou, bondissant d'un indice à l'autre (c'est comme ça que tu parlais, je crois) pour chercher les œufs de Pâques que tu y avais cachés. Cela faisait presque quarante ans. Maintenant, le village a l'air d'avoir été assaini. On n'y croise plus de troupeau dévalant le chemin (« v'là les vaches ! ») et ton jardin n'est plus l'univers clos, mais infini, tel que je l'imaginais quand j'étais gosse. « C'est tout petit, en fait ! » Mais il continue à me ravir, comme un monde d'avant la chute. Je sentais aussi l'excitation fascinée qu'il suscitait chez ma fille, qui n'avait pas tout à fait deux ans à l'époque. Aujourd'hui, c'est son troisième anniversaire. Le goûter de fête vient de se terminer, la maison est encore pleine de ballons.

Cet après-midi-là, on était censés parler de Lucy, toi et moi, et de la légitimité dont je pouvais me prévaloir pour écrire sur elle. Mais on savait tous les deux que cette discussion n'aurait pas lieu. Pour cela, il nous aurait fallu être seuls en tête à tête pendant au moins six mois. D'ailleurs, il aurait été inutile d'essayer de te faire changer d'avis. Ce n'était pas ce qu'il fallait. Il fallait tout autre chose que te faire céder, et j'étais incapable d'y parvenir. Seule ma fille en était capable.

Tu m'as écrit peu de temps après cette visite. En te réveillant un matin, disais-tu, toutes tes réserves s'étaient trouvées remplacées par un sentiment de paix. Et tu me donnais ta bénédiction. Tu me livrais aussi tes impressions sur Fernanda... J'ai retiré la lettre de la boîte fixée au portail de la maison et je l'ai lue en marchant vers Camden Town. À mon retour, j'ai tendu l'enveloppe à Isabel en lui disant, sans triomphalisme mais avec un respect teinté d'humilité : « Le pouvoir de Fernanda. » Je n'en avais jamais douté, mais il reste quand même extraordinaire, le pouvoir de ces petites filles.

Je n'avais pas prévu qu'elle te rappellerait Lucy, même si c'est ce que tu m'as écrit. Tout ce que je savais pour de bon, c'est qu'elle ne te laisserait pas indifférente, qu'elle te toucherait. Elle n'est pas venue au monde pour y effectuer un bref passage. Comme Lucy, Fernanda ne laisse personne indifférent. Impossible de passer quelque temps avec elle sans en garder quelque chose. Lucy possédait cette qualité, une et indivise : la magie. Et quand le moment est venu de partir, Fernanda a refusé de quitter la cour. Elle s'est élancée vers toi comme si tu pouvais la délivrer de son devoir.

Je t'envoie quelques autres photos d'elle, ainsi que deux ou trois de sa sœur aînée, Delilah (dont je t'ai parlé dans mes lettres où je brodais sur l'inconscient, sur l'angoisse muette), et deux ou trois autres, enfin, de sa sœur *cadette* : la toute petite Clio.

Il y a aussi Louis et Jacob.

Je t'embrasse comme toujours.

Ton neveu,

X
X MARTIN X
X

SOURCES

Pour les citations, on a repris, parfois en les modifiant légèrement, les traductions existantes des textes suivants :

Kingsley Amis, *Une fille comme toi* (*Take a Girl Like You*), trad. Jean Autret, Plon, 1965.
Kingsley Amis, *J'en ai envie tout de suite* (*I Want It Now*), trad. Claude Elsen, Stock, 1969.
Kingsley Amis, *Jim-la-chance* (*Lucky Jim*), trad. Rose Celli, Plon, 1956.
Kingsley Amis, *La moustache du biographe* (*The Biographer's Moustache*), trad. Pierre Lalet, Payot, 1998.
Kingsley Amis, *Sur la fin* (*Ending Up*), trad. Isabelle Chapman, Payot, 1999.
Kingsley Amis, *Les vieux diables* (*The Old Devils*), trad. Marie-Anne Esquivié et Geneviève Vergerio, Littérature européenne, coll. Douze étoiles, 1988.
Martin Amis, *Le dossier Rachel* (*The Rachel Papers*), trad. Patrick de Rosbo, Albin Michel, 1977.
Martin Amis, *La flèche du temps* (*Time's Arrow*), trad. Géraldine Koff-D'Amico, Bourgois, 1993.

Martin Amis, *Money, money* (*Money*), trad. Simone Hilling (1987), Gallimard, coll. Folio, 2002.
Martin Amis, *Les monstres d'Einstein* (*Einstein's Monsters*), trad. Géraldine D'Amico, Bourgois, 1990.
Martin Amis, *Train de nuit* (*Night Train*), trad. Frédéric Maurin, Gallimard, 1999.
Saul Bellow, *Le cœur à bout de souffle* (*More Die of Heartbreak*), trad. Henri Robillot, Julliard, 1989.
Saul Bellow, *La Bellarosa connection*, trad. Robert Pépin, Julliard, 1991.
Saul Bellow, *En souvenir de moi* (*Something to Remember Me By*), trad. Pierre Grandjouan, Plon, 1995.
Saul Bellow, « Un petit plat d'argent » (« A Silver Dish »), in *Les manuscrits de Gonzaga*, trad. David Guinsbourg, Flammarion, 1981.
Saul Bellow, *Ravelstein*, trad. Rémy Lambrechts, Gallimard, 2002.
Saul Bellow, *Tout compte fait : du passé indistinct à l'avenir incertain (It All Adds Up : From the Dim Past to the Uncertain Future*), trad. Philippe Delamare, Plon, 1995.
Allan Bloom, *L'âme désarmée* (*The Closing of the American Mind*), trad. Paul Alexandre, Julliard, 1987.
Jorge Louis Borges, « Les ruines circulaires », in *Fictions*, trad. P. Verdevoye, Ibarra et Roger Caillois, Gallimard, nouvelle édition augmentée, 1983.
Joseph Conrad, *Typhon*, trad. André Gide, Gallimard, Coll. Folio bilingue, 1991.
Don DeLillo, *Outremonde* (*Underworld*), trad. Marianne Véron en collab. avec Isabelle Reinharez, Actes Sud, 1999.
John Donne, « Nocturne pour la Sainte-Lucie, le jour le plus court de l'année » (« A Nocturnall Upon S. Lucies

Day, Being the Shortest Day »), in *Poésie*, trad. Robert Ellrodt, Imprimerie nationale, 1994.

E. M. Forster, *Route des Indes* (*A Passage to India*), trad. Charles Mauron, Plon, 1927.

Richard Ellman, *James Joyce*, trad. André Cœuroy et Marie Tadié, Gallimard, 1962.

Gogol, Nicolas, *Les âmes mortes*, trad. Henri Mongault, Gallimard, 1925.

Graham Greene, *Rocher de Brighton* (*Brighton Rock*), trad. Marcelle Sibon, R. Laffont, 1947.

James Joyce, « Prière » (« A Prayer »), in *Poèmes d'api* (*Pomes Penyeach*), in *Œuvres*, tome 1, sous la direction de J. Aubert, Gallimard, Bibliothèque de la Pléiade, 1982.

James Joyce, *Finnegans Wake*, trad. Philippe Lavergne, Gallimard, 1991.

James Joyce, *Ulysse* (*Ulysses*), trad. Auguste Morel revue par Valery Larbaud, Stuart Gilbert et l'auteur, in *Œuvres*, tome 2, sous la direction de J. Aubert, Gallimard, Bibliothèque de la Pléiade, 1995.

Franz Kafka, « Un jeûneur », in *Un jeûneur et autres nouvelles*, trad. Bernard Lortholary, GF-Flammarion, 1993.

Philip Larkin, « Aubade », « Les mariages de la Pentecôte », « Que ceci soit le vers » et « Les vieux fous », in *Church Going*, trad. Guy Le Goffet, Solin, 1991.

Philip Larkin, « Argent », in *Où vivre, sinon ?*, trad Jacques Nassif, Orphée/La Différence, 1994.

John Milton, *Le Paradis perdu* (*Paradise Lost*), trad. François-René de Chateaubriand, 1852.

Vladimir Nabokov, *Autres rivages* (*Speak, Memory*), trad. Yvonne Davet, éd. revue et augmentée, Gallimard, 1989.

Vladimir Nabokov, *Feu pâle* (*Pale Fire*), trad. Raymond Girard et Maurice-Edgar Coindreau, Gallimard, 1965.

Vladimir Nabokov, *Intransigeances* (*Strong Opinions*), trad. Vladimir Sikorsky, Julliard, 1985. (Également paru sous le titre *Partis pris*, R. Laffont, 1985, et repris dans la collectin 10/18.)

Vladimir Nabokov, *Lolita*, trad. Maurice Aucouturier, Gallimard, 2001.

Vladimir Nabokov, *Pnine* (*Pnin*), trad. Michel Chrestien, Gallimard, 1962.

Vladimir Nabokov et Edmund Wilson, *Correspondance : 1940-1971*, éditée par Simon Karlinsky (*The Nabokov Wilson Letters*), trad. Christine Raguet-Bouvart, Rivages, 1988.

Philip Roth, *Portnoy et son complexe* (*Portnoy' s Complaint*), trad. Henri Robillot, Gallimard, 1970.

William Shakespeare, *Hamlet*, trad. Yves Bonnefoy, Gallimard, 1957.

William Shakespeare, *Troïlus et Cressida*, trad. François-Victor Hugo, in *Œuvres complètes*, Gallimard, Bibliothèque de la Pléiade.

William Butler Yeats, « Il souhaiterait posséder les voiles du ciel » (« He Wishes for the Cloths of Heaven »), trad. Raymonde Popot, in *Yeats*, Cahiers de l'Herne, 1981.

PREMIÈRE PARTIE

DANS LES LIMBES

SECONDE PARTIE

L'ESSENTIEL DE LA VIE

Cet ouvrage a été composé
par Graphic-Hainaut.
et achevé d'imprimer par la
Société Nouvelle Firmin-Didot
à Mesnil-sur-l'Estrée, le 26 mai 2003.
Dépôt légal : mai 2003.
Numéro d'imprimeur : 64116.

ISBN 2-07-076016-2/Imprimé en France.

97738